D0636395

Bombmakaren och hans kvinna

Leif GW Persson

Bombmakaren och hans kvinna

En roman om ett brott

ALBERT BONNIERS FÖRLAG

Av Leif GW Persson har tidigare utgivits:

Grisfesten 1978
Profitörerna 1979
Samhällsbärarna 1982
Mellan sommarens längtan och vinterns köld 2002
En annan tid, ett annat liv 2003
Linda – som i Lindamordet 2005
Faller fritt som i en dröm 2007
Den som dödar draken 2008
Den döende detektiven 2010
Gustavs grabb 2011
Den sanna historien om Pinocchios näsa 2013

www.albertbonniersforlag.se

I

Måndagen den 11 maj

Den engelske kollegan
har hört av sig

I

"Den engelske kollegan har hört av sig", sa generaldirektören till Lisa Mattei. Det var måndagen den 11 maj. Det var så det hade börjat och det hade också inneburit slutet på något helt annat.

Redan veckan före hade Lisa Mattei bestämt att måndagen den 11 maj skulle bli en särskild dag där hon försökte fånga åtminstone en av dessa dagar som annars skulle gå förlorad i det liv av arbete hon numera levde. En mor-dotter-dag med henne och hennes enda barn, Elina, eller Ella som hon själv och alla andra kallade henne, som hade fyllt fem för ett par månader sedan. En liten sak som dock hade krävt omfattande förberedelser som egentligen var obegripliga med tanke på att det bara handlade om att hon skulle få umgås med sitt eget barn.

Först hade hon pratat med dagis och sedan med sin man, Johan. Mötts av både förvåning och en antydan till underliggande oro. Det hade väl inte hänt något?

– Nej, verkligen inte. Jag vill träffa Ella, sa Lisa. Hon och jag ses alldeles för lite.

Svårare än så var det ju inte, tänkte hon, och sitt dåliga samvete avsåg hon inte att gå in på.

Därefter hade hon meddelat sin chef generaldirektören att hon skulle ta ut en semesterdag på måndagen veckan därpå för att umgås med sin dotter, och att hennes ställföreträdare därför måste ta hand om bland annat allt det praktiska i samband med måndagens obligatoriska stabsmöte med Säkerhetspolisens ledning.

Generaldirektören hade stöttat hennes beslut – "helhjärtat och av egen erfarenhet". Klart hon skulle ta en ledig dag för att träffa sin dotter och han visste precis vad hon talade om. Själv pappa till fyra barn, låt vara att de var "stora nu".

Stora och stora, hade Lisa tänkt. Det yngsta var fyra år äldre än Ella och det äldsta skulle ta studenten till sommaren. Dessutom fördelade på tre fruar och en mer tillfällig bekantskap som sannolikt kommit in för att underlätta övergången mellan andra och tredje hustrun och bara "råkat" bli med barn.

– Bra att vi är överens, sa Lisa Mattei och det som i övrigt rörde sig i hennes huvud behöll hon för sig själv.

När allt var ordnat hade hon pratat med Ella. Ella hade blivit glad men hennes mamma hade mest noterat förvåningen i hennes ögon. Är det så illa, hade hon tänkt samtidigt som hennes dåliga samvete hade gett henne en uppfordrande knuff.

Måndagen den 11 maj fick Ella vakna utan att bli väckt och när hon väl hade gjort det hade hon krupit ner i sin mammas säng och omgående somnat om.

Lisa hade vaknat som vanligt klockan sex på morgonen. Duschat och druckit dagens första kopp te medan hon läst morgontidningarna. Ella hade fortfarande sovit djupt när Lisa tittat in till henne för tredje gången på en timme och i brist på bättre hade hon gått och lagt sig igen. Känt av en stigande rastlöshet, fått ännu en knuff av sitt dåliga samvete – något hårdare den här gången – innan hennes dotter äntligen kommit in i sovrummet, gett henne en kram, gosat in sig vid hennes sida och somnat om.

När Ella väl vaknade andra gången skulle hon ha varit på dagis sedan en timme tillbaka om det nu hade varit en vanlig dag, vill säga. Istället hade de badat skumbad, turats om att borsta varandra på ryggen, och först efter tio på förmiddagen hade de ätit frukost. Morgonrocksfrukost, som det ju ska vara på en särskild dag, där Ella fick bestämma menyn. Hon ville ha samma frukost som hon alltid fick när hon sov över hos sin mormor.

– Vad är det då? frågade Lisa.

– Det är en hemlighet, sa Ella, skakade på huvudet och höll för säkerhets skull sitt högra pekfinger framför munnen.

– Jag lovar att inte säga något, sa Lisa. Dessutom måste jag ju veta vad du vill ha, om jag ska kunna laga någon frukost, alltså.

– Våfflor med jordgubbesylt och ett stort glas juice. Fast inte äppeljuice. Jag vill ha sån där med mandarin. Den är mycket godare. Jag vet att vi har hemma, sa Ella och nickade mot kylskåpet.

– Våfflor med jordgubbesylt, sa Lisa och nickade även hon. Undrar vad som hände med havregrynsgröten som mamma brukade proppa i mig när jag var barn, tänkte hon.

– Ja, och sedan vill jag ha en kaffe latte också.

– Brukar mormor bjuda dig på kaffe?

Jag måste prata med henne, tänkte hon.

– Fast mycket latte. Jag brukar få med vispgrädde och sånt där brunt socker.

– Okej, sa Lisa. Det låter gott. Då ska jag fixa det.

Det är ju ändå en särskild dag, tänkte hon och den här gången höjde hennes samvete inte ens fingret mot henne.

Medan de åt frukost pratade de om vad de skulle göra under resten av dagen. Ute sken solen från en molnfri himmel, vindstilla och försommarvärme. Allt det där som man hade rätt att kräva av en dag som denna.

Ella ville gå på Skansen, nu när småbjörnarna hade vaknat efter att ha sovit hela vintern, och på vägen dit kunde de stanna till i parken nere vid Djurgårdsbrunnskanalen och mata änderna. Lisa hade nickat gillande åt detta. Hög tid att även hon fick mata änderna nere vid kanalen och gå på Skansen och titta på djuren. Måste ha varit minst trettio år sedan sist, tänkte hon, och den gången var det säkert hennes pappa som hade följt med henne eftersom hennes mamma som vanligt varit fullt upptagen på sitt jobb.

– Låter som ett toppenbra program, konstaterade Lisa.

Är det så de säger, tänkte hon. Toppenbra? Galet bra? Eller är de äldre än Ella när de säger så?

– Oh my God… Yeesss, sa Ella, och gjorde high-five med båda händerna.

Medan Lisa dukade av, stoppade in i diskmaskinen och så diskret som möjligt försökte göra sig av med den överblivna våffelsmeten fyllde hennes dotter en plastkasse med både gammalt och färskt bröd samt en kartong med russin som hon hittat i skafferiet.

Sedan klädde de sig med omsorg inför en dag av frihet och utomhusaktiviteter och när de väl stod ute i hallen för att bara sätta på sig skorna innan de uppsökte allt det där som väntade dem båda därute ringde det på Lisa Matteis mobiltelefon och både hon och Ella förstod att i det ögonblicket hade deras särskilda dag tagit en helt oplanerad vändning och fått ett abrupt slut.

Trots att hon bara var fem år fattade hon precis. Det kunde hennes mamma se i hennes ögon. Så illa är det alltså, tänkte Lisa innan hon svarade.

– Jag förstår att det har hänt något, sa Lisa Mattei. Ett konstaterande, inte en fråga. Klockan elva och arton och redan ajöss med den dagen, tänkte hon.

2

– Lisa, ja, jag beklagar verkligen, men det har hänt saker som gör att du måste komma hit så fort som möjligt, sa hennes chef.

– Då är vi tre som inte är så glada, sa Lisa Mattei. Jag och Ella skulle just gå till Skansen.

– Du behöver inte oroa dig för det praktiska, fortsatte hennes chef som inte verkade ha hört vad hon sa. Jag skickar en bil som hämtar er, kör Ella till dagis och dig direkt till jobbet. Jag har redan bett Karin att ringa till dem och meddela att Ella är på ingående och att...

– Vi gör så här istället, avbröt Mattei. Ring till vårt samband hos ordningspolisen och be dem skicka en målad bil hem till mig.

En femåring kunde inte vara "på ingående" till sitt eget dagis och så enkelt tänkte hon inte ge sig.

– En målad bil? Du menar en radiobil?

– Ja, med två trevliga kolleger i uniform som kan tänka sig att tillbringa en timme på Ellas dagis.

– Ja, jo, självklart. Nyfiken fråga: Varför kan inte vi själva ta hand om transporten?

– Damage control, sa Lisa Mattei.

– Damage control?

– Vi tar det sedan, sa Lisa. Jag är på jobbet inom en timme.

Ella hade redan börjat sätta på sig skorna. Inga hörbara protester, ingen gråt, försökte inte spjärna emot på minsta vis. Istället formade hon pekfinger och tumme på höger hand till en rund ring medan hon lade huvudet på sned och log mot sin mamma. Det var deras hemliga tecken att det som hade hänt inte betydde något annat än att de fick börja om från noll igen. Börja om från början och att allt nog skulle ordna sig till det bästa nästa gång de försökte.

Hon är alldeles för snäll, alldeles för lillgammal, precis som jag själv var när jag var barn, tänkte Lisa. Den här gången skulle hon ha föredragit att hennes dotter bara hade slängt sig på golvet och gråtit, skrikit och sparkat som många andra barn i hennes ålder skulle ha gjort. Inte bara kramat hennes hjärta mellan pekfingret och tummen på sin lilla högerhand.

3

Lisa Mattei hade tagit taxi från Ellas dagis, som låg på Valhalla-vägen på Östermalm, till sitt kontor i Säkerhetspolisens nya högkvarter ute i Solna.

Trafiken hade varit måttlig, hennes chaufför hade kört henne dit på tio minuter vilket var obetydligt mer än om ett par av hennes kolleger hade gjort samma sak och använt både blåljus och siren på vägen. Eftersom hon också var den hon var hade hon som sista åtgärd innan hon klev ur bilen noterat tiden för sin ankomst till jobbet på sin mobil. Måndag den 11 maj klockan 11.59 och nitton minuter till godo på det löfte hon hade gett till sin chef när han hade ringt till henne fyrtioen minuter tidigare. Samma dag som skulle ha blivit en särskild dag för henne och hennes enda dotter.

Istället hade hon tänkt dystra tankar under hela vägen. Tänkt på allt yrkesmässigt elände som i hennes fall numera nästan alltid började med ett telefonsamtal, och ju kortare samtal desto värre brukade det bli.

När hade det blivit på det viset? tänkte Lisa Mattei. När hon hade varit ung ordningspolis i Stockholm för drygt tjugo år sedan och vid åtskilliga tillfällen hamnat i akuta situationer, till och med handgemäng, med människor som mådde så dåligt att de måste omhändertas eller gripas med våld, hade det aldrig börjat så. Hon och hennes kolleger hade fått ett anrop på radion, eller bara hamnat där ändå av egen kraft, och det som sedan hade hänt tedde sig i efterhand som rena semestern jämfört med det som numera brukade föregås av ett kort samtal på telefon.

Nu levde hon ett annat liv. Hur nu det hade gått till, tänkte Lisa Mattei när hon klev in på sitt kontor.

Mötet hölls på hennes chefs rum. Bara han och hon. Inga andra. Dörren stängd.

Eftersom även han var den han var hade han inlett deras samtal med att prata om annat. Först upprepat sitt djupt kända beklagande som han framfört på telefon knappt en timme tidigare. Därefter frågat om hon ville ha något att dricka? Vatten, te, kanske kaffe, trots att han vid det här laget hade förstått att hon ytterst sällan drack kaffe.

Så det har du räknat ut efter drygt tre månaders i stort sett daglig samvaro, tänkte Lisa Mattei. Grattis, grabben.

– Nej, det är bra ändå, sa Mattei. Jag har förstått att vi har ett ärende?

– Kommer till det, kommer till det, sa GD. Lutade sig fram mot henne över sitt stora skrivbord och log med både sina blåa ögon och sina vita tänder.

– Men först måste du stilla min nyfikenhet, fortsatte han. Det där med att du ville ha en radiobil som körde dig och din dotter och att det handlade om damage control. Det förstod jag faktiskt inte.

– Då ska jag förklara det, sa Mattei.

Manligt maktspråk, tänkte hon. Först ett varv eller två av den obligatoriska tuppdansen innan han kom till saken, trots att han i själva verket höll på att spricka av förtjusning över alla hemligheter som han snart skulle få berätta om.

– Du ska få den korta versionen, fortsatte Mattei. Saken är den att Ella har berättat på sitt dagis att hennes mamma är polis. På senare tid har några av de äldre pojkarna retat henne och sagt att det har hon bara hittat på för att göra sig märkvärdig. Ellas mamma ser nämligen inte ut som en polis. Hon ser ut som alla andra mammor gör. På det dagiset åtminstone. Därför tänkte jag att det kanske var lämpligt att försöka kompensera henne för det uteblivna besöket på Skansen och allt det där andra som vi hade tänkt göra, damage control har jag för mig att vi brukar kalla det, genom att låta henne åka riktig polisbil till dagis och ordna så att två uniformerade kolleger fick följa med oss in och umgås åtminstone en timme med Ella och hennes dagiskompisar. Det var väl det hela, och när jag lämnade henne verkade det fungera alldeles utmärkt.

Vilket är mer än vad jag har förtjänat, tänkte hon.

Hennes chef hade intagit position två. Lutade sig tillbaka i sin stol, vägde på den för säkerhets skull, knäppte händerna över magen medan han nickade med fryntlig min, munnen stängd och enbart mungiporna uppdragna den här gången.

– Då förstår jag vad du menar, sa han. Fast våra kolleger från ordningen måste väl ändå ha undrat.

– Nej, sa Mattei och skakade på huvudet. Inte det minsta, faktiskt. De fattade direkt vad det handlade om. Det var två kvinnliga kolleger, nämligen.

Där fick du lite gott att suga på, lilla gubben, tänkte Mattei trots att hon i vanliga fall noga undvek att ens tänka på den legendariske kollega vid polisen i Solna som hade myntat själva begreppet.

– Jaha, ja, sa GD. Ja, det kanske är hög tid att jag informerar dig om varför jag var tvungen att be dig komma hit? För säkerhets skull harklade han sig också innan han började flytta papper mellan högarna på sitt skrivbord.

– Ja, vill du göra det, sa Mattei och log vänligt mot honom.

– Visst, självklart, sa hennes chef. Lutade sig fram över bordet och stödde på armbågarna. Allvarlig nu.

– För drygt en timme sedan bestämde vi inom ledningsgruppen att höja vår nationella beredskap ett snäpp. Beslutet var för övrigt enhälligt och innan vi hade vårt möte övervägde jag faktiskt att ringa in dig redan då.

Mattei nöjde sig med att nicka. Det var för väl att du inte gjorde det. Ringde mitt i våfflorna och jordgubbssylten, tänkte hon.

– Skälet till detta är att den engelske kollegan har hört av sig nu på morgonen och anledningen är tyvärr inte särskilt uppmuntrande.

4

Innan hennes chef kom in på den konkreta orsaken till att den engelske kollegan hade ringt och berättat om något som tydligen var så pass illavarslande att den svenska säkerhetspolisen redan hade beslutat att höja sin nationella beredskap ville han dock städa undan "allt det där praktiska".

– Jag har ordnat allt det där praktiska åt er, sa hennes chef. Du och dina medarbetare blir tvungna att åka till England över dagen, men jag lovar att ni kommer att vara tillbaka redan i kväll. Ni kommer till och med att få ett eget flygplan som engelsmännen låter oss disponera. Det står ute på Bromma, på privatterminalen, och väntar på er. Kommer att ta er direkt till platsen för ert möte, som tydligen är någon militär flygbas norr om London. Beräknad flygtid två timmar och trettio minuter. Direkt efter avslutat möte flyger ni tillbaka hit.

– Låter väldigt praktiskt, instämde Mattei och log vänligt. Låter som om Karin har haft en del att göra, tänkte hon, och den hon tänkte på var deras gemensamma sekreterare.

– Jo, den engelske kollegan har varit högst tillmötesgående, instämde chefen. Tydligen hampade det sig så lyckligt att planet redan stod här, ute på Bromma, alltså. Deras ambassadör i Stockholm flög in några högt uppsatta gäster i går och eftersom de inte ska åka tillbaka förrän sent i kväll kan vi alltså använda oss av deras eget plan. Som jag fattat det är det ett av deras regeringsplan. Engelsmännen lär visst ha ett halvdussin sådana.

– Fantastiskt, sa Lisa Mattei, som slutat tro på den typen av sammanträffanden redan under sin första vecka som polis.

– Ja, verkligen. Det är en sådan där affärsjetkärra, du vet, men den har plats för tio passagerare så mitt förslag är att du tar med dig alla som kommer att sitta i din spaningsledning. Att de får vara med från starten om jag…

– Ursäkta att jag avbryter dig, men vad handlar det här egentligen om? Rent konkret, alltså. Vad är det för information som engelsmännen har gett oss? frågade Lisa Mattei.

– Tänkte just komma till det, sa hennes chef. Enligt den engelske kollegan har man tydligen fått in mycket säkra uppgifter om att en grupp av terrorister som tillhör al-Shabaab planerar att genomföra en terroristaktion här i Sverige. Vi talar om en så kallad självmordsbombare. Kärngruppen består av fler än ett tiotal personer som alla tycks tillhöra samma familj. Samtliga svenska medborgare och bosatta här sedan länge.

– Hur pass säker är han på det?

– Näst intill helt säker, svarade hennes chef. Om jag fattat saken rätt, betyder helt säker i det här sammanhanget att det som man fått information om snart ska till att inträffa, att förberedelserna för att genomföra attentatet är avslutade och att man därmed passerat gränsen för ett straffbart försök, som vi jurister skulle formulera saken. Eller att det i värsta fall… ja… du förstår säkert vad jag menar.

– Var, när, hur? frågade Lisa Mattei. al-Shabaab, måste vara somalier, tänkte hon.

– På nationaldagen den sjätte juni, det vill säga om tjugosex dagar. Vad det konkret handlar om är alltså en så kallad självmordsattack riktad mot kungen och drottningen och flera medlemmar av den svenska regeringen. Mer än så ville han inte berätta på telefon. Allt övrigt ska vi få när ni träffas hos dem. Han hade också ett villkor för att lämna över den här informationen.

– Vad var det då?

– Ja, även på den punkten var han ganska knapphändig, men

han lovade att utveckla sina synpunkter när han och du träffas. Dessutom trodde han inte att vi skulle ha några invändningar mot det eftersom vi säkert skulle ha valt att agera på samma sätt. Lisa Mattei nöjde sig med att nicka. Låter som om den engelske kollegan hade fler bollar i luften, tänkte hon. Och precis som alla andra som var som han – eller hon själv med för den delen – föredrog han att få fånga upp dem i den ordning som han själv bestämde.

– Ja, det var väl det hela, upprepade hennes chef och kollade för säkerhets skull på ett papper med handskrivna anteckningar som han höll i handen.

– Nationaldagen, kungahuset och regeringen. Låter som svenska flaggans dag på Solliden på Skansen, konstaterade Mattei som var väl påläst på alla redan planerade och kritiska situationer. Från utländska stats- och regeringsbesök till vanliga nöjes- och idrottsevenemang som kunde vara politiskt känsliga.

– Ja, jag tror som du. Men det är allt jag vet, sa hennes chef. Samtidigt är jag övertygad om att han kommer att ge dig den fullständiga bilden så fort ni träffas. Allt som man vet, kort sagt.

Det skulle väl i så fall vara första gången. Låter som rena tjänstefelet i den här verksamheten, tänkte Mattei, men eftersom hennes chef var hög jurist med sina rötter i politiken och en bakgrund i regeringskansliet, inte polis som hon, så tänkte hon inte ta den diskussionen. Inte med honom i varje fall. Att hon och Ella också skulle hinna gå på Skansen och titta på alla småbjörnarna kunde hon däremot glömma.

– Det är två saker jag undrar över, sa hon. För det första låter det här som ett typiskt ärende för vår terroristrotel. Varför inte skicka över rotelchefen?

– Den här insatsen är alldeles för stor för vår avdelning för kontraterrorism. Den kommer att kräva samordning mellan i stort sett alla avdelningar vi har. Vi får helt enkelt skräddarsy vår insats och den enda som kan leda det arbetet är du, Lisa. Du är den som ska leda särskilda insatser och du är min ställföreträdare.

Svårare än så är det inte. Det är faktiskt du som är vår operativa chef. Vad det inte så man sa förr om den som hade hand om själva jobbet på det här stället?

– Okej, sa Lisa Mattei. Då gör vi så.

Jag gillar läget, tänkte hon. Åtminstone tills vidare, till dess jag är klar över att det inte handlar om något annat som andra kan sköta bättre än jag. Så att jag och Ella äntligen kan gå på Skansen och titta på björnarna.

– Då har jag bara en fråga till, fortsatte hon. Vem är det jag ska träffa?

Vem av alla dessa engelska män som jobbade på ställen vars namn ofta bestod av ett stort M och ett stort I, följt av en enkel siffra, tänkte hon.

– Det är den här mannen, sa hennes chef och log samtidigt som han räckte över ett fotografi i A4-format. Ingen dålig samarbetspartner om du frågar mig och om inte annat visar valet av honom vilken vikt som engelsmännen har tillmätt det här ärendet.

– Har han något namn? frågade Mattei. Rena svärmorsdrömmen, tänkte hon medan hon tittade på fotot av honom som hon höll i handen.

– Han heter Jeremy Alexander. Jobbar på MI6 och om jag fattat saken rätt har han ungefär samma funktion på det stället som du har här hos oss.

Med den väsentliga skillnaden att en sådan som han också kan bestämma över andra människors liv, tänkte Mattei. Om han ska låta dem leva eller låta dem dö och trots att han säkert aldrig har träffat någon av dem som det handlar om. Det slipper lyckligtvis du, tänkte hon och därför nöjde hon sig med att bara nicka.

5

Som sista åtgärd innan hon lämnade kontoret skickade hon iväg ett kortfattat mejl till en tio år yngre väninna som visserligen var född i Sverige men sedan tonåren bott, studerat och arbetat i England. Hon var numera lärare och forskare i internationell politik vid Merton College i Oxford och om det var någon som visste vem deras engelske kontakt var så var det högst sannolikt hon.

Glöm aldrig bort att den värld du lever i är mycket mindre än vad alla andra tycks tro, tänkte Mattei.

Sedan hämtade hon sin väska, lämnade kontoret och tog hissen ner till garaget där hennes bil redan stod och väntade på henne.

Två timmar efter det att hon hade lämnat sin dotter på dagis anlände Lisa Mattei och hennes tre medarbetare till privatterminalen på Bromma flygplats och om det inte hade varit för hennes chef, som in i det sista ville diskutera sammansättningen av hennes spaningsstyrka, hade de förmodligen redan befunnit sig i luften. Den diskussionen hade hon till sist lyckats avsluta genom en kompromiss. Först förklarat det självklara för honom trots att det inte borde ha behövts. Att den frågan med fördel kunde anstå till dess att de visste vad deras uppdrog bestod i, för att därefter erbjuda sig att träffa honom innan hon satte sig ner med alla de medarbetare som skulle göra själva jobbet.

– Låter som en utmärkt idé, instämde hennes chef. Vad tror du om mitt rum klockan åtta i morgon bitti?

– Vad tror du om klockan sju? frågade Mattei. Jag hade faktiskt tänkt att vi skulle vara igång med det praktiska redan till lunch, förtydligade hon.

– Låter alldeles utmärkt, som sagt. Då säger vi så.

Enbart en kort och instämmande nick den här gången, plötsligt ämbetsmannamässig, anpassad till det nya läge som uppstått. Det första skarpa läget under hans drygt fyra månader som chef för Säkerhetspolisen.

Så har jag åtminstone tre veckor och tre dagar på mig att förhindra den stora smällen som ju engelsmännen mer eller mindre tycks ha lovat oss, tänkte Mattei.

6

Deras chaufför hade kört dem direkt ut på plattan till det väntande planet. Och precis som hon hade blivit lovad stod det och väntade på dem med trappan nerfälld. Stålblankt, stålblått, med tre motorer och utan några dekaler som antydde någon som helst anknytning till vanliga flygbolag eller kommersiella intressen över huvud taget.

Vad deras yttre beträffade stämde också besättningen väl överens med deras transportmedel. En manlig och en kvinnlig pilot i hennes egen ålder, smärta, vältränade, artiga men framför allt korrekta. En tio år äldre purser med en trivsam antydan till övervikt som log mer än de två andra tillsammans och pratade med en lätt irländsk brytning. Samtliga i välputsade svarta skor, blå kostymbyxor med knivskarpa pressveck, blå slips och bländvit skjorta. I övrigt inga som helst detaljer som visade vilka de var. Inte ens det där märket med de förgyllda vingarna på bröstfickan som annars närmast verkade vara ett obligatorium för dem som arbetade med passagerartrafik inom flyget. Men eftersom Lisa Mattei var den hon var hade hon bestämt sig för att ta reda på vilka även de egentligen var.

Så fort hon hade slagit sig ner och spänt fast säkerhetsbältet nickade hon kort mot pursern och ställde en fråga till honom.

– Den beräknade flygtiden, sa Mattei. Är den fortfarande två timmar och trettio minuter?

Innan han svarade stramade han av ren reflex upp sig och intog något, som med tanke på att han stod i mittgången på ett inte alltför stort flygplan, närmast var att likna vid militär enskild ställning.

– Yes, ma'am, svarade han. Two hours thirty minutes. We are taking off in five minutes and expect to land at base one five two zero, local time.

Säkerhetstjänstens eget plan med besättning från Royal Air Force, tänkte Mattei. Ännu bättre och givet att hennes engelske motsvarighet var som hon och inte lika omständlig och ordrik som hennes chef, fanns det till och med en chans att hon till kvällen skulle få träffa sin dotter innan hon hade somnat.

Ju färre desto bättre, hade Lisa Mattei tänkt när hon valt ut de tre av alla hennes drygt tusen arbetskamrater på Säkerhetspolisen som skulle följa med henne till södra England för att träffa deras engelske kollega.

Tre av drygt tusen och inga höga chefer som hon själv. Istället sådana som arbetade operativt utan att hämmas av alltför mycket administration, samtidigt som de hade tjänster som var höga nog för att de skulle kunna peka med hela handen åt dem vars arbete de skulle leda. Tillika tre personer som hon kände personligen och sedan länge, som hon litade obetingat på och som hon redan nu hade bestämt skulle ingå i hennes spaningsledning. Dessutom delade de ytterligare en egenskap som var nog så viktig med tanke på vem deras samarbetspartner var. De pratade alla flytande engelska.

Dan Andersson, som var kommissarie och biträdande chef på avdelningen för personskydd – eller "livvakterna" som man sa i huset – hade tillbringat flera år av sitt liv som polis i utrikes tjänst. Jobbat vid Europol, Interpol och två år som den svenska polisens sambandsman vid ambassaden i London. Linda Martinez, som var kommissarie och biträdande chef för alla spanarna på terroristroteln, gjorde det som en följd av sitt ursprung med en engelsk mamma och en pappa från Jamaica i Västindien, medan

Jan Wiklander, polisintendent och biträdande chef för deras underrättelseverksamhet, hade lärt sig på det där vanliga gammaldags viset, genom omfattande studier av det engelska språket och litteraturen, i kraft av att just språk var hans stora fritidsintresse.

Skönt att jobba med folk som vet vad durkslag heter på engelska, tänkte Mattei. Själv hade hon ingen aning men om det skulle behövas var det väl inte värre än att hon tog reda på det med hjälp av sin smartphone.

Märkligt, tänkte Mattei. När hon hade lämnat Ella på dagis för drygt två timmar sedan hade hon varit på ett bedrövligt humör. Nu mådde hon som vanligt igen. Vilket väl bara visade hur illa det numera var ställt med henne, tänkte hon.

Mattei och hennes reskamrater hade slagit sig ner i en sittgrupp bestående av fyra breda och bekväma fåtöljer som stod ställda parvis mot varandra. Inte det minsta lika vanliga flygplanssäten, med gott om benutrymme och ett väl tilltaget bord mellan dem där det fanns plats för såväl tallrikar och glas som alla tänkbara papper om man föredrog att arbeta medan man åt.

Så fort de hade planat ut på sin marschhöjd och skyltarna till säkerhetsbältena hade släckts hade deras purser kommit in i kabinen och erbjudit dem en sen lunch. Visserligen lite försenad... vilket han uppriktigt beklagade... men eftersom det nu var som det var i det här jobbet... vilket de säkert visste bättre än han... fick man laga efter lägenhet... och göra så gott det gick.

Själv hade han gjort sitt bästa utifrån de förutsättningar som rådde och vad han kunde erbjuda dem var antingen kokt lax med spenat och vitvinssås eller osso bucco med svamprisotto som huvudrätt. I båda fallen en liten varm krabbkaka som inledande aptitretare, därefter en bit ost och en chokladbit till kaffet. Eller till sitt te om man nu föredrog det som avslutning på sin måltid, och av någon anledning nickade han artigt mot just Mattei när han sa det.

När det gällde drycker till maten var han lyckligtvis bättre rustad. Det fanns i stort sett det mesta ombord, champagne, öl, vin, givetvis starkare saker än så om någon så önskade, mineralvatten... självfallet... såväl med som utan kolsyra.

Han hade gjort sitt bästa, kort sagt, även om han ibland kände sig som Napoleons kock måste ha känt sig vid Marengo. I all blygsamhet, givetvis, och inga jämförelser i övrigt.

Det hade inte blivit någon vanlig arbetslunch. Med tanke på omständigheterna hade det istället blivit en högst ovanlig lunch och den som hade åstadkommit den saken var Linda Martinez.

Hon ville ha osso bucco, och allt det där andra också för den delen, och till maten ville hon ha en stor starköl. Om någon av hennes reskamrater hade invändningar på just den punkten ville hon redan från början göra klart att hon faktiskt hade blivit inkallad på sin semester. Hon satt där hon satt beroende på sin goda vilja att alltid ställa upp och om någon hade problem med hennes dryckesval var det väl inte värre än att man bad någon annan istället.

Martinez hade fått starkt stöd från oväntat håll. Först hade Wiklander gjort klart att han utifrån sina tidigare erfarenheter av de engelska kollegorna närmast såg en taktisk fördel i att redan nu anpassa sig till deras lunchvanor. Utan att för den skull göra alltför stort avkall på vedertagen svensk måttlighet, givetvis. Han kunde således tänka sig både en öl före maten och ett glas rödvin till sin kalv med risotto. Gärna italienskt om man nu medförde sådant.

– Of course, sir, very good choice sir, instämde pursern och vad vinet beträffade ville han i så fall rekommendera ett alldeles utmärkt rödvin från Piemonte i norra Italien som han för övrigt haft nöjet att servera de gäster som de hade flugit in dagen före. Kanske inte lika insmickrande som vinerna från de södra delarna av landet men med en helt annan stadga, balans och eftersmak, om han nu fick ge uttryck för sin enkla mening.

Dan Andersson hade anslutit sig till Wiklander. Efter närmare sex år i utländsk tjänst var han väl medveten om vikten av att man i god tid anpassade sig till de sedvänjor som man skulle möta på det ställe dit man var på väg. Samma mat, samma drycker som Wiklander, och väl klara med sina beställningar hade de med viss förväntan, betraktat sin chef, Lisa Mattei.

– Och du Lisa vill väl ha fisk och mineralvatten som vanligt, sa Martinez med oskyldig min.

– Verkligen inte, sa Mattei och skakade på huvudet. Jag vill ha ett glas champagne före maten, fortsatte hon och log vänligt mot pursern. Ett glas av det röda vinet som ni rekommenderade och samma mat som mina kolleger. Gärna en flaska mineralvatten, också, men utan bubblor.

– Excellent choice, ma'am, instämde han. Excellent.

Klart att det är ett utomordentligt val, tänkte Lisa Mattei. Det är ju ändå jag som är chef.

7

En högst ovanlig lunch och de hade inte ens kommit in på orsaken till att de satt där förrän det var dags för dem att dricka kaffe. Istället hade man pratat om andra saker och även där var det Linda Martinez som hade tagit initiativet.

– Det var en sak som han sa som jag inte riktigt fattade, sa hon och nickade mot den stängda dörren till utrymmet mellan cockpit och kabinen dit deras purser hade dragit sig tillbaka. Det där med Marengo? Är det någon efterrätt, typ? Med maränger, alltså?

– Slaget vid Marengo, sa Wiklander med ett småleende efter att först ha nickat frågande mot Lisa Mattei som hade svarat med att skaka på huvudet.

– Inte en susning, sa Lisa Mattei. Ta det du, Jan.

Lika oföränderligt vänlig som när hon först kommit till Säpo och han hade varit hennes närmaste chef, tänkte Mattei. Nu var rollerna ombytta men Jan Wiklander var fortfarande densamme. Vänlig och korrekt med mycket närvarande ögon.

– Marengo var en liten by i norra Italien, numera är det en betydligt större stad, där Napoleon och hans armé utkämpade ett berömt fältslag mot österrikarna år artonhundra. Det var för övrigt fransmännen som gick segrande ur den bataljen. Fast det gjorde de ju nästan alltid under början av de där krigen. Men du är på rätt spår, Linda, fortsatte han och nickade. Marengo har nämligen också fått ge namn åt en berömd maträtt, nämligen kyckling à la Marengo som Napoleon lär ha inmundigat efter slaget. Eftersom de hade lämnat sin tross bakom sig hade Napoleons kock ingen mat som han kunde servera sin husbonde. Det enda han kom över var en höna och ett par ägg som han hade försett sig med hos en bonde som bodde i närheten av byn där slaget ägde rum. Säkert ingen trevlig historia för vare sig bonden eller hans höna, men Napoleon lär ha blivit både mätt och belåten och receptet hittar ni i de flesta lite äldre kokböcker. Om jag inte minns fel är det väl närmast en kycklinggryta. Kyckling, rökt sidfläsk, vitt vin, olivolja, svamp, lök, tomater, paprika, alla de där vanliga grönsakerna och kryddorna som fanns att tillgå på det ställe där de befann sig, som rosmarin, timjan, persilja, lagerblad. Man tager vad man haver, som vår egen Cajsa Warg säkert skulle ha sagt. Anpassar sig till läget, helt enkelt, som vår purser valde att sammanfatta saken.

– Låter gott, sa Linda Martinez. Fast den här kalvgrytan vi fick var heller inte dålig.

– Det gick säkert ingen nöd på Napoleon, instämde Wiklander. Inte i den meningen i vart fall och inte vid den här tiden. Visste ni förresten att Marengo ligger i Piemonte? Samma del av Italien som vårt alldeles utmärkta rödvin kommer ifrån. Inget dåligt vin och vad det kostar vågar jag knappt tänka på. Med tanke på att det tydligen var avsett för den engelske ambassadörens gäster så blir man ju onekligen lite nyfiken på vilka de kan vara, avslutade Wiklander samtidigt som han snurrade på sitt glas.

– Det vet jag, sa Dan Andersson. Vi hjälper till med deras personskydd, nämligen.

– Vilka är de då? frågade Linda Martinez. Så jag kan mejla dem och tacka för att de lämnade kvar åtminstone en flaska till en enklare människa som jag själv.

– Det är jag tyvärr förhindrad att säga, svarade Andersson med ett svagt leende. Ja, förutsatt att chefen inte ger mig tillstånd, förstås. Artig nick mot Lisa Mattei.

– Vilket du får, sa Lisa Mattei. Berätta nu innan jag dör av nyfikenhet.

Måste vara champagnen, tänkte hon. Trots att hon bara druckit ett halvt glas.

– Självklart, chefen, sa Dan Andersson. Tre besökare. Deras biträdande utrikesminister som medför två medarbetare från Utrikesdepartementet. De senares närmare arbetsuppgifter är okända. Samtliga är här inkognito, de bor på ambassaden och har ägnat dagen åt interna överläggningar inne på ambassaden om vilkas närmare innehåll de heller inte har informerat oss. Innan de åker hem sent ikväll ska den biträdande utrikesministern och ambassadören och hans hustru samt fyra svenska gäster äta middag med kungaparet ute på Drottningholm. Det är en inofficiell middag. Initiativet till den togs för övrigt av Hans Majestät själv. Han och Englands ambassadör lär vara goda vänner. Bland annat har de jagat tillsammans vid åtskilliga tillfällen i både England och Sverige. Vad de svenska gästerna beträffar tror jag för övrigt att också de brukar förekomma i jaktsammanhang. Det är två av våra mest kända finansmän, med sina respektive.

Kungen och hans jaktkamrater, tänkte Mattei. Vi lever i en alldeles för liten värld, tänkte hon. Dessutom var det hög tid att hon kom till saken.

– Ni undrar säkert varför vi sitter här, sa hon och när hon sa det lät det mer som ett konstaterande än en fråga.

Sedan berättade Mattei för sina kolleger vad hennes chef hade berättat för henne några timmar tidigare och själva budskapet var snabbt avklarat; al-Shabaab, de inblandade gärningsmännen tillhörde sannolikt samma familj på fler än tio personer, en attack som skulle genomföras på nationaldagen den 6 juni av en så kallad självmordsbombare och bland annat riktade sig mot medlemmar av den kungliga familjen och regeringen. Plus alla andra som bara råkade befinna sig på fel ställe vid fel tidpunkt.

– Det är allt jag vet, sammanfattade Mattei. Resten har de lovat att berätta när vi träffas.

Wiklander nickade eftertänksamt.

– Jaha, ja. Allt ska ju vara så hemligt nu för tiden att det upptar i stort sett all ens vakna tid. En enkel fråga, hur pass säkra är engelsmännen på att deras uppgifter stämmer?

Enligt deras egen högt uppsatte kontaktperson så säker som man nu kunde bli innan man konfronterades med det sorgliga facit som bestod av ett fullbordat faktum, sammanfattade Mattei.

– Jo, men vänta nu, invände Martinez. Med all respekt och så vidare, jag pratar alltså om vår egen högste chef, så är han ju en färsking i det här jobbet. Inte ens någon vanlig rookie som vi just har släppt ut från polishögskolan. Politiker som jobbat som hög jurist i regeringskansliet. Det vet vi väl alla hur sådana som han kan börja klättra på väggarna beroende på att de fattat nada av det som man faktiskt har sagt åt dem.

– Ja, instämde Mattei. Det är jag väl medveten om, men samtidigt tycker jag att den biten är mindre intressant. Anledningen till att vi sitter här är ju att engelsmännen tycks ha tagit till sig det hela. Människor som har samma erfarenheter som vi och som nu vill träffa oss. Vad jag menar är att det är ju inte vår GD som kommit på det här själv och till varje pris vill att vi åker till England. Om det hade varit på det viset hade jag nog börjat med att ringa upp dem och försökt bilda mig en egen uppfattning.

– Och jag hade fortfarande haft semester, sa Martinez. Fast å andra sidan hade jag väl knappast fått en sådan här lunch då, så du är förlåten, Lisa. Om det nu skulle vara du som missat budskapet.

– Jag är nog enig med Lisa, sa Wiklander. Vad tror ni förresten om att vi spånar lite? Det är ju en timme tills vi landar och skulle det visa sig att vi fått allthop om bakfoten är det väl inte värre än att vi håller färgen inför vårt värdfolk och tänker om när vi är tillbaka på den egna kammaren.

– I så fall kan jag börja, sa Lisa. Sådana som bor i Sverige och är medlemmar av al-Shabaab är nästan alltid somalier. Undantaget består väl huvudsakligen av de svenska tjejer som de här grabbarna får ihop det med och som ibland väljer att ta till sig hela budskapet som deras män har gett dem. Hur många är de då? Ja, i dagsläget betydligt färre än ett femtiotal och då pratar jag alltså om svenska kvinnor. Rätta mig om jag har fel, Jan.

– Nej, sa Wiklander. Om du vill ha siffror på det så kan du få åtskilligt så fort vi kommer tillbaka till jobbet. Antalet män bosatta i Sverige som vi för närvarande tror har någon mer seriös koppling till al-Shabaab torde uppgå till ett par hundra. I stort sett samtliga av dem har afrikanskt ursprung och åtminstone nio av tio kommer från Somalia eller grannländerna. Så jag gör definitivt samma bedömning som du.

– Engelsmännen påstår dessutom att de närmast inblandade tillhör samma familj på fler än tio personer. Det finns visserligen många muslimska familjer av högst varierande ursprung och av den storleken men då är det andra organisationer än al-Shabaab som blir aktuella, tillade Mattei.

Nu nöjde sig Wiklander med att nicka instämmande.

– Med tanke på själva tidpunkten och de tilltänkta offren kan det väl bara handla om nationaldagen på Solliden på Skansen, fortsatte Mattei. Närvarande är bland andra kungen och drottningen, biträdande statsministern plus ett par andra statsråd som jag inte ens hunnit lära mig namnen på. Givetvis alla andra fina människor runt omkring de nyss nämnda som kommit med av bara farten.

– Jag tror som du, sa Dan Andersson.

– Enkel fråga från en enkel spanare, sa Martinez. De här somalierna som vi pratar om. Var hittar jag dem? Anta att det är så illa att de skulle bo uppe i Lappland eller på något annat liknande ställe i en lokal avkrok med ett par hundra trötta själar varav tio är svarta som sot. Då kommer en sådan som jag att få vissa praktiska problem. Om jag ska ta det i klartext så kommer jag att hamna i deep, deep shit.

– Gissningsvis talar vi nog om vissa förorter i Stockholmsområdet, både norr och söder om staden, sa Wiklander. Det är där som det stora flertalet av somalierna bor och inte minst de som har en känd anknytning till al-Shabaab. Närmast tänkbara alternativ inom tio mils radie från Stockholm blir sedan städer som Uppsala eller Eskilstuna nere i Sörmland.

– Rinkan, Akalla, Flempan, Haninge, Botkyrka, låter som ljuv musik i mina öron, sa Martinez. Alla tomma lägenheter där vi kan ha vår lilla holk som vi kan boa in oss i. Sedan är det bara att borra hål i väggen till dem så har du både ljud och bild. Du behöver inte ens gå ut. Du behöver bara lyfta telefonen och ringa efter pizza så får du den levererad hem till holken.

– Jag har en fråga, sa Lisa Mattei. Hur många spanare med somaliskt ursprung har vi inom vår verksamhet?

– Noll, sa Martinez med eftertryck. Och om du nu undrar hur många som finns inom den svenska polisen totalt sett skulle jag satsa mina pengar på att det också är noll. Mörkhyade och svarta kolleger, om vi snackar allt från kaffe latte till lackskor, har vi faktiskt ett tjugotal som jobbar hos oss. Säkert hundra i Stockholms län. Men ingen av dem är somalier. Verkar inte som om de vill bli poliser.

– Hur löser vi det då?

– Det här är det klassiska problemet för mig. Att plocka fram ett antal så kallade blattekolleger som smälter in i miljön och samtidigt hitta tillräckligt många så att de kan klara av det som de ska göra. Med tanke på att vi talar om ett tiotal inblandade gärningsmän är jag övertygad om att vi kommer att behöva låna in åtskilligt med folk. Från Skåne, från Göteborg, från Rikskrim. Från i stort sett alla ställen i landet där det finns en fungerande mörkhyad kollega. Det ska du nog iskallt räkna med, Lisa. Vi kommer att behöva låna folk och mörka män och kvinnor är tyvärr en bristvara i det här jobbet.

– Det löser vi, sa Lisa.

Den dagen den sorgen, tänkte hon. Vad hade hon egentligen för val?

– En helt annan fråga, sa Wiklander. Vet du vem av våra engelska kolleger som kommer att svara för sambandet med oss?

– Jajamensam, sa Mattei och log. Om honom vet jag faktiskt

det mesta som är värt att veta. Betydligt mer än om vårt ärende, i vart fall.

Sedan plockade hon fram det stora färgfotot på deras engelske kollega, höll upp det och visade det för sina kamrater.

– Oh my God, sa Linda Martinez. Det är ju rena svärmorsdrömmen! Definitivt inte min typ.

8

Därefter berättade Lisa Mattei vad hon hade tagit reda på om mannen som de snart skulle träffa, Jeremy Alexander, "den engelske kollegan".

Alexander var fyrtiofem år gammal, gift sedan femton år tillbaka med en två år yngre kvinna. Tillsammans hade de tre barn, en son på fjorton och två döttrar som var elva respektive tio år gamla. Familjen var bosatt i London, den närmare adressen var okänd men med tanke på vem han var kunde de säkert utesluta alla områden utom centrala London och de finare delarna av West End.

– Det här är en man med resurser och högst sannolikt bor han inom gångavstånd från Parlamentet, Utrikesdepartementet och MI6:s högkvarter, sammanfattade Mattei. Vem vet, vi kanske till och med har sådan tur att vi blir hembjudna till honom på en kopp te och sådana där små snittar med lax och gurka, tillade hon med ett småleende.

Ingen närmare adress, heller ingen bestämd arbetsgivare enligt de uppgifter som handlade om hans aktuella situation. Istället verkade det som om han arbetade mer på konsult- eller frilansbasis som "föreläsare, författare och politisk rådgivare i Mellanösternfrågor", medan hans hustru tydligen var läkare och verksam som psykiatrisk konsult åt såväl privata företag som offentliga inrättningar inom den engelska sjukvården. Ingen av dem hade några politiska uppdrag eller ens någon känd anknytning till något politiskt parti.

Den offentliga beskrivningen av Jeremy Alexander handlade i allt väsentligt om två saker. För det första om hans framgångsrika akademiska karriär och för det andra om hans fina bakgrund. Däremot stod inte ett ord om hans arbete för den brittiska underrättelsetjänsten och MI6.

Alexander hade studerat vid både Eton och Oxford där han vid tjugonio års ålder även hade disputerat i statskunskap på en avhandling om den politiska situationen i Mellanöstern. Han talade bland annat flytande arabiska och redan innan han lagt fram sin doktorsavhandling hade han blivit anställd som föreläsare och handledare vid Merton College i Oxford.

När han väl var klar med sin avhandling och blivit filosofie doktor hade han först fått tjänst som universitetslektor för att två år senare, vid trettiotvå års ålder, utnämnas till "Fellow" och "full time professor in Political Science" vid Merton College och det gemensamma forskningsinstitut för Mellanösternfrågor som drevs av Oxfords universitet.

Under de senaste tio åren tycktes han dock ha trappat ner sin akademiska verksamhet. Först hade han arbetat deltid under några år för att därefter ha varit tjänstledig i stort sett hela tiden från sin professur. Istället hade han varit verksam som sakkunnig vid det engelska utrikesdepartementet, men hans närmare arbetsuppgifter vid departementet var oklara.

Det mesta som skrivits om honom handlade dock om hans bakgrund. Familjen Alexander var nämligen också en del av den brittiska historien sedan mer än fem hundra år tillbaka och deras adelskap var till och med äldre än så. Jeremy Alexander var yngste son till släktens nuvarande huvudman, Lord George Jeffrey Alexander, och de spår som hans anfäder hade avsatt i den engelska historien var båda djupa och till mängden högst ansenliga. En släkt bestående av stora jordägare, höga ämbetsmän, officerare och diplomater, och oavsett vilken bana de slagit in på hade flertalet av dem varit mer framgångsrika än de med liknande bakgrund som omgav dem.

– Vår engelske kollega är till och med finare än de flesta fina engelsmän och det han sysslar med är väl en ganska enkel och logisk följd av vem han är sedan födseln. Det är ju bland sådana som han som MI6 alltid har rekryterat sina medarbetare, avslutade Mattei.

– Om det är något mer som ni undrar över står det säkert i den promemoria som ni kommer att hitta bland era filer när ni kommer tillbaka till huset där vi jobbar. För enkelhetens skull döpte jag den till DEK, med stora bokstäver och som i "den engelske kollegan", förtydligade hon.

– Wow, sa Martinez som hade svårt att dölja sin förtjusning. På den gubben har vi alltså en personakt på gamla hederliga svenska Säpo. Vårt eget Bonnasäpo. Det är knappt man fattar att vi törs.

– Nej, sa Mattei. Vi har ingen akt på honom. Däremot har han passerat genom systemet på det vanliga viset, så det råder inte minsta tvekan om att han är den som han utger sig för att vara.

– Ja, och Oxford låter ju onekligen mer lugnande i det här sammanhanget än Cambridge, instämde Wiklander. Ja, ni känner säkert till den där gamla historien med de fyra från Cambridge, Maclean, Blunt, Philby och Burgess. Eller om de nu var fem. Eller sex till och med, som vissa påstår. För den saken blev väl aldrig riktigt utredd. Fina pojkar från ett fint universitet, barn av sin tid och sin bakgrund, och alla blev de spioner åt ryssen. Vi får väl leva på hoppet att det inte gäller de av våra engelska kolleger som haft privilegiet att studera vid Oxford.

– Men hur kan du veta allt det där om vi inte har någon akt på honom? frågade Martinez som inte verkade lyssna till Wiklanders utläggningar.

– Det som satte mig på spåret var faktiskt hans slips. Och sedan är jag ju polis också, sa Mattei och ryckte på axlarna med en gest av spelad blygsamhet.

With a little help from my friend, tänkte hon.

– Jag måste få kika på den där slipsen, sa Dan Andersson, sträckte sig fram och tog fotot som låg på bordet mellan dem.

– Ja, du har ju ändå minglat runt på svenska ambassaden i London i flera år medan vi andra bara härjat runt med buset och försökt upprätthålla lite vanlig lag och ordning här hemma, sa Martinez. Få höra nu, Danne. Jag lyssnar. Med spänning, om du nu skulle undra. Vad får du för vibbar av hans slips?

– Verkar vara en ganska typisk slips, sa Andersson. Som sådana som han brukar ha, menar jag, alltså. Oftast är de väl randiga, lite snett på tvären, så där, och med ränder i olika färger, tillade han, men de har ju alla det gemensamt att de visar att han som bär den har något slags anknytning till någonting.

– Vad är det för larv, allt jag säger är lägg ner och att du skulle få jobba hos mig kan du bara glömma, sa Martinez, tog fotot och höll upp det så att alla kunde se det.

– Vad har vi här? frågade Martinez. Jo, vi har en snygg slips. Silke om ni frågar mig, och säkert dyr. Den är blå till färgen och jag tror att just den där nyansen av blått kallas för royal blue. Sedan är den prydd med små sköldar i guld, rött och blått, ett tjugotal om jag räknat rätt och säkert lika många till som man inte kan se eftersom de döljs av hans krage eller sitter på baksidan av slipsen. Och vad har nu denna slips att berätta om bäraren och hans anknytning till någon eller något? Knappast att han är medlem av Bandidos. Eller hur, Danne? På den punkten är vi överens, du och jag.

– Däremot att bäraren av den tydligen har studerat vid Merton College i Oxford, konstaterade Jan Wiklander och nickade eftertänksamt.

– Bravo, Jan, sa Mattei. Jag hade ingen aning om att du var kännare av slipsar med anknytning till den brittiska akademiska världen.

– Det är jag inte heller, sa Wiklander och skakade på huvudet. Men med tanke på det du just berättade och det faktum att även jag är polis var det väl inte en alltför djärv gissning.

9

Längre än så kom de inte eftersom skyltarna som sa åt dem att spänna fast sina säkerhetsbälten hade tänts på nytt samtidigt som deras purser kom in i kabinen för att plocka undan det sista efter dem och meddelade att de skulle landa om tio minuter. Dessutom att de skulle sitta kvar i sina stolar till dess att de hade kommit in under taket till hangaren. Givetvis också att det hade varit ett stort nöje för honom att ha haft dem ombord.

– Right on schedule, ma'am, but today we have blue skies over Britannia and before we can disembark we have to have a solid roof over our heads to protect us from evil eyes, förtydligade han med en artig huvudböjning mot Mattei och en menande blick mot kabintaket och den blåa himlen ovanför dem.

– Ja, vädret finns det ingen anledning att klaga på, instämde Dan Andersson som redan satt och kikade ut genom kabinfönstret vid sin sida. Det verkar till och med bättre än hemma i gamla Svedala. Dessutom tror jag mig faktiskt veta var vi ska landa. Om någon nu skulle vara intresserad, fortsatte han samtidigt som han log mot Martinez.

– Inte för min skull, inte efter det där med slipsen, glöm det, Danne, sa Martinez och skakade på huvudet. Dessutom har jag svårt för folk som ska snacka en massa när man just ska landa. Det är precis som i hissar, om du förstår vad jag menar.

– Det kanske är någon annan som är intresserad, sa Dan Andersson som inte verkade bry sig särskilt om Martinez invändningar. Stället som vi ska landa på är en av brittiska flygvapnets baser som heter Royal Air Force Brize Norton. Jag har för mig att den ligger några mil sydväst om Oxford. Knappt en halvtimme från London om man nu tar en helikopter. Det är för övrigt den här basen som man använder för i stort sett alla sina utrikes transporter av både personal och materiel.

– Så det vet du, sa Martinez med tydligt markerad skepsis. Eller är det bara något som militärattachén vid ambassaden berättade för dig i förtroende på sista julfesten?

– Jag har landat här förut, sa Dan Andersson och verkade ganska nöjd när han sa det.

– Varför då, om man får fråga?

– Det är däremot hemligt, sa Dan Andersson, skakade på huvudet och såg mycket belåten ut när han sa det.

– Såja, ungdomar, sa Wiklander avvärjande. Nu ska vi inte kivas. Brize Norton, fortsatte han och lät nästan som om han smakade på namnet. Vi kan väl ändå enas om att det är ett vackert namn på en sådan inrättning. Med tanke på vad man håller på med, menar jag.

10

När de klev av planet stod den engelske kollegan redan och väntade på dem. Han hade tydligen anpassat sig till det plötsliga sommarvädret. Den korrekta mörkblå blazer som han hade burit på fotot hade han bytt ut mot en lättare och mer ledig kostym i ljusare blått och en vit linneskjorta. Dessutom en ny slips. En blå sidenslips prydd med ett antal skära elefanter och en latinsk devis som säkert visade att han hade anknytning även till andra sammanhang än Merton College vid universitetet i Oxford.

När han först hälsade på Lisa Mattei hade han markerat med en artig huvudböjning och ett leende som var både roat och intresserat.

– My name is not Bond, sa Jeremy Alexander. Jag heter Alexander, Jeremy Alexander.

11

När Lisa Mattei tänkte tillbaka på sitt första möte med Jeremy Alexander så handlade hennes funderingar mer om honom och det sätt som han hade framfört sitt budskap på, än vad han egentligen hade sagt. Det var utanverket och inte innehållet som hade fascinerat henne och det var detta som i efterhand störde henne, trots att hon inte trodde att det berodde på att hon var kvinna och att han var en mycket ovanlig man. Det som irriterade henne mest var att hon över huvud taget reflekterade över det. Varken Dan Andersson eller Jan Wiklander verkade ha ägnat en tanke åt samma sak trots att de varit med på samma möte som hon.

För att män inte hade det förhållningssättet till en annan man, hade hon tänkt. Eller för att hon – allt annat lika – var kvinna och mer van att lyssna till vad män egentligen säger. Eller berodde det på att hon var den hon var? Att hon i stort sett hela sin vakna tid tänkte på saker som långt ifrån alltid hade att göra med det som hon borde tänka på? Oavsett vilket störde det henne och det faktum att hon reagerade på det viset störde henne ännu mer.

Redan Alexanders sätt att inleda deras första möte hade stärkt Matteis förhoppningar om att hon skulle hinna träffa Ella innan hon hade somnat – vad det nu hade med hennes utredning av en planerad terroristaktion att göra. Först en ursäkt som han hade klarat av på drygt en minut. Sedan den obligatoriska presentationsrundan som hade tagit obetydligt längre tid än så.

Först ville han passa på att tacka dem för att de hade kunnat komma över till honom och hans kolleger med så kort varsel. Beklagligtvis var det så, om han nu skulle försöka urskulda sig själv, att det bara var för drygt en vecka sedan som detta ärende hade hamnat på hans bord. De som tidigare hade haft hand om det var deras kolleger vid den engelska säkerhetspolisen. Den myndighet som på den "gamla goda tiden" hade gått under den kollegiala beteckningen "Special Branch vid Scotland Yard" men som numera, efter två omorganisationer som båda betingats av den säkerhetspolitiska utvecklingen efter den 11 september 2001, gick under namnet Counter Terrorism Command, och bar huvudansvaret för kampen mot terrorismen i Storbritannien.

– Av olika skäl bestämde vi oss då för att ta över den del av deras utredning som handlade om er landsman. Därav också denna fördröjning av vår kontakt som jag således uppriktigt beklagar. Icke förty, mea culpa, sa Alexander och markerade sin ursäkt med samma lätta leende och huvudböjning som han först hälsat dem med.

Därefter hade han övergått till att presentera sina kolleger. Av någon anledning medförde även han tre medarbetare, två kvinnor och en man, och det var till och med så praktiskt att deras uppdrag inom den engelska säkerhetstjänsten var desamma som för hennes egna följeslagare.

En yngre kvinna i trettioårsåldern som arbetade med de mer intellektuella delarna av kampen mot den muslimska terrorismen och av sitt namn och utseende att döma hade sina etniska rötter i Mellanöstern. Iran, Syrien, Libanon, kanske till och med Palestina, tänkte Mattei.

Ännu en kvinna, i Matteis egen ålder. En svart kvinna, född och uppvuxen i Londonområdet av dialekten att döma. Samma uttryck i ögonen, samma kroppsspråk och förhållningssätt till omvärlden som Linda Martinez och att hon även var spanare på fältet kom knappast som en överraskning för Mattei.

Inte heller Alexanders motsvarighet till Dan Andersson gjorde det. Samma ålder, samma självklara fysiska framtoning och med militär bakgrund inom SAS, britternas flygburna insatsstyrka. Väl förtrogen med både skyddet av högt uppsatta personer och hur man genomförde de allra mest handfasta uppgifterna när man hade hamnat i skarpa lägen.

Möjligen var Alexanders val av medarbetare också ett väl inlindat budskap om att han visste mer om Mattei och hennes arbetskamrater än vad hon visste om honom och hans kolleger, och så fort presentationen var avklarad hade han föreslagit en mötesordning.

Först skulle han ge en snabb sammanfattning av sin egen och sina medarbetares syn på det aktuella ärendet där man även skulle få möjlighet att ställa frågor. Övergripande frågor, inga detaljer, för det fick de ta med sin egen chef. "Det fullständiga underlaget", allt som engelsmännen visste, skulle Mattei givetvis få med sig innan de skiljdes åt så att hon på det vanliga viset kunde avgöra vilka delar av det som alla andra skulle få tillgång till.

– Den gamla trossatsen inom all säkerhetsverksamhet om att further information will be given on a need-to-know-basis. Vilket ju alltid innebär både en utmaning och en påfrestning för en öppenhjärtig människa som jag, konstaterade Alexander med ett vänligt leende.

Därefter enskilda överläggningar mellan fyra ögon – och själv såg han verkligen fram emot att få träffa "Deputy Director, Chief of Operations, Mattei" som han hade hört så mycket gott om – följt av en återsamling med tid för både en summering, eventuella nya frågor och även en kopp te och allt det där andra som hörde till det obligatoriska engelska umgänget mellan lunch och middag.

– Jag räknar med att ni ska kunna borda ert plan senast klockan fem och att ni kan landa hemma i Stockholm cirka klockan halv nio i kväll, lokal tid, avslutade Alexander.

Ungefär samtidigt som Ella hade lyssnat färdigt på sin

godnattsaga och började gosa in sig med alla sina kramdjur inför mötet med John Blund, tänkte Lisa Mattei. Men jag kanske kan ringa henne från planet. Eller be Johan att läsa en extra lång saga, tänkte hon.

Ingen hade några invändningar mot den ordning som deras värd hade föreslagit. Hur de nu skulle kunna ha haft det, tänkte Lisa Mattei, eftersom han redan från första början hade tagit ledningen över sammanträdet med den obesvärade självklarhet som kom sig av att han var född till att göra det och aldrig ens hade behövt fundera över varför han gjorde det bättre än andra.

Utanverket, Alexanders person; återstår budskapet, tänkte Mattei. Om det nu inte var så enkelt, för det hade hänt förr i den värld där sådana som hon och Jeremy Alexander levde, att det var han som var själva budskapet.

12

– Nåväl, det är kanske hög tid att jag presenterar den unge man som fört oss alla samman. Han heter Abdullah Mohammed Khalid, smeknamn Abbdo, och han är alltså svensk medborgare sedan tio år tillbaka, sa Jeremy Alexander samtidigt som han med sitt högra pekfinger slog ner en av tangenterna på den dator som låg framför honom på bordet.

Därefter lutade han sig tillbaka i sin stol och knäppte händerna över magen samtidigt som namnet och ett flertal bilder på den just omnämnde projicerades på kortväggen i rummet där de satt.

– Trots sin i sammanhanget låga ålder, han är tjugoåtta år gammal, är unge Abbdo enligt mina samarbetspartners vid gamla Special Branch vad man i detta sammanhang brukar kalla för en bombmakare. Den enkla förklaringen är väl att han har en helt annan utbildning än hans föregångare i den äldre generationen som ju var tvungna att lära sig denna mer udda användning av explosiva varor genom praktiska erfarenheter. Ett bevis på värdet av en akademisk utbildning, om ni frågar mig.

Han ser bra ut, pojken, tänkte Jan Wiklander. Finlemmad, vackra drag, påminner om de där mansfigurerna som man kan hitta på sådana där målningar på gamla egyptiska vaser.

Abdullah Mohammed Khalid, smeknamn Abbdo, född den 11 augusti 1987, två ansiktsfoton som var hämtade från hans svenska pass och körkort, ett tredje från ett ID-kort som av texten att döma tydligen utfärdats av universitetet i Manchester, tänkte Linda Martinez. Plus ett tjugotal spaningsfoton, de flesta i helfigur, när han rörde sig utomhus, i olika miljöer och vid olika tider på dygnet. De måste ha lagt ner åtskilligt med resurser på honom, tänkte hon. Typisk somalier, tänkte Dan Andersson. Kunde vara värre, som någon av de där dårarna i IS eller al-Qaida som är rena mordmaskinerna. Märklig slips med de där skära elefanterna. Fast han har snygga händer, tänkte Lisa Mattei. Platt mage har han också. Undrar om han spelar piano, tänkte hon.

För snart ett år sedan hade Khalid blivit antagen som student vid universitetet i Manchester och beroende på en kombination av omständigheter i hans bakgrund hade han redan från första början blivit föremål för den brittiska säkerhetstjänstens intresse.

Han var utlänning, han var somalier, han var muslim, han hade anmält sig till kurser i fysik och kemi och av hans ansökningshandlingar framgick även att han tagit en svensk studentexamen från naturvetenskaplig linje med utmärkta betyg för att därefter utbilda sig till vanlig elektriker. Ett yrke som han dessutom utövat under flera år och med goda vitsord från sin arbetsgivare när han väl dykt upp vid universitetet i Manchester.

Det faktum att han hade vuxit upp, studerat och levt i Sverige under de drygt tjugo år som förflutit sedan han och hans familj flytt undan kriget i deras ursprungsland Somalia hade inte minskat deras intresse för hans person. Inte heller hans goda betyg, att han var helt ostraffad och inte på något vis hade kunnat kopplas till mer radikala muslimska kretsar eller miljöer sedan han börjat studera i England.

Misstankarna mot honom hade funnits där hela tiden och redan i november året före hade det inträffat en händelse som gjort att han blivit föremål för aktiv yttre spaning. Konkret handlade det om att han vid ett och samma tillfälle inköpt tre mobiltelefoner som han dessutom hade betalat kontant.

– Ja, ni vet av den där typen där man inte vet vem som äger numret, sa Alexander med en talande axelryckning. När man sedan tog reda på vilka nummer han hade visade det sig tyvärr att han både hade kontakt med fel personer och att han ägnat sig åt rådgivning som enligt säkerhetstjänstens jurister skulle kunna rendera honom livstids fängelse. Rent konkret handlar det om den här utomordentligt sorgliga historien utanför Old Trafford i Manchester för två månader sedan. Lördagen den 14 mars då en ung muslimsk kvinna genomförde en självmordssprängning som inte bara tog livet av henne och hennes två små barn utan även fyra poliser och två civilpersoner som bara råkade passera fel plats vid fel tidpunkt. Dessutom blev ytterligare ett tiotal personer, varav tre poliser, mer eller mindre allvarligt skadade.

– Ja, jag läste den sammanfattning som ni lade ut på vårt gemensamma nät, men med tanke på vad du säger om kopplingen till Khalid så skulle jag nog ändå behöva en uppdatering, sa Mattei.

Hög tid att du äntligen rycker upp dig, Lisa, tänkte hon.

– Då ska jag ge dig det, sa Alexander. Inga som helst problem, och i det material som ni kommer att få hittar du en fullständig genomgång av vad vi vet om det som hände. Och den konkreta anledningen till vårt intresse för Abbdo Khalid.

13

Old Trafford, Englands näst största fotbollsarena efter Wembley Stadium i London, uppförd i början på 1900-talet, sönderbombad av tyskarna under andra världskriget, därefter om- och tillbyggd i etapper och i dag med plats för drygt 70 000 åskådare. Dessutom Manchester Uniteds hemmaplan, "The Theatre of Dreams", Drömmarnas teater, som den legendariske Unitedspelaren Bobby Charlton en gång döpte den till. Lördagen den 14 mars förvandlas den till platsen för en av de värsta mardrömmarna i den engelska samtiden.

Det är lokalderby i engelska Premier League mellan Manchester United och Manchester City och närmare 70 000 åskådare har sökt sig dit. Eftersom polisen av erfarenhet vet att alldeles för många av dem också kan tänkas ägna sig åt andra aktiviteter än att titta på fotboll har man kommenderat ut hundratals poliser och ordningsvakter för att övervaka matchen.

I själva verket blir det en mycket lugn tillställning och det är först trettioen minuter in i matchen som det börjar hända saker. Utanför huvudentrén till arenan står en polisbuss och sammanlagt sju poliser, fem män och två kvinnor. Deras uppgift är att hålla uppsikt över ordningsläget utanför stadion och eftersom sex av dem är hängivna fotbollssupportrar förbannar de varje minut som de är tvungna att stå där. Hade det funnits någon rättvisa här i världen skulle även de ha stått inne på arenan precis som nästan alla deras kolleger.

Den sjunde av dem, en tjugonioårig kvinnlig polis, är däremot totalt ointresserad av fotboll och eftersom hon också är gravid i tredje månaden är det helt andra tankar än sådana som handlar om hennes tjänst som rör sig i hennes huvud. Om ett halvår ska hon bli mamma och det har hon längtat efter i flera år.

I den trettioförsta minuten tar hemmalaget United ledningen med ett–noll och när jublet från läktarna når poliserna utanför stadion samlas de omgående runt sin polisbuss för att med hjälp av radion inne i bussen få reda på vad som har hänt. Fast inte deras gravida kollega. Hon står kvar där hon står, upptagen med sitt, och när en ung kvinna iförd traditionell muslimsk klädsel närmar sig bussen nickar hon bara vänligt åt henne. Varför skulle hon inte göra det? Kvinnan bär ingen slöja för ansiktet. Istället skjuter hon en barnvagn framför sig samtidigt som hon håller sin skyddande hand över huvudet på en liten pojke på tre, fyra år som går på hennes vänstra sida.

Det finns ett vittne till det som nu händer. Mirakulöst nog överlever han, till skillnad från nästan alla andra i närheten som bokstavligen sprängs i bitar. Enligt vittnet ler den kvinnliga polisen mot den muslimska kvinnan, ett brett och närmast hjärtligt leende, varpå hon nickar mot barnvagnen och ställer en enkel fråga. "Boy or girl?"

Vad hon sannolikt redan har förstått är att den som hon ställt frågan till tror på en annan gud än hon, men knappast att kvinnans tro också är så stark att hon utan att tveka kan ta med sig sina två små barn till det paradis som väntar dem. Om polisen får något svar på frågan som hon ställt – pojke eller flicka? – kan vittnet inte svara på, för i samma sekund exploderar precis allt omkring honom i ett bländande vitt sken och plötsligt viktlös slungas han rakt in i mörkret.

– Det är en förskräcklig historia, sammanfattade Alexander. Fyra av våra poliser dödas omedelbart och de andra tre skadas så allvarligt att de aldrig kommer att kunna återvända till någon form av aktiv tjänst. Två civilpersoner dödas. Ytterligare ett tiotal skadas svårt. Ja, och så vår gärningskvinna då. Tjugotre år gammal, flykting från Syrien. Kom hit för ett år sedan. Två små barn, en pojke på fyra och en flicka på sex månader. Totalt nio döda och mer än ett dussin skadade. Det är rent ut sagt ohyggligt.

Därefter gick han vidare. Vad hade nu detta att göra med deras misstänkte gärningsman, Abbdo Khalid?

Det fanns ingenting som tydde på att Abbdo skulle ha varit inblandad i de olika praktiska åtgärderna i samband med självmordsbombningen vid Old Trafford. Hans inblandning handlade om två saker. Han hade haft flera kontakter med en person som medverkat genom olika praktiska åtgärder, och det var också till den personen som han hade gett råd angående valet av de projektiler som man hade använt när man tillverkade bomben.

Enligt de undersökningar och rekonstruktioner som genomförts av säkerhetstjänstens egna tekniker bestod bomben av en sprängladdning på mellan fyra och fem kilo. Vanlig dynamit för civil användning inom bygg- och anläggningsindustrin, inte sådan som var avsedd för militära ändamål. Dessutom mellan sju hundra och tusen projektiler med en sammanlagd vikt på mellan sju och tio kilo. Två utlösningsanordningar, en manuell som kvinnan själv kunde aktivera genom en enkel knapptryckning samt en backup där laddningen detonerades på säkert avstånd och med hjälp av en mobiltelefon för det fall att hon själv skulle bli hindrad från att göra det.

– Allt placerat i barnvagnen under den dyna där hon lagt sin dotter på sex månader, sa Alexander och gjorde en snabb grimas av olust.

Valet av projektiler var intressant, särskilt i relation till misstankarna mot Abbdo Khalid. Det var nämligen första gången över huvud taget som just sådana projektiler hade använts vid en självmordsbombning i England. Och eftersom man nu talade om tio sådana bombningar enbart under de senaste två åren var det onekligen ett märkligt sammanträffande att Khalid tre veckor före attentatet rekommenderade just det valet av projektil till den person som han haft kontakt med.

Vad fanns det för grunder för misstankarna mot Abbdo? Starka, enligt Alexander. Kontakter med en direkt inblandad som kunde bindas till dådet genom övervakningsbilder och annan teknisk bevisning, där dennes samröre med Abbdo kunde styrkas med flera avlyssnade samtal. Tillräckligt för att gripa även Abbdo, få honom häktad och sannolikt även dömd till ett längre fängelsestraff. Till och med livstid om juryn var på det humöret.

– Nyfiken fråga, sa Mattei. Varför har ni inte gjort det? Gripit dem, alltså.

De går ju fortfarande omkring där ute, tänkte Mattei. Även om de just nu ligger lågt och är övervakade innebär det alltid en risk.

– Av det där vanliga skälet, sa Alexander som verkade ganska road när han sa det. Och det finns väl ingen anledning att uppta er tid med att berätta om sådant som ni säkert kan räkna ut ändå.

Att du har en uppgiftslämnare eller kanske till och med en infiltratör eller agent som lovat att leverera mer än så, tänkte Mattei. Vad nu det skulle vara? Fler än nio döda och ett halvdussin svårt skadade, men allt har ju sin tid, tänkte hon.

– Istället tänkte jag föreslå att jag avslutar den här inledande genomgången med att jag berättar om vad vi vet om Khalid, hans familj och övriga kontakter som kan vara av intresse i sammanhanget.

Ingen i rummet hade några invändningar.

– Då gör vi så, konstaterade Alexander, knackade ännu en gång på tangenterna på sin dator och projicerade nästa bild på väggen.

14

Sjutton ansiktsbilder på den vita väggen. En familj med sjutton medlemmar varav Bombmakaren var en och där sexton av dem numera var svenska medborgare. När de hade kommit till Sverige år 1993 hade de varit nio. Familjens överhuvud, Bombmakarens far, som numera var sextiotvå år gammal, hans tjugo år äldre mor, hans två hustrur och deras sammanlagt fem barn. Sedan dess hade familjen utökats med ytterligare åtta medlemmar.

Först hade husfadern fått ytterligare tre barn med de två kvinnor som han haft med sig från början och för fyra år sedan hade familjen fått ännu en medlem. En då sjuttonårig somalisk kvinna som kommit till Sverige året före, som numera var mannens tredje hustru och som i rask takt hade fött honom ytterligare fyra barn.

I familjen fanns sex söner och sex döttrar. Fyra av sönerna var vuxna. Den äldste av dem var Abbdo, deras misstänkte bombmakare, och den yngste av hans tre vuxna bröder hade just fyllt tjugo. Dessutom fanns det en ännu yngre bror på elva år och så familjens yngste pojke som var knappt ett år gammal.

Familjens tre äldsta barn var numera vuxna kvinnor i åldrarna trettio till trettiotre år. De var alla döttrar till husfaderns första hustru och bodde fortfarande kvar hemma hos föräldrarna. Numera hade de också tre yngre systrar på fyra, tre och ett år, som hade en mamma som var åtskilliga år yngre än de själva.

Sjutton personer i samma familj och värre än så här kunde det väl knappast bli, tänkte Lisa Mattei. Den äldsta var tio år äldre än hennes egen far och de fyra yngsta var yngre än hennes dotter. Om mindre än en månad förväntas du gripa eller omhänderta samtliga, tänkte hon.

Enligt Jeremy Alexanders bestämda uppfattning fanns det också mycket som talade för den saken. Om man skulle nysta upp en sådan här historia fanns ofta goda och erfarenhetsgrundade skäl att börja med den huvudmisstänktes egen familj.

En självmordsbombare var visserligen ensam i det ögonblick som han eller hon utlöste den bomb som omgjordade hans eller hennes kropp och i den meningen var det nog det mest ensamma beslut som en människa kunde tänkas fatta under sitt liv.

Ensamma i det ögonblick som beslutet fattades men sällan på den resa som hade fört dem dit, för där fanns det gott om färdkamrater. Allt från våldsbejakande imamer som påverkade det som hände i deras huvuden, till sådana som Bombmakaren som överräckte själva inträdesbiljetten till paradiset. Givetvis också andra i deras närhet som bara visade sin kärlek genom att hjälpa dem att fästa sprängladdningen vid kroppen. Att Bombmakaren även skulle ta hand om den avslutande delen av uppdraget var däremot inte att tänka på. En sådan som han var alltför dyrbar för att offras på det viset.

Men så långt om detta, enligt Alexander. Lite allmänna råd bara, och hur de valde att mer i detalj lägga upp sin egen utredning avsåg han, självfallet, inte att lägga sig i. I det sammanhanget ville han också understryka att hans kolleger bara hade "skrapat på ytan" när det kom till kartläggningen av Abbdo Khalids familj. Det hade helt enkelt inte funnits skäl att ägna mer uppmärksamhet åt den saken. Allt som hans kolleger vid det engelska terroristkommandot hade samlat in om Khalids familj var för övrigt hämtat från deras gemensamma databaser, dem som alla numera hade tillgång till inom ramen för västvärldens säkerhetspolitiska samarbete. Dessutom ville han särskilt understryka att fram till i dag hade ingen inom den engelska säkerhetstjänsten tagit kontakt med vare

sig den svenska säkerhetspolisen eller något annat svenskt under-
rättelseorgan med anledning av misstankarna mot Abbdo Khalid.

– Några frågor om detta? undrade Alexander med en väl
avvägd men ändå välkomnande handrörelse.

– Ja, jag har faktiskt en, sa Linda Martinez. Var bor den här
familjen?

– I Eskilstuna, sa Alexander samtidigt som han diskret sneg-
lade på sin dator.

– I Eskilstuna, upprepade Martinez och skakade avvärjande
på huvudet.

– Ja, Eskilstuna, bekräftade Alexander med en bestämd nick
samtidigt som han knappade på datorn. Det lär vara en mindre
stad med cirka femtio tusen invånare som ligger etthundratjugo
kilometer sydväst om Stockholm.

– Du vet inte hur de bor? frågade Martinez med ett talande
ögonkast mot Mattei. Jag menar, om de bor i ett hyreshus, eller?

– Nej, sa Alexander som nu verkade ha hunnit i kapp det som
stod att läsa på hans egen bildskärm. Samtliga i familjen är skrivna
på samma adress och de lär också bo där. Det är en äldre villa.
Enligt våra uppgifter ligger den ett par kilometer från stadens
centrum. Stor tomt, avskild från grannarna, mycket begränsad
insyn, närmsta grannens hus ligger cirka hundra meter bort. Vi
har satellitfoton på både huset och grannskapet, men skärpan på
dem är alldeles utmärkt. Allt detta finns med i det underlag som
ni kommer att få.

– Söte Jesus, det är inte sant, sa Linda Martinez och skakade
på huvudet.

– Du får se det som en utmaning, Linda, sa hennes svarta
kvinnliga kollega vid engelska säkerhetspolisen samtidigt som
hon hade svårt att dölja sin munterhet.

– We will cross that bridge when we get to it, instämde Lisa
Mattei.

Det var väl så som Lars Martin Johansson skulle ha sagt, tänkte
hon. Den dagen, den sorgen.

– Klokt, sa Alexander och nickade mot Mattei. Att låta var dag bära sin egen börda, menar jag. Om ni inte har några invändningar så tänkte jag avrunda den här delen av diskussionen genom att säga något om de kontakter som Khalid har etablerat under den tid som han vistats här i England.

Det hade ingen. Allra minst Mattei som ännu en gång sneglade på sitt armbandsur och tänkte på Ella.

Alexander gav en snabb sammanfattning som han inledde med att säga att han inte avsåg att gå in på Khalids kontakter med den brittiske medborgare av syriskt ursprung som var misstänkt för inblandning i attentatet vid Old Trafford. Underlaget fanns i det material som Mattei skulle få och hur hon sedan valde att fördela det bland sina medarbetare fick hon avgöra.

Frånsett de möten och det samröre som han förväntades ha med sina lärare vid universitetet, sina studiekamrater och sina grannar, verkade Khalid mest ha hållit sig för sig själv. Han skötte sitt, helt enkelt, och det mesta av sin tid verkade han faktiskt ägna åt de studier som fört honom till England och universitetet i Manchester. Samtidigt hade han inte framstått som någon enstöring eller en person som uppträtt avvisande mot sin omgivning. Han var artig, vänlig och hjälpsam och det var möjligen den senare egenskapen som efter bara en månad hade lett till att han etablerat en personlig relation av mer ovanligt slag då han inlett ett förhållande med sin hyresvärdinna, Louise Urqhart, ensamstående, femton år äldre än Khalid, född och uppvuxen i Manchester i en familj som sedan flera generationer tillbaka tillhörde stadens övre medelklass.

Louise Urqharts far hade varit verksam som advokat i Manchester och hon var hans enda barn. Louises mamma hade dött när dottern bara var tio år gammal och Louise hade vuxit upp tillsammans med sin far och hans hushållerska. Låt vara att hon tillbringat sin mesta tid på olika internatskolor för flickor.

Nitton år gammal hade Louise börjat studera humaniora vid

universitetet i York där hon tillbringat sju år innan hon lyckats samla ihop poäng nog till en mastersexamen med slätstrukna betyg. Hennes studier fördelade sig på ett flertal ämnen och ämnesområden och tycktes inte följa mer traditionella studievägar.

– Allt från zenbuddhism och orientaliska språk till filmvetenskap och dramaturgi och gud vet vad, plus åtskilligt annat som jag ärligt talat inte har en aning om vad det är, konstaterade Alexander.

– Vem vet? Hon kanske är något av en sökare, tillade han med en närmast uppgiven akademisk axelryckning.

Vad hon hade gjort efter att hon hade avslutat sina akademiska studier var heller inte alldeles klart, men det mesta verkade ha varit olika jobb inom mediabranschen. Vad hennes närmare arbetsuppgifter skulle ha bestått i var även det oklart. Ett halvår på en reklambyrå i London, ännu ett halvår på en lokalradiostation i samma stad, därefter närmare ett år i Birmingham på ett privat produktionsbolag för film och tv, och på det här viset hade det hållit på under drygt tio år fram till hennes fars död. En plötslig hjärtinfarkt som drabbat honom en vecka innan han och hans enda dotter skulle fira hennes trettioårsdag.

Efter hennes fars död hade dock bilden klarnat betydligt. Enligt bouppteckningen hade han efterlämnat drygt fem miljoner pund och eftersom ett sådant dokument brukade vara återhållsamt i sin beskrivning av den dödes tillgångar handlade det helt säkert om mer än det dubbla.

Ekonomiskt oberoende vid trettio och Louise Urqhart hade därefter delat sin tid mellan att förvalta sitt pund och att resa. Hon hade besökt i stort sett alla platser på vår jord och på det mest obesvärade sätt blandat vanliga nöjesresor till New York, Mallorca, Venedig och Singapore med fotvandringar i Tibet, yogaläger i Indien och månadslånga fotosafarier i Afrika.

– Hon tycks till och med ha tillbringat fjorton dagar på Svalbard, sa Alexander och skakade misslynt på huvudet. Vad i hela fridens namn hon hade där att göra?

Kanske något av en äventyrerska, kanske rentutav en liten

Pippi Långstrump, tänkte Mattei som plötsligt kände sig oförklarligt upprymd.

Det som hade sammanfört Louise Urqhart med Abbdo Khalid var den del av hennes affärsverksamhet som bestod i ett tiotal hyresfastigheter i centrala Birmingham som hon fått ärva efter sin far och där hon – när hon inte var på resande fot – tydligen tog aktiv del i förvaltningen.

I september föregående år, knappt en månad efter att han påbörjat sina studier vid universitetet, hade Khalid hyrt en mindre lägenhet i en gammal patriciervilla som överlevt bombningarna under kriget och numera var ombyggd till ett mindre hyreshus med ett tiotal lägenheter. Det var Louise Urqhart som visat lägenheten för honom och när hon frågat honom vad han gjort innan han kommit till universitetet i Manchester hade han berättat att han arbetat som elektriker.

– Det är så det hela lär ha börjat, sa Alexander. Hon hade visst haft stora problem med just elen i det där huset. Khalid hade ordnat den saken åt henne inom loppet av en vecka och efter ytterligare en vecka hade de inlett en relation. En sexuell relation och en intensiv sådan av vår dokumentation att döma. Från hennes elskåp till hennes sovrum, om jag nu ska summera det hela.

– Du har ingen bild på henne? frågade Mattei.

– Jo, det finns hur många som helst. Både rörliga bilder och vanliga. Och ljudupptagningar givetvis. När det kommer till sådant har vi som bekant en lång tradition här i landet, sa Alexander och suckade.

Med några knapptryckningar på sin dator raderade han därefter fotona på Abbdo Khalid och hans familj och ersatte dem med en bild på Louise Urqhart.

– Det intressanta med den här bilden är att det är Abbdo som har tagit den. Hemma i hennes trädgård till huset där hon bor. För övrigt samma hus som hon växte upp i.

Hoppsan, tänkte Mattei när hon såg den bild på Louise Urqhart som inte på minsta vis stämde med de föreställningar som funnits i hennes huvud medan Alexander hade lagt ut texten om hennes person.

– Säkert en mycket attraktiv kvinna för den som föredrar den typen, sa Alexander. Min gamle far, som är en förskräcklig sexist, brukar beskriva sådana kvinnor som prima engelsk lantras. Med tanke på att Urqhart inte är det minsta lik någon av min fars tre hustrur, allra minst min egen mor om någon nu skulle undra, är det ju en lite märklig beskrivning.

Ett uttryck för hans längtan kanske, tänkte Mattei. Efter en sådan som Louise Urqhart som bara står där rakt upp och ner i sin trädgård och ser rakt in i sin älskares ögon och kameralins. Barfota, med skjortan utanpå de slitna jeansen, nacken rak, närvarande blick och endast en antydan till ett leende. Vad är det du letar efter? tänkte hon.

Några veckor tidigare, när påsklovet hade inletts vid universitetet, hade Abbdo tagit flyget från London hem till Sverige där han landat på Skavsta flygplats i Sörmland. Blivit hämtad av en av sina yngre bröder och skjutsad hem till Eskilstuna. Tre dagar dessförinnan hade även Louise Urqhart lämnat sin bostad i Manchester, men vart hon tagit vägen var oklart.

Till sekreteraren på faderns advokatbyrå, som fortfarande skötte hennes affärer, hade hon meddelat att hon avsåg att ta en tids semester i Europa. Hon hade packat sin väska, tagit med sig kort, pass, pengar, sin smartphone, satt sig i sin bil, lämnat huset där hon bodde och fem minuter senare hade hon gått upp i rök. Den spaningspatrull från terroristkommandot som skulle skugga henne hade tappat bort henne i rusningstrafiken i centrala Birmingham strax efter det att spårningssändaren som man satt under hennes bil hade upphört att fungera. Hennes bil hittade man en vecka senare. Den stod i ett parkeringshus vid flygplatsen i Manchester, men av Louise Urqhart fanns inte ett spår. På den vägen var det fortfarande. Mobilen hade hon stängt av och det fanns inga snitslar från hennes kreditkort.

– Det här är naturligtvis något som hon har planerat och den som hjälpt henne med det är Khalid. Vart hon tagit vägen, var hon befinner sig nu och vad hon egentligen sysslar med vet vi tyvärr inte, sa Alexander.

– Däremot vet vi att hon under ett par månaders tid, innan hon försvann, hade tagit ut stora belopp i kontanter, det handlar om minst femtio tusen pund, fortsatte han.

– Varför har hon gjort det? frågade Wiklander.

– För att finansiera sin nye pojkvän och det han planerar att göra i Sverige. Pengarna tror jag att hon redan har gett honom och själv kommer hon att hålla sig undan tills det han ska göra är avklarat och de kan återförenas. Jag vill understryka att det är vad jag tror. Det finns många frågetecken i den här delen av historien.

Enligt Alexander var Louise Urqhart en mycket intressant kvinna. Inte bara som mänsklig individ utan kanske mest som ett exempel på en snabbt växande företeelse av stor relevans för bekämpningen av muslimsk terrorism i Västvärlden.

– Ni känner säkert till historien om Samantha Lewthwaite? Den Vita Änkan efter den svarte självmordsbombaren Germaine Lindsay som sprängde sig själv till döds vid attentatet i tunnelbanan i London för tio år sedan, där femtiosju personer miste livet. Numera finns hon i Somalia med sina fyra barn. Hon är för övrigt omgift sedan några år tillbaka med Hassan Maalim Ibrahim som har en ledande ställning inom al-Shabaab. Alla dessa västerländska kvinnor med traditionell borgerlig bakgrund som får ihop det med muslimska terrorister. Bombmakarna och deras kvinnor. Jag får för mig att Louise Urqhart numera är en i den raden.

Kan det verkligen vara så enkelt, tänkte Mattei. Bombmakarna och deras kvinnor. Vad har hänt med den prima engelska lantrasen?

15

Lisa Mattei hade inlett sitt möte mellan fyra ögon med Jeremy Alexander med att ställa en nyfiken fråga. Vad stod det på den där lilla devisen som var broderad på hans slips med de skära elefanterna?

– Semper exqitet aliquem. Alltid retar det någon, sa Jeremy Alexander.

– Men den där slipsen kommer inte från Merton, sa Mattei.

– Gud förbjude, sa Alexander. Det skulle se ut det. På ett sådant ställe finns inga skära elefanter. Tvärtom. De lär vara uttryckligen förbjudna i Mertons stadgar. Jag har för mig att de är från år 1342. Stadgarna, alltså, de skära elefanterna sägs vara ännu äldre om man ska tro vissa oppositionella röster, men om du, likt en sentida Galilei, skulle försöka driva den ståndpunkten på allvar kan du råka ut för de mest förskräckliga saker.

– Varifrån kommer den då, envisades Mattei som inte ville ge sig.

The Pink Elephant Club, förklarade Alexander. Sett till antalet kallade en betydligt mindre gemenskap än den som skapades på ställen som Merton och det självklara skälet till det var att de presumtiva medlemmarna var så få.

Det var en förening för Gamla Vänner som hade vuxit upp tillsammans, gått i samma skolor, levt samma slags liv och sysslat med samma slags saker. Själv hade han flera äldre släktingar som burit den slipsen, av samma skäl som han.

Vad devisen anbelangade var det också det dolda budskapet som räknades. Att man inte skulle tro på allt man ser. Som till exempel några skära elefanter som gick på rad över en blå savann. Speciellt inte om man hade druckit innan.

Med slipsen från Merton, den som han bar på det som var hans nästan aldrig visade officiella foto, var det däremot enklare eftersom den förmedlade ett annat budskap som handlade om vetenskapliga studier, intellektuella mödor, förhoppningsvis även om stora kunskaper och hög moral, och vem kunde reta upp sig på sådant? Den motståndare som ändå valde att göra det hade från början försatt sig själv i ett svårt läge.

– Jag har förstått att vi har en gemensam bekant vid Merton, konstaterade Alexander. Samma roade småleende.

– Och jag har förstått att du pratade med henne innan jag gjorde det, sa Mattei.

– En kvinna med ett märkvärdigt intellekt, sa Alexander. Jag vet inte om hon berättade det för dig, men jag var faktiskt hennes handledare när hon skrev sin avhandling. Vad hon nu behövde mig till. Vi brukade träffas en gång i månaden i Terummet på British Museum för att gå igenom hennes avhandlingsarbete. Vi satt där i timmar varje gång och pratade oavbrutet med varandra, men just det där med hennes avhandling kom vi aldrig in på.

– Vad pratade ni om då? frågade Mattei.

– Om allt möjligt, sa Alexander som plötsligt verkade ha tankarna på helt annat håll. Mest pratade vi nog om skära elefanter som vandrade bort över en blå savann.

16

Därefter bytte de ämne och kom till saken. Hög tid för det, tänkte Lisa Mattei.

Alexander hade gett henne ett vanligt usb-minne, rödfärgat för säkerhets skull, men när hon frågade honom om det var några papper som hon behövde skriva på hade han svarat med samma lätta huvudskakning, roade småleende och en menande blick mot de släta väggarna i det fönsterlösa lilla rummet där de satt.

– Papper har dödat fler sådana som du och jag än kulor och krut, sa Alexander. Däremot är det en annan sak som vi måste komma överens om.

– Då får vi prata om den saken, sa Lisa Mattei som anade vad som skulle komma. Men innan vi gör det har jag faktiskt en mycket konkret fråga. Det där med projektilerna som användes vid sprängningen utanför Old Trafford. Vad var det som var så speciellt med dem?

– Rebar, sa Alexander. Small pieces of rebar. Sharp, rusty, nasty little pieces of rebar.

– Rebar, upprepade Mattei. Is that some kind of heavy metal?

Och var är kollegan Wiklander, tänkte hon. Just nu behövde hon en sådan som han.

Istället fick hon klara sig med den hjälp som Alexander kunde ge henne. Det tog honom visserligen någon minut av deras dyrbara tid men hans förklaring var både uttömmande och pedagogisk. Rena Gäster med gester, tänkte Mattei medan Alexander tog händerna till hjälp för att visa vad han menade.

– Långa stänger av järn, som du använder för att förstärka ett tak, ett golv eller en vägg när du till exempel ska mura ett hus med cement, förklarade Alexander.

– Ahaa, sa Mattei. Armeringsjärn.

– Yes, instämde Alexander trots att han rimligen inte kände till ordet. Långa stänger av järn.

– Armeringsjärn, sa Mattei.

– Arrmerringsjeern, upprepade en uppenbart förtjust Alexander.

– Vad är det som är så speciellt med dem? frågade Mattei.

– Att de aldrig har använts som material för projektiler här i England. Inte i Europa heller, som det verkar. Vi har bara ett par kända fall på senare år. Ett i Kenya och ett i Irak.

Därefter gjorde Alexander en liten utvikning och berättade för Mattei vad hans analytiker berättat för honom när han ställt den fullt motiverade frågan varför bitar av armeringsjärn var så intressant.

För det första att sådana bomber var sällsynta och för det andra att de var ovanligt effektiva när man väl hade bestämt sig för att göra en. De borde alltså ha använts oftare, enligt de bombexperter som analytikern själv talat med.

När man tillverkade en självmordsbomb var projektilerna som omgav sprängladdningen av avgörande betydelse. Det var de som dödade människor på längre avstånd från själva explosionen och jämfört med dem var sprängladdningen närmast harmlös. Skulle man dödas enbart av tryckvågen från explosionen måste man stå inom en radie på högst tio meter från den. Eller ha oturen att slungas med huvudet före i en husvägg om man stod längre bort.

De praktiska problemen när man tillverkade en sådan bomb var flera. För det första att man ofta var hänvisad till material som man kunde köpa helt öppet av det skälet att det var tänkt att användas för helt andra och fredliga ändamål. Därför också den vanliga användningen av spikar, skruvar, järndankar, grova blyhagel eller vassa metallföremål i största allmänhet. Som en rörbomb, exempelvis, där det metallrör som omgav sprängladdningen splittrades och förvandlades till massor av vassa skärvor när laddningen detonerade. För det andra att man eftersträvade så låg volym och vikt på bomben som möjligt samtidigt som man ville ha ett så stort antal projektiler som möjligt.

Vanligt armeringsjärn var ett gott val i det sammanhanget. Man klippte järnet på snedden så att man fick en spetsig järnbit på ett par–tre centimeters längd och en vikt på ungefär tio gram. "Som en stympad kon", förtydligade Alexander och trots att det var första gången som Mattei hade hört ordet på engelska förstod hon genast vad han menade.

"Små, vassa, rostiga, stygga bitar av armeringsjärn." Betydligt lättare än projektiler av stål eller bly. Dessutom med den obehagliga egenskapen att de rikoschetterade och for runt på ett sätt som andra projektiler inte gjorde.

– Som en svärm av dödliga bålgetingar som far runt, runt i luften, sammanfattade Alexander.

Med många av de kända bombmakarna var det också så att de signerade sina verk. I regel omedvetet och beroende på den praktik som de lärt sig. Ibland medvetet för att skicka ett meddelande till sin motståndare. Det kunde handla om allt från hur de kopplade sina elsladdar, eller lindade ihop den sladd som blev över, till det sätt på vilket de fäste och fördelade sina projektiler runt sprängladdningen.

Enligt den analytiker som Alexander pratat med höll han inte för osannolikt att valet av armeringsjärn kunde vara det första exemplet på ett verk signerat av just Abbdo Khalid.

– Man undrar ju oneklingen var han har fått den idén ifrån, sa Alexander. Såvitt vi vet har han varken varit byggjobbare, arbetat på någon mekanisk verkstad eller ens vuxit upp på en gård på landet.

– Jag lovar att berätta så fort vi vet, sa Mattei. En konkret fråga om vi nu ska tala om Sverige, fortsatte hon. De här uppgifterna om att attentatet ska genomföras på vår nationaldag, tydligen på Skansen i samband med vårt officiella nationaldagsfirande och därmed riktat mot både medlemmar av vårt kungahus och vår regering. Hur pass säkra är de?

– Uppgifterna kommer från Khalid själv. Jag bedömer dem som så säkra som sådant nu kan vara innan det handlar om ett fullbordat faktum.

– Okej, sa Lisa Mattei. Om vi nu för tids vinnande antar att du har en uppgiftslämnare i Khalids närhet, du behöver inte ens svara på den frågan...

– Om jag nu hade det, avbröt Alexander, så skulle ju ett skäl kunna vara att den personen har kontakt med åtskilliga sådana som Khalid och den där figuren som han ger lite goda råd om hur man skruvar ihop en fungerande djävulsmaskin. Även han studerar för övrigt vid universitetet i Manchester vid en helt annan institution än Khalid och du hittar alla uppgifter som vi har om honom i det material som jag har gett dig. Vem som sammanför vem med vem, kan vi väl tills vidare lämna därhän.

– Kollegerna vid antiterroristkommandot. Känner de till din informatör?

– Det skulle se ut det, sa Alexander med spelad förtrytelse. Diskretion hederssak är det som gäller för våra medarbetare. Inte minst är vi väl insatta i hur vi ska skydda dem från våra olika kolleger.

– Okej, fortsatte hon. Då har jag bara en fråga till. Berätta vad det är som vi måste komma överens om?

Hur jag hjälper dig att skydda din informatör, tänkte Lisa Mattei. Utan att jag för den skull behöver offra livet på min egen kung och drottning och tre medlemmar av regeringen.

– Mycket enkelt, närmast självklart utifrån min syn på saken, sa Jeremy Alexander och rätade på sig i stolen där han satt.

För drygt en vecka sedan hade han blivit klar över att den engelska säkerhetspolisen avsåg att gripa ett tiotal personer för inblandning i självmordsattentatet utanför Old Trafford. En av dem var Abbdo Khalid, där man skulle kontakta svenska Säpo för att hjälpa till med det praktiska eftersom Abbdo hade åkt hem till Sverige innan man hade så pass mycket bevisning mot de andra inblandade att man kunde gripa dem.

Det var en av Alexanders medarbetare som uppmärksammat notisen om det tillslag som man planerade i det stora flödet av information som hela tiden utväxlades mellan de olika organisationerna inom den brittiska säkerhetstjänsten. Tradition sedan många år, absolut regel sedan den 11 september, som det ju med nödvändighet måste bli i en verksamhet där det samtidigt låg i sakens natur att den ena handen inte alltid visste vad den andra gjorde.

Att påstå att hans kolleger vid antiterroristkommandot snällt hade fogat sig i detta och bara rättat in sig i ledet hade samtidigt varit en betydande överdrift. Sedan den 14 mars var de under massivt tryck från media över hela världen och i stort sett varje dag var det någon politiker som ställde sig upp i parlamentet och frågade vad i hela fridens namn Säkerhetspolisen sysslade med. För att nu inte tala om stämningarna inom den vanliga polisen. Fyra av deras kolleger som fått sätta livet till och tre som blivit invalider för återstoden av det.

Det hade inte varit lätt att komma överens, sa Jeremy Alexander. Men till sist hade det gått. Det var hans "amerikanske vän" som gett honom det avgörande stödet. Tills vidare hade Alexander alltså fått respit medan han väntade på den information som skulle ge terroristkommandot och honom möjlighet att ingripa inte bara mot de personer som låg bakom bombningen vid Old Trafford utan även mot ett betydligt större antal likasinnade som var i full verksamhet utanför England. I både Europa och USA.

Mycket kort, mycket enkelt. För honom och dem som han arbetade tillsammans med var det betydligt större värden som låg i potten än de som gått förlorade utanför Drömmarnas teater. Hade antiterroristroteln fått göra sitt planerade ingripande skulle de ha mist allt de hittills hade satsat. Då hade deras motståndare högst sannolikt räknat ut hur det hela hade gått till och valt att gå under jorden.

– Jag har naturligtvis inte den minsta önskan att låta min arbetsro bevaras till priset av att några galna jihadister får ta livet av den svenska statsledningen, sa Alexander. Samtidigt måste jag ställa samma krav på dig, Lisa, som på mina egna kolleger. Om vi antar att du plötsligt skulle bli inträngd i ett hörn och inte har något annat val än att ingripa mot Khalid och de medbrottslingar som han med säkerhet redan har rekryterat måste ni se till att göra det på ett sådant sätt att det inte äventyrar det som vi håller på med inom min organisation och hos våra amerikanska vänner. Vad det konkret handlar om är att i god tid konstruera en mycket trovärdig slump, eller tillfällighet, som var det som fick er att ingripa mot Khalid. Att han hade otur, helt enkelt. Inte skapa grund för minsta misstanke om att vi vetat om det hela tiden och bara väntat ut honom. Därför måste vi också ha ständig kontakt, du och jag. Jag måste fortlöpande och i detalj få veta vad du och dina kolleger gör och vad ni planerar att göra och jag är fullt medveten om att du inte uppskattar det budskapet.

– Där har du fel, sa Lisa Mattei. Jag skulle ha gjort precis som du.

– Skönt att höra att vi är överens, sa Alexander. Dessutom har jag sparat den enda goda nyheten till sist. Eller till näst sist, om jag nu ska vara noga.

– Näst sist?

– Det händer saker hela tiden, sa Alexander och ryckte på axlarna, och just det här fick jag vetskap om först en timme innan du landade.

– Ta den nu då.

– Nej, sa Alexander. Jag tar det sist. Förhoppningsvis är det bara en skär elefant som råkat passera. En sådan där som inte finns. Man ska inte tro på allt man ser.

Den goda "nyheten" var det faktum att den svenska national-dagen skulle firas den 6 juni. Dit var det nästan fyra veckor och om allt som hände hos honom hände i den takt som han förvän-tade sig att det skulle göra var hans praktiska problem förmod-ligen lösta före nationaldagen. Därmed var också Lisa Mattei fri att handla efter sitt eget huvud.

– Khalid då? Hur kommer han att reagera på det? frågade Mat-tei.

– Du kan vara helt lugn, Lisa, sa Alexander. Han kommer inte att ha en aning om vad det är som hänt förrän det är för sent att göra något.

– Jag utgår från att du inte tänker skicka en drönare till Eskils-tuna, sa Lisa Mattei.

Säkrast att fråga, tänkte hon.

– Nej, sa Alexander och skakade på huvudet. Inte till Eskilstuna.

Undrar hur många han och hans amerikanske vän har tagit livet av, tänkte Mattei. Och hur många det handlar om den här gången.

– Då så, sa Jeremy Alexander. Hög tid att vi pratar om vår skära elefant. Eller det som förhoppningsvis bara handlar om att jag börjar bli paranoid på allvar och tycker mig se saker som inte existerar. Var vill du börja?

– Berätta om bakgrunden, sa Mattei. Den måste väl ändå vara densamma oavsett vilket alternativ vi pratar om.

Kanske lite väl självupptagen, tänkte hon.

– Självklart, touché, sa Alexander och nu var det pojkaktiga leendet tillbaka.

Några timmar tidigare hade den engelska militära säkerhetstjäns-ten fångat upp ett sms till en mobiltelefon som skickats ungefär samtidigt som Matteis och hennes kollegers plan hade lyft från Bromma. Den mottagande mobilen befann sig några mil söder om Stockholm och den mobil som sänt meddelandet fanns i centrala Stockholm. Tre minuter senare hade den mottagande mobilen bekräftat att den fått meddelandet med ett tomt sms.

– Hur tolkar du det? frågade Mattei.

– Att den som först tar emot meddelandet befinner sig i en bil som färdas med en hastighet av ungefär hundra kilometer i timmen på E4 i riktning norrut mot Stockholm. Våra tekniker är för övrigt ganska säkra på den saken. De har kunnat använda sig av tre olika telemaster för att positionera den.

Makes sense, tänkte Mattei och nickade.

– Båda mobilerna är kända av oss trots att de aldrig har använts förut. De nummer som de har visar nämligen att det sannolikt handlar om två av de tre mobiler som Abbdo Khalid köpte här i Manchester för snart ett halvår sedan. De har samma sim-kort, nämligen.

– Hur lyder meddelandet då?

– Mycket kort, lämnar öppet för olika tolkningar, sa Alexander samtidigt som han sköt över en handskriven papperslapp till henne.

Take Care! L U

– Take mellanslag Care utropstecken mellanslag Stort L mellanslag stort U, sa Mattei som läste högt från lappen hon fått.

– Precis, sa Alexander och nickade.

– Och hur tolkar du det?

– Om det nu finns skära elefanter på riktigt får jag för mig att det är en varning. Var rädd om dig… utropstecken… stort L stort U vilket ju är initialerna i Louise Urqharts namn. Denna mystiska och spårlöst försvunna engelska kvinna som vill tala om för sin älskade bombman att han måste passa sig eftersom du och dina kolleger är honom på spåret.

– Hur skulle hon kunna skicka en sådan varning till honom? Hur kan hon veta det?

– Bra fråga, instämde Alexander. Borde dessutom gå att ta reda på. En annan och mer sannolik tolkning är ju att hon nu har tagit sig till Sverige och bara vill skicka en kärleksförklaring till Khalid.

Ge ett livstecken ifrån sig och att hon väljer att skämta till det hela genom att skriva den på det där viset som unga människor brukar göra. Att L U i själva verket står för både Love You och Louise Urqhart och att hon kanske inte ens har en aning om Abbdos något udda intresse för explosiva varor. Att jag helt enkelt inbillat mig att jag sett en skär elefant.

– Det finns ju en tredje variant också, sa Mattei.

– En riktig skär elefant. Dessutom den allra skäraste av dem, instämde Alexander.

– Hur ser den ut då?

– Att någon inom din organisation har fått vetskap om den utredning mot Khalid som ni just har inlett. Att han eller hon vill varna honom. I allra värsta fall att han eller hon känner till Louise Urqharts existens och använder något som även kan tolkas som hennes initialer enbart för att förvilla oss. Att han eller hon arbetar hos er och fått vetskap om vår utredning samtidigt som du har fått det. Att ni i själva verket har en liten mullvad i det där nya, fina huset ute i Solna.

– Jag tror att du kan glömma mina tre reskamrater, sa Mattei. De hade ingen aning om vad det här ärendet över huvud taget handlade om när vi klev på planet. Och ingen av oss kände till Khalid förrän du berättade om honom för oss. Dessutom litar jag på dem. Obetingat.

Återstår min chef, generaldirektören. Måste fråga honom så fort vi ses, tänkte Lisa Mattei. Kan knappt bärga mig.

– Jag litar också på dem, sa Alexander. Eftersom det är du som har valt ut dem och eftersom jag litar på dig.

– Hur gör vi nu då, rent praktiskt menar jag? sa Lisa Mattei.

– Det har jag redan tagit hand om, sa Alexander. När du kommer till jobbet och öppnar din dator kommer du att ha fått en ny kontaktadress avsedd enbart för dig och mig och enkom för just den här saken. Sedan får vi väl jobba var och en på sitt håll och se hur det hela utvecklas. Förhoppningsvis är det så enkelt att jag bara haft fel.

– Då gör vi så, instämde Mattei. En sista fråga. Hur kommer det sig att du litar på mig? Vi har ju just träffats.

– Därför att du är precis som jag, sa Alexander. Det förstod jag så fort jag såg dig. Och den dagen jag slutar lita på mig själv så kommer jag också att sluta på det här jobbet. Återvända till Merton och ägna mig åt att tänka, läsa och skriva. Kanske till och med umgås med mina barn.

– Inte bara skjuta en massa fasaner och dricka bra viner? frågade Mattei.

– En och annan, kanske, svarade Alexander med samma lätta leende. Vi får se, låta var dag bära sin egen börda. Du förstår säkert vad jag menar.

17

När Alexander och Mattei återvände efter sitt samtal mellan fyra ögon fanns deras medarbetare redan på plats. Dessutom hade de blivit serverade te, och av den otvungna stämningen att döma övergått till att prata om annat än jobbet.

Alexanders medarbetare, den kvinna som verkade kunna komma från Mellanöstern, hällde upp te åt dem båda. Började med Mattei och frågade med ett vänligt leende om hon ville ha socker eller mjölk. Eller kanske till och med kaffe istället för te? Dessutom kunde hon verkligen rekommendera deras scones. Hembakta med smör, marmelad, sylt och vispad grädde om man så önskade.

Lisa nöjde sig med en kopp te, tittade i smyg på sin klocka ännu en gång, för vilken gång i ordningen hade hon glömt, och kände en stigande rastlöshet som tydligen inte undgick hennes värd. Ett frågande ögonkast, en bekräftande nick från Lisa, det var allt han behövde.

– Fem minuter, sa Alexander, formade sina långa händer till ett valv och slog ihop fingertopparna. Hur trevligt vi nu än har det så har våra svenska kolleger ett arbete som väntar. Låt oss inte uppehålla dem i onödan.

Tio minuter senare satt Lisa Mattei och hennes tre reskamrater på sitt plan. Ny besättning med två manliga piloter och en kvinnlig purser men av allt annat att döma tillverkade av samma virke som deras kolleger som flugit dem till England.

Undrar vilket träslag de gör dem i, tänkte Lisa Mattei. Med tanke på deras historia borde det ju vara gammal engelsk ek. Samma material som de hade använt för att bygga sina örlogsmän under de fem hundra år som de hade härskat över världens hav.

– Rätta virket, viskade Lisa och böjde sig fram mot Wiklander samtidigt som hon diskret nickade mot deras purser som stod ute i serveringsrummet. Men det kan knappast vara ek, eller?

– Jag tolkar det du säger som att om de nu vore tillverkade av den där brittiska eken så skulle de inte vara så ljushyllta, ja, och lite rödfnasiga då, på det där sättet som bara riktiga britter är.

– Ja, precis, instämde Mattei. Vad jag menar är att de borde vara betydligt brunare i hyn. Om det nu är ek, alltså.

– De kanske har gått igenom ekluten istället, sa Wiklander. Då borde de få exakt den där färgen. Och det lär vara det mest härdande som finns.

– Vad tror chefen och alla andra om fem minuters tystnad? frågade Martinez. Jag vet inte om ni minns det, men som jag sa innan vi landade har jag väldigt svårt för folk som pratar i hissar eller under start och landning.

Den tystnad som Linda Martinez hade utbett sig medan de startat hade rått under i stort sett hela deras resa. Martinez och Dan Andersson hade flyttat bakåt i kabinen. Tackat ja till varsin varm smörgås, kaffe och vatten för att därefter övergå till att knacka på sina datorer. Lisa hade beställt in samma smörgås, mineralvatten och ännu en kopp te. Sedan hade hon stoppat in det röda dataminnet i sin laptop och börjat snabbläsa det underlag på drygt fem hundra sidor som Alexander hade gett henne.

Den ende som hade avvikit från mönstret var Wiklander som kompletterat den varma smörgåsen med både ost, choklad och frukt. Dessutom fört in samtalet på det alldeles utmärkta italienska rödvin som de serverats till lunch. Kunde man kanske…

Självklart kunde man det, försäkrade deras purser. Nöjet var helt på hennes sida och ingen var gladare än hon om Wiklander ville förbarma sig över den enda återstående buteljen av ett vin som annars bara skulle bli liggande på någon hylla och stöka till hennes proviantredovisning i onödan.

– Jag lovar att göra mitt bästa, sa Wiklander.

Sedan tog han upp ett skrynkligt exemplar av Times ur fickan på sin kavaj. Plockade fram en blyertspenna med suddgummi ur en annan ficka och övergick till att lösa korsord.

– Jag råkade hitta gårdagens Times, sa han till Mattei. Deras söndagskorsord är helt oslagbara.

– Mhm, nickade Mattei som hunnit en bra bit i sin läsning och hade tankarna på annat håll.

Jag måste ha någon som jag kan prata med, tänkte hon. Någon som jag kan lita på. Om hennes gamle chef och mentor, Lars Martin Johansson, hade varit i livet hade det valet varit givet. Hade han bara varit pensionär så hade hon löst det ändå, i värsta fall genom att inte berätta det för sin egen chef. Men nu var han död. Han hade grävt sin egen grav med kniv och gaffel, glatt humör och en stor servett över magen som han brukade fästa i skjortkragen medan han åt, för att han "spillde ner sig så förbannat". Fast tydligen inte tillräckligt eftersom det han ändå fått i sig gott och väl hade räckt till för att ge honom en massiv infarkt, tänkte Mattei.

– Du, Jan, sa Mattei. Jag har en fråga.

– Mhm, sa Wiklander som hade tankarna på vem som "skrev polyfona motetter för Holmes" i Times söndagskorsord. Tre ord på sju, två respektive fem bokstäver.

– Jag tänkte på Lars Martin, sa Mattei. Vad tror du han tänkte i det ögonblicket som han fattade att han skulle dö?

– Mannen som kunde se runt hörn, sa Wiklander.

– Ja, sa Mattei.

– Att nu var det dags, sa Wiklander. Det hade han ju redan sett.

– Tror jag också, sa Mattei. Så därför tänkte jag be dig om en tjänst.

– Jag lyssnar, sa Wiklander och lade ifrån sig sin tidning och sin blyertspenna på bordet innan han lutade sig tillbaka i fåtöljen där han satt.

Materialet som engelsmännen hade gett henne var fördelat på trettiosju olika avsnitt och ett tiotal behörighetskoder. Om man tillämpade detta fullt ut skulle i stort sett ingen utom hon själv ha en fullständig bild av det hela.

– Så kan vi ju inte ha det, sa Mattei och skakade på huvudet. Jag måste ha åtminstone någon som jag kan prata med och förmodligen kommer det ganska snart att visa sig att vi måste vara fler. Jag blir snart tokig på de här koderna och allt snack om behörighet och access och sekretess. För att inte tala om alla färger som kan betyda helt olika saker och där grönt kan vara rött, fast ännu rödare, fast inte tvärtom…

– Jag förstår precis vad du menar, skrockade Wiklander. Skönt att höra att vi åtminstone är två. Tur att man inte är färgblind.

– Jag tänkte ge dig samma underlag som engelsmännen har gett mig, sa Mattei.

– Ja, sa Wiklander, och med risk för att det nästan låter lite konstigt tror jag att det är ett klokt beslut. Jag själv skulle nämligen ha gjort likadant.

– Bra, sa Mattei. Då har vi fattat ett beslut och med det är det så enkelt att jag vill att det stannar enbart mellan oss tills jag vet vad det här egentligen handlar om.

– Då blir det så, sa Wiklander. Allt har sin tid, som Lars Martin skulle ha sagt.

– Allt har sin tid, instämde Mattei och förhoppningsvis fanns det inga skära elefanter på riktigt, tänkte hon.

– Jag har en fråga till dig också, sa Wiklander. Sherlock Holmes, polyfona motetter. Tre ord, sju, två respektive fem bokstäver.

– Inte ens en aning, sa Mattei och skakade på huvudet.

– Orlando di Lasso, holländsk kompositör på femtonhundratalet, omnämnd i en av Conan Doyles noveller om Sherlock

Holmes. Där satt den, sa Wiklander som hade kommit på det i samma ögonblick som han lagt ifrån sig tidningen.

Deras plan landade på Bromma kvart i nio på kvällen, hennes egen bil stod redan och väntade och förhoppningsvis skulle Ella vara pigg som en ärta när hon klev in i våningen hemma på Narvavägen.

– Välkommen hem, chefen, sa hennes chaufför. Jag har förstått att det är brådis.

– Svinbrådis, instämde Mattei.

Det är väl så man säger när man är i hans ålder, tänkte hon. Svinbrådis. Inte att allt har sin tid.

18

Hennes gamle chef hade naturligtvis haft rätt som vanligt. Allt hade sin tid och den här dagen hade hennes tid tillsammans med Ella redan gått förlorad. Hennes man Johan kom ut i hallen när hon kom instörtande och slängde ifrån sig väskan samtidigt som hon sparkade av sig skorna.

– Välkommen hem, älskling, sa Johan, skakade på huvudet, log och lade armen om hennes axlar.

– Sover hon?

– Som en stock, konstaterade Johan. Och om det nu är någon tröst för hennes mamma så inträffade detta för två timmar sedan. Hon blev ganska saggig redan medan vi satt och åt, faktiskt. Sedan blev det borsta tänderna, nattlinnet med björnarna, hopp i säng och någon saga hann vi väl egentligen aldrig med.

– Hon har väl inte blivit sjuk? frågade Lisa som redan satt kurs mot Ellas rum.

– Nej, sa Johan. Tvärtom. Sedan jag hämtade henne på dagis vid fem har hon babblat oavbrutet om sin mamma och er frukost med både kaffe och våfflor med sylt och att hon fått åka riktig polisbil till dagis. Det allra bästa är att hennes mamma minsann inte är någon vanlig polis. Hon bara bestämmer över alla andra vanliga poliser och det är därför som hon ser ut som en helt vanlig mamma. Ella är numera ohotad etta på dagis. Alla de stora elaka killarna ligger vid hennes fötter och poliserna lovade att komma tillbaka och ta med en riktig polishund som alla barn som inte var allergiska kunde få klappa. Vad tror du förresten om att djupandas tre gånger?

Lisa hade stannat i dörren till Ellas sovrum. Där låg hon, mitt i sängen, sov på det där viset som bara små barn kan göra när de mår bra. Orörlig, ljudlöst, utan att man ens såg eller hörde att hon andades. På rygg, med täcket halvt avsparkat, nattlinnet uppkasat på magen och omgiven av alla sina kramdjur.

– Hallå, jorden anropar Lisa Mattei, upprepade Johan.

– Förlåt, sa Lisa, vände sig om och slog armarna om honom. Förlåt, jag är lite stressad.

– Märks knappt, sa Johan. Har du fått någon middag?

– Macka och te, sa Mattei. Om jag är hungrig? Har faktiskt inte hunnit tänka på det.

– Blodsockret är inte att leka med, sa Johan. Jag fixar den biten så kan du dutta med vår dotter. Men helst inte väcka henne.

– Jag lovar, sa Mattei.

När ska du och jag ha en särskild dag, tänkte hon. En av de där dagarna som gjorde att vi faktiskt flyttade ihop med varandra. Att vi också valde att gifta oss med varandra.

När Lisa kom in i köket hade han dukat för två och stod lutad över en öppen ugnslucka iförd hennes röda förkläde.

– Låt mig gissa, sa Lisa Mattei. Spagetti med köttfärssås.

– Där hade konstapeln helt fel. Min hemlagade lasagne.

– Fantastico, sa Lisa som kände sig på obegripligt gott humör. Då slipper jag giva dig på moppo. Jag trodde att du redan hade ätit?

– Jag bestämde mig för att dela upp det på två pass, sa Johan och ryckte på axlarna. Först min dotter och sedan min fru. Fast samma mat. Vad tror du om ett glas rödvin, förresten? frågade han och höll upp en oöppnad butelj.

– Jag ska upp halv sex, måste vara på jobbet klockan sju, möte med chefen…

– Inget rödvin alltså.

– Klart jag vill ha rödvin. Vill jag ha ett glas? Nej, jag vill ha åtminstone två, och just nu kan jag tänka mig att sitta här och... ja... oaaa... hela natten.

En minut senare hade han serverat dem både lasagne och en nygjord sallad, korkat upp buteljen, hällt upp rödvin, tagit fram en stor flaska mineralvatten och avslutat med att placera en tallrik med riven ost och en pepparkvarn mellan dem.

– Tur att du inte jobbar på krogen, Johan, sa Lisa. Alla andra skulle bli uppsagda på grund av arbetsbrist.

– Jag vet, sa Johan. Det är därför jag jobbar med film. Det är mer som en skyddad verkstad. Ingen blir uppsagd. Inte ens om hen serverar matjessill till pastan.

– Berätta, fortsatte han. Jag vill veta precis allt som du har gjort i dag. Från det att du lämnade vår dotter på dagis i förmiddags till för tjugo minuter sedan då du kom hem och började slänga personligt lösöre omkring dig så fort du klev innanför dörren. Om det inte är hemligt förstås, då får vi prata om något annat.

– Det är svinhemligt, sa Lisa och sänkte rösten samtidigt som hon lutade sig fram och tog hans hand. Men eftersom det är du så tänkte jag ändå berätta. Du är ju faktiskt min man. Du har rätt att veta...

– Ja, hur är det med sekretessreglerna för gifta makar?

– Tyvärr tror jag att det är samma regler som för vanliga sambos, sa Mattei och smakade på sitt röda vin. Fast straffsatserna är lägre om man är gift, så det är väl inte hela världen.

– Jaha, så det säger du, sa Johan och satte för säkerhets skull ner sitt glas på bordet.

– Jag har varit i England och träffat James Bond, sa Lisa Mattei samtidigt som hon drog med pekfingernageln över hans handrygg.

– Det har inte hänt något? Som jag borde veta om, alltså?

– Jo, sa Lisa. Det är klart att det har. När jag klev in här och först såg dig och sedan stod och tittade på Ella där hon låg och snusade i sin säng insåg jag faktiskt hur bra jag har det. Frånsett det, och det är inte det minsta hemligt så det får du gärna berätta för alla som orkar lyssna, så har det hänt en hel del. Allt det där vanliga som alltid tycks hamna i fläkten. Om du berättade det för någon, inklusive min egen lilla mamma, som faktiskt jobbade längre än jag på samma ställe, blir jag tyvärr tvungen att skjuta dig. I lönndom, givetvis. Vilket ju vore svintrist med tanke på det där andra, som jag sa först, alltså. Svintrist, upprepade Mattei. Det är så man säger, va?

– Ja, vissa gör ju det, fast inte du. Okej. Då pratar vi om något annat, sa Johan.

– Precis, sa Lisa och nickade. Vi pratar om dig och mig och vår dotter. Vi pratar om något viktigt för en gångs skull och om det är okej för dig så tänkte jag faktiskt börja.

– Okej, okej, sa Johan. Innan du börjar. Innan jag dör av nyfikenhet. Kan jag bara få ställa en fråga om det där andra? En fråga bara, jag lovar.

– Självklart, sa Lisa och smuttade för säkerhets skull på sitt vin. I am all ears. Shoot, officer.

– Du har varit i England och träffat James Bond?

– Ja, sa Lisa. Eller åtminstone hans chef. Fast på riktigt.

– Märkligt liv du lever.

– Ja, sa Lisa.

Vad skulle hon säga, tänkte hon. Dessutom var det ju sant.

Redan inne på andra glaset vin började Lisa Mattei prata om det som rörde sig i hennes huvud, sådant som plågade henne. Trevande, punktvis, osorterat till en början, som det ju blir när man pratar om något som är svårt och viktigt och dessutom handlar om både en själv och den man pratar med.

Lisa Mattei hade arbetat tjugo år som polis och det mesta talade för att hon skulle göra det i åtminstone tjugo år till. Hon jobbade femtio timmar i veckan och när hon inte jobbade femtio timmar i veckan berodde det på att hon hade jobbat fler timmar än så. Om några år skulle Ella inte vara ett barn längre utan tonåring och om ytterligare några år skulle hon vara vuxen och inte ens bo kvar hemma.

– Förra veckan, sa Mattei. Vet du hur många gånger som jag hann lämna och hämta henne på dagis? Jag lämnade en gång. Du lämnade fyra gånger och hämtade henne fem. Hur många dagar åkte jag hemifrån medan hon sov och kom hem när hon redan hade somnat? Halva veckan. Om tjugo år då? Då jag inte kan vara polis längre. Vad kommer jag att vara då? Ingenting, för allt det där andra har jag tappat bort för att jag var polis istället.

– Det där är inte sant, sa Johan och skakade på huvudet. Ella älskar sin mamma. Hon gör det nu och kommer att göra det då. Det där med dagis, glöm det. Det ligger ju på vägen till och från mitt jobb. Det är till och med närmsta vägen. Vad är problemet? Det är ju praktiska frågor. Praktiska frågor löser man på det mest praktiska sättet.

– Du lyssnar ju inte, sa Mattei. Jag pratar om mig.

– Jo, det gör jag visst det, men det där med hämta och lämna, det köper jag faktiskt inte. Det handlar inte om det.

– Vad handlar det om då?

– Hur ofta har hennes pappa låtit henne åka polisbil till dagis? Ingen gång. Det är det som det handlar om. När hon blir stor och tänker på hur det var när hon var liten.

– Vi skulle ha gått på Skansen och tittat på småbjörnarna som just hade vaknat, sa Mattei.

– De finns väl kvar, sa Johan och flinade. Vart ska de ta vägen? Om jag levde som de skulle jag föredra att sova hela året.

– Det där med radiobilen till dagis. Det är något helt annat, fortsatte han. Prata om timing, prata om att fånga tillfället i flykten, prata om sådant där som sitter som minnen för livet. Bra minnen. Pappa har lämnat mig på dagis. So what, sa Johan och slog ut med händerna.

– En helt annan sak, sa Lisa Mattei. Om du orkar lyssna?

– Ja, sa Johan. Jag kommer att lyssna på dig tills du har fattat att anledningen till att vi gör olika saker är att vi väljer att göra det som är mest praktiskt. För var och en av oss och för oss båda.

– Jo, jag vet. Jag vet allt det där, men jag vill prata om mig nu. Lyssna på det här istället, avbröt Mattei samtidigt som hon fyllde på sitt vinglas.

– Varje gång som jag läser en tidning, lyssnar på radio eller ser på teve så handlar det om relationer och av någon anledning oftast om relationen mellan mor och dotter.

– Selektiv varseblivning, sa Johan. Det kan vara väldigt knepigt att visa på film där ...

– Lyssna på mig, nu, upprepade Lisa.

– Okej, okej, sa Johan och höll upp händerna i en avvärjande gest.

– Hur tror du jag mår då? sa Lisa Mattei. Jag behöver inte ha jobbat som polis för att fatta att om det nu fanns någon rättvisa här i världen borde en sådan som jag bli fråntagen vårdnaden om Ella. Det är så jag känner när jag läser sådant där.

Ändå läste hon det, som nattfjärilen som dras till fotogenlampans ljus trots att lågan kunde sveda vingarna av henne och trots att hon borde hålla sig därifrån och aldrig tänka som sådana som hon förväntades tänka på Hjalmar Söderbergs tid. Dessutom brukade hon bli arg på sig själv, eller snarare förbannad, eftersom hon ändå tänkte på det viset. Hundra år senare. Rejält förbannad på sitt eget dåliga samvete.

– Det borde fler göra, sa Johan.

– Göra vadå?

– Tänka på hur man tänkte på Hjalmar Söderbergs tid. Inte tänka som, utan tänka på. Om inte annat för att fatta att nu lever vi i en annan tid. Det är ett sätt att skaffa sig perspektiv på nuet. Inte att tappa fotfästet i det liv man lever.

– Du måste vara skittrött på mig, sa Mattei.

– Nej, sa Johan och skakade på huvudet.

– Varför inte det då?

– Därför att jag älskar dig. Svårare än så är det inte.

Sedan lade han sin hand över hennes, tittade på henne och nickade i riktning mot deras sovrum.

– Vad tror du om...

– Jag trodde aldrig du skulle fråga, sa Mattei, ställde ifrån sig sitt glas och reste sig upp.

Sex är bra, tänkte Mattei en timme senare. Det fick henne nästan alltid att tänka på något annat och när det var som bäst behövde hon inte tänka alls. Som nu, tänkte hon och sedan hade hon somnat.

II

Tisdagen den 12 maj till
måndagen den 18 maj

Bombmakaren och hans kvinna

Förberedelser inför jakten

19

Lisa Mattei vaknade fem minuter före utsatt tid och hann stänga av väckarklockan på sin mobil för att inte störa Johan som sov. När drack du senast tre glas rödvin på en måndag? Aldrig, tänkte Lisa Mattei. Ändå var hon utvilad, klar i huvudet och fylld av en märklig tillförsikt. Du gillar läget, helt enkelt, tänkte hon.

På vägen till badrummet ställde hon sig i dörren till Ellas sovrum och tittade på henne. Hon sov också, lika ostört som bara ett barn som mår bra kan sova. Det kanske är därför som du mår som du mår, för att du har sovit som ett barn, tänkte hon.

En halvtimme senare hade hon duschat och sminkat sig på sitt återhållsamma vis. Satt på sig rena kläder, valt dem med omsorg och utifrån det uppdrag som väntade. Blå byxor, mörkblå skjorta, blå kavaj, svarta pumps med halvhög klack. Så nära uniform hon kunde komma utan att behöva bära ett plagg som hon aldrig riktigt hade kunnat förlika sig med ens för tjugo år sedan då hon jobbat som nybliven aspirant vid ordningspolisen i City och inte haft något val.

Medan hon drack dagens första kopp te och åt frukost skrev hon ett meddelande till Ella. Ritade ett stort rött hjärta med texten "Ella och Lisa. Sant". Avslutade med att rita två leende och uniformerade kvinnliga poliser som stod på varsin sida om deras hjärta och gjorde honnör.

Sedan dukade hon undan efter sig. Tog vägen förbi Ellas rum och just som hon hade lagt sitt meddelande på tröskeln till rummet

fick hon ett sms från sin chaufför. Han stod utanför hennes port.
Det här kommer du att fixa, Lisa, tänkte hon.

När hon klev in på sitt rum var klockan tio minuter i sju och
hennes sekreterare Karin var redan på plats.

– Blått, bra val, konstaterade Karin och nickade uppskattande
mot Lisa Mattei. Så att alla grabbarna fattar att det inte är tid för
deras vanliga långrandiga utläggningar. Nu är det peka med hela
handen som gäller. Kollegan Wiklander ringde just och undrade
om han kunde få träffa dig. Han är här i huset.

– Kan bli knepigt, sa Mattei. Ska träffa chefen om tio minuter.

– Honom behöver du inte oroa dig för, sa Karin. Han har ringt
och meddelat att han blir en halvtimme försenad. Det var visst
något med trafiken.

Karin tycker inte om vår nye chef, tänkte Mattei. Varför?

– Då så, sa Lisa Mattei. Då kan du säga åt Jan att komma in till
mig. På studs, sa hon, log och pekade med hela handen mot Karin.

– Jo, det kan de behöva, instämde Karin. Fast just Wiklander
är jag lite svag för. Det är en hygglig karl. Väldigt allmänbildad är
han också och det är man ju inte bortskämd med i det här huset.

Tre minuter senare kom Jan Wiklander in på hennes rum. En lätt
frågande handrörelse – som Mattei besvarade med en nick och
ett lika lätt leende – innan han satte sig på andra sidan av hennes
stora skrivbord.

Wiklander ville prata om två saker. För det första om tillförlit-
ligheten i de informationer som den engelske kollegan hade gett
dem. För det andra om något annat som han avsåg att komma till
när han var klar med den första frågan.

– Berätta, sa Lisa Mattei.

I Manchester och dess omgivningar bodde drygt två och en halv
miljoner människor. Tiotusentals av dem var muslimer och när-
mare tre hundra av dem fanns upptagna på den lista över "kända,

misstänkta och presumtiva terrorister med anknytning till muslimska terroristorganisationer" som den engelska säkerhetstjänsten valt att förmedla till sina samarbetspartner.

Ett fyrtiotal av dem som fanns med på listan hade, på ett eller annat sätt, anknytning till universitetet i Manchester. Två av dem fanns inte med. En av dem var den student som man misstänkte för inblandning i självmordsattentatet utanför Old Trafford, den andre var deras landsman Abbdo Khalid som skulle ha gett råd angående valet av de projektiler som hade använts när man tillverkade den aktuella bomben.

Enligt Wiklanders bestämda uppfattning hade Alexander en uppgiftslämnare som tillhörde den här kretsen av personer. Sannolikt ingen vanlig uppgiftslämnare, snarare en infiltratör eller agent som MI6 lyckats placera där och som var så viktig för dem att de inte ens berättat om honom för sina kolleger som arbetade för andra organisationer inom den brittiska säkerhetstjänsten.

– Jag lyssnar, sa Mattei och nickade åt honom att fortsätta.

Johansson igen, måste passa mig, tänkte hon.

– Jag tror ju knappast att det handlar om den där figuren som får råd av Khalid, sa Wiklander och inte om Khalid heller, för den delen. Khalid och hans engelske kamrat befinner sig på fel nivå, helt enkelt. Den som dyker upp i mitt huvud har viktigare saker för sig.

– Vem är han då? Eller hon?

– Grundtips, för det är ju en gissning, så handlar det om någon inom universitetet som har ett arbete eller en funktion som gör att han eller hon kan hitta sådana som dem, sa Wiklander. Någon som jobbar där som lärare eller administratör och som inte har några problem med vare sig sin trovärdighet eller att locka fram dem.

– Jag tror som du, sa Lisa Mattei. Vad gör vi nu?

– Att fråga Alexander om den saken tror jag vi kan bespara oss.

– Där är vi helt överens, instämde Mattei. Jag har nämligen redan gjort ett försök.

– Hedrar honom, konstaterade Wiklander. Jag skulle ha gjort likadant.

– Vad gör vi istället då?

– Antingen gör vi ett försök att själva ta reda på det. Eller också släpper vi den biten. Avgörande för det valet är väl hur viktigt det är för oss.

– Då släpper vi den frågan. Åtminstone tills vidare.

– Klokt, sa Wiklander och nickade med visst eftertryck.

– Vad är det där andra som du ville prata om? frågade Mattei.

– Det är alla dessa västerländska kvinnor som dyker upp i det här sammanhanget. Från den galna amerikanskan, Jihad Jane, som skulle ta kål på Lars Vilks, till Samantha Lewthwaite, den Vita Änkan efter den där jamaicanen som sprängde sig till döds i Londons tunnelbana. Möjligen också Louise Urqhart som kan vara Khalids bidrag till den rekryteringen. Enligt underlaget som Alexander gett oss handlar det ju om åtskilliga hundra sådana kvinnor enbart i USA och England. Som är kända av oss, alltså.

– Så nu vill du göra motsvarande kartläggning här hemma, sa Mattei.

– Ja, sa Wiklander. Jag tänkte faktiskt sätta en av mina analytiker på det. Utan att ha en aning om ifall det kan ha relevans för vår egen utredning.

– Gör det, sa Mattei. Om inte annat kan det ju vara allmänbildande.

– Ja, och i värsta fall kan det få betydelse nästa gång vi får ett liknande ärende. En helt annan fråga. Jag trodde du skulle sitta här med vår högste chef så här dags?

– Han ringde och sa att han skulle bli försenad, sa Mattei. Det var visst något med trafiken.

– Märkligt, sa Wiklander och skakade på huvudet.

– Hur då märkligt?

– Med tanke på att han bor i Birkastan. På andra sidan Solnabron. Högst sju minuters körning till jobbet. Fem minuter i morse om du frågar mig.

– Hör vad du säger, sa Mattei.

Varken Wiklander eller hennes sekreterare Karin verkade alltså gilla deras högste chef. Jan Wiklander däremot verkade Karin gilla, men så enkelt kunde det väl knappast vara, tänkte hon.

– Vad bra, sa Wiklander och smålog samtidigt som han gjorde en ansats att resa sig ur stolen där han satt.

– Om ett bollplank ska fungera måste det få bollen att studsa tillbaka när du kastar den, sa Lisa. Eller hur?

– Jag förstår vad du menar, sa Wiklander samtidigt som han sjönk tillbaka i sin stol. Om jag säger så här då. Jag har jobbat här nästan lika länge som din mamma jobbade här och under de åren har jag ägnat alldeles för mycket av min tid åt att ljuga. Jag har ljugit för i stort sett alla som orkat lyssna. Jag har ljugit för min hustru och mina barn, för mina arbetskamrater, för bekymrade medborgare, för journalister och för alla skurkar som jag försökt sätta i finkan eller åtminstone få utvisade ur landet. Lögner i alla tänkbara kulörer, från vitaste vitt till svartaste svart och de har alla haft det gemensamt att jag ljugit å tjänstens vägnar.

– Nu förstår jag precis vad du menar, sa Lisa Mattei. Ändamålet helgar medlen.

– Jo, fast det där med hedern behöver du inte bekymra dig om. Den blir du ju av med ganska omgående när lögnen blir din livsluft. För att inte förlora förståndet, däremot, bestämde jag mig därför tidigt för att inte ljuga i onödan. Att åtminstone hålla mig till sanningen när det inte hade med tjänsten att göra.

– Som att inte skylla på trafiken när du hade försovit dig, sa Lisa Mattei.

– Ja, ungefär så, sa Wiklander.

– Ursäkta att jag avbryter, sa Karin just som hon öppnade dörren till rummet där de satt.

– Ja, sa Mattei. Jag lyssnar.

Nu får du ge dig, Lisa, tänkte hon.

– Vår chef ringde från garaget. Han är på sitt rum om två

minuter och vill gärna träffa dig, omgående. Som alla syndare som vaknat för sent.

– Då måste jag be dig om en tjänst, sa Mattei. Be att han kommer in till mig istället. Jag har lite svårt att lämna mitt rum. Jag sitter nämligen och väntar på ett meddelande. Ja, ett sådant där hemligt, du vet, sa hon och nickade mot sin dator.

– Jag fattar precis, sa Karin och såg ganska förtjust ut när hon sa det.

– Passa dig, Lisa, sa Jan Wiklander och skakade på huvudet, reste sig och nickade mot Mattei. Vi ses klockan tolv. Första mötet med vår spaningsstyrka.

– Ja, sa Mattei. Och se för faderulingen till att komma i tid.

20

Fem minuter efter att Wiklander hade lämnat Mattei kom hennes chef, generaldirektören, in på hennes rum, gick rakt fram till hennes skrivbord och slog sig ner i stolen mitt emot henne. Ingen frågande handrörelse den här gången och nu satt han där med den självklarhet som följde av att han var den han var.

Hennes chef inledde sitt besök med att beklaga sin sena ankomst. Han bodde visserligen inne i staden men vissa morgnar var ju Stockholmstrafiken fullkomligt obeskrivlig och det här hade tyvärr varit en sådan. Sedan nickade han nyfiket mot hennes dator som stod på skrivbordet. Av Karin hade han förstått att det var viktiga saker i görningen och nu undrade han naturligtvis vad det var som var på gång. Hade deras engelske kollega hört av sig igen?

– Väntar fortfarande, ljög Mattei med ett vänligt småleende. Allt sådant där som ska kodas och avkodas tar ju en förskräcklig tid, tillade hon förklarande.

– Ja, instämde hennes chef. Jag är visserligen ny här i huset men så mycket har jag i alla fall förstått. Att det här hemlighetsmakeriet upptar nästan hela vår tid, menar jag.

Sedan ställde han nästa fråga. Besöket hos engelsmännen. Vad hade det gett? Vad hade de haft att komma med och hur allvarligt var egentligen det läge som redan dagen innan hade fått honom att höja deras beredskap med ett steg?

Mattei undvek hans fråga. Inledde sitt svar med att berätta att engelsmännen hade gett dem identiteten på en misstänkt och presumtiv gärningsman, en svensk medborgare av somaliskt ursprung som planerade genomförandet av en så kallad självmordsattack på Sveriges nationaldag.

Allt det hon just hade sagt visste han ju redan, tänkte Mattei.

– Hade de något mer att ge oss? frågade generaldirektören.

Ett ganska omfattande bakgrundsmaterial, berättade Mattei. Information som hon ännu inte hade hunnit sätta sig in i, varför hon föredrog att vänta med att ge honom sin egen uppfattning. Eftersom den engelske kollegan samtidigt tycktes ta saken på största allvar hade hon dock bestämt sig för att omgående inleda en utredning mot den som det handlade om. Hon hade redan varit i kontakt med deras åklagare och de skulle träffas om en timme. Klockan tolv skulle hon ha det första mötet med spaningsstyrkan och förhoppningsvis skulle det praktiska arbetet vara igång redan under eftermiddagen.

Vad det senare anbelangade hade hon också bestämt att utredningen skulle omfattas av den högsta graden av sekretess och att man redan från första början skulle arbeta med full styrka enligt den fastlagda planen för särskilda insatser vid utredningar av större omfattning.

– Låter som en trist historia, sa generaldirektören. Jag får för mig att du är lika orolig som våra kolleger verkar vara.

– Åtminstone tills jag har bevisat motsatsen, sa Mattei.

– Klokt, instämde hennes chef.

– Det är en annan sak som du bör veta om och eftersom jag inte vill att du ska ta illa upp tänkte jag ta det redan nu, sa Mattei och log vänligt för att mildra det budskap som skulle komma.

– Kör hårt, sa generaldirektören och log även han. Har man jobbat tio år inom kanslihuset och ännu längre inom politiken så är man van vid det mesta.

– Ja, fast vissa saker borde man ju faktiskt inte behöva vänja sig vid, sa Mattei och snörpte en aning på munnen.

– Vad är det då? frågade generaldirektören. Uppenbart road nu.

Eftersom detta var en utredning som åtminstone inledningsvis skulle bedrivas enligt den högsta sekretess som fanns vid Säkerhetspolisen innebar det även att hennes möjligheter att informera honom blivit avsevärt beskurna. Dessutom att det var hon, och endast hon, som avgjorde vilken information som han skulle få tillgång till.

Hennes chef verkade ta även detta med gott humör. Först hade han uttryckt en personlig förhoppning om att hon i så fall skulle "låta nåd gå före rätt", nyfiken som han var, och att han verkligen inte tog illa upp eftersom han var väl medveten om de regler som gällde för deras arbete.

– Det var skönt att höra, sa Mattei. Du ska veta att det är knepigt att säga sådant till en person som faktiskt är ens chef.

– Jag avundas dig inte, Lisa, sa chefen. Samtidigt vill jag understryka att du har mitt fulla förtroende och helhjärtade stöd.

– Skönt att höra, sa Lisa Mattei återigen och log för att markera hur lättad hon kände sig. Då är det en fråga som jag måste ställa.

– Jag erkänner oförbehållsamt, skämtade chefen. Ge mig papperet bara, så ska jag skriva under min bekännelse.

– Ja, så illa är det verkligen inte, men enligt de regler som jag måste följa ansvarar jag också för att den här utredningen blir fullständigt dokumenterad och den dokumentationen handlar till väsentliga delar om den information som olika personer kan ha fått om utredningen.

– Nu undrar du alltså om jag har berättat för någon annan om det som jag berättade för dig i går? Om det Alexander hade berättat för mig.

– Ja, sa Mattei. Dum är du inte, tänkte hon.

– Nej, sa generaldirektören, smålog och skakade på huvudet. Du får tro det eller ej, men jag har faktiskt inte sagt ett ord om den saken. Inte till någon. Jag har inte ens pratat om att du och jag träffades i går. Än mindre vad vi pratade om rent allmänt. Den enda som vet att vi hade ett samtal är väl Karin, men det beror ju inte på att jag sagt det till henne.

– Utmärkt, sa Lisa Mattei. Då är det bara en sak till som jag måste be dig om. Att få ett kort möte med dig igen så fort jag träffat min spaningsstyrka.

– Självklart, sa generaldirektören. Är det då du hade tänkt låta nåd gå före rätt och berätta om alla hemligheter som ni håller på med?

– Nej, sa Mattei och skakade på huvudet. Men det är då jag tänker ge dig en sammanställning över den personal som jag behöver för det här. Plus en preliminär kostnadsberäkning.

– Då har du kommit till rätt man, sa hennes chef med känsla. Om man har fyra grabbar som jag, i den åldern, då är man van att betala. För att inte tala om två före detta fruar med, för den delen. Fast det är ju sådant som man absolut inte ska prata om.

Nej, man ska ju inte det, tänkte Lisa Mattei. Av omtanke om sig själv om inte annat. Fast på Hjalmar Söderbergs tid hade det väl varit helt i sin ordning, så egentligen är väl inte du värre än någon annan som är som du.

21

Tio minuter innan Mattei träffade sin spaningsstyrka gick hon in på toaletten för att göra en sista granskning av sitt yttre. När det gällde henne fanns inte utrymme för vare sig såsfläckar på skjortan eller den speciella doften av bristande hygien, än mindre den oknäppta gylf som när det gällde hennes manliga kolleger kunde tolkas som allt ifrån en vanlig skämtsamhet, grabbarna emellan, till ett uttryck för manlig dådkraft och att man hade viktigare saker att ta itu med på jobbet än att bekymra sig för den typen av detaljer. När det kom till sådana som hon kunde det däremot räcka med att det hamnat lite läppstift på hennes vita tänder för att hon skulle få ett tillnamn under återstoden av sitt liv som polis, Lisa med Läppen, tänkte Lisa Mattei.

Vem har sagt att livet ska vara rättvist, tänkte hon. Vad det handlade om nu var ett oklanderligt yttre, hela vägen utifrån och ända in. Precis som Jeremy Alexander, och det som skiljde dem åt var väl snarare det faktum att han inte skulle ha ägnat en tanke åt saken. Definitivt inte åt att först knäppa översta knappen i sin skjorta för att sedan – efter ett ögonblick av tvekan följt av ett snabbt beslut – knäppa upp den igen för att markera att man definitivt inte var en ängslig människa. Tvärtom, en oknäppt knapp som visade på både självförtroende och en öppen inställning till det problem som hon och hennes medarbetare nu skulle lösa.

– Impeccable, konstaterade Lisa Mattei och nickade åt sin egen spegelbild. En slips med skära elefanter var däremot inte att tänka på för en sådan som hon. Vad hon nu skulle med den till.

Första mötet med spaningsstyrkan. Tolv personer i rummet, varav hon var en. Förutom hon deras kvinnliga åklagare som var den formellt ansvariga för det arbete som väntade, Matteis närmaste man och biträdande spaningsledare Jan Wiklander samt de totalt åtta gruppchefer som ansvarade för analys, underrättelseverksamhet, förhör, inre och yttre spaning och hela raddan av tekniska åtgärder. Från vanliga tekniska undersökningar och rekonstruktioner, mobilspaning och telefonavlyssning, till att skruva in en dold mikrofon i den misstänktes sovrum eller att vid behov plocka fram andra experter än de som redan fanns i huset där de jobbade. Dessutom Dan Andersson som var satt att skydda dem som det ytterst handlade om och en given samtalspartner i den dialog som skulle se till att det också förblev på det viset. Ingen av dem som satt runt bordet hade hamnat där av en slump.

Mattei började med att hälsa alla välkomna och eftersom de redan kände varandra väl sedan tidigare behövdes inga närmare presentationer. Det underlag om ärendet som de behövde hade de redan fått och i övrigt gällde högsta sekretess och högsta prioritet.

– Om det är som vissa befarar tänkte jag köra det enligt SISU men innan jag fattar det beslutet vill jag nog veta vad det här verkligen handlar om, sa Lisa Mattei.

– I dag är det tisdag, fortsatte hon, och senast på fredag eftermiddag klockan fjorton vill jag veta allt om Abbdo Khalid, om hans familj och övriga kontakter som kan vara av intresse i sammanhanget. Wiklander sköter de löpande dagliga avstämningarna av läget så att jag kan ägna mig åt att flytta om mina pärmar. Ja, det var väl det hela, avslutade Mattei och log vänligt. Några frågor med anledning av detta?

Lite klädsam självironi, så där, tänkte hon. Skadar aldrig. Har hittills ingen dött av.

Av de unisona huvudskakningarna att döma så fanns det heller inga frågor, åtskilliga leenden däremot.

– Okej, sa Mattei. Då återstår en del praktiska saker som ni måste skicka med mig så att jag kan ta dem med vår GD medan ni ser till att få något ordentligt uträttat. Jag vill ha preliminära kostnadsunderlag, tjänstgöringslistor, önskemål om tvångsmedel, behov av särskild utrustning och eventuell uppbackning från andra enheter och myndigheter, plus alla speciella önskemål och allt det där andra som jag säkert har glömt. Jag lyssnar.

Trettiosju minuter, totalt, tänkte Lisa Mattei en halvtimme senare när hon lämnade spaningsstyrkans första sammanträde och tog ut stegen i riktning mot generaldirektörens rum.

22

När Mattei kom in till honom låg han på sin soffa och läste Dagens Industri. På bordet vid hans sida stod en skål med nötter, russin och frön. En vänlig men samtidigt lätt frånvarande handrörelse mot fåtöljen på andra sidan, utan att han slutade läsa.

– Slå dig ner Lisa, slå dig ner, sa han. Vad kan jag hjälpa dig med?

– Preliminära kostnadsberäkningar, personallistor, diverse andra kostnader som är relaterade till vårt ärende, sa Mattei och lade en röd plastficka med papper på soffbordet mellan dem.

– Jag funderar på att köpa lite läkemedel, sa hennes chef som verkade ha tankarna på annat håll.

– Jag hoppas att det inte är något allvarligt, sa Mattei med oskyldig min.

– Allvarligt, sa generaldirektören samtidigt som han satte sig upp och lade ifrån sig tidningen. Allvarligt, nej, du missförstår mig. Inte några mediciner. Nej, jag menar aktier, alltså. Läkemedelsaktier. Jag tackar för din omtanke, men själv mår jag prima. Som en pärla i guld, som en prins i en bagarbod, förtydligade han.

– Skönt att höra, sa Mattei och log vänligt. Jag blev nästan lite orolig.

Vad vi nu ska med prinsar till på det här stället, tänkte hon.

– Berätta, sa generaldirektören samtidigt som han tog en näve med nötter och russin och stoppade in i munnen. Berätta hur det går för er.

– Jag tänkte börja med att ta reda på vad det här egentligen handlar om, sa Mattei. Om det är som vissa befarar så tänkte jag köra det hela enligt SISU och det beslutet kommer jag att fatta senast på fredag eftermiddag.

– SISU, SISU, vadå SISU? Är det något finskt, eller?

– Jaha, sa Mattei. Nu är jag med. Enligt våra anvisningar för Särskilda Insatser vid Större Utredningar, SI... SU, särskilda insatser... större utredningar, upprepade Mattei med gott om avstånd mellan orden.

– Alla dessa förbaskade förkortningar, grymtade generaldirektören irriterat. Var får de allt ifrån?

– Bra fråga, sa Mattei. Dessutom har jag ett förslag.

– Ja?

– Jag har inte fått någon lunch, sa Mattei. Jag tänkte kila ner och äta en bit så kan du i lugn och ro gå igenom alla papper som jag gett dig. Så ses vi när jag har laddat batterierna.

– Låter klokt, instämde han. Du har inte prövat den här stenåldersdieten, mycket nötter och torkade rötter och frön och sådant där, förklarade han och pekade på skålen som stod på hans bord.

– Nej. Men den är säkert bra, sa Mattei. Då ses vi om en halvtimme.

Tur att jag inte är Johansson, tänkte hon när hon lämnade honom.

Nere i personalmatsalen hade man som "Dagens kött och fisk" serverat stekt fläsk med stuvad vitkål eller kokt kolja med örtbuljong och krispiga grönsaker. Undrar just vad Lars Martin skulle ha valt, tänkte Lisa Mattei medan hon petade med gaffeln i den räksallad som hon hittat på den särskilda menyn. Tjugo minuter senare hade hon rest sig från bordet och på vägen ut ställt sin bricka på bandet med disken.

Du äter alldeles för fort och alldeles för nyttigt, tänkte hon.

När Mattei kom tillbaka till GD:s rum efter drygt en halvtimme satt han i stolen bakom sitt skrivbord djupt försjunken i ett prospekt från ett läkemedelsföretag som tydligen skulle introduceras på den svenska börsen.

– Jag tänkte på din pappa, sa hennes chef. Höll inte han på med läkemedel? Jag har för mig att det var någon här på jobbet som berättade att han var apotekare nere i Tyskland.

– Nej, sa Mattei och skakade på huvudet. Inte apotekare. Han är biokemist och kom hit som ung student på sextiotalet från Bayern, Claus Peter Ferdinand Mattei heter han. När jag var liten jobbade han på Astra, och så småningom blev han forskningschef där, men när mina föräldrar skiljde sig flyttade han tillbaka till Tyskland. Hans pappa, däremot, var apotekare i München. Fjärde generationen till och med. Numera är pappa pensionär och bor i München igen. Innan dess bodde han i New York i många år.

– I New York. Intressant, sa generaldirektören. Vad gjorde han där? Jobbade han fortfarande med läkemedel?

– Ja, fast inte som apotekare, sa Mattei. Han satt i koncernledningen för Pfizer.

– Pfizer? Det är ju världens största läkemedelsföretag.

– Om du säger det så, sa Mattei med en obekymrad axelryckning. Själv kan jag ingenting om sådant, men jag vet att han bland annat ledde den forskargrupp som tog fram deras så kallade livsstilsmediciner. Ja, Viagra och allt det där, som du säkert känner till bättre än jag.

– Viagra. Herre min skapare, sa hennes chef. Han måste ju ha tjänat hur mycket pengar som helst!

– Mer än så, om du frågar mig. Det lär visst vara världens mest sålda läkemedel, sa Mattei som ändå verkade ganska ointresserad. Jag har faktiskt inte frågat hur mycket, så ärligt talat vet jag inte, och min pappa pratar aldrig om pengar.

Där fick du lite gott att suga på, tänkte hon.

– Jaha, ja, suckade hennes chef och tog fram papperen som hon hade gett honom. Om vi skulle ta och klara av det praktiska.

Själv hade han "lite blandade administrativa synpunkter" på deras ärende och om han skulle försöka systematisera dessa var det främst tre frågor som han undrade över. Bland annat det stora inslaget av spanare i deras utredning. Tre av fyra, "mellan tummen och pekfingret", eftersom han visste vad de chefer som hade begärt dem arbetade med dagligdags.

Mattei förklarade och tog god tid på sig medan hon gjorde det. Det berodde på att man just gått in i det inledande skedet. Att hon först ville ta reda på vad detta handlade om. Beroende på hur det hela utvecklades kunde den bilden sedan komma att ändras.

– Utredningen får leda oss, konstaterade Mattei.

Generaldirektören nickade instämmande. Samtidigt var det en detalj i detta som han ville förhöra sig om. Av olika utgiftsposter hade han nämligen förstått att detta inte var ett Stockholmsärende. Kostnaderna för personalens resor och uppehälle pekade tydligt på att det förhöll sig på det viset.

– Rak fråga, sa GD. Vilken del av landet pratar vi om? Och om du kan vara så konkret som möjligt på den punkten så skulle jag uppskatta det.

Någonstans i Sverige, tänkte Mattei men det kunde hon ju inte säga.

– Jo, jag förstår att du behöver den uppgiften om våra revisorer kommer med synpunkter, men i och med att du får den är jag tvungen att dokumentera det.

– Självklart, sa GD. Inga som helst problem, försäkrade han.

– Eskilstuna, sa Mattei.

– Eskilstuna, upprepade han och nickade. Så, det säger du.

– Ja, sa Mattei.

Varför verkar han förvånad, tänkte hon.

– Du verkar förvånad?

– Ja, jag trodde inte ens att det fanns några muslimer i den staden.

– Betydligt fler än i Stockholm, sa Mattei. Om du räknar dem i andel av folkmängden på respektive ställe.

– Det var som tusan, sa hennes chef. Det trodde jag inte. Eskilstuna av alla ställen.

Återstod en fråga. Inte beroende på att han hade några synpunkter på hur hon valde att genomföra sin utredning – det vore honom fjärran – men det var en sak som förbryllade honom. Nämligen att han saknade vissa personer och även funktioner i den spaningsstyrka som hon hade satt upp.

– Hur menar du då, sa Mattei trots att hon redan anade vad som skulle komma.

– Kollegerna vid NCT, vårt nationella centrum för terrorhotbedömning. Med dem är det ju dessutom så praktiskt att de inte belastar vår budget och det gäller både dem som jobbar vid militära underrättelsetjänsten och vid försvarets radioanstalt.

– NCT och Must och FRA, konstaterade Mattei med ett svalt leende. Och jag som trodde att du inte gillade sådana där förkortningar.

– Nåja, sa hennes chef. Jag ser ju vissa problem här, inte minst med tanke på att det avgörande skälet till att vi skapade NCT ju var att de skulle spela en viktig roll just i de ärenden som handlar om terroristbekämpning. Nu har vi plötsligt ett skarpt läge där de inte ens finns med i vår spaningsorganisation. Lyser med sin frånvaro, om man så säger.

– Om det nu skulle visa sig att vi behöver deras tjänster och allmänna expertis kommer de naturligtvis att kallas in och svar på den frågan hoppas jag alltså att jag kan ge dig så fort som möjligt.

– Utmärkt, konstaterade generaldirektören. Vi får ju inte glömma bort att ett sådant här ärende påverkar hela vår organisation och att en viktig fråga naturligtvis handlar om att undvika onödiga slitningar mellan delar av den. Att vi inom den gamla Säpoorganisationen inte kan beskyllas för att vi fortfarande envisas med att pinka in samma gamla revir.

– Nej, verkligen inte, sa Mattei och skakade på huvudet.

– Skönt att höra, sa generaldirektören. Dessutom uppskattar

jag att du är villig att lyssna på mina kanske mer lekmannamäs-
siga funderingar, men när det kommer till övergripande organi-
sationsfrågor vill jag nog ändå påstå att jag har en viss erfarenhet
av sådant.

– Jag har inga som helst problem med det. Tvärtom uppskattar
jag dina synpunkter, sa Mattei och log vänligt.

– Vad bra. Ja, det var väl det hela, sammanfattade hennes chef.
Då ska jag inte uppehålla dig i onödan.

Var det inte du som lovade att du inte skulle lägga dig i min
utredning, tänkte Mattei när hon lämnade honom.

23

När Mattei återvänt till sitt rum hade hon fattat ett beslut. Att först ringa efter en taxi för att sedan under diskreta former lämna sin arbetsplats medan det femtiotal medarbetare som hon numera förfogade över tills vidare skötte det löpande arbetet. Väl i säkerhet i sin taxi skulle hon därefter ringa sin make och meddela att hon tog hand om samtliga familjerelaterade ärenden under återstoden av dagen. Först hämta Ella på dagis, handla mat, laga mat tillsammans med Ella, umgås med Ella och Johan, äta middag tillsammans, natta Ella och avsluta den delen med en längre godnattsaga.

Hunnen så långt i den rent mentala delen av det som hon just hade bestämt sig för att bestämma hade hon drabbats av en svårartad beslutsångest och den som tillfälligt hade räddat henne ur detta dilemma var Jan Wiklander.

– Om du har tid, Lisa, så tänkte jag se till att du blir uppdaterad, sa Wiklander med sitt vanliga vänliga leende.

– Självklart, sa Mattei, log även hon och nickade mot sin besöksstol på andra sidan skrivbordet. Slå dig ner.

Jan är en klippa, tänkte hon, och vad hon själv var ville hon helst inte tänka på.

Allt rullade på enligt plan, konstaterade Wiklander. Deras åklagare hade börjat begära in tillstånd för de olika tvångsmedel som de behövde: telespaning, mobilspaning, telefonavlyssning, dold avlyssning, dolda husrannsakningar, för att nu bara nämna sådant som stod överst på deras önskelistor i detta inledande skede. Martinez och hennes kolleger var redan på plats nere i Eskilstuna för att genomföra de nödvändiga rekognoseringsåtgärderna innan man gick över till den fältmässiga praktiken och själv hade han redan ett gott grepp om deras underrättelseverksamhet och allmänna informationsinhämtning.

– Calle Lewenhaupt kommer att sköta den biten, sa Wiklander. När vi ses på fredag räknar han med att kunna presentera en första kartläggning av Khalid, hans familj och hans närmaste omgivning.

– Calle är bra, instämde Mattei. Även om jag ibland undrat över hur det kan komma sig att en sådan som han valde att börja jobba på det här stället. I en bättre värld borde han väl ha suttit på Riksarkivet eller sysslat med att förvalta hovets konstsamlingar.

– Inte Calle, sa Wiklander och skakade på huvudet. Calle är en krigare, trots sin milda yttre framtoning. Dessutom har jag faktiskt frågat honom.

– Vad sa han då?

– Precis det som jag redan misstänkt, att det var en del av hans arv, sa Wiklander. Av det förhållandet att hans familj hade tjänat konungariket Sverige under drygt fem hundra år före honom och att de under den tiden hade utgjutit mer blod för rikets överlevnad än vad samtliga poliser här i landet har gjort under kårens knappt tvåhundraåriga historia. Ja, du vet ju hur han låter när han är på det humöret.

– Vad vet han om islam och muslimsk terrorism? envisades Mattei.

– Det mesta, om du frågar mig, sa Wiklander. Han påstår dessutom att även det intresset är ärftligt betingat.

– Hur då?

– Enligt vår egen Calle skulle en av hans förfäder ha varit med Karl XII i Bender nere i Turkiet när kungen satt fången hos sultanen av Osman. Vilket alltså skulle ha lagt grunden till släkten Lewenhaupts intresse för den islamiska kulturen.

– Det är väl bara att tacka och ta emot, sa Mattei. Även om det förmodligen är en ren skröna.

– Ja, sa Wiklander. Den tanken slog även mig. Dessutom har jag ett förslag till dig.

– Ja?

– Åk hem, sa Wiklander och pekade för säkerhets skull med hela handen mot den stängda dörren till hennes rum. Åk hem, träffa din lilla dotter och karlen din så ses vi i morgon. Just nu behövs du faktiskt inte på det här stället.

– Tack, sa Mattei med mer känsla än hon hade avsett att visa. Det var precis det jag tänkte göra, nämligen.

24

"Var är pappa?" hade Ella undrat när Lisa Mattei kommit in på dagis för att hämta sin dotter och eftersom femåringar inte förstod sig på ironi hade Mattei försökt göra sitt bästa trots att det var en drabbande fråga. I dag var det hon som hämtade och eftersom pappa hade fått oväntat mycket att göra på jobbet var det faktiskt Ella och hennes mamma som fick ta hand om allt det praktiska som att handla, laga mat, duka, ställa in i diskmaskinen efteråt, kort sagt allt som måste göras. Ella hade begrundat detta under tystnad innan hon nickat, format höger pekfinger och tumme till en ring, därefter gått fram till Mattei, lagt huvudet mot hennes midja och gett henne en kram.

Först hade de handlat mat och hennes mammas dåliga samvete hade gjort att Ella fått ett avgörande inflytande över deras måltid. Köttbullar, potatismos – riktigt potatismos – med brunsås och mycket lingon som det skulle vara extra socker på så att de inte smakade surt. Till efterrätt vaniljglass med chokladsås, vispad grädde och maränger. Samma mat som hon brukade få när hon var hos sin mormor, förtydligade Ella.

Och en rejäl kopp kaffe efter maten, tänkte Mattei uppgivet samtidigt som hon nickade och log.

Mattei hade lagat köttbullar med hjälp av en kokbok medan Ella hade dukat, passat så att potatisen inte kokade över och gett sin mamma goda råd i största allmänhet. Dessutom ställt en och annan fråga. Hur kunde det komma sig att mamma läste i en bok samtidigt som hon skulle göra köttbullar? Det gjorde aldrig pappa eller mormor. Mattei hade förklarat att när hon lagade mat blev det mycket godare på det viset. Ella hade inte verkat helt övertygad men hon hade inte sagt något.

Sedan hade Johan kommit hem. Kysst sin fru på munnen, pussat på sin dotter, hissat upp henne i luften och pussat henne på magen tills hon kiknade av skratt, kramat dem båda, noterat röran runt spisen och diskbänken med ett småleende men utan att säga något om just det.

– Mormors hemlagade köttbullar med gammaldags brunsås och himmastompad potatis, mums filibabba. Alla dessa himmelska dofter som möter en stackars utsläpad husfader så fort han kliver innanför dörren till det trevna tjället. Kan det bli bättre, sa Johan och log brett mot Mattei.

– Var så god och sitt, sa Mattei, tittade på sin make och nickade mot matbordet. Vill du att jag ska servera dig?

– Ja, gärna, sa Johan. Fast du kan sätta dig ner.

Passa dig väldigt noga, nu, tänkte Mattei.

Efter maten hade Ella avgett ett litet omdöme som svar på sin mammas fråga om vad hon tyckte om maten. Lingonen var för sura. För lite socker, enligt Ella. Men annars var den "okej" även om både moset, köttbullarna och såsen smakade "magrare" än hos mormor. Fast efterrätten var "helt okej" trots att den glass som mormor brukade köpa faktiskt smakade "glassigare" än den som hennes mamma hade köpt.

– Jag tycker det var jätte, jätte, jättegott, sa Mattei.

Vad är det jag håller på med? Försöker ställa mig in hos min egen familj, tänkte hon.

Medan hennes make "renoverade" deras kök – det var så han hade sagt, inte städa – nattade Lisa deras dotter. Hjälpte henne av med kläderna, genomförde lilla kvällstvätten, såg till att hon borstade tänderna och satte på sig sitt nattlinne. Helt enligt invanda rutiner och utan att behöva söka stöd i litteraturen, tänkte Lisa.

– Vill du ha den med björnarna eller vill du ha en ny? frågade Lisa med viss tvekan och höll för säkerhets skull upp den med björnarna.

Måste kolla tvättmaskinen, tänkte hon.

– Björnarna, sa Ella. Den med björnarna på.

Återstod omstoppning, att gosa lite, att läsa den avslutande godnattsagan om den ensamma lilla farbrorn och mitt i en mening hade Ella somnat.

Jag är inte bara polis, jag är mamma, också, tänkte Lisa Mattei medan hon strök sin dotter över pannan. Hög tid att hon plockade fram polisen inom sig och tog ett allvarligt samtal med sin egen mamma, tänkte hon.

En halvtimme senare, när Lisa Mattei just klivit ur duschen, ringde Martinez på hennes mobil.

– Sover du eller är du vaken? frågade Martinez.

– Det beror på, sa Mattei.

– Själv sitter jag i baren och klämmer en bärs. Jag är nere i Bonnaköping och rekar. Bor på Stadshotellet. Mycket ragg här. Redan bett två lokala bonnläppar att bara dra eller dö.

– Skönt att höra att du inte sticker ut, sa Mattei.

– Självklart, se men inte synas, som vi brukar säga i min bransch. Vad jag undrade var bara om du själv hade lust att titta ner och lägga örat mot rälsen.

– Lägga örat mot rälsen?

– Ja, var det inte så han sa, den där stollige kollegan som sumpade mordet på Palme. Han som var länspolismästare i Stockholm. Det var före din och min tid så det måste väl vara någon av de äldre kollegerna som berättat om det.

– När hade du tänkt dig det då? frågade Mattei.

– I morgon bitti. Du kan få skjuts ner med en av mina killar.

Har du tur kanske du kan få kolla in vår egen bombmakare. Jag har ringt in Frank så du kan få åka med honom.

– Frank? Är det någon som jag träffat tidigare?

– Frank Motoele. Han har jobbat hos mig i flera år nu. Det är ingen som du glömmer om du har sett honom. Den vite mannens svarta mardröm, om du förstår vad jag menar. Han skulle egentligen vara nere på ett jobb i Köpenhamn för att hjälpa de danska kollegerna men jag lyckades snacka loss honom. Ska vara här i morgon bitti.

– Det är ingen jag minns. Jag måste ha missat honom, sa Mattei. Frank Motoele, tänkte hon.

– Vad tror du om klockan åtta i morgon bitti? Han kan plocka upp dig där du bor.

– Passar mig utmärkt, sa Mattei.

– Och du Lisa…

– Ja?

– Skit i den där fett dyra kavajen och lilla blusen och de svarta skorna och allt det där. Du får gärna föreställa en sliten fyrtioplussare med lokal anknytning som har problem hemma med både karln och kidsen, ja du vet.

– Jag är redan där, så det fixar jag lätt. Ses i morgon, sa Mattei.

Hennes make låg i sängen och läste en bok men till skillnad från hennes chef lade han den ifrån sig så fort han såg henne. Sedan tittade han på henne.

– Hur är det, gumman?

– Sådär, sa Lisa Mattei och gjorde en obestämd axelrörelse.

Inte grinfärdig, men nästan, tänkte hon. Det var ju så hon kände sig, plötsligt.

– Det är ingen livskris, va?

– Nej, lite gnissel, kanske, sa Mattei med en ny axelryckning.

– Om du vill kan jag prata med min kära svärmor, sa Johan och log. Innan vår dotter blir lika rund om magen som ett litet mumintroll.

– Nej, sa Lisa. Jag ska prata med henne.

Johan är en hygglig människa. Så vet han när det är dags att byta ämne också, tänkte hon.

– Kom och lägg dig nu, sa Johan och vek undan täcket på hennes sida. Om du är mockaskeden så kan jag vara soppsleven. Lite traditionellt, kanske, men du kan få en genusdispens.

– Tack, sa Lisa Mattei.

– En sak till, sa Johan och nu log han igen. Fundera på det där jag sa, om att inte göra sak av onödiga saker. Saker som jag dessutom gärna gör medan jag tänker på annat.

– Som att städa köket, sa Mattei och log motvilligt.

– Till exempel. Eller att laga mat.

– Men den gick att äta?

– Ja, helt okej. Inte jätte… jätte… jättegott, kanske. Men fullt ätlig. Säkert livsfarlig om vi åt den varje dag. Fundera på det där jag sa, istället.

– Jag lovar, sa Mattei och en kvart senare hade hon somnat.

25

Innan Lisa Mattei hade gått och lagt sig kvällen innan hade hon först tänkt ställa väckarklockan på sju. Om hon nu skulle bli hämtad klockan åtta borde en timme räcka gott för att hon skulle hinna med sina vanliga morgonrutiner. Att kliva in i duschen, klä på sig, fixa till sig, bläddra genom morgontidningarna och umgås med Ella och Johan medan de åt frukost tillsammans.

I normala fall brukade hon klara av det på en timme, men det som stökade till det den här gången var Martinez önskemål om att Mattei även till sitt yttre skulle leva upp till det som var en gyllene regel för varje spanare – att se men inte synas. En sliten fyrtioplussare, helst med lokal anknytning, som hade problem med både maken och barnen, och det rent känslomässiga var väl inget problem, allra minst med tanke på hur hon själv hade mått alldeles för många gånger under den senaste veckan. Återstod det yttre, tänkte Mattei. Med tanke på att sådant kunde ta sin rundliga tid även om hon bara skulle gå på en finare tillställning så borde det motsatta vara ännu mer tidskrävande, tänkte hon samtidigt som hon för säkerhets skull ställde väckarklockan på mobilen på halv sju.

Morgonen därpå vaknade hon sin vana trogen några minuter innan det ringde. Gick ut i badrummet och rakt in i duschen. Att tvätta sig tänkte hon inte avstå ifrån och medan hon stod där under det rinnande vattnet fick hon dessutom tid att tänka.

Smink eller inte smink? Extra mycket eller inget alls, tänkte Lisa Mattei medan hon tvålade in sig under armarna en andra gång.

Inget smink alls, tänkte hon eftersom "karlen hennes" kvällen innan hade berättat att han skulle flytta ihop med hennes bästa väninna och att de väntade barn tillsammans och att den lilla fegisen dessutom gjort det på telefon… och att… Definitivt inget smink, tänkte Lisa Mattei när hon klev ut ur duschen, slet åt sig två handdukar, virade en runt sitt blöta hår och började torka sig med den andra.

Jag ska döda den lilla idioten, tänkte hon mordiskt medan hon frotterade sig själv med allt mer våldsamma rörelser.

Resten gick av bara farten och någon extra halvtimme hade hon inte behövt. Först samlade hon ihop sitt blonda hår och fäste det i nacken med hjälp av en rosa hårsnodd som hon lånade av sin dotter. Jeansen som hon brukade ha på landet, en urtvättad t-shirt som hon glömt bort att slänga, ett par gamla loafers i skinn som hon köpt på en marknad när hon och Johan hade varit på semester i Kroatien. Slutligen krönte hon det hela med en maskinstickad blå kofta som Johans mamma hade glömt kvar hos dem den gången för en månad sedan när hon hade passat Ella som varit sjuk och inte kunnat gå till dagis.

Dags för en helt vanlig frukost, tänkte Lisa Mattei. Tre deltagare. En kvinnlig polis, fyrtiotvå år gammal, i normala fall den högsta operativt ansvariga hos den svenska säkerhetspolisen. Numera, i bästa fall och i sin nya chefs ögon, "högsta hönset" på samma ställe där han numera var gårdens tupp. Snabbt tilltagande existentiella problem.

Så hennes femåriga dotter med ett alldeles eget huvud som ofta upptogs av andra tankar än de som rörde sig i hennes mammas huvud, eller i vart fall rörde sig på ett annat sätt. Slutligen polischefens äkta man, barnets fader, sju år yngre än barnets moder, nybliven docent i filmvetenskap, anställd på Filminstitutet. Trots sin ringa ålder var han samtidigt påtagligt lik en vis gammal man, tillika en god fader. Dessutom en bättre make än en sådan som hon hade rätt att ens önska sig och den givne moderatorn vid varje frukost i familjens sköte.

När hon kom ut i köket stod Johan och ordnade med det praktiska som hörde till medan Ella redan satt vid bordet och petade i en tallrik med blåbär, fil och müsli. Sedan tittade hon förvånat på sin mamma.

– Du ser jättekonstig ut, mamma, sa Ella. Ska vi åka till landet? Du har så fula kläder.

– Mamma ska ut och spana på några bovar, sa Johan och flinade. Det är därför hon ser ut som hon gör. Hon har klätt ut sig så att bovarna inte ska se att hon är polis.

– Som på maskerad, sa Ella och ljusnade märkbart. Som på halloween.

– Ja, sa Johan. Fast inte halloween.

– Okej, fortsatte han. Ge mig en kort karaktärsbeskrivning så ska du få ett professionellt omdöme.

– Sliten fyrtioplussare med lokal anknytning, halvstor stad i Mellansverige, sammanfattade Mattei.

Är det nu som jag förväntas skjuta Johan för att jag råkat säga för mycket, tänkte hon.

– Låt mig gissa. Karlen har lämnat henne, tagit med sig hunden och den av deras två bilar som alltid funkar och så har han tömt deras gemensamma bankkonto. Själv har hon fått behålla barnen och just i dag vägrar båda att gå till dagis.

– Ungefär så, instämde Mattei. Eftersom han fortfarande levererar får han leva, tänkte hon.

– Jag gillar faktiskt den där korta hästsvansen, sa Johan. När ditt hår har torkat kommer du att se ut som ett ganska vanligt rop på hjälp. Jag tror du ligger rätt där. Den där blåa koftan är helt fenomenal. Bärs av alla som inte bryr sig om annat än att den värmer. Dessutom känner jag igen den.

– Det är din mammas, sa Lisa. Hoppas det är okej?

– Något fynd som hon gjort på Ica i Norrtälje, sa Johan och ryckte på axlarna. Sådant där som brukar ligga i korgarna framme vid kassan. Själva syntesen av lokal anknytning. Små medel, det är bra. Bara du klarar av kroppsspråket lovar jag att inte ens grannarna här i huset skulle känna igen dig.

– Kroppsspråket?

– Du ska gå och stå som du mår. Om en kvinna som gett upp kommer gående med raska steg och rak rygg är det riktigt illa. Då har hon bestämt sig för att göra något förskräckligt. När du går som du brukar gå, med högburet huvud, rak rygg och raska steg är det för att du är den du är.

– Varför har mamma farmors kofta, envisades Ella.

– Vi tar det sen, gumman, sa Johan avledande.

– En sak till, förresten, tillade han och nickade mot Lisa. Alla riktigt bra skådisar är galna. Tänk på det. Det underlättar nämligen om man på fullt allvar ska tro att man är någon annan. När Ragnar Josephson var chef för Dramaten lär han ha sagt att där fanns det tre typer av skådisar. Några var psykopater, några var alkoholister och några var helt vanliga normala människor som inte dög någonting till.

– Vad är det du försöker säga? frågade Mattei. Är det en komplimang, eller?

– Jag vet inte. Att jag saknar min fru, kanske. Att du ska vara rädd om dig, sa Johan och ryckte på axlarna.

En minut i åtta fick hon ett sms på sin mobil. Ett meddelande där avsändaren blandat svenska och arabiska.

– Salaam alaikum, sharifa. Jag står utanför, svart BMW, läste Mattei högt och höll upp displayen så att Ella och Johan kunde se det som stod där.

– Hej, hej, sheriffen, översatte Johan. Sharifa, det är samma stam och ursprung som i ordet sheriff som alltså kommer från arabiskan, från morerna i Spanien, närmare bestämt. Sharifa är femininformen av almo-jarife eller jarife, från början betydde det visst skatteindrivare. Fanns inga poliser på sexhundratalet. Inte i morernas Spanien, i varje fall. Kanske fanns det poliser någon annanstans. Det borde väl du veta. Jag vet att det fanns något slags poliser i det gamla romarriket, men på sexhundratalet fanns det ju inget romarrike längre.

– Nej, jag har inte en aning. Men hur vet du allt det där andra?

– Den islamska filmfestivalen i Casablanca, tror jag, sa Johan. Eller om det var i Marrakech. Minns faktiskt inte. Däremot är jag helt säker på att man inte visade en enda västernrulle på en hel vecka.

– Ture Sventons kompis Omar är arab, sa Ella. Han har två kameler. En som heter Juvel och den andra som jag har glömt vad hon heter.

– Jag vet, sa Mattei, böjde sig fram och strök henne över kinden.

– Vad heter hon då? sa Ella uppfordrande.

– Mamma har också glömt vad hon heter.

– Safir, sa Johan. Den andra kamelen heter Safir. Boken där man kan läsa om Juvel och Safir heter *Ture Sventon i öknen*. Jag har för mig att den kom ut 1949.

– Så har han en flygande matta också, sa Ella. Fast den heter bara flygande mattan.

– Ja, men det var väl bra, sa Mattei.

– Om man klappar den på mattafransarna så flyger den.

– Mattfransarna. Inte mattafransarna, gumman, korrigerade Mattei.

– Fast man måste klappa mjukt, sa Ella.

Hög tid att få lite uträttat, tänkte Mattei och sneglade på klockan. Reste sig från bordet, böjde på huvudet mot sin man och sin dotter.

– Salaam alaikum, sa Mattei. Frid vare med er, tänkte hon.

– Wa alaikum assalam, sa Johan samtidigt som han tryckte handflatorna mot varandra och böjde på huvudet.

Undrar om jag gjort mig skyldig till ett sekretessbrott, tänkte Lisa Mattei när hon klev ut på gatan. En säkerhetspolis som just varit i England och träffat James Bonds chef och nu utväxlar meddelanden med någon på arabiska. Som tydligen håller på med någon mycket viktig utredning som har något att göra med en halvstor stad i Mellansverige. Eller bara någon som babblat lite bredvid mun på det där vanliga viset som alla normala människor gör hela tiden, tänkte hon.

26

Av alla de där vanliga skälen hade Frank Motoele ställt bilen hundra meter längre upp på gatan. När Mattei klev ut genom porten markerade han sin närvaro genom att blinka med bromsljusen. En minut senare när Lisa Mattei just skulle öppna framdörren till passagerarsätet öppnade han den åt henne utan att lämna förarplatsen.

Mattei böjde sig fram och tittade på honom. Den vite mannens svarta mardröm, tänkte hon och om Motoele bara hade vaknat på fel sida kunde det säkert bli betydligt värre än så.

– Vill chefen se brickan? frågade Motoele och log.

– Nej, sa Mattei och skakade på huvudet. Jag köper dig på beskrivningen.

Tunn mörkblå bomullsskjorta som gick halvvägs ner på låren, kraglös, knapplös, V-skuren vid halsen och med långa ärmar, svarta jeans, svarta sneakers i skinn, inga strumpor på fötterna men både kedja, armband och tre ringar på vardera handen, allt i guld.

– Black, muslim, gangsta, sammanfattade Motoele med ett snett leende.

– Jag förstår vad du menar, sa Mattei.

Svartskäggig, grovt, vildvuxet, tjockt svart hår, svarta ögon djupt förskansade under den breda pannan, säkert hundra kilo kropp, enbart muskler och ben, tänkte Mattei.

– Du har inte funderat på en skådespelarkarriär, tillade hon.

– Nej, sa Motoele och skakade på huvudet. Skulle inte funka. Jag är den jag är. Vad skulle jag få för roller? Skurken som nästan slår ihjäl hjälten?

– Tror jag inte ett ögonblick, sa Mattei. Enligt Martinez lär du ha ett hjärta av guld.

– Hur vill chefen bli körd? Under tystnad, eller? Första gången med ny chaufför, det är lite som att gå och klippa sig, förtydligade Motoele.

– Jag pratar gärna, sa Mattei, men först har jag ett samtal som jag måste klara av.

Motoele nöjde sig med att nicka.

Mattei ringde upp Wiklander och förklarade att hon var "på väg för att träffa Martinez", att hon förväntades vara tillbaka på jobbet vid tvåtiden på eftermiddagen och då gärna ville ha ett möte med honom för att diskutera det löpande. Inga problem, enligt Wiklander. Det var aldrig fel att ta sig en titt "ute i terränglådan". Dessutom hade han en bestämd känsla av att det skulle göra henne gott om hon fick komma ut och röra på sig.

– Att lägga örat mot rälsen, instämde Mattei.

– Visst, sa Wiklander. Bara man hör när tåget kommer. Så man hinner ta bort huvudet i tid. Alla har väl inte lyckats så väl med den biten.

Själv hade han tyvärr fastnat i The Times utmärkta söndagskorsord men det problemet tänkte han klara under morgonkaffet. Möjligen till priset av en extra kvart.

Sedan avslutade hon samtalet. Ny nick och vänligt leende mot Motoele.

– Var var vi? frågade Mattei.

– Ingenstans, faktiskt. Just nu är vi på Strandvägen i riktning sydväst. Men om chefen vill kan jag börja. Eller chefen kan börja, om chefen nu skulle föredra det.

– Gör det, du, sa Mattei. Du börjar. Vad jobbade du med innan du hamnade i den här bilen med mig?

Frank Motoele var trettiofem år gammal, ensamstående. Adoptivbarn från Kenya som kommit till Sverige när han bara var "tiondelen så stor". Efter studenten hade han sökt till polishögskolan och omedelbart blivit antagen trots att betygen var si så där, men på grund av sina fysiska kvaliteter och för att det var "hittelön" på sådana som han.

– Det var några höjdare som hade bestämt att var femte som blev antagen till polishögskolan skulle vara en sådan som jag. De kan inte ha haft en susning om vad de pratade om. Sådana som jag var ju knappt begripliga för vanligt folk. Vadå, studenten? Och hälften av dem som skulle ha funkat bäst som poliser satt ju redan på kåken.

– Då blev de glada när de träffade dig, konstaterade Mattei. Dina lärare på skolan, alltså.

– Inte alla, kanske. Några av dem. Fast det fanns till och med en och annan som gjorde vågen.

– Var hamnade du sedan?

I Stockholm som många av de andra, dessutom hade han sökt dit, och precis som alla som hamnade där hade han börjat vid ordningspolisen. Till skillnad från nästan alla andra hade han däremot fått speciella uppgifter redan från första början.

– Det fanns ju inte en buse som kunde få i sin skalle att en sådan som jag var polis.

– Så det var då du kom till span, konstaterade Mattei.

– Vart skulle jag annars ha tagit vägen? frågade Motoele med en talande axelryckning.

– Jag har jobbat femton år som polis, fortsatte han. Slapp undan med tre på ordningen. Resten på span, först knarkspan i City och på Söder, sedan grova brott på länskrim, samma på rikskrim, grova brott. Senaste fem på Säpo hos vår gemensamma bekant Linda.

– Henne gillar du?

– Om du jobbar med Martinez gillar du henne, sa Motoele. Det finns liksom inget annat val. Visst, hon kan vara jävligt på.

Hela tiden. Linda kan vara som ett litet plåster. Men oftast ligger hon ju rätt, så…

– Det finns två typer på span, fortsatte han. Dels den där gamla typen, se men inte synas. Sedan de där som är som jag. Vi som klarar oss på grund av omgivningens fördomar.

– Fördomar?

– Vi som ser så jävliga ut, och som måste vara ännu jävligare eftersom vi ser ut som vi gör, att vi inte kan vara poliser, förklarade Motoele.

– Jag förstår, sa Mattei.

– Jag är inte så säker på det, sa Motoele med ett förtjust flin. Men det går ju att ta reda på.

– Hur då, sa Mattei.

– När chefen kommer tillbaka till jobbet i eftermiddag, ha samma kläder, samma stuk som nu. Gå fram till vakten och säg att chefen heter typ Lisa Johansson och har fått tid för ett möte med Wiklander. När han frågar vad det gäller är det hemligt. När han vill se chefens leg behövs inte det eftersom Wiklander och chefen redan känner varandra. Chefen behöver inte ens ha en foliehatt på huvudet. Den där hästsvansen är ännu bättre. Och den där jävla koftan är mitt i prick.

– Vad händer då?

– Knalltransport till psyket. Ser man ut på det där viset och påstår att man ska träffa en sådan som Wiklander, då hamnar man på psyket. Våra fördomar, det där vi vet utan att ens behöva snacka om det, kommer att garantera den resan.

Dum i huvudet är du definitivt inte, tänkte Mattei. Fast lite yrkesskadad, kanske.

En timme senare hade de svängt av från motorvägen. Tagit vänster rakt ner mot Eskilstuna centrum, kört över ån, förbi Stadshotellet och rakt in i ett parkeringshus som låg i kvarteret bredvid.

– Välkommen hit, Lisa, sa Martinez. Jag hoppas att Frank klarade av att sköta sig.

– Föredömlig körning, givande samtalspartner, sammanfattade Mattei.

– Ja, och så mycket mer har man väl inte rätt att begära av honom numera, sa Martinez med en lätt suck. Så du kan utgå, Frank.

– Yes boss, sa Motoele. Och om någon skulle vara dum mot er är det bara att ringa.

– Tack Frank, sa Martinez. Stick iväg nu och se till att få lite gjort för en gångs skull.

– Den här gången slipper du både brödbil, Hemglass och vanligt omålat skåp, Lisa, fortsatte Martinez och nickade mot en taxibil som stod parkerad några rader bort. Dagen till ära ska du få åka taxi, Sörmlandstaxi.

27

Linus Rasmusson var tjugoåtta år gammal. Till det yttre var han Frank Motoeles raka motsats och när det kom till sådant som rörde sig i deras huvuden var skillnaderna mellan dem säkert ännu större. I den värld där Martinez levde och verkade var det samtidigt på det viset att de var resultatet av samma affärsidé. Att ingen tänkande människa, oavsett om han eller hon var ond eller god, skulle kunna få i sin skalle att Linus var polis.

Magerlagd och strax under medellängd, med blont, ostyrigt hår och ett vänligt och lätt frånvarande uttryck som förstärktes av ett par stålbågade glasögon som för säkerhets skull hängde på hans smala nästipp. Kunde gott tas för tio år yngre än vad han faktiskt var och vid de fåtaliga tillfällen som han besökte systembolaget – inte för egen räkning utan för att köpa hem vin till sin mamma som hade svårt att bära tunga saker eller om han och hans flickvän hade bjudit hem någon på middag – fick han ofta legitimera sig.

Senast det hade hänt var för bara en månad sedan och när han visat sin polislegitimation hade kassörskan haft svårt att dölja sin förvåning. Linus hade nickat vänligt och hållit med henne. Det var inte första gången och för övrigt hade han all förståelse för att hon ställt frågan. Hon försökte bara sköta sitt jobb, helt enkelt. Själv hade han tvingats ställa samma fråga många gånger. I det som var hans jobb.

– Det här är lille Linus, sa Martinez. Han är fågelskådare på fritiden och nu har han dessutom fått ett sommarjobb på taxi här i Eskilstuna så jag tänkte att han kunde visa oss var objektet bor. Han har körkort, om du nu undrar, tillade hon.

Abbdo och hans stora familj bodde i ett hus som låg ungefär sju kilometer och ett motsvarande antal minuter från Eskilstuna centrum om man valde att köra dit med bil. "En spaningsteknisk mardröm", enligt Martinez, men den biten tänkte hon vänta med tills Mattei fick se huset och tomten där det låg med egna ögon. Istället var det en annan sak som hon ville informera henne om.

Vid halvsjutiden i morse, tre timmar tidigare, hade Abbdo satt sig i sin bil och lämnat bostaden. Kört in mot Eskilstuna centrum och efter bara fem minuter hade han "hängt av" de spanare som skuggade honom. Inte hela världen, enligt Martinez, för sådant kunde hända av många skäl varav ett flertal var helt odramatiska. Hon hade ännu inte full styrka på plats, därför bara en patrull som kunde följa honom och bilen han själv körde saknade spårsändare. Med tanke på vad Alexander berättat för dem om hur det hade gått till när hans engelska väninna gått upp i rök hade hon bestämt sig för att ta sig en extra funderare på den saken.

– Hur verkar han då? frågade Mattei.

– Helt obekymrad, konstaterade Martinez med en axelryckning. Försvann i morse strax efter halv sju och om det berodde på att han bestämt sig för att köra genom kemtvätten eller om vi bara tappade bort honom ändå, vet jag faktiskt inte.

– Kemtvätten?

– Om han hängde av oss medvetet, förtydligade Martinez och log snett. Säg till om du vill att jag ska skicka dig på kurs så vi förstår varandra.

– Vad tror du?

– Kemtvätten, sa Martinez. För säkerhets skull och därmed inte sagt att han vet om att vi redan ligger på honom.

– Varför tror du det?

– För en halvtimme sedan dök han upp hemma igen. Svängde in på tomten och körde rakt in i garaget som ligger i källaren till huset. Vad han hittat på under de tre timmarna som han varit borta har jag tyvärr ingen aning om även om jag har mina misstankar.

– Som är?

– Han har uträttat något ärende. Inom tio mils radie från kåken där han bor, förmodligen betydligt kortare avstånd än så. Han ville försäkra sig om att få vara ensam medan han gjorde det. För säkerhets skull.

– För säkerhets skull? Inte för att han vet att vi är på honom?

– Tror det, sa Martinez. En sådan som han borde bli lika yrkesskadad som en sådan som jag. Mer, om du frågar mig, med tanke på vad han sysslar med.

Huset låg på Lötgärdesstigen som var en liten tvärgata till Västeråsvägen, en av Eskilstunas mindre genomfartsleder. Linus hade tagit av till vänster på gatan före, som hette Lötgatan. Åkt den tills gatan tagit slut och stannat på en grusad vändplan.

– Där uppe ligger kåken, chefen, sa Linus och nickade mot ett stort rött trähus som låg drygt hundra meter upp till höger. Här är faktiskt bästa stället om vi ska sitta kvar i bilen och inte behöva smyga runt i terrängen.

En spaningsteknisk mardröm enligt Linda Martinez och Mattei förstod precis vad hon menade när hon såg det. Ett gammalt hus på tre våningar. Av stilen att döma från femtiotalet och om- och tillbyggt i etapper. Ett tiotal meter från boningshuset låg ett friliggande grått envåningshus som verkade fungera som garage och förråd och runt de båda byggnaderna låg en staketomgärdad tomt som var stor som en halv fotbollsplan. En oklippt gräsmatta, några enstaka träd och en vildvuxen plantering med något som såg ut som bärbuskar. På framsidan av huset hade någon ställt ut en hammock och en större grupp med trädgårdsmöbler. Totalt två bord, två soffor och ett tiotal olika stolar i varierande stilar som stod grupperade runt en större murad utegrill. Dessutom en uppblåsbar barnbassäng i plast, två mindre cyklar för barn, en omkullvält trehjuling och en övergiven barnvagn. Det var det hela.

– Hur ser det ut om man åker upp på gatan där de bor, på Löt-gärdesstigen? frågade Mattei. Rena Villa Villekulla, tänkte hon. Ännu jävligare, enligt Martinez. Familjens hus var det sista på gatan. Närmaste grannens hus låg drygt hundra meter ner på samma gata men eftersom det låg på "fel sida" och vägen krökte åt "fel håll" kunde man helt enkelt inte se sin granne.

– Gatan slutar utanför deras hus. Där finns en vändplan och en infart till deras tomt. Dessutom porten till garaget som ligger i källaren på själva bostadshuset. Det är den vägen de tar när de ska köra sina bilar ut och in på tomten eller bara ska ut och ta en promenad. På baksidan är det en skogsdunge på drygt tre hektar som brer ut sig i östlig och sydlig riktning, blandad lövskog och buskage, enligt Linus. Han var här redan i går kväll och spanade in fåglar. Han är fältbiolog också, jag vet inte om jag sa det.

– Jag har en idé, sa Mattei som plötsligt kände sig oförklarligt upprymd mitt i det spaningstekniska elände som de tydligen hamnat i. Vad tror du om att ge dem en sådan där trädgårdstomte i cement? Fast jättelik och ihålig med osynliga titthål och gott om plats för en patrull på två under fältmässiga förhållanden. Vi får naturligtvis slå i dem att den är något som de har vunnit på något lotteri som de inte ens visste om att de deltog i.

– Jag har faktiskt varit inne på samma tanke, instämde Martinez. Fast en tomte skulle aldrig funka. En rättrogen muslim tror inte på tomten. Vad säger du om en kamel? En trojansk kamel? Med två pucklar och en spanare i varje puckel? Kör vi dem i samma storlek som Linus kan vi till och med dubbla den insatsen. Två plus två.

– Tala om trollen, sa Linus och nickade mot huset. Där är han ju. Vår egen Abbdo Khalid.

Abbdo gjorde ett mycket avslappnat och fridfullt intryck. Inte det minsta lik en vanlig bombmakare. Samma slags kläder som de som Motoele bar fast Khalids skjorta var vit och ännu längre, inte fotsid som en traditionell kaftan, snarare som en tunika buren av en man. Han gick fram till hammocken och satte sig.

Lade upp fötterna på dynan för att sitta bekvämt. I höger hand hade han en stor kopp som han ställde ifrån sig på bordet. Därefter slog han upp en tidning som han började läsa i.

– Kolla om det är Al Jazeera som han sitter och läser, sa Martinez och räckte över en kikare till Mattei. Har vi tur kanske vi kan ta honom för förberedelse till någon skit och stoppa in honom i finkan så vi får slut på det här eländet.

Han ser bra ut, tänkte Mattei så fort hon justerat skärpan på kikaren. Kortklippt, välskött hår, välansat skägg. Betydligt ljusare i hyn än Motoele. Rena, vackra drag, som de där figurerna som man kunde se på gamla väggmålningar i egyptiska gravkammare. Hon tittade på honom i säkert fem minuter medan han bläddrade i sin tidning och smuttade på innehållet i sin stora kopp. Ställde tillbaka koppen på bordet varje gång han gjort det och avslutade med att stryka sig själv i mungipan med höger tumme. Lugna, väl avstämda kroppsrörelser. Verkade inte ha det minsta bekymmer i världen. Kan det här verkligen stämma, tänkte hon innan hon gav tillbaka kikaren till Martinez.

– Såg du vad det är för blaska han läser?

– Eskilstuna-Kuriren, sa Mattei. Jag är ledsen, Linda, men på den punkten är jag helt säker.

– Skit också, sa Martinez. Vad är det för fel med att sitta där och röka en massa brass eller tugga lite vanlig kat som sådana där som han drar i sig hela tiden? Då hade vi kunnat ta honom för det. Nu föreslår jag att vi bryter det här så kan du få kika på vår holk, om du vill.

– Det får bli en annan gång. Jag måste tillbaka till kontoret. Jag tänkte ta tåget, så det blir bra om ni kan köra mig till stationen. Du kan berätta för mig på vägen dit.

Den "holk" som Martinez till sist hade fastnat för låg på Lidgatan, ännu en tvärgata bort från huset där Abbdo bodde, och långt ifrån idealisk med tanke på syftet.

– Det är mer än hundra meter mellan Abbdos kåk och vår holk, sa Martinez och suckade. Så det jobbar vi på, men du ska nog räkna med att det kan bli avsevärda problem med både bilder och ljud. Det är i och för sig lugnt och tyst här i området, mest gamla människor som bor här, men avståndet är alltid ett problem. Fördelen med holken är att det är fritt synfält och att vi kan se både fram- och baksidan av deras hus.

– Problem, problem, problem, sa Mattei och log. Du har ingenting som kan göra mig glad?

– I övrigt, om det inte vore för avståndet, alltså, är den perfekt, sa Martinez. Om vi bara kunde flytta fram den en hundra meter.

Holken var en större villa som hade använts av den förre ägaren som kombinerad bostad och lokal för hans lilla verkstadsrörelse där han hade tillverkat köttsågar och styckningsknivar för slakteriändamål. Numera hade den stått tom i fem år och den fastighetsmäklare som fått i uppdrag att sälja den hade blivit allt mer desperat – "Rena drömprojektet för den händige" – innan den gamle ägaren hade dött, hans arvingar tagit över, skrinlagt planerna på en snabb försäljning och i stort sett låtit den förfalla i lugn och ro. Fortfarande osåld och obebodd till dess att Martinez lyckats övertyga mäklaren om att hyra ut den över sommaren till en billig penning. Dessutom hade den både vatten och el som fungerade.

– De undrade inte vad du skulle ha den till? frågade Mattei.

– Keramikverkstad och tillfällig bostad för mig och mina kompisar under sommaren.

– Och det köpte de?

– Plus förskottshyra till och med augusti, sa Martinez och flinade. Plus att jag kanske kunde tänka mig att stanna kvar där och köpa kåken så småningom eftersom den var rena drömprojektet för en händig människa som jag. Dessutom hade grannarna tydligen börjat tjafsa om att huset stod tomt och att diverse uteliggare hade börjat stryka runt knuten.

Vad det handlade om var bristen på bättre alternativ, diverse praktiska problem och att gilla läget, tänkte Mattei.

– Om du nu har ångrat dig kan vi åka förbi så du får kika på den, föreslog Martinez.

– Nej. Jag litar på dig, sa Mattei och skakade på huvudet. Är det något mer som jag behöver känna till?

Möjligen den "kvart" som Martinez också hade ordnat åt dem och där det fanns plats för hela spaningsstyrkan. Det var ett gammalt vandrarhem som för tio år sedan gjorts om till ett enklare pensionat för de utländska gästarbetare som kom till Sverige och sommarjobbade på de omkringliggande gårdarna. Hantverkare, folk som jobbar i jordbruket, till och med sådana där som lever på att plocka svamp och bär, du vet, sammanfattade Martinez. Just nu stod det tomt men Martinez hade hyrt hela anläggningen på en månad. Ingen lyx men det fungerade. Kök, duschar och sängar var helt okej. Dessutom låg det avskilt och på ett köravstånd på tjugo minuter från centrala Eskilstuna. Tio minuter med blåljus om det skulle uppstå ett skarpt läge i anslutning till huset där Abbdo och hans familj bodde.

– Så slipper du pendla upp och ner till Stockholm eller ha folket liggande utspridda på en massa olika hotell. Jag vill ha dem under samma tak, sa Martinez.

– Låter klokt, instämde Mattei.

– Är det något mer som du undrar över? frågade Martinez.

– Nej, nu tar jag tåget till Stockholm. Jag är nöjd. Jag tycker det ser bra ut.

– Med risk för att verka tjatig kan ju faktiskt Linus köra dig till stan.

– Nej, men tack för erbjudandet, sa Mattei. Tåget blir alldeles utmärkt.

Så får jag tid att tänka i lugn och ro, tänkte hon.

28

Innan Mattei hade klivit på sitt snabbtåg till Stockholm hade hon gått in på ett café som låg bredvid stationsbyggnaden och köpt med sig lite mat och dryck som hon kunde äta under resan: en stor pappmugg med te, en flaska mineralvatten och en smörgås som visade sig vara lika välsmakande som den såg ut. Lufttorkad italiensk skinka med mozzarella, ruccolasallad och tunna skivor med rödlök och färsk tomat.

Medan hon åt och drack hade hon passat på att gå igenom sina mejl och övriga meddelanden och hon hade haft gott om tid att fundera på sin utredning. Martinez kommer att fixa det här, tänkte hon. Linda var en medarbetare som alltid levererade. Som aldrig pratade om sådant som inte hade med saken att göra och bara lovade sådant som hon kunde stå för.

Till skillnad från vissa andra, tänkte hon när hon passerade stationen i Södertälje och läste det mejl från sin högste chef som hon just hade fått på sin smartphone.

"Jag har förstått att du är nere i Eskilstuna och ser till att allt rullar på. Jag kommer inte att finnas i huset under eftermiddagen, jag är på konferens i Rosenbad, men det vore utmärkt om vi kunde träffas snarast och diskutera det förslag som jag gav dig angående vår spaningsstyrka. Vad tror du om i morgon bitti? Så tidigt som möjligt."

Suck och stön. Karlen kan ju inte vara riktigt klok, tänkte Lisa Mattei och stängde för säkerhets skull av sin mobil.

Så fort hon klivit av på Stockholms Central slog hon på den igen och samtidigt som hon satte sig i sin taxi skickade hon ett sms till Wiklander där hon frågade om de kunde ses på hennes rum om en halvtimme och fick svar omgående. "OK", bekräftade han.

Hur skulle jag klara mig utan er båda, tänkte Lisa Mattei och de hon tänkte på var hennes tjugo år äldre kollega och hennes smartphone.

En halvtimme senare satt han där igen med ett förnöjsamt leende och en vänlig nick. Han hade inte ens kommenterat hennes utseende som fortfarande lämnade en del övrigt att önska, trots att hon gått direkt in på sin privata toalett och ägnat närmare en kvart åt att återskapa sig själv.

– Jaha, ja, Lisa. Nu sitter vi här igen.

– Som två små fåglar på samma gren, instämde Mattei.

– Jag förstod av Martinez att du fick tillfälle att ta dig en titt på vårt objekt. Vad fick du för intryck?

– Spontant, sa Mattei. Att det kanske är så illa att vi är helt fel ute. Sådant har ju tyvärr hänt förr. Vad tror du själv?

– Alexander, sa Wiklander. Vår engelske kollega. Dels ska du veta att det är en man med ett ansenligt rykte. Ett välförtjänt sådant, enligt mina sagesmän. Dels tror jag att han vet mer om Abbdo än vad han har berättat för oss.

– Klart han gör, sa Mattei. Vad är problemet?

– I och för sig är det inget problem. Han är övertygad om att han ligger rätt. Att Abbdo Khalid verkligen är en bombmakare men att Alexander av olika skäl inte kan berätta varför han vet det. Det vore ju onekligen bättre för oss om han tog bladet från munnen och talade om för oss hur det kan komma sig att han är så säker på den saken. Jag har också grubblat på det här, ska du veta. al-Shabaab har faktiskt inte genomfört särskilt många aktioner utanför sitt eget n--ärområde i Afrika. Om vi talar om Europa och EU-länderna är det totalt tio på tio år och fem av dem ligger under det allra senaste året. Lite magert, om du frågar mig. Om vi nu ska söka stöd i ett statistiskt underlag.

– Onekligen, sa Mattei. Lite vanlig klartext skulle inte skada.

Istället för alla skära elefanter som han älskar att prata om, tänkte hon.

– Du hade något på hjärtat, påminde Wiklander. Jag hoppas att det inte är något allvarligt?

– Sådär, sa Mattei med en talande axelryckning. Mest handlar det kanske om att jag måste få lätta på trycket.

– Jag tror jag anar vart vi är på väg, sa Wiklander. Så det lyssnar jag gärna på. På spåret är för övrigt ett av mina favoritprogram på teve.

Mattei lättade på sitt inre tryck genom att berätta om deras högste chef. Som lade sig i saker som han inte fick lägga sig i eller ens förstod sig på. Som till och med hade mage att komma med konkreta förslag om hur hon skulle organisera sin spaningsstyrka. Som ville veta saker som han borde ha förstånd att inte ens fråga om. Och som på toppen av allt detta verkade ha ett minst sagt lättsinnigt förhållande till det som hon faktiskt var tvungen att berätta för honom. Som senast för en timme sedan då han mejlat till henne när hon suttit på tåget upp till Stockholm. Mattei knappade fram hans meddelande och visade det för Wiklander.

– Inte bra, sa Wiklander och skakade på huvudet. Dessutom helt i onödan.

– Men varför gör han på det här viset?

Kunde finnas olika förklaringar, enligt Wiklander. Att han gjorde det "för främmande makts räkning" eller för att han "i hemlighet var lierad med muslimska terrorister" kunde de nog samtidigt utesluta. Lyckligtvis.

– Det är helt enkelt för dumt, ingen seriös agent, spion eller mullvad, kalla dem vad du vill, aktiv eller vilande, skulle bete sig på det här enfaldiga viset, konstaterade Wiklander och såg ganska nöjd ut när han gjorde det.

– Vad beror det på då? envisades Mattei.

På de där vanliga mänskliga skälen, enligt Wiklander, och när det kom till deras högste chef handlade det säkert om flera av dem i förening. För det första att han saknade det säkerhetsmedvetande som var ett absolut måste i deras jobb. Att han pratade för mycket, till exempel, om man nu skulle ta det allra enklaste av dem. Att han inte ens tycktes förstå att en vanlig fråga alldeles för ofta också kunde ge ett svar, i värsta fall till någon som absolut inte skulle ha det. För det andra att han helt enkelt inte visste hur man genomförde ett sådant här utredningsarbete i den där praktiska och rent hantverksmässiga meningen. Ett arbete som han samtidigt, för det tredje, väldigt gärna ville ta en aktiv del i av de alltför vanliga pojkboksromantiska skälen. För det fjärde att han heller inte såg något konstigt i det eftersom han ju i formell mening var högste chef för verksamheten.

– Ja, givetvis också allt det där andra. Att han naturligtvis är orolig och därmed även kontrollfixerad. Att han plötsligt ska bli utsparkad beroende på att sådana som du och jag har hittat på något hyss som han inte haft en aning om. Enklast av allt: att han har för lite att göra. Att han börjar inse att han är anställd här för att vara vårt ansikte utåt men att han i allt som vårt arbete egentligen handlar om bara är en papperstiger.

– Det borde han väl ha kunnat räkna ut från början. Vad skulle han hit och göra? Johansson skulle ha lyft ut honom i öronen, sa Mattei med en hetta som hon inte avsett att visa.

– Säkert, sa Wiklander. Det är ingen dum lösning, om du frågar mig. Jag tycker nog att du ska prova den. Inte bokstavligt, det menar jag inte, men ibland är du alltför vänlig och med vissa människor är det tyvärr så att de inte förstår sådana budskap.

– Nåja, invände Mattei. Jag tror inte att du skulle ha några problem på den punkten.

– Nej, sa Wiklander. Det skulle se ut, det. Men vad tror du om att ge honom ett vanligt blankt nej nästa gång han kommer dragandes med sina synpunkter och önskemål?

– Jag kan knappt bärga mig, sa Mattei.

– Det kommer du inte att behöva göra särskilt länge, heller. För redan i morgon kommer han att framföra samma önskemål. En gång till.

– Vänta nu, sa Lisa Mattei. I morgon är det helgdag, fredag är klämdag och sedan är det helg igen. Fyra dagars ledighet. Varför ska han hit på en långhelg?

– För att han vill prata med dig. Något annat skäl finns väl knappast. Han hade tydligen varit på Karin också och frågat om hon kunde tänka sig att komma hit. Gissningsvis för att hämta kaffe åt honom.

– Vad sa hon då?

– Hon gav honom ett blankt nej. Men att hon såg fram emot att träffa honom på måndag morgon som vanligt. Ord och inga visor, Lisa. Tänk på det.

Ett blankt nej, vad väntar du på, tänkte Lisa Mattei.

29

Torsdag förmiddag strax före klockan tio kom Matteis chef in på hennes rum och slog sig ner utan att först ställa frågan och utan att ödsla tid på vare sig artigheter eller formaliteter.

– Har du funderat på mina önskemål angående det här med organisationen av vår spaningsstyrka? frågade han.

– Ja, sa Lisa Mattei. Och som jag sagt tidigare hoppas jag kunna ge dig ett besked i morgon eftermiddag.

– Vadå, hoppas?

– Ja, jag är ju inte synsk. Det besked jag kommer att ge dig beror helt på vilka resurser de som jobbar med det här ärendet kommer att begära. Så är läget, sa Mattei. Däremot är det en annan sak som jag måste prata med dig om.

– Det låter allvarligt.

– Det är allvarligt, sa Mattei. Det handlar om den sekretess som gäller för den här utredningen som jag leder och ansvarar för.

– Nu är jag rädd att jag måste kräva en förklaring.

– Självklart ska du få en sådan, sa Mattei. Men tyvärr har jag också blivit tvungen att göra en tjänsteanteckning om saken. Du har den i din interna mejlkorg och jag föreslår att du läser den i lugn och ro. I korthet handlar den om det mejl som du skickade från din tjänstemobil till min tjänstemobil klockan elva och fyrtiotvå i går och som jag tog emot när jag satt på tåget mellan Eskilstuna och Stockholm. Det är ett meddelande som inte är kodat eller krypterat, varken din mobil eller min uppfyller de tekniska kraven för att vi ska kunna utväxla sådana meddelanden på det viset i klartext. Allra minst i ett ärende som ligger i den högsta sekretessklassen. Dessutom avslöjar ditt meddelande konkret information om vår utredning som omfattas av det skyddet.

– Jaså, det säger du. Jag som inte hade en aning om att du var jurist. Jag trodde att det var något slags genusforskare som du var. Ja, och polis då. Jag däremot…

– Eskilstuna, avbröt Mattei.

– Eskilstuna?

– Av ditt mejl framgår klart och tydligt, och det behöver man inte ens vara jurist för att begripa, det räcker med att man kan läsa innantill, att den högsta operativt ansvariga vid Säkerhetspolisen, det vill säga jag, tydligen leder en utredning nere i Eskilstuna och att hennes högste chef, generaldirektören för Säkerhetspolisen, har brådskande synpunkter på hur spaningsstyrkan i samma utredning ska se ut. Vad tycker du själv att det låter som? Några skinnskallar som sprejat ner en flyktingförläggning med rasistiska tillmälen?

– Nu blir jag lite orolig, Lisa. Vad är det du försöker säga? Du har väl massor med hemligheter på din mobil.

– Nej, inte en enda som någon utom jag kan läsa. Enda undantaget är den som du skickar till mig utan att du har en aning om var jag befinner mig.

– Rätta mig om jag har fel, men jag levde i den föreställningen att du var den enda som kunde öppna dina mejl.

– Ja, och det har varit helt riskfritt, även om jag stått på tunnelbanan i rusningstid. Ända tills i går. Och om du inte förstår vad det här handlar om föreslår jag att du pratar med någon av våra kolleger på underrättelsetjänsten, eller kanske någon av dem som jobbar på Must eller FRA om du föredrar det, om hur lätt det är för en obehörig att snappa upp ett sådant meddelande genom lite vanlig telespaning. Eller, om vi nu ska göra det ännu enklare, att det bara sitter någon dåre i samma tågkupé som jag som råkar känna igen mig, rycker åt sig min mobil och springer därifrån och…

– Det där låter väldigt likt den där alltför vanliga yrkesskadan på det här ställ...

– Avbryt mig inte, sa Mattei. Jag vet inte om det finns något tydligare sätt att förklara för dig vad detta faktiskt handlar om.

– Vad är det som får mig att tro att vi inte kommer längre än så här? frågade hennes chef samtidigt som han reste sig upp ur stolen där han satt.

– Nej, sa Mattei. Där är vi tyvärr överens. Vad skulle det vara?

Sedan hade han lämnat henne. Marscherat rakt ut i Karins rum. Fortsatt in i sitt eget och slagit igen dörren efter sig.

Ett blankt nej, tänkte Lisa Mattei. Och inte minsta pulshöjning ens, tänkte hon, samtidigt som hon för säkerhets skull kände efter på sin vänstra handled.

30

Fem minuter senare hade GD lämnat huset. Efter ytterligare fem hade Wiklander kommit in till henne utan att hon ens hade behövt ringa efter honom. Han var tydligen väl bekant med GD:s rörelser och den här gången hade han dessutom inlett deras samtal genom att ge henne sitt omdöme om hennes möte med samme man. "Som ett blankt nej" var det kanske "lite i längsta laget", men "som budskap var det tydligt nog".

– Så vad gör vi? frågade Wiklander.

Skulle de upprätta en formell anmälan mot sin högste chef för brott mot utredningssekretessen? Lämna över den till den åklagare som ansvarade för det interna myndighetsskyddet och till den bifoga deras underlag: GD:s mejl till Mattei, inspelningen av deras samtal samt Matteis tjänsteanteckningar?

Det var ingen vanlig åtgärd i myndighetens historia, men det hade ändå hänt vid ett tiotal tidigare tillfällen att någon som arbetade vid Säpo hade valt att blåsa i visselpipan. Det hade förvisso inte varit till gagn för deras egna karriärer, men vid ett av dessa tillfällen hade regeringen ändå valt att omedelbart avlägsna myndighetens högste chef och vid ännu ett hade man tagit ifrån honom hans arbetsuppgifter och sett till att han begärde tjänstledighet fram till dess att man i god ordning hade ordnat ett annat jobb åt honom.

Mattei hade redan bestämt sig för att åtminstone vänta med en anmälan. Alla borde få en chans att ta sitt förnuft till fånga.

Gjorde han inte det var det väl inte värre än att hon omprövade det beslutet. Underlaget för hennes anmälan fanns ju redan och det skulle inte springa ifrån henne.

– Just nu tycker jag faktiskt att det finns viktigare saker att ta itu med, sammanfattade Mattei.

– Med tanke på hur han lät så förmodar jag att han inte hade en aning om att du spelade in ert samtal, sa Wiklander.

– Nej, sådana som han tycks ju inte ha det, konstaterade Mattei. Vilket väl både är en del av det större problemet och en förklaring till att han beter sig som han gör.

– Du säger att han har synpunkter på hur vi ska lägga upp vår utredning, sa Wiklander. Rent konkret, vad handlar det om?

– Han vill att jag ska plocka in våra militärer i spaningsstyrkan. Både dem från underrättelsetjänsten och dem från radioanstalten. Anledningen till att han vill det är att det annars finns en risk för att de känner sig utanför om de inte får vara med och leka med oss poliser. Det kan i sin tur skada hela organisationen. Skicka fel signaler, och allt det där.

– Vad sa du då?

– Jag har försökt förklara för honom att jag avser att skaffa de resurser som vi behöver för att lösa vårt uppdrag, och om det skulle visa sig att vi behöver folk från Must och FRA kommer jag naturligtvis att ordna den saken. Men eftersom jag ännu inte vet var vi kommer att hamna har jag också sagt åt honom att han får ge sig till tåls. Jag har sagt det tre gånger vid det här laget. Rena självklarheter som han dessutom inte har med att göra. Väldigt trist att jag ska behöva sitta och tjata om sådant.

– På den punkten är vi helt överens, sa Wiklander. Skälen till att han beter sig på det viset är vi väl också rörande överens om.

– Ja, men av sättet som du säger det på förstår jag att det finns något där vi kanske inte är det.

– Vet inte, sa Wiklander. Inom underrättelseverksamheten har vi jobbat ihop med dem i flera år. Vi har haft stor nytta av dem, på samma sätt som de har haft nytta av oss.

– Ja, det är väl alldeles utmärkt. Men hur hade du tänkt att vi skulle använda dem nere i Eskilstuna?

– Martinez har ju ett långt ifrån enkelt uppdrag med tanke på hur Abbdo och hans familj bor och mycket av det som vi intresserar oss för kommer säkert att äga rum inuti deras hus.

– Jag är också medveten om det, sa Mattei. Jag har sett stället med egna ögon.

– Själv har jag bara sett det på satellitbilder och vilka som har hjälpt oss med dem kan du säkert räkna ut. Lika bra bilder som de vi kan ta från våra egna helikoptrar men utan att de som hamnar på bilderna har en aning om att de har gjort det.

– Fattar även jag, sa Mattei. Trots att jag är kvinna och inte har gjort lumpen, tänkte hon.

– Som svar på din fråga, sa Wiklander. Jo, jag kan faktiskt tänka mig att våra militärer kan hjälpa oss och Martinez att lösa en hel del av de här problemen. FRA har ju ett välförtjänt och mycket gott rykte när det kommer till att fånga upp alla typer av telekommunikation och de är även bra på annan avlyssning där det bara handlar om folk som sitter och pratar med varandra rakt upp och ner. Bra tolkar har de också, och det gäller både arabiska och somaliska, men även andra språk som talas i grannländerna till Somalia.

– Kan man tänka sig, sa Mattei.

– Du behöver inte vara ironisk, Lisa. Det är bortkastat på en sådan som jag. Dessutom finns det mer än avlyssning som våra arbetskamrater inom militären kan hjälpa oss med.

– Som vadå?

– Om det är smyga i buskarna vi talar om vet jag att det finns åtskilliga inom vår militära underrättelsetjänst och deras egen insatsstyrka som är bättre än vi på den saken.

– Jag såg att Abbdo hade en massa bärbuskar på tomten. Dina gamla lumparkompisar kanske till och med kan gräva sig ner bland dem. Bara tio meter från husknuten.

– Kan inte uteslutas, sa Wiklander och smålog. Samtidigt får jag för mig att det är något annat som gör dig tveksam. Berätta.

– Visst, sa Mattei. Det finns två skäl, faktiskt. Ett yrkesmässigt och ett privat.

Det yrkesmässiga skälet var enkelt och självklart. När man genomförde en brottsspaning hade sekretessen en avgörande betydelse för framgången. När det väl var dags att slå till skulle det komma som en blixt från klar himmel för dem som det handlade om. På vägen dit gällde det att hålla ett fast grepp om alla sina hemligheter och ju färre händer som gjorde det, desto bättre grepp fick man. Ju fler man blev desto större risk för att någon pratade bredvid mun. Den senare risken ökade också när man förde in personer i utredningens periferi. Folk pratade ju hela tiden och enligt hennes erfarenhet pratade man mer ju mindre man visste.

Wiklander nickade instämmande. Han hade inga som helst problem med det. Återstod därför hennes privata motiv som han dessutom var mycket nyfiken på att få ta del av.

– Jag har svårt för dem, sa Mattei och ryckte på axlarna. Rent privat och personligt, alltså.

– Du har svårt för dem, upprepade Wiklander som själv verkade ha svårt att dölja sin förvåning över svaret han fått.

– Ja, sa Mattei. Jag ska förklara varför.

När Säpo hade flyttat in i sitt nya högkvarter på Ingentingsgatan ute i Solna ett par år tidigare hade deras nya samarbetspartner NCT, Nationellt centrum för terrorhotbedömning, fått lokaler i samma hus. I dag arbetade närmare två hundra personer vid det nationella centret. Militärer, säkerhetspoliser och ett snabbt växande antal civilanställda som var experter på allt från vapenteknik och datorer till språk, politik och religionshistoria.

När de varit nya i huset hade den dåvarande Säpochefen bestämt att det var viktigt att man så tidigt som möjligt fick lära känna varandra och därför hade man redan under det första halvåret anordnat sammanlagt fyra olika arbetskonferenser där de gamla Säpoanställda och deras nya arbetskamrater fick diskutera olika arbetsuppgifter samtidigt som de fick träffas under så angenäma former som möjligt med tanke på verksamhetens karaktär.

– Jag var ju stabschef hos den dåvarande chefen vid den tiden, men under ett halvår fungerade jag väl huvudsakligen som något slags hemlig motsvarighet till den där festarrangören, Micael Bindefeld, konstaterade Mattei. Till skillnad från honom var jag även tvungen att delta i mina egna arrangemang.

– Det kan inte ha varit lätt, instämde Wiklander.

– Nej, det var det inte. Det var ett väldigt pusslande med vem som skulle få träffa vem av de där skälen som man inte ens får prata om. Allt det där andra också, du vet. Om vi över huvud taget skulle våga bjuda dem på ett par glas vin till den avslutande middagen, vad det nu spelade för roll med tanke på allt som de själva hade släpat med sig, och många av dem som hjälpte mig med dessa praktiska arrangemang var faktiskt mina nya arbetskamrater från militären. Med alldeles för många av dem var det tyvärr så att de gjorde ett djupt intryck på mig av personliga skäl, det handlade om vad de tänkte, tyckte och även sa. Om jag ska uttrycka mig mycket milt var det kanske inte helt förenligt med de intentioner som våra politiker har gett uttryck för i den lagstiftning som ska reglera vår verksamhet.

– Jo, jag förstår precis vad du menar, sa Wiklander. Men det där är ju ett problem även bland oss, inom polisen. Sexism och rasism och vanliga fördomar i största allmänhet och allt annat skitprat som vissa vräker ur sig så fort de får för sig att de sitter bland likasinnade. Samtidigt måste du väl ändå medge att det har blivit betydligt bättre om du jämför dagens poliser med gårdagens. Vi som arbetar inom den slutna verksamheten tror jag faktiskt står oss gott även jämfört med den yngre generationen av kolleger.

– Du tänker på den yngre kvinnliga kollega som jobbar som utredare på kriminalen i Stockholm samtidigt som hon sitter i vår politiska styrelse som representant för Sverigedemokraterna, sa Mattei.

– Kanske inte just på henne. Dessutom sitter hon där på ett politiskt mandat, så det vore mig fjärran att ha synpunkter på henne.

– Nej, det skulle se ut det, instämde Mattei. Hon är ju ändå företrädare för Sveriges tredje största parti. I riksdagen, Jan. Var sådana som hon höll hus på din tid vet jag faktiskt inte. Men det var i vart fall inte i Sveriges riksdag. Inte vår ärade styrelseledamot heller, om vi nu ska vara noga. Hon sitter varken i riksdagen, kommunstyrelsen eller landstinget. Hon har heller inga andra kända uppdrag för Sverigedemokraterna. Vad vet jag? Vem är hon? En vanlig partivän, kanske.

– Javisst, jag hör vad du säger, sa Wiklander och suckade.

– Om det nu kan vara någon tröst pratar jag faktiskt inte om sådana. Jag pratar om några andra som numera jobbar i samma lokaler som vi. Tre av dem, samtliga var för övrigt både militärer och fullfjädrade galningar, gjorde ett outplånligt intryck på mig. Var för sig och trots att de säkert skulle få helt olika psykiatriska diagnoser.

– När du säger så där blir jag ju yrkesmässigt intresserad, sa Wiklander. Du kan inte ge mig namnen på dem?

– Nej, sa Mattei. Jag orkar faktiskt inte. Vi får ta det här någon kväll när vi inte har något bättre för oss. Jag kan stå för det där italienska rödvinet, om du vill.

– Men inga namn?

– Ja, okej då, sa Mattei och ryckte på axlarna. Du ska få ett så att jag får tyst på dig. Den jag minns bäst var major och anledningen till att jag kommer ihåg honom är att han har samma efternamn som vår dåvarande försvarsminister. Med tanke på det han sa var jag till och med tvungen att kolla att de inte var släkt. Lyckligtvis var det inte så illa.

– Du tänker på Björklund, sa Wiklander. Calle Björklund, major Carl Björklund.

– Samme man, instämde Mattei. Hade han varit försvarsminister hade han börjat med att se till att vi blev medlem av Nato och därefter hade han omgående förklarat krig mot Ryssland. Fast det slapp han ju i och med att han fick jobb här hos oss istället.

– Calle Björklund lär vara en av de allra främsta experterna i världen på konventionella militära vapen. Kan precis allt om hur man tar kål på folk. Från kulor och sprängämnen till stridsvagnar och kanoner. Gaser, gift, biologiska stridsmedel, allt.

– Vad bra, sa Mattei. Vad väntar vi på? Om du skulle springa på honom i korridorerna så hälsa från mig och passa på att fråga honom vad han vet om självmordsbombare och alla de där manickerna som de sätter på sig.

– Ja, sa Wiklander. Det lovar jag att göra. Tack för tipset.

31

Mattei kände sig rastlös. Hon hade till och med övervägt att ringa till Martinez eller någon annan som hon kände och fråga hur det gick. Måste vara inflytandet från min chef, tänkte Mattei eftersom Martinez och alla andra hade fullt upp med sitt och om det nu hade hänt något som Mattei behövde känna till skulle de säkert ha hört av sig. Istället började hon rota i sina papper för att se om det var något hon glömt att notera. Självklart inte, tänkte hon och suckade. En spaningsledare som bara satt och väntade på att något skulle hända och av det skälet mest påminde om en kamrer som drabbats av en tvångsneuros.

Istället hade hon gått ut på sin egen toalett och gjort ännu ett försök att få ordning på sitt utseende. Det där med att tvätta håret och i stort sett låta det självtorka sedan hon satt upp det i en svans i nacken med hjälp av ett av Ellas hårband var uppenbarligen något som hon borde undvika. Att ringa ett akutsamtal till sin frisör och be honom att försöka rädda resterna av det var också uteslutet. Inte på Kristi himmelsfärdsdag då alla normala människor hade tagit ledigt.

Så vad gör jag nu, tänkte Lisa Mattei. Hon återvände till sitt skrivbord och i samma ögonblick som hon öppnade sin dator fick hon ett mejl till den skyddade adress som Jeremy Alexander hade gett henne för enbart sådan information som gällde Abbdo Khalids mobiltelefon.

Äntligen, tänkte Mattei.

Jeremy Alexander verkade inte vara det minsta lik hennes högste chef när det kom till att vårda sig om sina hemligheter. När Mattei hade knappat in sina behörighetskoder dröjde det ytterligare ett par minuter innan hon fick den information som han skickat henne i klartext på sin bildskärm. Ständigt dessa koder, tänkte Lisa Mattei medan hon otåligt trummade med fingrarna mot sitt skrivbord.

Klockan tio minuter över sju på morgonen dagen före, ungefär samtidigt som Mattei stått i duschen hemma i sin våning på Narvavägen, hade Abbdo Khalid fått ett sms på sin mobil från samma mobil som hade kontaktat honom en gång tidigare.

Gonna miss U! L U

Den här gången hade det dröjt innan han hade svarat. Först efter drygt en timme hade han bekräftat mottagandet. På samma sätt som förra gången, genom en enkel knapptryckning utan att ha skickat med något meddelande. Dessutom hade mobilen haft samma gps-position både när den skickade sitt meddelande som när den tog emot bekräftelsen, enligt den pejling som genomförts. Detta gällde även den andra mobilen.

Alexander hade bifogat koordinaterna för de båda mobilerna. Enligt hans medarbetare hade Abbdos mobil befunnit sig fyrtiotvå kilometer sydöst om Eskilstuna medan den mobil som kontaktat honom hade befunnit sig i centrala Stockholm.

Dessutom såg Alexander fram emot att få prata med henne så fort hon hade hunnit smälta den information som hon hade fått. Enklast vore väl att hon ringde honom på deras skyddade linje så kunde de ta det hela på telefon. "Helst på en av de där praktiska manickerna som jag aldrig har förstått mig på, där man både kan se och höra den man pratar med", förtydligade han.

Vad gör jag nu och hur gör jag med håret, tänkte Lisa Mattei. Låtsas som om det har regnat på mig, utomhus, tänkte hon och knappade in hans nummer.

Jeremy Alexander var sig lik även när han framträdde på skärmen på hennes dator. Samma oklanderliga yttre, samma ämabla framtoning och ännu en slips. Den här gången en röd, blå och grönrandig historia med ränderna på snedden som säkert visade ytterligare någon form av anknytning till någon eller något som Mattei inte avsåg att gå in på.

Alexander inledde deras samtal med att beklaga att han inte hade hört av sig tidigare. I och för sig hade han kunnat göra det redan kvällen före men av olika skäl, som han strax skulle komma till, hade han varit tvungen att rådgöra med sin "amerikanske vän" innan han pratade med Mattei. Detta i förening med tidsskillnaden mellan London och Washington var således förklaringen till att det dröjt ytterligare tolv timmar. Dessutom var både han och hans kollega vid CIA bekymrade över det som hade hänt. Som man ju lätt blir när man ser en skär elefant.

– Vad är det som oroar dig? sa Mattei.

– Jag får för mig att den här skära elefanten faktiskt är på riktigt, svarade Alexander. Dessutom får jag för mig att det nog är sista gången som någon av de här mobilerna kommer att användas. Det är så jag tolkar meddelandet. Det första meddelandet som han fick i måndags var en varning. Att han skulle vara försiktig eftersom det kunde vara något på gång.

– Och det som han fick i går skulle alltså vara en bekräftelse att det är på det viset, förtydligade Mattei.

– Ja, det är så vi tolkar det. Jag kommer att sakna dig betyder i själva verket att Khalid inte kan använda sin mobil för att kontakta honom eller henne eftersom ni nu har börjat spana på honom.

– Ja, bekräftade Mattei. Det började vi göra redan i måndags kväll.

– Någon av dem som är inblandad i det arbetet eller bara känner till det har då kontaktat honom. Med tanke på att det dröjer ett och ett halvt dygn skulle jag gissa på någon i periferin.

– Inte någon av våra spanare ute på fältet utan någon som blivit informerad om att vi numera spanar på honom.

– Ja, sa Alexander. Om era spaningsstyrkor innehåller lika mycket folk som våra brukar göra finns det väl några att välja bland. Jag avundas dig inte.

– På tisdag eftermiddag, när vi haft vårt första möte med spaningsstyrkan, var det drygt femtio personer som visste att vi var intresserade av Abbdo Khalid, konstaterade Mattei.

– Tolv timmar senare då? frågade Alexander. När ni börjat leta efter honom i era register och lagt ut honom på alla bevakningslistor? Glöm inte bort de där som alltid pratar bredvid mun. Hur många var det då?

– Alldeles för många, sa Mattei.

– Ja, trist historia. Enda trösten i det sammanhanget är väl att jag tror att han eller hon som vi pratar om fortfarande inte vet om att ni har det här mobilnumret, men samtidigt bedömer risken att ni förr eller senare ska få tag på det som så stor att Khalid måste sluta använda sig av det.

– Slutsatsen av det du säger är alltså att jag har en mullvad i huset.

– Ja, definitivt, instämde Alexander som verkade ganska förtjust när han sa det. Du ska veta att där jag jobbar har vi haft åtskilliga sådana under de drygt hundra år som vi hållit på. Det är en del av våra stolta traditioner och flertalet av dem som grävde gångarna under fötterna på oss andra hyggliga och hederliga människor blev säkert avtackade med både pension och en och annan Imperieorden från Hennes Majestät Drottningen. Ni, däremot, tycks ju ha klarat er betydligt bättre.

– Fast inte den här gången, sa Mattei.

– Jag litar på dig, Lisa, sa Alexander. Om det är någon som kan hitta honom eller henne så är det du. Av ren nyfikenhet har jag faktiskt också läst på. Den enda jag fann hos er var en polis som även var reservofficer och ansvarade för ert samband med militären. Det var i slutet på sjuttiotalet. Han spionerade på den svenska militären för ryssarnas räkning samtidigt som han mullvadade på svenska säkerhetspolisen där han var anställd. Långt före min tid, om du undrar varför jag aldrig hörde av mig den gången. Jag gick fortfarande omkring i kortbyxor även när det var vinter.

– Du menar Stig Bergling, sa Mattei.

– Precis, sa Alexander. Stig Bergling, så hette han. Inget större nummer, om du frågar mig, men samtidigt The One and Only, enligt vad jag har förstått av det jag läste.

– Själv var jag fem år när han greps, sa Mattei.

– Jag vet, sa Alexander. Jag är olyckligtvis äldre än så. Men medge ändå att det är fantastiskt.

– Fantastiskt? Hur menar du då?

– En enda mullvad på alla dessa år. Först nu verkar det som om ni äntligen fått en till. Svenska säkerhetspolisen har ju ändå funnits nästan lika länge som vi. Två mullvadar på hundra år. Det måste du väl ändå medge att det är nästan för bra för att vara sant.

För bra för att vara sant, tänkte Lisa Mattei när hon hade avslutat samtalet med den engelske kollegan. Vad gör jag nu då? Jag får ta det hela i tur och ordning.

En timme senare hade hon tänkt färdigt och även fattat ett beslut. Om jag slutar lita på honom kan jag lika gärna sluta lita på mig själv, tänkte hon. Hon tog fram sin mobil och ringde Jan Wiklander.

32

Wiklander hade tagit god tid på sig att läsa papperen som Mattei hade gett honom. Gjort anteckningar och ställt frågor under läsningens gång. När han till sist lagt papperen ifrån sig hade han först suttit tyst och skakat på huvudet innan han tog till orda. Om de hade en mullvad i huset så var det mycket illa, till och med värre än det som Abbdo Khalid sannolikt höll på med. Båda två samtidigt ville han helst inte tänka på.

Om det nu var sant fanns det vid det här laget dessutom alldeles för många att välja bland. För det första ett sextiotal medarbetare vid Säpo som antingen ingick i spaningsstyrkan eller hade kännedom om dess existens. Två av dem satt för övrigt i det här rummet, tillade Wiklander. Ingen trevlig tanke och värsta tänkbara exemplet på en yrkesskada.

Dessutom ett okänt antal personer som hade kontakter med någon av de nyss nämnda som redan hade pratat bredvid mun och med tanke på att han eller hon i så fall sannolikt hade låtit tungan slinta vid fler än ett tillfälle fanns det hög risk för att detta mönster också skulle upprepas. Själv trodde han samtidigt inte på att det handlade om en sådan person.

– Varför inte? frågade Mattei.

– Den här personen som håller utkik åt Khalid verkar vara ett proffs. Mobiler som inte kan spåras, inget onödigt babblande, dessutom samma sätt att meddela sig som sådana där brukar ha, abstrakt, motsatsvis, hela tiden öppet för de mest olika tolkningar.

– Louise Urqhart, sa Mattei. Kan det vara henne vi pratar om?

– Då skulle hon först ha blivit uppraggad och rekryterad av Abbdo, och jag kan tänka mig att hennes pengar var motivet till det, och så långt är jag med.

– Men sedan är du inte med?

– Jag tycker det blir i mesta laget, sa Wiklander. Av Alexanders beskrivning verkar hon ju dessutom vara en vanlig virrpanna från den engelska överklassen. Sedan allt det där andra, rent praktiska.

– Hur menar du?

– Ja, att hon först skulle ta sig hit till Sverige och sedan skulle hon se till att få ihop det med någon här i huset som jobbar med antiterrorism, pumpa honom på information, för i så fall är det väl sannolikt en man som vi pratar om, som hon sedan återför till Khalid. Som jag sa blir det lite för mycket för min smak.

– Finns det något som tyder på att hon skulle ha tagit sig till Sverige?

– Ingenting i nuläget, i varje fall. Vi har börjat kolla inresor med både flyg och annat, passkontrollen givetvis, hotell i Stockholmstrakten. Hittills har det inte gett något. Men visst, ser man ut som hon är det väl ingen större konst att ta sig hit ändå. Utan ett falskt pass. Undvik flyget, obevakade gränsövergångar. Ta ett land i taget.

– Var är hon då? Om hon inte är här, menar jag?

– Om jag skulle gissa sitter hon på något säkert ställe utomlands och väntar på att hennes unge älskare ska bli klar med sitt så att de kan återförenas. Somalia, Mellanöstern, kanske. Det är ju där de brukar hamna, sammanfattade Wiklander med en talande axelryckning.

– Och hennes pengar har Abbdo tagit hand om.

– Det var säkert hans första åtgärd, instämde Wiklander. Om det nu är så illa ställt med honom som vissa av oss befarar finns det väl inget som hindrar att han slog ihjäl henne så fort han fått pengarna, gjorde sig av med kroppen och ställde hennes bil ute vid flygplatsen i Manchester. Att hon i själva verket är död och aldrig har lämnat England.

– Den tanken har slagit även mig, sa Mattei.

– Om du undrar vem jag tror på, förutsatt att vi har en mullvad här i huset, är det nog tyvärr så att det är någon som jobbar här, sa Wiklander. Dessutom någon som blir väldigt tidigt informerad. Första gången som han eller hon hörde av sig var ju när vi just satt oss på planet för att åka till England och träffa Alexander.

– Då blir det ju lätt, sa Mattei och log. Antingen är det jag eller också är det vår högste chef. Kan också vara någon i vår närhet som vi pratat bredvid mun med.

– Nej, sa Wiklander och skakade bestämt på huvudet. Jag tror varken på honom eller på dig. Dig litar jag ju på och du vet vad du gör. Vår GD vill jag utesluta med samma slags argument men med det rakt motsatta innehållet, rent sakligt. Om jag nu ska uttrycka mig kryptiskt.

– Att han pratar alldeles för mycket om saker som han inte har en aning om, sa Mattei.

– Ja, ungefär så. Fast det var du som sa det. Dessutom finns det faktiskt två möjligheter till som vi inte får glömma bort, fortsatte Wiklander.

– Och båda handlar om vår engelska kollega som gav oss det första tipset, sa Mattei som hade tänkt i de banorna så fort hon avslutat sitt samtal med Alexander.

– Exakt, sa Wiklander. Våra engelska kolleger vid Antiterroristkommandot har varit intresserade av Abbdo Khalid sedan nio månader tillbaka. Finns inte minsta notering hos oss som tyder på att de skulle ha kontaktat oss den formella vägen. Det har jag redan kollat, nämligen, om inte annat för att se om det fanns någon för oss okänd kollega som behövde skriva på lite fler sekretessblanketter. Hittade ingen. Återstår den andra möjligheten. Hur många informella kontakter med utländska kolleger har du haft genom åren, Lisa?

– Vet inte, sa Mattei. Måste vara fler än hundra i alla fall.

– I mitt fall är det betydligt fler än så, sa Wiklander. En i veckan kanske, under de drygt tio år som jag jobbat här.

– Ja, det gäller väl i stort sett alla sådana som vi, instämde Mattei.

– Vi får heller inte glömma bort Alexander själv. Det är ju faktiskt han som är orsaken till att vi dragit igång den här utredningen. Dessutom tycks vi båda tro att han har en dold agenda. Det har han ju till och med antytt för oss. Att han har något som är på gång som han tyvärr inte kan berätta för oss.

– Jo, jag hör vad du säger, sa Mattei. Men det är här som jag själv får lite problem med logiken. Som till exempel att det skulle vara han som har skickat iväg de här mobilsamtalen som han sedan gett oss. Varför skulle han stöka till det på det viset?

– Tror inte jag heller att han gjort, sa Wiklander. Problemet är väl snarare sådant som han i det sammanhanget kan ha undanhållit oss. Att han kanske vill att vi ska hjälpa honom att röra om i grytan. Få hans motståndare att tro att han vet saker som han inte vet. Eller tvärtom, att han inte vet saker som han faktiskt vet. Den allra enklaste varianten av det kära gamla Spegelkriget som sådana som Alexander brukar ha fått i sig med modersmjölken.

– Om jag ska sammanfatta detta, sa Mattei och lutade sig tillbaka i stolen där hon satt.

– Ja, gör det, sa Wiklander.

– Suck och stön, sa Lisa Mattei. Det var min första sammanfattning om förutsättningarna att hitta den förmodade mullvad som eventuellt gräver sig runt här i våra lokaler. För det andra, praktiska åtgärder.

– Jag lyssnar, sa Wiklander.

– Vi får fortsätta leta efter Louise Urqhart. Även om det mesta väl talar för att hon aldrig satt sin fot här i landet.

– Helt enig med dig, sa Wiklander.

– För det andra, fortsatte Mattei, så måste vi få med folket från radioanstalten. Om det nu är så illa att Alexander bara smånarras lite för oss vill jag åtminstone kunna få ett eget facit. Dessutom vill jag inte behöva sitta och vänta på att han eventuellt ska höra av sig.

– Helt enig med dig.

– Några andra som jag också vill ha med i utredningen, förutom FRA då, är deras kamrater från Must, de där som kan bosätta sig under en krusbärsbuske. Vi måste ha med båda omgående och den som sköter sambandet med dem tänkte jag sätta jämte dig i vår spaningsledning. Sådant lär ju vara väldigt viktigt för våra militärer.

– Där är vi också helt överens. Om de bara sköter sitt så sköter jag mitt, sa Wiklander.

– Ja, även om jag är en så dålig människa att jag grämer mig över det beslutet så fort jag tänker på vår käre chef och alla hans propåer i samma ärende.

– Jag kan ta hand om det praktiska om du vill, sa Wiklander.

– Utmärkt om du kan göra det, och se till att de finns på plats i morgon när vi drar igång på allvar. Om du dessutom kan fixa en sambandsman från militärerna som är så lite lik major Björklund som det är möjligt så överväger jag faktiskt att ge dig ett par flaskor av det där dyra italienska vinet som present.

– Tackar jag för, sa Wiklander. Dessutom tror jag faktiskt att jag redan har hittat en sambandsman åt oss.

– Vem är han då?

– Inte han, det är en hon, tro det eller ej. Helena Palmgren heter hon. Började på vårt terroristcentrum för bara några måna-der sedan.

– Jaha, sa Mattei. Militär? Polis? Var kommer hon ifrån?

– Ingetdera. Hon är akademiker och militärpsykolog. Senast jobbade hon på Must.

– Och hon är bra?

– Alldeles utmärkt. Trevlig, tystlåten, saklig, inte det minsta reaktionär, både kunnig och begåvad. Om vi bortser från det yttre påminner hon en del om dig, faktiskt.

– Fantastiskt, sa Mattei. Du pratar med henne? Hälsa från mig.

– Ja, sa Wiklander samtidigt som han reste sig upp. Är det något mer som återstår?

– Inte för oss, sa Mattei och skakade på huvudet. Johan och Ella har åkt ut på landet till mina svärföräldrar. Själv tänkte jag åka ner till Eskilstuna, träffa Martinez och se till att uträtta lite gammaldags, hederligt polisarbete.

– Lycka till, sa Wiklander. Och var rädd om dig.

Wiklander och Martinez är ju faktiskt inte särskilt lika trots att de är lika bra på det som de gör, tänkte Lisa Mattei när hon kom ner i garaget för att hämta ut sin tjänstebil. Allt som hon måste tänka på och att hon måste vara rädd om sig, det var Wiklander i ett nötskal. Vad var det Martinez hade sagt när hon ringt henne för att tala om att hon tänkte återvända ner till Eskilstuna på kvällen? Att hon inte fick glömma bort att sätta på sig den blåa koftan, tänkte hon.

33

Det var strax efter klockan halv sju på onsdagsmorgonen som Abbdo Khalid hade lämnat huset där han bodde och kört in mot centrala Eskilstuna. Efter bara fem minuter hade han valt att passera kemtvätten och åkt ifrån den bil från Säpo som skuggade honom. Om han hade gjort det för säkerhets skull eller för att han redan visste om att de övervakade honom var oklart. Två timmar och femtio minuter senare, klockan fem minuter i halv tio, hade han återvänt till sin bostad och så dags borde han rimligen ha förstått hur det låg till eftersom någon hade varnat honom på hans mobil två timmar och en kvart tidigare. Det meddelandet hade han besvarat efter en timme och tio minuter. Då var klockan tjugo minuter över åtta, men även om det var först då som han blivit medveten om varningen hade han ändå känt till den i drygt en timme när han svängt in på gårdsplanen till huset på Lötgärdesstigen.

Fyrtio minuter senare hade Lisa Mattei suttit och tittat på honom i en kikare. Då hade han suttit själv i en hammock ute i trädgården, läst tidningen och druckit något ur en större blåmålad kopp. Något som sannolikt var te, tänkte Mattei utan att veta varför hon hade antagit det. En ung man som av sitt uppträdande att döma inte verkat ha det minsta bekymmer i hela världen.

Det kanske bara är det allt handlar om, tänkte Mattei. Att en kvinna som han är förtjust i hörde av sig och sade att hon saknade honom. Det skulle i varje fall förklara hans beteende. Att den skära elefanten som Alexander och alla andra hade sett bara existerade i deras egna huvuden. Återstod för Mattei och hennes kolleger att räta ut alla frågetecken. Som att ta reda på vad Abbdo hade haft för sig under de närmare tre timmar som han varit försvunnen.

Innan Mattei åkte ner till Eskilstuna tog hon vägen om sin bostad. Eftersom hon hade bestämt sig för att stanna i Eskilstuna över natten, sova över på Stadshotellet och köra direkt till sin arbetsplats morgonen därpå, packade hon en väska med sina toalettartiklar och rena kläder till nästa dag.

Sedan gick hon in i badrummet, tvättade av sig och bytte om till kvinnlig spanare klädd för sitt uppdrag. Jeans, skjorta, en tunn tröja, sneakers på fötterna, praktiska kläder, snygg och prydlig men utan att sticka ut.

Som näst sista åtgärd öppnade hon vapenskåpet längst in i sin klädkammare, plockade fram sitt tjänstevapen och fäste hölstret vid vänster höft med ett metallclips runt livremmen. Betraktade sig själv i den stora spegeln ute i hallen och gjorde en bister grimas åt sin egen spegelbild. Come on, Abbdo. Make my day, tänkte Mattei, som kände sig mer upplivad än på länge när hon avslutade sin förvandling genom att sätta på sig en skinnjacka som gick tillräckligt långt ner över hennes midja för att dölja vapnet som hon bar. Dessutom var den både snygg och bekväm med fickor som var stora nog för den som varken hade tid eller plats för någon handväska. Bäst av allt, föga lik den blåa kofta hon burit vid sitt senaste besök.

Är det någonting som jag har glömt, tänkte Mattei, för det gjorde hon allt oftare nu för tiden. Ett ålderstecken så gott som något när man med hjälp av sitt minne började vakta på bristerna i samma minne. Ingenting, kom hon fram till.

Medan hon letade sig ut genom innerstadstrafiken i riktning mot Essingeleden och motorvägen söderut funderade hon på annat än den information som fått henne att åka till Eskilstuna. Mattei funderade ofta på andra saker än dem som hon kanske borde. När hon var yngre hade det oroat henne och en gång hade hon till och med berättat om det för sin chef och mentor, Lars Martin Johansson. Tvärt emot vad hon hade förväntat sig hade han lyckönskat henne till att hon ägde denna egenskap och tydligen var funtad på samma vis som han själv.

Det var bara idioter som tänkte på bestämda saker och allra värst var de som bara kunde tänka på sina egna arbetsuppgifter. Enligt Johansson skulle man undvika att *tänka på* saker. Det viktiga var att man tänkte, själva tänkandet i sig. Och gärna på sådant som inte hade det minsta med sakfrågan att skaffa, konstaterade Johansson. Sedan hade han klappat henne på axeln och nickat åt henne.

– Kom ihåg det, Lisa. Det är nämligen det som skiljer dig och mig från alla de där enklare själarna som omger oss.

Som det där med att använda sitt eget minne för att kontrollera svagheterna i samma minne, tänkte Lisa Mattei. Att det stred mot problemets natur var visserligen ett faktum, men eftersom det samtidigt saknades enkla alternativ fick det ändå bli så. Enligt Johansson var den typen av problemlösningar ett viktigt inslag i den intuition som utmärkte varje riktig konstapel. En sådan där sällsynt människa som levde i kraft av sina tvivel och inte sin övertygelse.

Alla var inte på det viset, tänkte Mattei, trots att vissa av dem ändå kunde vara alldeles utmärkta poliser. Som till exempel Linda Martinez. När Mattei ett par timmar tidigare hade berättat för henne varför de måste träffas nere i Eskilstuna hade Martinez börjat med att stöna högt och det hade hon fortsatt med under en god stund. Det här hemlighetsmakeriet som man ägnade sig åt på hennes jobb utgjorde ett allvarligt hot mot varje seriös spanare. Det var inte så att spaning var något som man knäppte fram med fingrarna i stundens ingivelse. Något slags bohemiskt inslag i det allmänna polisiära utredningsarbetet. Spaning var något som man så långt som möjligt försökte planera på förhand och i allt väsentligt handlade det om att skaffa sig framförhållning.

Till sist hade Mattei avbrutit henne. Hemlighetsmakeri och framförhållning i all ära, och själv hade hon faktiskt inte några problem med vare sig det ena eller det andra, men just den här gången var det för en gångs skull så enkelt att det bara var en timme tidigare som hon fått vetskap om det som hon nu berättade för Martinez.

– Så vad tror du om att gilla läget, Linda? sammanfattade Mattei.

– Jag älskar läget. Nästan lika mycket som jag älskar dig, Lisa, sa Martinez.

När Mattei hade kommit ut på motorvägen ringde hon till sina svärföräldrars sommarställe för att prata med Johan och Ella och det var Ella som svarade. Hon och hennes pappa och hennes farfar hade fiskat strömming med metrevar som man satt och ryckte i. Fast själv hade Ella bara dragit den upp och ner för att inte bli trött i armen. De hade fått jättemånga strömmingar vilket var bra eftersom de var mycket mindre än de gäddor och abborrar som farfar och hon brukade få när de lade ut nät. Vissa av dem var till och med pyttesmå.

– Pytte, pytte, pyttesmå, förtydligade Ella.

När de kom hem hade farmor tagit alla strömmingarna och nu stod hon och stekte dem i en stekpanna eftersom de skulle äta dem till middag.

– Så det är farmor som lagar maten? Kan man tänka sig, tänkte Lisa Mattei.

– Ja, bekräftade Ella. Fast jag ska få potatismos till och inte sådana där vanliga runda potatisar för jag tycker mos är mycket godare. Så ska jag få riktig lingonsylt också, för det är mycket godare än bara lingon för de är sura.

Min svärmor får Johan prata med, det är ju ändå hans mamma, tänkte Mattei, men det tänkte hon inte avhandla med Ella.

– Vad gör pappa då? frågade Mattei avledande.

Ella sänkte rösten innan hon svarade.

– Lova att inte säga något.

– Jag lovar, gumman, sa Lisa.

– På hedersord och ingenting i kors, sa Ella.

– Hedersord och ingenting i kors, upprepade Mattei. Fingrar bakom ryggen gills inte, tillade hon för säkerhets skull.

– Pappa och farfar dricker whisky, viskade Ella. Det luktar jätte-läskigt, mamma. Det luktar som farfars båt. Den där jättegamla som är jättetrasig som man inte törs åka i för då drunknar man.

– Jag vet, sa Mattei. Vet du vad?

– Nej.

– Det smakar ännu läskigare, sa Mattei.

– Men varför dricker de whisky då?

– Jag vet faktiskt inte, sa Mattei. Du får fråga din pappa. Mamma dricker aldrig whisky.

– Jag längtar efter dig, mamma, sa Ella. Jag längtar jättemycket.

– Jag längtar jättemycket efter dig också, gumman. Mamma måste jobba i morgon, men sedan kommer jag ut till landet. Jag kommer i morgon kväll så kan vi vara tillsammans hela helgen.

– Fast då är den ju nästan slut, ju, sa Ella.

– Nej, sa Mattei. Vi ses i morgon och vi ses på lördag och vi ses på söndag. Det blir nästan hela.

– Hedersord och ingenting i kors?

– Hedersord och ingenting i kors, upprepade Mattei.

– Puss och kram, mamma, sa Ella.

– Puss och kram själv, gumman. Hälsa pappa och pussa och krama honom från mig.

– Jag lovar, sa Ella.

Jag också, tänkte Mattei. Hedersord, ingenting i kors och fing-rar bakom ryggen gills inte, tänkte hon.

När Mattei hade checkat in på hotellet, burit upp sin väska på rummet och återvände ner till lobbyn stod Martinez redan och väntade på henne.

– Snygg jacka, Lisa, sa Martinez och flinade. Den där blå kof-tan du hade på dig i går såg för jävlig ut.

34

Trots bristen på framförhållning hade Martinez försökt göra det bästa av deras uppdrag. Det var bland annat därför som hon satt sig på förarplatsen. Mattei däremot, som ju ändå hade en akademisk examen, skulle ansvara för dokumentationen. Bandspelare, kamera med teleobjektiv, kikare, ett tidtagarur, till och med penna och papper, allt fanns i facket mellan framsätena, och enklast vore att Mattei redan nu plockade fram grejorna och såg till att bekanta sig med dem medan Martinez körde till startpunkten för deras spaning.

– Jag tänkte att vi skulle börja på den plats där han hängde av mina grabbar, sa Martinez.

– Och sedan?

– Sedan tänkte jag köra på gps:en och ta närmsta vägen till det område där hans mobil befann sig när de där meddelandena utväxlades. Det tänkbara området ligger inom en radie på knappt en kilometer och för enkelhetens skull tänkte jag gå på centrumpunkten i den cirkeln. Den ligger knappt tre mil från där vi befinner oss nu.

– Du tror inte att han tog motorvägen? invände Mattei.

– Nej, sa Martinez. Om de har lokalkännedom brukar de undvika större vägar. Alltid en onödig risk, om det nu skulle hända något oplanerat, menar jag.

– Okej, sa Mattei. Det här är något som du har gjort tidigare, eller?

– Första gången, sa Martinez och skakade på huvudet. Men man har ju läst en hel del.

Den "kemtvätt" som Abbdo hade använt sig av låg på en liten tvärgata till Västeråsvägen ungefär fem kilometer från huset där han själv bodde och i riktning in mot centrala staden.

– Okej, sa Martinez samtidigt som hon kontrollerade deras position på sin gps. Det var här han hängde av oss. Svängde in på den här tvärgatan utan att blinka innan, gasade på och efter ytterligare ett par svängar var han en fri man. Några frågor?

– Nej, sa Mattei.

– Själv har jag en, sa Martinez och nickade mot facket där hon förvarade sina olika hjälpmedel. Vad tror du om att ta tiden på det där tidtagaruret som ligger där?

– Slarvigt av mig, sa Mattei. En minut i åtta, tänkte hon, de hade åtminstone ett par timmar innan det blev mörkt omkring dem.

– Då så, sa Martinez. Då kör vi.

Fem minuter senare hade de lämnat Eskilstuna bakom sig. Vägen de åkte på var inte ens asfalterad, bebyggelsen sparsam, belysningen likaså, bondgårdar med närliggande ekonomibyggnader, enstaka villor och vanliga sommartorp. Mattei hade också ställt sin första fråga.

– Det är en sak som jag har funderat på.

– Vad är det då?

– Det där andra meddelandet han får. Varför dröjer det drygt en timme innan han svarar på det?

– Den enkla förklaringen är väl att han lämnar sin bil men glömmer kvar mobilen.

– Varför tror du det? Den där mobilen är ju den livlina som han har. Skulle han verkligen glömma kvar den i bilen?

– Människor gör misstag, sa Martinez med en talande axelryckning. Det händer hela tiden och ingen blir gladare än jag. Vår lille Abbdo kommer hit. Den där mobben har han lagt på passagerarsätet för att vara säker på att han hör den om han får något meddelande medan han kör. Samtidigt har han viktigare saker i huvudet, så när han kommer fram går han ut ur bilen och glömmer kvar mobben medan han uträttar sitt ärende. Det tar drygt en timme innan han kan åka därifrån igen. Då ser han att han har fått ett meddelande och då tror jag han hör av sig omgående.

– Låter rimligt, sa Mattei och nickade instämmande.

– Fast en ren gissning, sa Martinez och log. Hade jag fått bättre framförhållning hade jag säkert kunnat ge dig en detaljerad beskrivning av vad han haft för sig.

Sörmland. Snart var sommaren här. En slingrig grusväg, ständigt nya sjöar som dök upp vid sidan av vägen, enstaka gårdar och hus, nästan alla målade i rött och med de vita knutar som tydligen följde med på köpet. Späd grönska på åkrarna, ängar, lövskog, hagar med betande djur, några dovhjortar som plötsligt sprang över vägen som de åkte på.

– Här är det, sa Martinez och stannade bilen. Det är här som vi har skärningspunkten för mastpejlingen som man har gjort. Vilket betyder att hans bil står ungefär här. Inom ett par hundra meters radie, sannolikt. I värsta fall ytterligare några hundra meter längre bort.

– Trettiotvå minuter, sa Mattei och knäppte av tidtagaruret. Åtminstone fem minuter innan han får ett sms på sin mobil.

– Ja, sa Martinez. Men då har Abbdo redan lämnat bilen och är i alla fall så långt borta från den att han inte hör att han får ett meddelande. Annars hade han nog svarat omgående med tanke på hur ofta det har hänt att den mobben har gått igång.

– Där borta ligger en bondgård, sa Mattei och pekade genom framrutan på deras bil. Om du kikar upp till vänster på din sida ser jag taken på ytterligare en. På andra sidan sjön där framme har du ett sådant där typiskt sörmländskt sommartorp.

– Närmsta större samhälle är Åkers Styckebruk, sa Martinez.

Det ligger elva kilometer rakt österut. Om vi tar det större omgivande området så kan man säga att vi befinner oss ungefär mitt i en triangel med två mils sida mellan Eskilstuna i väster, Strängnäs i öster och Malmköping i söder. Vi är mitt i fucking fagra Sörmland, helt enkelt. På vägen mellan Ärla och Styckebruket, där det är som allra fagrast.

– Vad gör han här? Klockan sju på morgonen mitt i veckan?

– Han ska träffa någon, hämta något, lämna något, sa Martinez.

– Kan det vara så enkelt att han har något gömsle här? Sprängämnen, vapen, allt det där som han inte kan ha hemma. Att han ska hämta något eller lämna något som han har gömt undan.

– Tror inte det, sa Martinez och skakade på huvudet. I så fall finns det bättre ställen på betydligt närmare håll. Dessutom är det fel tid. Folk som bor så här ute på bonnalandet brukar ju vara ute och ränna vid den tiden. Hämta tidningen i brevlådan, morgonpromenader och motionsrundor, gå ut med jycken och allt det där. Vaksamma som fan är de också. Det finns inga som är så vaksamma som lantisar som bor på sådana här ställen. Och alla känner alla. Nu däremot finns det inte en käft som är ute. Nu sitter de inne och glor på teve och spelar dataspel. Porrsurfar, vad vet jag? Ute är de i alla fall inte. Om jag skulle gissa tror jag att han skulle träffa någon. Sannolikt någon som bor här alldeles i krokarna.

– Vad gör vi nu då?

– Dörrknackning ska vi nog passa oss väldigt noga för, sa Martinez. Risken att vi knackar på fel dörr, med tanke på vad jag just sa, är väl si sådär hundra procent på ett sådant här plejs.

– Vad ska vi göra istället?

– Jag ska börja med att ta reda på vartenda jävla dugg om varenda liten nisse som bor här utan att de har en susning om saken. Sedan kan det möjligen vara läge för ett och annat hembesök.

– Och vad gör du och jag nu?

– Vi tar en diskret sväng i omgivningarna innan vi drar tillbaka till hotellet och käkar en bit. Själv tänkte jag klämma en bärs men jag vet att de har mineralvatten också, så du kan vara helt lugn.

– Då gör vi så, sa Mattei.

– Sedan har jag några praktiska grejor som jag tänkte ta med dig. Ju fortare desto bättre. Om det är okej?

– Vad är det?

– Jag vill lämna över numren du gav mig till dem som sköter vår egen mobilspaning. Tömma de master som skickade Abbdo hans sms. Kolla om det finns någon annan intressant mobil som går igång vid ungefär samma tid. Kolla om vi kan hitta några andra nummer som han använder sig av. Allt det där vanliga, du vet.

– Helt okej, sa Mattei.

– Jag litar nämligen inte på den där engelsmannen som vi träffade. Han med alla slipsarna.

– Jeremy Alexander, sa Mattei och log. Varför litar du inte på honom?

– Han är inte min typ. Och om det där var en jobbfråga får jag till och med för mig att han är fel typ. Helt fel typ.

Fel typ? Det är ju aldrig fel att dubbelkolla sådana, tänkte Mattei som nöjde sig med att nicka instämmande.

35

Helgdag, Kristi himmelsfärdsdag, ett helgtomt stadshotell i Eskilstuna. När Mattei och Martinez slog sig ner i baren för att äta en sen middag, var de de enda gästerna på stället. Mattei hade beställt en ljummen sallad med grillade pilgrimsmusslor och mineralvatten utan bubblor medan Martinez ville ha en hamburgare med extra allt och en stor stark.

– Du äter som en liten fågel, Lisa, sa Martinez.

– Äter som en liten fågel, ser ut som en liten fågel, mår som en liten fågel, instämde Mattei.

– Slår han dig också? Om du käkar ordentligt, alltså?

– Vem? Menar du Johan? frågade Mattei. Han slåss aldrig. Han blir aldrig arg ens.

– Du måste ha ett rent helvete. Att leva med en sådan man, menar jag.

– Helvete är väl att ta i, men visst. Ibland känns det faktiskt som om jag håller på att bli tokig på honom. Med Johan är allt väldigt enkelt. Han är stor och stark och vältränad, han är begåvad, bildad, han har humor och om han blir förbannad så visar han det inte. Dessutom är han sju år yngre än jag. Ja, han är till och med bra på… på det där andra också… om du nu undrar.

– Bra på att knulla, menar du?

– Ja, typ.

– Det var ju det jag sa, sa Martinez. Varför ska det vara så svårt att prata om? Det måste ju vara ett rent helvete att bo ihop honom.

– Ja, sa Mattei. Ibland kan det bli lite för mycket.

– Hur löser du det då? Ger honom en tjuvsmäll? Jag menar, det måste ju vara helt riskfritt om han är på det där viset.

– Jag brukar få dåligt samvete, sa Mattei och suckade.

– Var kommer han ifrån? Från Mars, eller?

– Nej, Huddinge. Han är född och uppvuxen i Huddinge. Hans mamma är förskollärare, hans pappa är ingenjör. Magdalena och Gunnar, tidiga femtiotalister, båda numera pensionärer. En äldre bror och en yngre syster. Båda är gifta, båda har jobb, båda har barn. Samtliga ostraffade, inga kända missbruksproblem.

– Samtliga från Mars, konstaterade Martinez. Sådana där kan bara komma från Mars.

– Ja, fast Johans yngre syster gillar jag faktiskt. Hon är riktigt hemsk. En förskräcklig människa. Avundsjuk på det där viset så att det äter henne inifrån. Madeleine, heter hon. Efter prinsessan.

– Skönt att höra, sa Martinez. Att någon av dem är normal, menar jag. Vad gör hon?

– Jobbar som inköpare på något dataföretag. Hennes man jobbar på bank. Som företagsrådgivare.

– Jag kan se dem framför mig, sa Martinez. Härligt. Jag förmodar att du inte missar något tillfälle att bjuda in dem till din lilla lägenhet på Narvavägen.

– Självklart, sa Lisa Mattei. De har en stående inbjudan. En helt annan sak. Jag har ångrat mig. Den där bartendern som har spanat in dig i smyg hela tiden, du kan inte vifta hit honom så att jag får beställa in ett glas vitt vin? Gärna något italienskt. Mig ser han inte, nämligen.

– Bra, Lisa. Nu börjar det likna något. Fast ingen livskris, hoppas jag.

– Nej, sa Mattei. Ett glas ska jag nog klara. Vad tror du om att byta ämne, förresten?

– Inga problem, sa Martinez. Fundera ut något bra så ska jag fixa vin åt dig. Jag gillar dig, Lisa. Du är en riktig människa. Både ond och god, om jag säger så.

Sedan hade de bytt ämne, pratat om andra saker än nära och kära i den egna familjen. Om gemensamma bekanta, om kolleger, om allt annat som folk pratade om, både högt och lågt, och i deras fall utan namns nämnande eller några särskilda referenser till vare sig tid eller rum, lågmälda utan att viska eftersom de hade en bartender i andra änden av lokalen som säkert skulle ha rivit deras nota om han bara hade vetat vilka de var och fått lyssna på deras samtal. Till sist, det var ofrånkomligt trots alla instruktioner om motsatsen, hade de också börjat prata jobb.

– Vad tror du om händige Helge då? frågade Martinez med oskyldig min.

– Händige Helge?

– Ja, händige Helge, vår egen lille elektriker, han med det engelska proppskåpet. Han som är så bra på att skruva ihop saker.

– Jag vet faktiskt inte, sa Mattei och skakade på huvudet. När jag satt där och tittade på honom fick jag plötsligt för mig att vi har fått allt det här om bakfoten. Det var ju ändå efter det att han hade fått det där meddelandet på sin mobil. Det borde väl ha skakat om honom? Men nej, han bara satt där i sin hammock och läste sin tidning och drack sitt te och verkade inte ha ett enda bekymmer i hela världen.

– Nej, sa Martinez. Det har han säkert inte heller. Han har ju sin tro. Han har redan kvalificerat sig för både paradiset och ett palats som är stort som halva Sörmland, en massa tjänare som fixar det praktiska åt honom och sjuttio jungfrur som han kan hoppa på när han inte har något bättre för sig. Han är inte som du och jag och alla andra kolleger.

– Hur är vi då?

– Inte som han, sa Martinez och skakade på huvudet. Glöm det Lisa. När sådana som du och jag går till jobbet har vi egentligen bara en önskan i våra små huvuden.

– Vad är det då?

– Att när vi har jobbat färdigt ska vi få komma hem igen. Kunna somna i vår egen lilla säng så att vi orkar gå till jobbet nästa dag. Med händige Helge är det precis tvärtom. Om han kan hindra oss från det, helst spränga oss i atomer, så hamnar han i paradiset.

– Jag som nästan fick ett intryck av att du inte riktigt köpte det budskap som vår engelske kollega gav oss.

– Den biten köper jag, sa Martinez och nickade. You bet, Lisa.

– Vad är det du inte köper då?

– Allt det där andra, att han undanhåller saker för oss som det skulle vara jävligt praktiskt att känna till. Så man fick lite framförhållning för en gångs skull.

– Men vår Helge är ingen trevlig människa.

– Händige Helge lever i kraft av sin tro. Den är det enda som betyder något för honom. Han tjänar en god sak, han är en god och rättrogen människa, han är en lycklig människa. Och en lugn människa eftersom han inte har någonting att frukta. Ja, och så tänker han ta livet av så många som möjligt av oss andra, som inte är som han, för att visa hur god han är. Och eftersom det bara är en detalj för honom tänker han inte slarva med den biten.

Mattei nöjde sig med att nicka. Tittade på sitt armbandsur.

– Jag måste knoppa, sa hon. Ska åka direkt till jobbet i morgon bitti. Paradiset får vänta.

– Säkert, sa Martinez. Det är inte den resan som lille Helge tänkte bjuda dig och mig på.

36

När Mattei steg in på sitt kontor på fredag morgon välkomnades hon av en stor bukett med blommor som någon hade ställt i en vas på hennes skrivbord. Av det handskrivna kortet som satt i buketten framgick att det var en "oförbehållsam ursäkt" från hennes högste chef. Att man kunde ha olika åsikt var en sak men att uttrycka sig som han hade gjort var oförlåtligt och han beklagade djupt att han gjort det. Dessutom insåg han ju, när han väl fått tid att tänka efter, att han hade lagt sig i saker som han inte hade med att göra och att Mattei visste vad hon höll på med. Det skulle inte hända igen och Mattei hade hans fulla och odelade förtroende. Någon bättre medarbetare än hon kunde han inte tänka sig.

Antingen har jag skrämt upp honom rejält eller också är det någon som han lyssnar på som har talat förstånd med honom. Eller den tredje möjligheten, att han faktiskt är en bättre människa än vad jag har insett, tänkte Mattei. Hur som helst, snygga blommor, säkert en dyr bukett, och hög tid att hon fick något uträttat.

Redan i bilen på väg upp till Stockholm hade Mattei bestämt sig för att hon skulle ägna huvuddelen av sin förmiddag åt att bekanta sig närmare med Louise Urqhart. Denna mystiska engelska kvinna som enligt Alexander inte bara var deras bombmakares älskarinna utan sannolikt även hans medbrottsling när det kom till den praktik som var Bombmakarens uppdrag på jorden. Och – om det nu var på det viset – samma Louise Urqhart som skickade sms under signaturen L U och tydligen även hade etablerat en kontakt med någon som arbetade vid den svenska säkerhetspolisen.

Sammanlagt fem avsnitt, av totalt trettiosju, i det material som Alexander hade gett till Mattei handlade om Louise Urqhart, och det som inledde sammanställningen var en kortfattad biografi med hänvisningar till de följande avsnitten där man redovisade hennes studier, ekonomi, personliga kontakter, fritidssysselsättningar, resor och andra privata intressen. Hur var det Lars Martin brukade säga, tänkte Mattei. Börja alltid med den lilla biografin. Den ska vara högst en halvsida lång och var noga med att anteckna allt som du saknar i den.

Louise Urqhart var fyrtiotre år gammal, född 1972. Hon var dotter och enda barnet till advokaten George William Urqhart, född 1930, och hans tjugo år yngre maka Judith Rebecka Urqhart, född Stein. År 1982, när Louise var tio år gammal, hade hennes mamma avlidit, bara trettiotvå år gammal. Tjugo år senare hade även Louises far dött. Sjuttiotvå år gammal, en massiv hjärtinfarkt, och egentligen ingen märkvärdigt hög ålder det heller, tänkte Mattei.

Undrar vad hennes mamma dog av, tänkte Mattei som trots att hon snabbläste även de följande avsnitten inte hittade någon uppgift om den saken. Förmodligen cancer, tänkte hon. Som Jeanette, hennes egen bästis från gymnasiet, som dött av bröstcancer när hon var lika gammal som Louises mamma. För säkerhets skull gjorde hon ändå en anteckning om saken.

De följande avsnitten hade hon snabbläst eftersom det verkade som om Alexander fått med det väsentliga när han beskrivit hennes person i samband med deras möte. Hennes minst sagt blandade studier, hennes ekonomiska oberoende, hennes ständiga resande till de mest skilda platser och att hon samtidigt, som det verkade, saknade både en egen familj, nära vänner och kontakter.

Mattei gjorde en anteckning även om den saken. "Enstöring? Eller kanske snarare solitär", skrev hon, och det som fick henne att stanna för det senare alternativet jämfört med det förra var bilderna.

Louise Urqhart var en vacker kvinna på det där sättet som bland annat Lisas egen far brukade beskriva vackra kvinnor på. Tydligen Alexanders pappa också om man nu skulle tro på det där han hade sagt om den prima engelska lantrasen.

Ingen smal, blek och sval blondin som hon själv utan mer som Lisa Matteis egen mamma, före detta polisintendenten Linda Mattei. Men Louise var inte blondin som hennes mamma utan hade tjockt, rödbrunt, självlockigt hår som hon antingen lät svalla fritt eller bar uppsatt i en knut i nacken. Blåa ögon, frimodig blick, öppna, regelbundna anletsdrag, ljus i hyn med fräknar kring näsan. En högbystad vestal med smal midja, klassiska kvinnliga former och enligt uppgifterna i passet etthundraåttio centimeter lång, sex centimeter längre än Abbdo Khalid, den bombmakare som också skulle vara hennes älskare.

Återstod det filmade materialet. Sammanlagt ett par timmar film uppdelat på ett femtiotal olika, kortare och längre sekvenser. Filmer tagna i smyg av Matteis engelska kolleger och genomgående med samma två aktörer. Bombmakaren Abbdo Khalid och hans kvinna Louise Urqhart.

Det stora flertalet av filmerna som hon tittade på var okontroversiella till sitt innehåll. Olika situationer hämtade ur vardagslivet. Louise och Abbdo sätter sig i hennes bil och åker iväg. Det är Louise som sitter bakom ratten. Louise och Abbdo promenerar i en park i Manchester, de sitter på ett utecafé i samma stad, går in genom en port, ut genom en annan port och allt filmerna visar är en ung svart man som är tydligt förtjust i och närmast uppvaktande i sitt beteende gentemot en vit kvinna som visserligen är äldre än han men samtidigt inte på det där viset att det blir allt som betraktaren ser och inte det andra som egentligen är det som ska räknas. Två unga, vackra människor, en man och en kvinna som verkar vara kära i varandra och inte har några problem med att visa det utan att för den skull göra någon stor sak av det.

Som när Louise i förbigående lägger sin högra hand om hans nacke när de går nerför en liten gata i Manchesters äldre kvarter och han svarar genom att lägga handen om hennes vänstra höft. Bilderna är tagna bakifrån men budskapet som de ger är tydligt nog.

När de sitter på en soffa och äter varsin glass, hur han böjer sig fram, tar hennes glass, sätter den i samma hand som han håller sin egen, böjer sig fram igen och kysser henne innan han med ett leende och en lätt bugning lämnar tillbaka den. Louise Urqhart som ler stort mot honom, skakar sitt huvud och sitt lockiga hår, lägger armarna runt hans nacke, drar hans huvud mot bröstet, kramar honom hårt. Sin egen glass har hon bara lagt ifrån sig på parksoffan där de sitter.

Förälskelse, kanske kärlek som binder dem samman, tänkte Mattei, och om det nu också var tron på islam som gjorde det var i vart fall bevisningen om det betydligt tunnare. En ynka filmsnutt på några minuter där Abbdo och Louise ber tillsammans på den kringbyggda innergården till huset där hon bor. Abbdo ligger snett framför Louise, de ligger på varsin bönematta. Louise är barfota och har håret täckt av en sjal, Abbdo har tagit på sig en liten vit virkad mössa, men i övrigt tycks de bära samma kläder som de i stort sett alltid bär.

Så fanns det andra filmer också. Tagna i smyg som alla de andra, på samma sätt, med samma slags tekniska hjälpmedel, samtidigt som det som filmerna visade gjorde smygandet påtagligt på det där viset som Alexander valt att beskriva som "den engelska underrättelsetjänstens bästa gren". I det här fallet Abbdo Khalid och Louise Urqhart som hade sex med varandra, med och utan kläder på kroppen.

Louise som parkerar sin bil på gatan utanför huset där Abbdo bor. Hur hon tar av sig säkerhetsbältet, säger något till honom, rufsar honom i håret, böjer sig fram över honom, försvinner ur bild. Oralsex, av bilderna på Abbdo att döma.

Hur hon två minuter senare hoppar ut ur bilen, springer över gatan, stannar i porten till huset där han bor, ler och vinkar till honom att han måste skynda sig. Abbdo som kommer ut ur samma bil, skakar på huvudet, leende, slår ut med händerna i en spelat uppgiven gest innan han springer rakt över gatan, omfamnar henne och drar in henne genom porten.

Sängen i Abbdo Khalids sovrum. Gardinerna fråndragna. Mitt på dagen, bra ljus och tydligen filmat från något fönster i en grannfastighet. Abbdo ligger på rygg i sängen, Louise sitter grensle över honom. Nakna, samstämda, väl avvägda rörelser när hon rider honom och han penetrerar henne, smeker hennes bröst, hur Khalid pressar upp sina höfter, böjer nacken bakåt, griper hårdare om hennes bröst, drar i hennes bröstvårtor, säger något rakt ut, stönar. Hur Louise väntar ut honom innan hon på nytt ökar takten, böjer kroppen bakåt, pressar handflatorna mot hans bröst, kastar med sitt stora hår, skriker rakt ut.

Jag måste ha fått islams kvinnosyn helt uppåt väggarna fel, tänkte Lisa Mattei när hon en halvtimme senare till sist stängde av sin dator. Eller åtminstone vissa muslimers kvinnosyn. Som Abbdo Khalids.

37

Innan Lisa Mattei träffade spaningsstyrkan hade hon haft ett möte med Lisa Lamm, den kvinnliga chefsåklagare som var den som i formell mening ledde deras utredning mot "Abdullah Mohammed Khalid, med flera". Så stod det överst i den hemligstämplade akt som man hade upprättat bara tre dagar tidigare när man fattat beslut om att inleda en förundersökning mot honom med anledning av misstankarna om att han "tillsammans med andra personer" planerade att genomföra ett mycket allvarligt "terroristbrott".

Om Lisa Lamm var förundersökningsledare till namnet så var det hennes namne Lisa Mattei som var det till gagnet i och med att det var hon som ledde det polisarbete som det i allt väsentligt handlade om. Lamm var en kvinna i samma ålder som Mattei som sedan drygt ett år tillbaka arbetade vid den särskilda åklagarkammaren för säkerhetsmål i Stockholm. Deras "egna åklagare" som Lisa Matteis kolleger brukade beskriva dem. Samtidigt ett omdöme som kanske inte var lika uppskattat bland dem som omfattades av det.

Lisa Mattei och Lisa Lamm var inte närmare bekanta. De hade visserligen sprungit på varandra tidigare i de olika yrkesmässiga och sociala sammanhang som följde naturligt av deras arbeten men de hade aldrig drivit en större utredning tillsammans. Det fanns således goda skäl till att de träffades och pratade igenom sitt ärende i lugn och ro. Eftersom Mattei satt i huset där de båda skulle ha ett möte med spaningsstyrkan senare samma dag hade hon föreslagit att de skulle ses på hennes kontor och att hon beställde upp lunch till dem så att de fick vara i fred. Till skillnad från hennes högste chef tycktes hennes åklagare inte ha några som helst problem med den saken. Dessutom verkade hon inte ha några svårigheter med att passa tiden. Exakt på minuten hade hon knackat på Matteis dörr och nu satt hon där på andra sidan av Matteis skrivbord.

– Du fyller inte år eller så? frågade Lisa Lamm nyfiket och nickade mot den stora blomsterkvasten som stod på bordet.

– Nej, svarade Mattei. Jag är rädd för att det är mer komplicerat än så.

– Nu blir jag riktigt nyfiken.

– Nja, sa Mattei och log. Inget som du vill höra om. Däremot har jag ett förslag.

– Att vi klarar av de praktiska detaljerna innan vi ger oss i kast med de stora frågorna, sa Lisa Lamm och det var mer ett konstaterande än en fråga.

Vad är det som får mig att tro att det här kommer att fungera alldeles utmärkt? tänkte Lisa Mattei och nickade.

Den första praktiska frågan handlade om ett lämpligt operativt namn på deras utredning. Tradition sedan länge och inte bara vid Säpo utan vid de flesta av världens säkerhetstjänster. Ett namn under vilket spaningsstyrkan kunde samlas, ett namn som skulle få dem som jobbade där att göra sitt bästa av uppdraget utan att man för den skull skrev motståndaren på näsan vad det hela egentligen handlade om.

– Du menar alla de där operationerna som man till och med kan läsa om i tidningen ibland? Operation Olga, operation Entebbe, operation Mogadishu, var det inte någon som hette operation Nimrod, också? Och Ebba Grön, förstås. När man skulle utreda den där tyska terroristen som skulle kidnappa Anna-Greta Leijon.

– Ja, sa Mattei. Norbert Kröcher hette han, det var 1976, i slutet på mars, men operationen som handlade om honom och hans kamrater hette faktiskt Ebba Röd. Ebba Grön var något som en av kollegerna sa på polisradion när det var dags att slå till och gripa honom. Han satt på en krog och drack öl när de tog honom.

– Du får ha överseende med mig, sa Lisa Lamm. Jag var inte ens född när det hände så jag har tydligen missat en del detaljer. I och för sig tycker jag kanske, om jag nu ändå ska vara kritisk, att Ebba Grön hade varit bättre än Ebba Röd. Han var väl något slags kommunist, den där Kröcher?

– Ja, typ, instämde Mattei.

– Själv skulle jag nog ha tagit Ebba Grön. Som i Miljöpartiet. För att inte i onödan väcka hans uppmärksamhet om han nu hade råkat få reda på det hemliga namnet på operationen, menar jag.

– Ja, du har en poäng där. Vad tror du förresten om operation Händige Helge?

– Riktigt bra, en sådan där som är bra på att skruva ihop saker. En stor, tystlåten typ i rutig flanellskjorta som bryter på norrländska och som är din sista räddning när du hamnat på ett byggvaruhus och inte hittar rätt kran till handfatet.

– Ja, ungefär så. Det var Linda Martinez som kom med förslaget.

– Det är taget, sa Lisa Lamm. Ingen normal människa skulle tänka på Abbdo Khalid. Jag var orolig för att du skulle föreslå operation Ökenvandring, eller något liknande. Jag tänkte på en annan sak som också handlar om namn. Vi heter ju båda Lisa. Kan det tänkas förvirra våra medarbetare och kommer de i så fall att lösa det internt genom att döpa mig till Å-Lisa och dig till P-Lisa?

– Nej, sa Mattei. Inte det minsta problem. Bland mina kolleger så heter du Lamm, eller chefsåklagaren, beroende på vem som pratar. Och jag heter Mattei. Eller chefen.

– Skönt att höra, sa Lisa Lamm. Vem vill heta Å-Lisa?

– Inte ens en P-Lisa, instämde Mattei.

Nästa praktiska fråga hade handlat om den roll som deras samarbetspartner vid den militära underrättelsetjänsten skulle spela i utredningen.

Enligt behovsprincipen, menade Mattei och utifrån den speciella expertis som man hade vid FRA och inom Must men kanske saknade vid Säpo. För att inte i onödan fördröja det arbetet hade hon däremot redan nu beslutat att placera en av dem som biträdande spaningsledare i utredningen för att kunna sköta sambandet och kommunikationerna med militären. Hon hette Helena Palmgren och arbetade vid det nationella centret för terrorhotbedömning, som ofta brukade fungera som paraplyorganisation i sådana här sammanhang.

– Själv har jag aldrig träffat henne, sa Mattei. Fast jag lär väl få chansen nu på vårt möte med spaningsstyrkan. Hon är i vår ålder, bakgrund som akademiker, psykolog, jobbat vid Psykförsvaret och hos militären innan hon hamnade här i huset. Det var en av mina medarbetare som rekommenderade henne.

– Jag vet vem hon är. Vi har till och med haft ett par ärenden ihop.

– Hur är hon då?

– Ja, sa Lisa Lamm och smålog. Hur ska jag beskriva henne? Som ett riktigt rejält fruntimmer av den gamla sorten, trots att hon är i din och min ålder. Några år äldre, kanske. Ja, du hör ju själv hur det låter. Men hon är bra. Både klok och balanserad. Dessutom inte särskilt lik många av dem som jobbar på det där stället. Galningar är kanske ett alltför starkt ord, men hos våra militära vänner saknas det inte udda existenser.

– Vad tror du om att äta lunch, förresten? frågade Mattei.

– Vad tror du om att vänta fem minuter till, så kan du uppdatera mig om det aktuella utredningsläget?

– Jag har beställt hit lite sushi och sashimi. Lite blandat, sådär. Det finns en riktigt bra japan nere i Sundbyberg.

– Sushi, det älskar jag. Hur visste du det?

– Jag tycker själv om det, sa Mattei. Alla riktiga tjejer gillar sushi.

38

Utredningsläget var gott, enligt Mattei. Hon hade pratat med samtliga deras gruppchefer strax innan hon träffade Lisa Lamm och enligt dem rullade allt på enligt plan. Man hade de tillstånd man behövde för sina spaningsåtgärder i det inledande skedet, man var på plats nere i Eskilstuna, man hade redan börjat sammanställa den första informationen om Khalid och hans familj och personalen var i stort sett fulltalig. Återstod ett fåtal spanare som man lånat in från den öppna verksamheten, men dessa borde kunna vara i tjänst senast inom ett par dygn.

– Inga särskilda önskemål eller klagomål?

– Inga, sa Lisa Mattei och skakade på huvudet samtidigt som hon knappade på datorn som stod framför henne på skrivbordet. Det vanliga gnället, naturligtvis, men det har jag ju lärt mig att leva med så det är inte hela världen. Vad tror du om att äta lunch nu då? Enligt vakten bars den just in i huset.

– Det blir bra, sa Lisa Lamm. Så kan vi avhandla de stora frågorna medan vi äter. Om det är okej för dig tänkte jag börja. Det är två saker som bekymrar mig, nämligen. Vårt ärende, naturligtvis, men även de juridiska problem som vi har hamnat i vid ett par tidigare tillfällen.

– Allt som bekymrar dig bekymrar mig också. Så jag lyssnar gärna, sa Mattei.

Chefsåklagaren Lisa Lamm började med att ge sin syn på de juridiska spörsmål som oroade henne. Konkret handlade det om två större förundersökningar om terroristbrott som Säkerhetspolisen hade drivit under de senaste tre åren, en i Göteborg och en i Malmö, med totalt tio misstänkta som alla tillhörde al-Shabaab.

Samtliga misstänkta, tre i Göteborg och sju i Malmö, hade blivit åtalade och även dömda till fängelsestraff på mellan ett och tio år av tingsrätterna i Göteborg respektive Malmö. Därefter hade deras försvarare överklagat de fällande domarna till hovrätten. I det äldre av de två målen, det som gällde Göteborg, hade Hovrätten för Västra Sverige intagit den rakt motsatta ståndpunkten jämfört med tingsrätten i samma stad.

De tidigare dömda hade blivit frikända på samtliga punkter och dessutom tillerkänts ansenliga skadestånd. I juridisk och saklig mening, och på den vårdade juristprosa som var skick och bruk i ett sammanhang som detta, hade hovrätten i Göteborg gett Säkerhetspolisen och dess åklagare en rejäl bakläxa. Den bevisning som åklagaren hade lagt fram var inte bara otillräcklig i sig. Enligt hovrättens mening var det betydligt värre än så, i och med att man ansåg att den inte ens låg inom det straffbara området enligt gällande svensk rätt.

Bevisningen bestod enbart av avlyssnade samtal som de tre åtalade hade fört med varandra där man diskuterat genomförandet av en terroraktion riktad mot motståndare till al-Shabaab i deras hemland Somalia. En konversation som för övrigt hade förts på en blandning av arabiska, somaliska, svenska och engelska. Enligt åklagaren utgjorde det som avhandlats och sättet på vilket det skett en straffbar förberedelse till ett grovt terrorbrott.

Hovrätten i Göteborg hade inte delat den uppfattningen. Inledningsvis hade man riktat skarp kritik mot "den rent språkliga tolkningen" av de samtal som åklagaren presenterat vid rättegången. "På avgörande punkter" var den "direkt felaktig" och som helhet gav den "en missvisande bild" av det som hade förevarit. Enligt hovrätten handlade det inte om att man planerade att genomföra ett grovt brott. De åtalade hade istället uttryckt "tankar och åsikter av en hypotetisk och tentativ karaktär" vilka "möjligen betingades av ett missnöje med den politiska situation som rådde i deras hemland", men oavsett vilket var det "inte straffbart enligt svensk rätt att föra sådana samtal och att göra det på det viset som skett".

Den första rättegången hade passerat relativt obemärkt genom den offentliga debatten. En av de åtalades försvarsadvokat hade skrivit ett inlägg på debattsidan i Dagens Nyheter som följts upp i ett av SVT:s samhällsprogram, men i stort sett hade det stannat vid det. Chefredaktören för Dagens Nyheter hade i en av sina ledare ironiserat över detta: "Att våra tankar fortfarande är fria som fågeln – åtminstone om man nu ska tro Hovrätten för Västra Sverige – tycks i vart fall inte utgöra något löpsedelsmaterial."

Vad gällde den händelse som inträffat i Malmö för knappt ett år sedan hade reaktionerna dock blivit helt andra. Den aktuella terroraktionen skulle den här gången ha riktat sig mot den judiska församlingen i Malmö där totalt sju åtalade gärningsmän med somaliskt ursprung och tillhörande al-Shabaab, enligt åklagaren skulle ha planerat att genomföra en så kallad självmordsbombning i samband med en judisk sammankomst.

I tingsrätten i Malmö hade också flera av dem dömts till långa fängelsestraff, men när de fällande domarna hade överklagats till Hovrätten över Skåne och Blekinge hade domstolen gått på samma linje som Hovrätten för Västra Sverige. Samtliga åtalade hade frikänts på samtliga punkter och tilldömts skadestånd som sammantaget uppgick till ansenliga belopp.

Bevisningen i Malmömålet var i stort sett identisk med den i Göteborg. Avlyssnade samtal som förts på telefon eller direkt mellan fyra eller flera ögon, meddelanden som utväxlats på mejl eller i sms. Hovrättens värdering av den bevisningen var också densamma som i Göteborgsärendet. Vad det handlade om var ett utbyte av åsikter och egna tankar som låg inom ramen för grundläggande fri- och rättigheter enligt svensk grundlag. Inte om någon form av straffbar förberedelse till brott.

Hovrätten i Malmö hade också skärpt tonen mot Säkerhetspolisen och deras åklagare. Den bakläxa som domarkollegerna i Göteborg hade delat ut ett par år tidigare hade ersatts av en rejäl knäpp på näsan och den här gången hade både den offentliga uppmärksamheten och återverkningarna inom rättsapparaten blivit av en helt annan omfattning.

Den väsentliga orsaken till detta hade i och för sig inget att göra med Säkerhetspolisens agerande. Istället handlade den om svensk utrikespolitik, där regeringen ett halvår tidigare hamnat i konflikt med ett flertal arabstater på grund av uppsagda handelsavtal och offentliga uttalanden om de stora demokratiska och rättsliga problem som rådde i dessa länders politiska system, vilket i sin tur orsakat starka och mycket negativa reaktioner inom den muslimska världen.

På kort tid hade Sverige fått samma dåliga rykte som dess södra grannland Danmark. Två länder i norra Europa där man tydligen hatade både muslimer och den religion som de utövade. Att den kritiken inte var alldeles enkel att förena med de två frikännande hovrättsdomarna tycktes kritikerna i allt väsentligt ha bortsett från. Det man sköt in sig på var istället att den svenska säkerhetspolisen ägnade sig åt en förföljelse av i Sverige bosatta muslimer på grund av deras religiösa tro.

Den här gången hade kritiken också fått återverkningar i rättsapparaten. Regeringen hade tillsatt en särskild utredare för att se över den lagstiftning som reglerade Säpos arbete mot terrorism. Lisa Matteis tidigare chef hade valt att sluta innan hans förordnande gick ut för att istället bli säkerhetschef och medlem av koncernledningen för en av landets största banker. Två av de totalt sex åklagarna vid den särskilda åklagarkammaren för säkerhetsmål hade valt att göra samma sak. En av dem hade även uttalat sig offentligt om skälet till att hon fattat det beslutet. Sedan några månader tillbaka hade hon och hennes familj utsatts för ett flertal allvarliga hot med anledning av hennes arbete, varför hon hade bestämt sig för att lämna jobbet som åklagare för att istället övergå till privat juridisk verksamhet vid en advokatbyrå i Stockholm.

Även Lisa Lamm hade dragits med i den allmänna turbulensen. När hennes högste chef riksåklagaren hade kontaktat henne och ställt frågan om hon var intresserad av att börja som biträdande chef på kammaren för säkerhetsmål hade det argument som han framförde varit att hon bland jurister var känd som "en åklagare med en tydlig rättssäkerhetsprofil".

– Av någon anledning sa han däremot inte ett ord om att det… tydligen… var så praktiskt att jag också saknade både man, barn och syskon. Och att både mamma och pappa är döda, sa Lisa Lamm. Slumpens skördar, förmodligen, tillade hon och log svagt.

– Men du tog jobbet, konstaterade Mattei.

– Fattas bara. Var skulle vi annars hamna om man vek ner sig för en massa hotnissar.

– Läget kunde onekligen vara bättre, instämde Mattei. Det som gör att vi sitter här är ju faktiskt vår engelske kollegas övertygelse om att Abbdo Khalid är en riktig liten illbatting. Du har läst underlaget som du fick?

– Ja, och det kan inte hjälpas att jag nog tycker att det är alldeles för likt det som mina kolleger presenterade vid rättegångarna i Göteborg och Malmö, sammanfattade Lisa Lamm. Det gör mig inte särskilt komfortabel.

– Jag har tänkt som du. Jag har också tröstat mig med att Alexander kanske vet något mer som han valt att undanhålla oss. Det är närmast vedertaget beteende i den här branschen, ska du veta. Jag har ställt en rak fråga till honom och han säger att han är övertygad om att Khalid skulle dömas till livstids fängelse för sin inblandning i den där självmordsbombningen utanför Old Trafford.

– Säkert. Med tanke på engelsmännens minst sagt hemska erfarenheter av sådant går det väl knappast att hitta en jury som inte skulle fälla honom för det. Om han nu är så övertygad om den saken förstår jag fortfarande inte varför han lät Khalid lämna England för drygt en månad sedan. Eller varför han inte har hört av sig till mig och bett att jag ska se till att han blir gripen och utvisad till England.

– Det vet jag, däremot, sa Mattei. Han håller nämligen på med något annat som är mycket viktigare än att gripa Abbdo Khalid. Jag fick till och med lova honom att inte göra det eftersom det skulle äventyra det där andra som han håller på med.

– Och där tror du på honom?

– Ja, sa Mattei. Trots att jag inte har en aning om vad det är och ännu mindre hur man skulle kunna koppla det till ett ingripande mot Khalid. Trösten i det sammanhanget är att han har lovat mig att den biten ska vara avklarad före nationaldagen här hemma hos oss.

– Men sedan har han inget emot att ta över honom? frågade Lamm. Om inte vi skulle ha lyckats bekräfta misstankarna mot honom med något mer substantiellt än vad han och andra har suttit och snicksnackat om i olika privata sammanhang?

– Alexander och hans kolleger skulle säkert ta emot honom med öppna armar. I det läget, alltså.

– Vilket är en klen tröst för mig, sa Lisa Lamm och skakade på huvudet. Anta att han är oskyldig? Eller att jag bara är tveksam på den punkten? Att i en sådan situation skicka över en ung människa till ett väntande livstidsstraff i ett främmande land är verkligen ingen tilltalande tanke. Svensk medborgare är han ju också. I en rent humanitär mening är det visserligen ointressant men inte när det kommer till den formella handläggningen här i Sverige.

– Bombmakaren och hans kvinna, fortsatte Lisa Lamm. Vad säger du? Är det sant eller falskt?

– Det är väl inte värre än att det går att ta reda på, svarade Mattei och ryckte på axlarna trots att hon inte kände sig helt övertygad om den saken.

39

Innan den första stora sammandragningen med spaningsstyrkan inleddes passade Mattei på att hälsa på Helena Palmgren som skulle sköta sambandet med den militära underrättelsetjänsten och radioanstalten. Hon stämde väl överens med Lisa Lamms beskrivning av ett "rejält fruntimmer" och såg i vart fall inte yngre ut än sina fyrtiofem år. Osminkad, med det blonda håret samlat i en tjock fläta i nacken, blå ögon, byxdress, skjorta och svarta pumps med halvhög klack.

Säkert H&M, propert, praktiskt och prismedvetet, men inget som jag skulle sätta på mig, tänkte Mattei.

– Roligt att träffa dig, Helena. Du ska känna dig välkommen. Jag hoppas att du har fått det underlag som vi har fått in.

– Tack, sa Helena Palmgren och log vänligt mot Mattei. Ja, jag är just nu flitigt sysselsatt med att läsa på. Inga frågor så här långt.

– I så fall är det bara att du säger till. Wiklander är mitt grundtips. Han är den där typen man alltid kan få tag i.

Präktig och pliktmedveten också. Som min svärmor, tänkte Lisa Mattei. Jag kanske skulle fråga henne om hon vill ha den där blåa koftan.

Lisa Lamm inledde mötet med att hälsa alla välkomna och förklara att eftersom de som satt där redan kände varandra behövdes ingen inledande presentationsrunda.

Därefter gick hon över till det formella. Att detta var en

utredning av förberedelse till misstänkta terrorbrott med henne själv som förundersökningsledare och Lisa Mattei som den som skulle leda polisinsatsen.

Att utredningen skulle drivas enligt instruktionen i SISU, att den således omgärdades av högsta sekretess och att de olika gruppcheferna hade ansvaret för att de medarbetare i spaningsstyrkan som inte kunde närvara vid dessa möten hölls informerade om utvecklingen.

– Några frågor, avslutade Lisa Lamm, varpå samtliga som satt runt det stora sammanträdesbordet skakade på sina huvuden.

– Då så, konstaterade Lisa Lamm. Då lämnar jag ordet till Lisa Mattei.

Även Lisa Mattei fattade sig kort. Började med att berätta att deras utredning numera hade ett namn, nämligen operation Händige Helge. Det var Martinez idé och Helge var en sådan där som gillar att skruva ihop saker, förtydligade hon, samtidigt som hon noterade de gillande nickningarna runt bordet.

Därefter bad hon att gruppcheferna skulle redovisa det aktuella läget och de flesta av dem hade inte mycket att bidra med eftersom deras arbete just hade inletts. Den kvinnliga kommissarie som ansvarade för förhörsdelen hette Ingrid Dahl. Bland sina kolleger var hon känd för tre saker: sitt oändliga tålamod, ett starkt behov av ensamhet och att hon – trots att hon snart skulle fylla femtio år – fortfarande tillhörde eliten bland landets kvinnliga långdistanslöpare.

När hon fick frågan skakade hon först bara avvärjande på huvudet. Därefter konstaterade hon att hon satt i vänteläge till dess att hennes kolleger hade sett till att de närmast sörjande hamnade i finkan och det blev dags att prata allvar med dem. I övrigt hade hon inga särskilda önskemål.

Dan Andersson bidrog med en lista på totalt ett hundratal hedersgäster och särskilt inbjudna som skulle närvara under nationaldagsfirandet på Skansen. Från kungahuset skulle kungen och drottningen delta. Från regeringen den biträdande statsministern, försvarsministern och inrikesministern samt ett antal andra politiker från riksdagen, kommuner och landsting. Dessutom höga tjänstemän inom den statliga förvaltningen, några mer framträdande representanter för det privata näringslivet, militärer, diplomater samt fint folk och kändisar i största allmänhet. Sist men inte minst de enskilda personer och företrädare för olika organisationer som skulle få ta emot olika belöningar i form av svenska flaggor och plaketter ur Hans Majestät Konungens hand.

Utöver dessa gäster var det ytterligare cirka hundratjugo personer som på olika sätt skulle medverka i själva arrangemanget. Från det tjugotal som skulle bära in och bära ut saker och ordna med allt annat praktiskt, till det dryga trettiotal från Sveriges Television som ansvarade för att landets tevetittare också skulle kunna ta del av firandet.

Ett motsvarande antal musiker och artister, hela vägen från en ungdomskör från Stockholms Musikgymnasium till den manlige operasångare som inte bara skulle anföra hedersgästerna och den övriga publiken när man sjöng nationalsången och Kungssången, utan som numera även var en av landets främsta rikskändisar genom att han både brukade läsa Tennysons nyårsdikt och spela huvudrollen i tevereklamen för en känd kedja som sålde livsmedel och andra dagligvaror.

Återstod den övriga publiken och med dem var det tyvärr så illa att Dan Andersson inte kunde ge sina kolleger några listor med namn. Enligt de skattningar som gjorts av Sveriges Television beräknades den uppgå till mellan en och två tusen personer beroende på den väderlek som rådde under arrangemanget.

Onekligen en hel del att hålla reda på, enligt Andersson, och om nu även han fick avsluta med ett personligt önskemål var det att samtliga hans kolleger i spaningsstyrkan noga läste igenom listan på de namn som han hade gett dem. För att se om "polletten trillade ner" med anledning av det oplanerade inslag i arrangemanget som Abbdo Khalid och hans kamrater tydligen avsåg att bidra med.

Listan på de poliser som skulle övervaka arrangemanget skulle han återkomma till. Enligt den ursprungliga planen hade man avdelat totalt ett åttiotal kolleger från polisen i Stockholm och Säkerhetspolisen, men i och med att förutsättningarna nu hade ändrats kunde det bli fråga om en betydligt mer omfattande insats än så.

Martinez hade i stort sett omgående tagit tillfället i akt till att gnöla över alla dessa livets jävligheter som fördystrade livet för varje seriös spanare.

Sjutton personer som tillhörde samma familj och bodde i samma hus där alltid flera av dem var hemma oavsett väderlek, veckodag eller tid på dygnet. Ett avsides beläget hus dit det var mer än hundra meter fågelvägen från den holk där hon till sist tvingats inrätta sig själv och sina medarbetare för att kunna spana på kortsidan av detta hus, och som för säkerhets skull även omgavs av en staketomgärdad tomt som enklast kunde beskrivas som en vanlig fotbollsplan. Konsekvenserna av detta borde vara tydliga nog även för den som aldrig hade sysslat med yttre spaning och några kommentarer i övrigt hade hon inte.

Calle Lewenhaupt, som ansvarade för deras inre spaning och underrättelseverksamhet, inledde sin redovisning med att berätta att han faktiskt hade lite aktuell och i saklig mening relevant information att bidra med.

Trots att Abbdo Khalid och hans familj konsumerade en ansenlig mängd helt legala teletjänster, två fasta telefonabonnemang, ett tiotal mobiltelefoner med känd innehavare och känt nummer samt fyra olika datorer, hade man redan fått bra fart på både tele- och mobilspaningen. När han och hans medarbetare hade börjat gå igenom familjens datatrafik hade de nämligen hittat ett antal meddelanden som gjorde att de kunde beslå Abbdo Khalid med en direkt lögn.

Abbdo Khalid hade lämnat England i mitten på mars i samband med att påskterminen hade avslutats vid universitetet i Manchester. Drygt tre veckor senare, andra veckan i april, skulle han ha återvänt efter avslutat påsklov till inledningen på sommarterminen. Ett par dagar innan det var dags hade han dock skickat ett mejl till sin handledare vid universitetet där han beklagade att han tyvärr hade fått förhinder eftersom hans far hastigt hade insjuknat och att han som familjens äldste son var tvungen att stanna kvar i Sverige för att ta hand om sin mor och familjens övriga medlemmar.

Han hoppades dock att pappan snart skulle tillfriskna, och så fort han fått ett bestämt besked på den punkten avsåg han att återvända till universitetet. Tills vidare tänkte han försöka sköta studierna på distans med hjälp av sin dator där han ju hade tillgång till både föreläsningar, seminarier och den kurslitteratur som var aktuell.

Hans handledare hade framfört sina beklaganden och sina förhoppningar om en snar och god bättring av hans fars hälsa samt avslutat med att säga att han såg fram emot att få träffa Abbdo igen.

De uppgifter som Abbdo lämnat hade man kontrollerat. Trots att Abbdo påstod motsatsen i sitt mejl verkade fadern fullt frisk. Han hade varit på sitt arbete hela tiden och det fanns inga noteringar över huvud taget om att han skulle ha uppsökt sjukvården. Dessutom hade man gått igenom pappans mejl och där fanns heller inga indikationer på några hälsoproblem av vare sig akut eller mer permanent karaktär. I ett mejl som han skickat till sin två år yngre bror hade han tvärtom tackat sin Gud för den goda hälsa som fortfarande stod honom bi trots att han snart skulle fylla sextiotvå år.

Den historia som Abbdo slagit i sin handledare var således en lögn, enligt Lewenhaupt, och anledningen till att han ljugit var sannolikt att han höll på med andra saker som krävde hans närvaro i Sverige och som han inte kunde berätta om. Eller – den möjligheten kunde man inte bortse från även om Lewenhaupt ansåg den mindre trolig – att han bara ville ha lite extra ledighet innan han återvände till sina studier.

– Du har inga idéer om när hans far kan tänkas tillfriskna? frågade Mattei med ett småleende.

– Om det nu är Abbdo som är Händige Helge kommer han gissningsvis att sätta sig i säkerhet så fort han är klar med det praktiska. När vet vi inte. Om han i så fall avser att åka tillbaka till Manchester vet vi heller inte, sa Lewenhaupt.

– Okej, sa Mattei och tittade på sin klocka, innan vi tar en liten bensträckare är det en sak som jag vill att vi pratar om. Det är det här med våra engelska kollegers uppfattning om att vår bombmakare numera också har en engelsk kvinna, Louise Urqhart, som han har träffat i Manchester. Hans hyresvärdinna, dessutom. Ni får gärna spåna fritt om ni känner för det. Jag skulle till och med uppskatta om ni gjorde det.

40

Det var Jan Wiklander som täljde det första spånet.

Om det nu var på det viset som engelsmännen hävdade, att Abbdo Khalid var en bombmakare, så talade väl det underlag som de gett till Säpo mycket starkt för att han hade en sexuell relation med Louise Urqhart. Därmed inte sagt att hon var medveten om hans eventuella terroristiska aktiviteter och än mindre att hon avsåg att hjälpa honom att genomföra dem.

Det som möjligen talade för det senare var de olika omständigheterna i samband med att hon lämnat Manchester. Att det fanns en hel del som tydde på att hon smitit ifrån dem som övervakade henne. Samtidigt kunde man inte utesluta naturliga förklaringar till att det blivit på det viset. Det hände hela tiden att man tappade bort folk som man skuggade, av de mest triviala skäl, och att en spårsändare som satt i underredet på en bil slutade att fungera behövde ju inte bero på att någon hade pillat på den.

Det fanns även alternativa förklaringar till det som hänt. Att hon fått hjälp med att försvinna utan att vara medveten om att hon fått det. Eller att hon till och med varit det men att de förklaringar som hon tagit till sig handlade om annat än att hon skulle hjälpa Abbdo i hans egenskap av bombmakare.

– Ungefär så, sammanfattade Wiklander. Som helhet betraktat är det kanske lite i tunnaste laget för min smak.

– Skönt att höra att du är dig lik, Jan, konstaterade Martinez samtidigt som hon både suckade och skakade på huvudet.

Martinez begrep inte vad Wiklander pratade om. Här behövdes inga filosofiska utläggningar, inte en massa "om", och "men" och "utifall att". Det räckte gott och väl med lite vanlig polisiär fingertoppskänsla och det budskap som hennes egna fingrar gav henne var mycket tydligt. Klart att Louise Urqhart visste vad hennes unge älskare höll på med. Inte nog med det, hon var redan i full fart med att hjälpa honom att genomföra det. Bland annat genom att förse honom med en massa pengar.

En vanlig rik, självupptagen "överklassbrutta" som var villig att ställa upp på vad som helst som kunde skänka lite spänning i hennes eget liv. Heller ingen vanlig Patty Hearst som man måste kidnappa och våldta innan man kunde övertala. Louise Urqhart hade varit "all in" redan från första början och därmed den värsta sorten i den bok som Linda Martinez levde efter.

Calle Lewenhaupt var inte lika övertygad trots att han samtidigt tyckte att det låg en hel del i det som kollegan Martinez hade sagt. Den där polisiära fingertoppskänslan var definitivt värd all respekt. Särskilt om det nu var Martinez fingrar som var i farten.

Samtidigt hade han heller inga problem med att ta till sig de ganska självklara förbehåll som hans chef Jan Wiklander hade fört fram. Ärligt talat – fågel eller fisk? – så hade han faktiskt ingen bestämd uppfattning om Urqharts roll i det hela. Ett bra exempel på det var för övrigt den beskrivning av hennes person som den engelska säkerhetstjänsten hade sammanställt. Föga vägledande enligt honom, speciellt om man såg till de akademiska studier som hon ägnat sig åt under mer än tio år av sitt liv.

Vem var hon, egentligen? En vanlig rik virrpanna som inte behövde studera för att så fort som möjligt kunna skaffa sig ett jobb och försörja sig som vanliga människor var tvungna att göra? Eller kanske en sökare som till sist hade funnit sanningen och ljuset trots att lågan i hennes fall brann så starkt för den islamiska saken att hon var villig att gripa till våld för att hålla den vid liv? Och oavsett vem hon var kunde det som stod att läsa om hennes person tala till både hennes fördel och hennes nackdel.

Visst, det fanns många lösa bitar i den här beskrivningen. Engelsmännen kanske bara hade "snöat in" på den gamla historien med Samantha Lewthwaite, den Vita Änkan, eller alla andra kvinnor ur den västeuropeiska medelklassen som kommit efter henne och numera dagligen trädde fram i sociala media och vittnade om sin nya tro.

Eller kanske den mycket enkla och rakt motsatta förklaringen. Att den engelska säkerhetstjänsten kände till något om just Louise Urqhart som tydligt bevisade hennes inblandning men att man av de där vanliga skälen inte kunde berätta om det för sina svenska kolleger.

– Men för helvete, Calle, avbröt Martinez. Vad tror du om att ge ett rakt svar?

– I så fall tror jag som du, sa Lewenhaupt och nickade.

– Och vad beror det på? frågade Martinez och spretade med fingrarna på höger hand. Samma känsla som jag får, eller?

Snarare ett antal detaljer, som han hade hängt upp sig på.

Kunde han ge några exempel på dem?

Självklart kunde han det. En av dem avsåg för övrigt den där filmade sekvensen från innergården i Louise Urqharts hus där Abbdo och hon bad tillsammans. Att han behärskade ritualen var kanske inte så konstigt, men att även hon gjorde det var värt att notera. Dessutom fanns det också annat. Lewenhaupt hade lagt ut huset där hon bodde på ett av sina gps-program och kunde då konstatera att deras inbördes placering medan de bad var den korrekta.

– Hur då, korrekta? frågade Mattei.

– Han ligger närmare Mecka än hon, konstaterade Lewenhaupt. Drygt två meter om man ska vara noga. Så rimligen har de väl tillgång till en egen gps.

– Intressant, sa Mattei och såg ut som om hon menade det. Själv noterar jag bland annat att det alltid är hon som kör bilen och på den där filmen där de ligger med varandra är det hon som rider honom. Han däremot beter sig väl närmast som en uppvaktande och artig ung man.

– Ja, visst. Detaljer är sällan entydiga, instämde Lewenhaupt. I Saudi eller Arabemiraten hade hon kanske blivit piskad om hon satt sig bakom ratten. I vart fall offentligt åthutad. Säkert han med, för den delen, som lät henne göra det. I de flesta andra muslimska länder är det inte förbjudet och till och med ganska vanligt. I England är det inte det minsta konstigt att muslimska kvinnor kör bil. Vad själva sexet anbelangar tror jag att hon hade blivit lika uppskattad oavsett var hon hade genomfört det.

– Ja, vad är problemet? sa Martinez samtidigt som hon nickade instämmande åt Lewenhaupt och skakade på huvudet åt Mattei. En ung svart kille, välhängd dessutom för det kan väl knappast någon ha missat, som knullar med en jävligt snygg vit kvinna och där båda alldeles uppenbart gillar det som de håller på med.

– Sättet de gör det på, invände Mattei. Rättare sagt, sättet som hon gör det på. Jag får för mig att det är hon som tar initiativet. Inte bara den här gången i hans sovrum utan även när de sitter där i bilen ute på gatan. Jag får inte riktigt ihop det. Att det är hon som styr. Hur är detta förenligt med den traditionella muslimska synen på kvinnor?

– Muslimer knullar väl som alla andra, sa Martinez. Det finns bra sex och det finns dåligt sex.

– Så det säger du?

– Ja, sa Martinez. Jag tror inte du ska hänga upp dig på det där snacket om alla jungfrur som väntar på dem i paradiset. Frågar du vanliga svenner så skulle de säkert köra lika hårt på samma tema. Och alla, oavsett om vi nu snackar om Abbdo eller Nisse från Motala, skulle säkert slå knut på sig själva om de fick minsta chans att få till det med en sådan som Louise Urqhart.

– Ja, ja. Jag hör ju vad ni säger, men det är något med den där Urqhart som jag tror ni har missat, sa Mattei.

– Vad är det då? frågade Martinez.

– Jag vet inte, sa Mattei och skakade på huvudet. Jag vet faktiskt inte.

Även deras representant för militärerna, Helena Palmgren, som satt i huset och numera även i deras utredning, tycktes luta åt Martinez och Lewenhaupts uppfattning. Låt vara att hon uttryckte det på ett betydligt mer reserverat och artigt sätt än vad Martinez hade gjort.

Att sådana som de, vanliga kristna västerlänningar, kanske hade en alltför fyrkantig syn på muslimer, gärna såg på muslimer med andra ögon än när de betraktade sig själva. Kanske till och med demoniserade dem trots att de – i den där vanliga allmänmänskliga meningen – var precis som de flesta andra oavsett vilken gud de trodde på.

Som alla som satt i det här rummet, till exempel, och var både döpta och konfirmerade, och i den meningen kristna, men i allt övrigt kanske inte särskilt lika när det gällde det sätt som de utövade sin religion på. Själv hade hon haft en pappa som varit präst och jobbat mycket med biståndsarbete inom Sida. Väldigt gammaldags när det kom till det kristna budskap som han ständigt höll upp som ett rättesnöre för sin församling men som han inte tycktes fästa något särskilt avseende vid när det handlade om det liv som han själv levde.

– Jag tror alltså man ska akta sig för att dra människor över en och samma kam oavsett vilken religion de har, sammanfattade Helena Palmgren.

– Jag tror som du, Helena, instämde Lisa Lamm samtidigt som hon utväxlade ett snabbt ögonkast med Mattei som nickade. Dessutom tycker jag att den här spånkorgen börjar bli ganska full nu. Så vad tror ni om en bensträckare på fem minuter innan vi låter Calle Lewenhaupt runda av mötet åt oss?

41

När de en kvart senare återvände till sammanträdesrummet tog Mattei över ledningen av mötet eftersom Lisa Lamm hade blivit tvungen att springa ner till tingsrätten och klara av en häktesförhandling före helgen.

– Enligt vår försvunna åklagare hade du tydligen lovat lite underlag till oss, Calle, sa Mattei. Hur har det gått med det?

– Det är klart. När ni kommer tillbaka till era rum ligger det redan i era mejlboxar. Det är inlagt under rubriken Händige Helge och där kommer ni för övrigt att hitta allt material som gäller den här utredningen. Det som ni nu har fått är två dokument, det första ett allmänt utredningsstöd som handlar om somalier och muslimer i Eskilstuna. Sådant där som kan vara bra att veta, men utan att det för den skull behöver ha någon direkt bäring för själva utredningen. Det senare lär väl visa sig.

– Utmärkt, sa Mattei. Har du något mer?

– Det andra dokumentet är ett särskilt utredningsstöd. En första preliminär beskrivning av Abbdo Khalid och hans familj. Den kommer vi naturligtvis att komplettera under utredningens gång. Det är en intressant familj, ska ni veta. Den skiljer ut sig från andra somalier som bor i Eskilstuna, om jag så säger. På ett ganska så markant vis, dessutom.

– Du skulle inte kunna dra det lite snabbt? frågade Mattei.

– Självklart, chefen, sa Lewenhaupt.

Sedan knappade han på sin dator och projicerade den första bilden på den skärm som satt på kortväggen i rummet. En enkel sammanställning av olika statistiska data som handlade om Eskilstuna och dem som bodde där.

Eskilstuna var Sörmlands största stad med sextiofem tusen invånare, centralort i kommunen med samma namn, där det bodde lite drygt etthundra tusen människor. En gammal handels-, hantverks- och industristad som hade stolta historiska traditioner som gick tillbaka till tidig svensk medeltid. I dag var det också en hårt segregerad stad med växande sociala problem och etniska motsättningar.

I hela Sverige fanns cirka femtio tusen somalier. Majoriteten av dem var numera svenska medborgare och deras andel av totalbefolkningen var ganska exakt en halv procent. Tre tusen av dem bodde i Sörmland varav två tusen i Eskilstuna.

– Nästan alla bor inne i själva stan och i samma stadsdel, förtydligade Lewenhaupt. Räknat på befolkningsandelar finns det faktiskt fler somalier i Eskilstuna än i våra tre största städer. Drygt tre procent i Eskilstuna. Knappt en procent i var och en av våra tre storstadsregioner.

Närmare åttio procent av somalierna i Eskilstuna bodde alltså i ett och samma område kring Bellmansplan, som låg i stadsdelen Fröslunda i nära anslutning till centrala Eskilstuna.

Fröslunda var ursprungligen en gammal arbetarstadsdel som byggts i mitten på femtiotalet och bebyggelsen dominerades av de för tiden typiska hyreslängorna på tre till fyra våningar som man under det följande halvseklet kompletterat med enstaka höghus, ett större köpcentrum och länets största vårdcentral.

Stadsdelen var planerad för den växande industristaden Eskilstunas svenska arbetare och deras familjer, men i samma takt som de hade flyttat därifrån och sökt sig till bättre boenden hade de först ersatts av invandrare från södra Europa som kommit till Eskilstuna för att jobba och under de senaste tjugo åren av en strid ström av flyktingar från främst Afrika och Mellanöstern.

– Två av tre som bor där är invandrare eller flyktingar, konstaterade Lewenhaupt. Den andelen ökar också bland de yngre i befolkningen i området. I skolan i Fröslunda är till exempel sjuttiofem procent av ungarna som går där barn till invandrare eller flyktingar. Ja, ni kan säkert se bilden framför er, om jag så säger.

Att beskriva Fröslunda som ett typiskt ghetto för invandrare skulle dock vara att ta till överord, enligt Lewenhaupt. Samtidigt var det givetvis ett område som var starkt präglat av sådant som man i den politiska debatten om invandrare och flyktingar brukade anföra som klassiska exempel på hur man misslyckats med att lösa den delen av den svenska samhällspolitiken.

En mycket stor andel invandrare och flyktingar som hade koncentrerats till ett mindre område och som uppvisade hela raden av sociala och andra problem: hög arbetslöshet, högt bidragstagande, hög kriminalitet, hög andel missbrukare, höga sjukdomstal av både fysiska och psykiska orsaker, dåliga skolresultat och ett stort inslag av ofullständiga familjer, ensamhet, utanförskap, isolering.

Eskilstuna var inte bara Sörmlands största stad, den var också den utan jämförelse mest segregerade staden i länet och om man valde att mäta detta i pengar blev skillnaderna drabbande. I stadens rikaste stadsdel, Snälltorpet, låg medianinkomsten bland dem som bodde där på trettio tusen kronor i månaden. Några kilometer därifrån, i hyreskvarteren runt Bellmansplan, var den mindre än tio tusen per månad och drygt hälften av den inkomsten bestod av olika bidrag från samhället.

– Området är något slags lokal sörmländsk variant av Rinkeby i Stockholm, Rosengård i Malmö eller Hammarkullen i Göteborg, sammanfattade Lewenhaupt.

– De första somalierna kom dit i början på nittiotalet, fortsatte han. Det var den första vågen av somalier som flydde till Sverige och därefter har det fyllts på, allt eftersom. Kriget där nere pågår ju fortfarande efter tjugofem år och situationen har väl knappast blivit bättre.

– Hur har det gått för dem här i Sverige då? frågade Wiklander.

Dåligt, enligt Lewenhaupt. Till och med mycket dåligt om man mätte deras sociala anpassning med de gängse måtten. Mer än åttio procent av alla somalier som bodde i Eskilstuna saknade arbete och bland ungdomarna var det bara sju procent som hade ett arbete eller ens en tillfällig sysselsättning. Den stora majoriteten av dem levde helt enkelt på olika bidrag från samhället.

– Det går givetvis hand i hand med allt det där andra, också, fortsatte han. Det finns en stor andel kända missbrukare inom gruppen. Nästan alla kategorier av droger, kat givetvis, som ju är något av en somalisk specialitet, men även alkohol, faktiskt, trots att i stort sett alla somalier i Eskilstuna är muslimer. Om vi tar det som är vårt eget bord, är andelen somalier i Eskilstuna som finns registrerade i belastningsregistret mer än fyra gånger så hög som för genomsnittet av den övriga befolkningen i området. Över hela skalan dessutom. Från mord, misshandel, våldtäkter, rån, vapenbrott och narkotikabrott till grova trafikbrott, vanliga stölder och snatterier, allt, kort sagt, konstaterade Lewenhaupt och suckade.

– Hur är det med den där muslimska biten? frågade Dan Andersson. Det måste väl finnas andra anhängare till islam än sådana som kommer från Somalia, menar jag.

– Definitivt, svarade Lewenhaupt. I hela kommunen finns närmare tio tusen personer som har en islamisk trosuppfattning. Drygt sex tusen av dem bor inne i Eskilstuna medan de återstående finns på olika flyktingförläggningar runt om i kommunen. Nu på senare år handlar det mest om flyktingar från Mellanöstern och särskilt från Syrien. Det muslimska inslaget i befolkningen har definitivt ökat. I dag har man sex moskéer i Eskilstuna. För två år sedan var det två. Den första muslimska församlingen i Eskilstuna grundades redan 1971 och ett år senare fick de sin första bönelokal, Sabirinmoskén som den så högtidligt hette. Sabirin är arabiska, det betyder för övrigt tålamod. Den låg i en vanlig källarlokal i stadsdelen Nyfors. Det är ett område som är ganska likt Fröslunda. Många invandrare, stora sociala problem.

– Om jag fattat saken rätt har det varit en hel del moskébränder på senare tid? frågade Helena Palmgren. Fyra på knappt ett år. Om jag nu har räknat rätt?

– Ja, sa Lewenhaupt och nickade. Det stämmer.

– Och? insköt Mattei och tittade granskande på Lewenhaupt.

Det är i det här läget som jag borde ha haft mina läsglasögon på mig, tänkte Mattei. Så hade jag kunnat låta dem åka ner på nästippen medan jag tittade uppfordrande på lille Calle, tänkte hon.

– Ja, i media har de väl genomgående, åtminstone till en början, beskrivits som attentat riktade mot muslimer.

– Hur är det med den saken då? frågade Mattei.

Samtliga fyra bränder var utredda som misstänkta mordbränder. De tre första hade man redan kunnat avskriva som olyckshändelser eller möjligen slarv från dem som höll till i lokalerna. En fritös som hade lämnats obevakad, slarv med cigaretter i moskéns rökrum, en papperskorg utanför bönelokalen som fattat eld. Sannolikt också det någon som slarvat med en cigarett. Den senaste händelsen var en brand som uppstått i soprummet i lokalens källare av oklara orsaker, men det rörde sig inte om några bensinbomber som kastats in genom fönstren av okända gärningsmän som man inledningsvis hade hävdat i media vid tre av bränderna. I det fjärde fallet, branden i soprummet, som inträffat för bara en månad sedan, pågick fortfarande utredningen men även där lutade det åt att det inte handlade om en anlagd brand.

– Nu kanske någon undrar vem som har gjort polisens utredningar, sa Lewenhaupt och log. Det är den lokala polisen i Eskilstuna som har hållit i dem. Vi har givetvis begärt in och granskat samtliga utredningar.

– Och… upprepade Mattei.

– Ja, här i huset delar vi deras uppfattning, sa Lewenhaupt. Med reservation för det sista ärendet, där utredningen fortfarande pågår.

– Hur är det i de drabbade församlingarna då? frågade Ingrid Dahl som annars hade suttit tyst hela tiden. För oavsett orsaken till att det började brinna är de väl i den meningen drabbade, om jag så säger. Vad säger man där?

– Där är det väl så att man inte delar polisens uppfattning, sa Lewenhaupt samtidigt som han för säkerhets skull lät undslippa sig en lätt harkling.

– Du kan inte vara lite mer konkret, sa Mattei.

– Ja, sa Lewenhaupt. Kristna rasister som hatar muslimer, svarta, araber, alla som inte är som de, som försökt slå två flugor i en smäll, bränna ner deras lokaler och helst bränna upp dem som håller till där också.

– Och som skyddas av den lokala polisen, och av oss också.

– Ja, den uppfattningen har man heller inte gjort någon hemlighet av. Den övertygelsen torgförs ju dessutom dagligen, både i sociala media här hemma och i vanliga media i arabvärlden.

– Ja, jag har förstått det, sa Mattei. En sak som jag dock tycker är lite märklig är följande. Mellan sjuttioett, då man fick sin första moské, och fram till för drygt ett år sedan brann det aldrig i någon moské nere i Eskilstuna. Inte minsta lilla eldsvåda på närmare ett halvsekel. Nu har vi plötsligt haft fyra...

– Men vänta nu, chefen, avbröt Calle Lewenhaupt.

– Avbryt mig inte, sa Mattei. Nu har vi plötsligt haft fyra bränder på ett år och det skulle inte vara otänkbart om det handlade om anlagda bränder eller till och med attentat beroende på... exempelvis... ökade motsättningar mellan den muslimska befolkningen och deras omgivning.

– Om det däremot är på det viset att de skulle vara självförvållade blir jag faktiskt lite undrande, fortsatte hon. Hur i hela fridens namn kan det komma sig att man plötsligt börjat slarva så till den milda grad med alla dessa tändstickor och fritöser och cigaretter och sopsäckar och papperskorgar och jag vet inte vad?

– Jag tror jag har en idé där, sa Martinez med oskyldig min.

– Det ante mig, faktiskt, sa Mattei. Så när du, Calle, och dina medhjälpare nu tittar på de här bränderna en gång till vill jag inte att ni utesluter en tyvärr vanlig brandorsak som består i att man själv har tuttat på i avsikt att få ut pengar på försäkringen. Som Linda här, helt riktigt för övrigt, just tänkte påpeka.

– Självklart inte, sa Lewenhaupt. Jag ska se till att vi gör ett ordentligt omtag på alltihop.

– Utmärkt, sa Mattei. Helst omgående och senast på måndag. Om vi nu talar om lokala politiska motsättningar mellan muslimer i Eskilstuna och deras övriga omgivning undrar jag hur det ser ut med den saken. Hur gick det exempelvis för Sverigedemokraterna i Eskilstuna i det senaste valet?

Långt över förväntan enligt Carl Lewenhaupt. I det senaste av de två nyval som hållits under det sista året hade som bekant nitton procent av landets väljare röstat på Sverigedemokraterna. Sedan man tagit plats i riksdagen år 2010 med stöd från drygt fem procent av väljarna hade man upplevt en mycket stark och obruten våg av framgång som hållit i sig över ytterligare ett allmänt val, två extrainsatta nyval, och över en period på sex år som riksdagsparti.

– Jag har för övrigt lagt med en sammanställning även om detta. Var kommer alla nya sverigedemokrater ifrån?

– En rasistisk epidemi som brutit ut, sa Martinez. Sådant som kommer och går. Som kräksjukan och svinkoppor.

– Njaa, sa Lewenhaupt. På just den här punkten tycks ju våra politiska förståsigpåare vara ganska överens. Snarare gamla sossar och borgare som känner sig svikna av de partier som de alltid har röstat på. En påtagligt hög andel äldre, faktiskt. Inte särskilt rasistiska heller som det verkar, mest oroliga. De oroar sig för att deras pensioner ska användas till att betala för alla flyktingar som kommer hit, de oroar sig för att deras gamla Sverige håller på att försvinna, de oroar sig för brottsligheten, inte minst. De oroar sig för det mesta. Läs själva, får ni se.

– Eskilstuna, påminde Mattei samtidigt som hon sneglade på sitt armbandsur. Hur gick det där?

I Eskilstuna hade det gått ännu bättre och det verkade som om en bidragande orsak till deras lokala framgångar var just motsättningar mellan den svenska ursprungsbefolkningen å ena sidan och invandrare och flyktingar å den andra. De båda lokaltidningarna i området, Eskilstuna-Kuriren och Folket, hade låtit genomföra var sin väljarundersökning som båda tydde på att så kunde vara fallet.

– I senaste valet samlade Sverigedemokraterna i Eskilstuna tjugotvå procent av väljarna. Det innebär att de numera är kommunens näst största parti. Störst är fortfarande Socialdemokraterna med tjugosju procent, men det är verkligen ingen större skillnad. Moderaterna har rasat rejält. De tappade fyra procent jämfört med valet innan och är nu nere på lite drygt sjutton procent.

– Men det är fortfarande sossarna som styr i kommunen? frågade Wiklander.

– Ja, fast i minoritet och med hjälp av miljöpartister, Vänsterpartiet och diverse oheliga allianser beroende på vilken fråga som är på tapeten. Sverigedemokraterna är starka. Det är ingen tvekan om den saken och de har kört över sossarna vid ett flertal tillfällen. Nu senast när det gällde just ett tillstånd att öppna ytterligare en flyktingförläggning i kommunen. Tyvärr tror jag också att vi möjligen kan ha ett praktiskt problem här.

– Hur då? frågade Mattei.

– Sverigedemokraterna har totalt tjugoen ordinarie platser och elva ersättarplatser i kommunfullmäktige. Ett uttryck för folks politiska vilja givetvis och det kanske inte är det som är problemet.

– Vad är det då, sa Wiklander.

– Två av deras ordinarie representanter är poliser, sa Lewenhaupt. Båda jobbar i Eskilstuna. En av dem som vakthavande befäl vid ordningen och en som förundersökningsledare på kriminalavdelningen. Den förste är inspektör och han på kriminalen är kommissarie.

– Okej, sa Mattei. Ge mig namnen så får jag be kollegerna vid författningsskyddet kolla om det kan ge oss några problem med tanke på sekretessen.

– Självklart, sa Lewenhaupt.

– Utmärkt, sa Mattei samtidigt som hon demonstrativt höll upp sitt armbandsur. Jag har ett förslag som jag tror ni kommer att gilla.

– Äntligen, sa Martinez och log. Chefen är en god människa.

– Precis, instämde Mattei och log även hon. Flertalet av oss som sitter här har egentligen inget här att göra. Vi sitter i vänteläge medan både Linda och Calle har mer än fullt upp. Så, vad tror ni om att vi ses här på måndag klockan nollåtta nollnoll?

Instämmande nickningar från samtliga, noterade Mattei.

– Bra, sa Mattei. På måndag kan vi i lugn och ro få ta del av Calles beskrivning av Abbdo och hans familj. Jag själv blir lite nyfiken när du säger att de skiljer ut sig från övriga somalier i Eskilstuna, på ett positivt sätt, som jag tolkar det.

– Ja, verkligen.

– Då så, konstaterade Mattei. En möjlig eller till och med trolig bombmakare som ett slags moraliskt föredöme på orten. Vad kan vi mer begära? Några frågor?

Huvudskakningar blandade med leenden från samtliga även den här gången, tänkte Mattei. Möjligen med undantag för Calle Lewenhaupt som såg lite tveksam ut, tänkte hon.

– Calle? Du har något som du vill säga. Ut med det. Vi andra tänkte fira helg nu medan du och Linda tar hand om allt åt oss.

– Nja, sa Lewenhaupt. Ingen fråga i alla fall. Mest en rolig detalj, om jag så säger. Alla som bor i Fröslunda är inte somalier. En som bodde där i närmare tio år innan han hamnade på hemmet för några år sedan och sedan gick och dog är faktiskt en gammal kollega till oss. En av de mest kända som jobbat här vid Säpo. Kanske den mest kände till och med. Och av någon anledning kom jag i samband med det att tänka på den stora legenden här i huset. Allas vår gamle chef, Lars Martin Johansson, mannen som både kunde se runt hörn och lärde oss att hata slumpen. Undrar vad han skulle ha tyckt om att just det här namnet dök upp i en utredning som han ledde.

– Vem är det då? Ge oss namnet, sa Mattei trots att hon redan visste svaret.

– Mullvaden, spionen, the one and only ... Stig Bergling, sa Lewenhaupt.

42

När Mattei hade kommit ner i garaget för att sätta sig i bilen och äntligen kunna åka ut till landet sprang hon på Frank Motoele.

– Jag kan köra chefen, sa Frank.

– Jag ska till landet, invände Mattei. Det ligger utanför Norrtälje, åtta mil dit och åtta hem.

– Låter som minst en timmes körning, sa Motoele och log.

– Du har inget bättre för dig då?

– Vad skulle kunna vara bättre än att få köra chefen till landet?

– Du har en poäng där, Frank, instämde Mattei och nickade. Så kan vi prata under tiden. Jag frågar och du svarar.

Mattei bad Motoele att berätta om hur det var nere i Eskilstuna. Inte om hur det gick med spaningarna utan om hur han själv upplevde miljön där de hade hamnat.

– Så här dags gissar jag att du har hunnit lägga örat mot rälsen, förtydligade hon.

Motoele förstod precis vad hon menade och i hans fall var det så praktiskt ordnat att han inte behövde vare sig sina öron eller någon räls för att klara av den saken. Motoele var född massaj och därmed krigare, jägare, spårare och spanare sedan tidernas begynnelse. För en sådan som han räckte det med att sätta ner ena foten för att veta vad som väntade redan när han tog nästa steg.

Eskilstuna var inget ställe som han själv skulle välja att bo på. Det var inte som Stockholm. Inte ens som Borlänge uppe i

Dalarna där han vuxit upp efter att ha kommit till Sverige som adoptivbarn från Kenya vid fem års ålder.

I Stockholm kunde han smälta in. I Borlänge hade han haft alla sina syskon och kompisar som inte ens såg någon skillnad. I Eskilstuna var det inte på det viset och det kunde han se i folks ögon. Det var inte så att någon försökte ge sig på honom, hota honom eller trakassera honom. Inte ens skrika saker åt honom eller ge honom fingret när han gick på gatan och någon passerade honom på trottoaren eller åkte förbi honom i sin bil. Det var det där uttrycket som de fick i ögonen när de såg honom. Olust, eller mest rädsla kanske, den snabbt bortvända blicken, sneglingen över axeln när de hade passerat och kände att de var på säkert avstånd. Det var så de såg på honom. Alla de som hade bott där långt innan sådana som han hade kommit dit. Inte bara de förresten. Han hade mött samma reaktion även från andra som var mer som han till det yttre.

– Även somalierna håller sig på sin kant, förklarade Motoele. Jag var nere i deras moské i går. Den som ligger där nere vid Bellmansplan där i stort sett alla somalier utom vår gubbe tycks bo. Att jag är svart räknas inte. En sådan som jag sticker ut lika mycket som chefen skulle göra. Skillnaden i utseende mellan mig och en somalier är lika stor som mellan mig och en vanlig svenne. Det är bara vita som tycker att alla svarta män ser likadana ut.

– Blir somalierna också rädda när de ser dig?

– En del blir säkert livrädda, särskilt de äldre som vuxit upp där nere. En massaj som dyker upp bland en massa somaliska bröder. Speciellt nu när det är fullt krig mellan Kenya och somaliska terrorister. Vad gör han här? Tänker han döda oss? Tänker han äta upp oss? Alla blir misstänksamma, vaksamma, även de som är födda här och aldrig har satt sin fot i Afrika. De har väl föräldrar och äldre släktingar som har berättat för dem.

– Hur löser vi det? frågade Mattei.

– Linda hade visst hittat någon kollega från Göteborg som jobbar på knarket. Inte somalier, för somalier blir aldrig poliser, men från Eritrea, grannlandet som ligger i norr. Hon skulle pröva med honom. Vissa av dem är ganska lika somalier. Speciellt de som kommer från den södra delen av Eritrea. Om vi pratar utseende, alltså.

– Kommer det att gå bättre, tror du?

– En chansning, sa Motoele och ryckte på axlarna. Linda är en gambler. Jag har försökt förklara för henne att de dödar sina grannar som flugor där nere på Hornet. Det har de hållit på med lika länge som de har bott där.

– Vad sa hon då?

– Eftersom hon inte jobbade åt facket så tänkte hon ändå ta chansen.

– Våra lokala kolleger då? frågade Mattei. Hur har det gått med dem? Jag måste prata med Martinez, tänkte hon.

Alldeles utmärkt, enligt Motoele. Under de fyra dygn som han kört runt i Eskilstuna för att lära känna miljön hade han bara blivit stoppad fyra gånger. I samtliga fall av ordningspolisen som ville titta på hans körkort av de där vanliga skälen. Med tanke på den dyra BMW som han åkte omkring i och alla guldkedjorna runt hans hals var det säkert inget konstigt med det. Han hade visat sitt andra körkort, det som stod utställt på Frank Andersson, som han ju till och med hetat när han växt upp som adoptivbarn i Sverige.

– Efter mamma och pappa, förklarade Frank. Ulla och Gunnar Andersson. Farsan är timmerman. Jobbade åt Skanska med ett hotellbygge nere i Nairobi. Det var så vi träffades. Jag och mina föräldrar.

– De adopterade dig.

– Ja, jag var fem bast första gången vi sågs. Morsan brukar tjata om att jag var det sötaste som hon hade sett. Fast det var ju ett tag sedan, konstaterade Motoele och suckade lätt.

– Det tycker hon säkert fortfarande, sa Mattei. Mammor brukar göra det.

– Fast Frank hette jag från början, Frank Motoele. Sedan blev det Frank Andersson. Motoele tog jag tillbaka när jag började på polishögskolan.

– Men det är ingen som har varit dum mot dig, Frank? Av kollegerna nere i Eskilstuna, menar jag.

Ingen hade varit dum. Misstänksamma, vaksamma, ungefär som hans så kallade svarta bröder från Somalia, men i allt som egentligen räknades hade de varit korrekta. De hade kontrollerat hans körkort och bilen som han åkte i. Inga anmärkningar, och de frågor som de hade ställt hade mest handlat om bolaget som bilen stod skriven på, African Taboo Entertainment Aktiebolag, och om det möjligen var så att han jobbade där eftersom han körde omkring i bolagets bil.

– Som musikproducent, sa Motoele och log brett. Med rap and crap and all that shit, man.

– Och det köpte de?

– Klart de gjorde. Som jag sa till chefen förra gången vi satt i den här bilen. Sådana som jag lever på fördomarna hos dem jag möter.

– Abbdo Khalid, sa Mattei. Vad tror du om honom? Med tanke på det där med fördomar, menar jag. Jag pratar om våra fördomar, alltså, som poliser.

– Om Abbdo tror jag flera saker, sa Motoele med en talande axelryckning. En av dem är jag dessutom helt säker på så där behöver jag inte ens tro. Att han tänker hitta på något riktigt jävelskap. Att han tänker spränga en massa oskyldiga människor i luften. Det vet jag, nämligen.

– Och det där du bara tror på. Vad är det?

– Abbdo är en man med ambitioner. Han tänker inte nöja sig med sjuttiotvå jungfrur. Han tänker gå till historien och nu planerar han ett helt annat gig än det där som han och hans kamrater körde där borta i Manchester utanför Drömmarnas teater. Ett halvdussin poliser och några som bara var på fel ställe… det är ju redan glömt. Lyckas han med den här Skansengrejen däremot, då kommer han att hamna i historieböckerna.

– En fråga till, sa Mattei. Jag frågade Linda om samma sak, ifall du undrar.

– Om han anar oråd, sa Motoele. Att vi ligger på honom.

– Ja, gör han det?

– Nej, sa Motoele och skakade på huvudet. Om det är det där med att han hängde av en av våra bilar tror jag inte att chefen behöver bekymra sig för det. Linda är dessutom fel person att fråga, för det här är hennes favoritnoja.

– Men du tror inte på det. Varför inte det?

– Sådana som han håller på så där hela tiden. För säkerhets skull, för att de bara är sådana, med tanke på all skit som de håller på med, för att öva sig om inte annat. Jag har suttit och tittat på honom i timmar nu. Han mår alldeles för bra för att ha fattat att jag sitter där. Om han bara anade att jag nosade i hans nacke så skulle han inte bete sig på det viset.

– Hur skulle han göra i så fall?

– Då skulle han fly för sitt liv, sa Motoele. Det gör de alltid och även han skulle göra det. Speciellt en sådan som han, en somalier som han.

– Det är du helt säker på?

– När de försöker fly känner jag det direkt, sa Motoele.

– Det gör du?

– Så fort jag sätter ner foten, sa Motoele och nickade.

43

Motoele hade släppt av henne på gårdsplanen till hennes svärför-
äldrars hus. Avböjt hennes erbjudande om att följa med in och
dricka en kopp kaffe innan han åkte tillbaka. Det skulle i och för
sig ha varit trevligt, men det fick bli en annan gång eftersom han
lovat att plocka upp Linda Martinez i Stockholm om en timme
innan de båda skulle återvända till Eskilstuna.

Istället hade han gett henne sitt kort. Dessutom skrivit dit sitt
privata nummer. Det där numret där några få utvalda alltid kunde
nå honom.

– Alla kan behöva en krigare, sa Motoele. När man minst anar
det. En sådan som chefen också, faktiskt.

– Tack, Frank, sa Mattei.

När Mattei klev ur bilen stod Ella redan ute på verandan och
väntade. Hon hade ett avvaktande uttryck i ansiktet och pekade
efter Motoeles svarta BMW när han körde ut genom grinden.

– Vem var farbrorn som körde dig? frågade Ella.

– Han jobbar på samma jobb som mamma, förklarade Mattei.

– Fast han är från Afrika, va, sa Ella.

Måste vara någon av hennes kompisar på dagis, tänkte Mattei.

– Ja, just det. Mamma har massor med kompisar på jobbet som
är från Afrika. Kan jag få en puss och kram, förresten?

– Du är sen, sa Ella och pekade anklagande på klockan som
hon fått i julklapp.

– Förlåt, sa Mattei. Jag skyndade mig så mycket jag kunde.

– Ingen puss och kram, ingen puss och kram, skrek Ella och sprang före henne in i huset.

En sådan som du ska egentligen inte ha några barn, tänkte Mattei.

Helg på landet, helg med familjen på hennes svärföräldrars sommarställe och så fort Mattei kom in i köket blev allt som vanligt igen. Även pussar och kramar i väl avvägda mängder.

Först Johan som lade armen runt hennes midja, strök med sin lediga hand över hennes kind och lät sina läppar snudda vid hennes. Av hänsyn till hans föräldrar som stod i samma kök och det som därutöver var kunde med fördel klaras av när de var ensamma.

– Äntligen, sa Johan och log mot henne. I hans fall inte bara en hälsning utan även en förhoppning om att allt var bra med henne och skulle det nu inte vara på det viset var det väl inte värre än att de pratade om saken.

Sedan hennes svärmor och precis som hon brukade viftade hon först avvärjande med sina "kladdiga händer", fullt upptagen med sin matlagning som hon ju var, för att därefter lägga sin arm runt Lisas skuldror och krama henne från sidan. Återstod hennes svärfar som gav henne en vänlig och närmast kamratlig klapp på axeln och frågade om hon ville ha något att dricka. Själv tänkte han ta en liten whiskypinne före maten men det fanns även vin i huset som han inhandlat på systembolaget i Norrtälje enligt sin kära hustrus anvisningar. En kartong vitt och en kartong rött, så ingen av dem skulle behöva lida någon nöd under helgen. Vid det laget hade också Ella anslutit sig och kramade sin mamma runt benen medan hon för säkerhets skull även utstötte ljudliga smackande pussljud.

Undrar när de lär sig att bli lika långsinta som vi vuxna, tänkte Lisa.

Helgmiddag på landet i det hus som numera var familjens sommarställe. Samma hus där hennes svärmor hade vuxit upp tillsammans med sina föräldrar som varit bofasta på ön. Samma hus som hennes svärföräldrar tagit över redan när deras barn var små.

Ännu en helgmiddag på landet med inlagd strömming, strömmingarna som Ella och hennes morfar hade fiskat, fläskkarré stekt i ugnen, från en gris från grannen som fortfarande var bofast på ön och drev ett mindre jordbruk ett par kilometer bort och där familjen Eriksson alltid köpte en halv gris till jul. Sist äppelkaka med vispad grädde och vaniljsås där Ella hade fått hjälpa farmor att både smaksätta och vispa grädden så att den blev tillräckligt söt och inte alltför lös.

Skötsam medelklass som vårdade sig om sina traditioner, speciellt till helgen när de gavs större möjlighet än annars att bestämma över de liv de levde? Knappast, tänkte Lisa Mattei, eftersom detta var ett mönster som trängde djupare än så. Som satt i väggarna till huset där de bodde och i huvudet på dem som bodde där, som gjorde det sedan generationer tillbaka och själv skulle hon aldrig ens kunna tänka sig att leva sitt liv på det viset.

– Gud, så skönt att äntligen få komma ut på landet, sa Lisa Mattei och log stort mot sin svärmor som hade spisrosor på kinderna och mot sin svärfar som löste sin tillfälliga känslomässiga förlägenhet genom att hälla upp en alldeles för stor whisky åt sig själv.

Strax innan de skulle sätta sig och äta hade Wiklander ringt henne på hennes mobil. Sträckt ut en hjälpande hand och åtminstone tillfälligt räddat henne ur den familjära idyll där hon förväntades tillbringa de två kommande dygnen.

– Vi ska strax äta middag, sa Mattei. Men du får tio minuter. Annars får vi ta det senare i kväll.

– Jag klarar mig med fem.

– Bra, sa Mattei. Log ursäktande mot Johan, Ella och sina svärföräldrar innan hon försvann in i vardagsrummet.

– Hemligt, viskade Ella och hyssjade efter sin mamma. Mamma ska prata hemligsnacket med någon gubbe på hennes jobb. Jag tror han jobbar i Afrika.

Wiklander var inte en man som trodde på varsel. Det där med att hata slumpen, som deras gamle chef alltid brukade tjata om, trodde han visserligen på även om han själv hade en mer liberal inställning än Lars Martin Johansson. Just den här gången trodde han dessutom att även mannen som kunde se runt hörn skulle ha gjort det undantag som bekräftade regeln. Att även slumpen kunde ge underliga skördar.

Spionen och mullvaden Stig Bergling hade gripits 1979. Inte av sina svenska kolleger utan av den israeliska säkerhetstjänsten Mossad, och så fort han hade fått lätta sitt hjärta i den källarhåla där de hållit förhör med honom hade de inte skjutit honom utan satt honom på ett plan till Köpenhamn. Till och med gett honom ett ord på vägen. "Mr Bergling, you are free to go."

Bergling hade druckit åtskilliga glas whisky på planet medan han tackat sin lyckliga stjärna som tydligen aldrig övergav honom. När han klivit av i Köpenhamn för att byta plan och åka hem till Stockholm hade Säpo och deras danska kolleger stått och väntat på honom. Förhören med hans fullständiga erkännande hade Mossad skickat över till Säpo redan innan han hade lyft från flygplatsen i Tel Aviv.

Samma år, 1979, hade han dömts till livstids fängelse för grovt spioneri och åtta år senare hade han rymt tillsammans med sin tredje fru i samband med en övervakad permission och tagit sig till sin gamla uppdragsgivare i Moskva som gett dem pengar till deras uppehälle, bostad och nya identiteter.

När det gamla Sovjetimperiet börjat falla sönder ett par år senare hade han och hans hustru lämnat Ryssland och hållit sig undan i Libanon, Israel och Ungern fram till 1994. Då hade hans dåliga hälsa sagt ifrån och efter sju år på flykt hade de båda frivilligt återvänt till Sverige där Bergling omgående återförts till anstalten för att fortsätta att avtjäna sitt livstidsstraff. Tre år senare hade han blivit villkorligt frigiven och i de villkoren ingick också att det var hans gamla arbetsgivare som bestämde var han skulle bo.

– I vilket fall som helst, sammanfattade Wiklander, efter ytterligare några år hamnade han i en liten lägenhet nere i Fröslunda i Eskilstuna, och om du frågar mig så tror jag att det nog var så att vissa av våra gamla kolleger kände ett starkt behov av att jävlas med honom och att den som såg till att det också blev på det viset var Lars Martin. Jag minns att han brukade säga att om han hade fått råda skulle han ha kokat lim på Bergling. Ja, du vet ju själv hur han kunde låta när han var på gott humör.

– Hur trivdes han där då? I Fröslunda, alltså.

Enligt Wiklander hade Bergling funnit sig tillrätta helt enligt Johanssons förväntningar och under åren som följde hade han vid upprepade tillfällen talat ut i lokalpressen om sin svåra situation. Ett liv på existensminimum i ett somaliskt betongghetto där alla utom han var kriminella missbrukare och dessutom "negrer".

– Det kan inte ha varit lätt, instämde Mattei.

– Nej, enligt honom själv hade det varit rena semestern att sitta på Kumla jämfört med att bo i Fröslunda i Eskilstuna.

– Hur länge bodde han där?

– Närmare tolv år, faktiskt. Till och med något år längre än de år som han satt inne och avtjänade sitt straff. Mot slutet var han ju ganska dålig och då flyttades han till Stockholms sjukhem där han dog för något år sedan. Men den biten känner du väl redan till?

– Ja, sa Lisa Mattei. Fast han överlevde Lars Martin, tänkte hon. Med åtskilliga år dessutom.

– Jo, instämde Wiklander. Själv tror jag ju inte på varsel, som jag sa. Vad tror du själv, Lisa?

– Jag tror heller inte på varsel. Jag tror inte ens att det är något tecken från Vår Herre. Jag tror att det är mycket enklare än så.

– Hur menar du då?

– Jag tror att det är Lars Martin som har hört av sig från den andra sidan för att varna oss att vi har en mullvad i huset.

– Något spännande? frågade Johan med oskyldig min så fort Mattei hade återvänt till det dukade bordet. Något som du inte kan berätta om, menar jag.

– Jo, faktiskt, sa Mattei. Det var min gamle chef som hade hört av sig. Det var en sak som han ville berätta, bara. Som han tyckte att jag borde känna till.

Nu är du så där igen, tänkte hon. Oförklarligt upprymd var hon, också.

44

Lisa Matteis första kväll på landet slutade betydligt bättre än den hade börjat. Som sista åtgärd innan Ella hade somnat hade hon gett sin mamma en puss och en kram och sedan hade Lisa och Johan legat i sängen och pratat i närmare två timmar innan hon själv hade följt sin dotters exempel utan att riktigt förstå hur det hade gått till. Hon hade bara somnat, helt enkelt.

Det var Lisa som hade börjat prata på det där viset som man gör när man mest ligger och tänker högt för sig själv. Det hade hänt en sak på hennes jobb, förklarade hon. Dessutom en sådan där sak som hon absolut inte fick prata om, allra minst med sin man.

– Du behöver inte säga mer, sa Johan. Säpo har fått ett tips om att ett antal dårar tänker spränga Rosenbad och hela regeringen i luften och så har man sagt åt min fru att se till att de inte lyckas med den saken.

– Typ, sa Lisa. Du har inte funderat på…

– Nej, avbröt Johan. Om jag skulle få sparken från Filminstitutet så steker jag hellre hamburgare på Max eller jobbar som vårdbiträde eftersom jag inte kan tänka mig att leva som Alice i Underlandet. Men tack ändå för erbjudandet.

– Klarar du av en rak fråga, sa Mattei.

– Det visar sig väl, svarade Johan. Om jag inte gör det lär du säkert märka det.

– Hur står du ut med mig?

Av det enda skälet som egentligen var intressant. För att han älskade henne.

– Dessutom handlar det ju inte om det, konstaterade Johan.

– Vad handlar det om då?

– Det handlar om dig. Just nu är du mentalt helt ockuperad av något som är så in i helvete obehagligt att du knappt kan tänka på något annat alldeles oavsett om det är sant eller inte.

– Vet du vad, Johan? Du är så god, du är så klok, att jag bara vill döda dig.

– Vi har alla våra fel och brister. Även du, Lisa.

– Ge mig några exempel.

Visst. Det fanns flera exempel och om han nu skulle ta dem i tur och ordning kunde han börja med hennes obegripliga yrkes-val. Att en människa som hon, som hade både mentala och eko-nomiska förutsättningar att välja fritt, hade valt att bli polis. Ett yrkesval som tydligen, enligt vad hon själv hade sagt för bara ett par dagar sedan, gjorde henne illa och dessutom skadade hennes relation till både honom och deras dotter.

– Jag kanske gillar att sätta folk i finkan, sa Lisa Mattei.

Johan trodde inte ett ögonblick att det handlade om det. Det var andra saker, som hur hennes mamma tidigt hade påverkat henne. Hennes eget idrottsintresse som hon också haft med sig i bagaget redan som barn och tonåring. Att hon tyckte om att ta reda på saker samtidigt som hon bar på någon romantisk föreställning om att det var just det som poliser som hon ägnade sina liv åt. Mest av allt kanske att hon hade en massa väninnor som också var poliser och som trots att de var kvinnor var starka på det där viset som traditionellt hade varit förbehållet män. Och om det var något som hon ogillade så var det just att sätta folk i finkan.

– Visst, sa Mattei. Jag köper det. Frågan är vad jag gör åt det.

– Du kan ju börja med att fundera på saken, sa Johan. Gör en sådan där lista med åtgärder. Så kan du sitta där och pricka av dem punkt för punkt. På det där tvångsmässiga viset som du håller på med hela tiden.

– Du har inget mer? Något som är ännu mer personligt, kanske?

– Jo, sa Johan. Du kan ju vara jävligt mallig när saker inte passar dig. På det där trevliga, artiga och väluppfostrade viset som bara de allra värsta mallgrodorna klarar av.

– Inte bra, sa Lisa. Dessutom tror jag att jag har börjat kröka också. Den här veckan har jag till exempel druckit alkohol, både vin och champagne, tre kvällar av fyra.

– Försök inte smita nu. Du är den minst trovärdiga blivande alkisen som över huvud taget går att uppleta.

– Har du något annat då? Ge mig något att bita i, Johan.

– Lite fjär, kanske. Distanserad på det där viset som man blir när man inte vill prata om sådant som är jobbigt. Eller bara föredrar att själv bestämma vad man vill prata om.

– Integritet, menar du.

– Nej, sa Johan. Vad hände med den där fjärilen som du tjatade om i måndags? Den där som bränner vingarna av sig själv för att den medvetet gör ett felaktigt val?

– Ja, sa Mattei. Vad hände med den? Att du har rätt gör det inte lättare, precis.

– Nej, inte för mig heller. Det är ungefär lika kul för mig att prata om det som det är för dig att behöva lyssna på det.

– I så fall har jag ett förslag, sa Mattei.

– Ja?

– Vad tror du om att vi pratar om sådant som vi båda ogillar?

– Som vadå? Alla politiskt korrekta idioter? Miljöförstöringen? Den växande rasismen? De gigantiska orättvisorna i fördelningen av världens tillgångar?

– Nej, inte det. Vem bryr sig om sådant? Jag tänkte på Ellas kostvanor. Den där maten som min mamma och din mamma proppar i henne hela tiden som gör att hon redan börjar se ut som en riktig liten sockergris. Vi kan ju börja där.

– Äntligen, sa Johan. Äntligen börjar det här likna ett normalt samtal mellan sådana som vi. Vi har ju ändå haft ihop det i sex år nu.

– Sju, faktiskt, sa Mattei. Jag har ett förslag. Vad tror du om att jag pratar med din mamma, så tar du samma sak med min. Jag tror det biter bättre, faktiskt.

– Lysande, sa Johan. Du har aldrig funderat på att ägna dig...

– Nej, sa Lisa och skakade på huvudet. Som gammal tjejsnut vill jag ha hårdare tag. Vadå terapeut? Vadå, prata relationer? Däng till dem med batongen och brotta ner dem. Vad är det för fel på lite vanlig action?

– Jag har också ett förslag. På samtalsämne, alltså. Dessutom börjar jag bli ganska saggig, faktiskt. Vad tror du om en lätt och mjuk avrundning?

– Att vi pratar skit om folk vi känner?

– Ja, alla nära och kära. Familjen, goda vänner, vanliga bekanta till och med om vi inte skulle komma på någon bättre.

– Jag älskar dig, Johan, sa Mattei. Du är så god och samtidigt kan du vara helt mänsklig också.

– Dessutom har jag en fenomenal höjdare som jag kan bjuda dig på. Jag pratade med mamma och då berättade hon att min kära syster och hennes räknenisse plus deras två små blivande räknenissar tydligen ska komma hit i morgon.

– Är det sant?

Helt sant, enligt Johan och fem minuter senare hade hon bara somnat mitt i en både ordrik och osammanhängande utläggning om varför hon tyckte så illa om sin svägerska att hon saknade henne i stort sett hela tiden.

45

Alla dagar på landet var inte dåliga dagar. Som en lördagsmorgon i mitten på maj då man fick börja sin dag med att äta frukost i köket tillsammans med sin man, som redan ordnat allt det praktiska, och sitt barn som inte snorar eller kinkar det allra minsta utan bara är uppfyllt av alla förväntningar på den dag som väntar. Inga tvingande familjära förpliktelser som kan störa inledningen av dagen eftersom svärmor redan är fullt upptagen med att få ordning på sin trädgård medan svärfar är ute och vittjar alla de fiskenät som skänker innehåll och mening till en allt större del av hans liv.

Precis lagom mätta, nöjda och glada, ett väder som bjuder åtminstone ett löfte om den sommar som ska komma medan mamma Lisa och pappa Johan och lilla Ella går på skogspromenad där hon och Johan kan andas frisk luft och prata om det som händer just nu eller kanske till och med senare under dagen, utan att behöva tänka på något särskilt. Medan deras dotter skuttar runt benen på dem och viftar med en flätad korg som hon lånat av sin farmor där hon kan lägga allt älgbajs som hon hittar och som farmor sedan kan mata sina bärbuskar med så att Ella och hennes mamma och pappa och alla andra i familjen kan äta sylt och dricka saft under sommaren och hela hösten och ända fram till jul.

– Livet på landet, sa Johan.

– Say no more, sa Lisa.

– Varför äter hallonen älgbajs, mamma?

– De tycker väl att det är gott.

– Ja, fast inte människobajs. Det luktar prutt också.

– Ja, usch, instämde Lisa Mattei. Aldrig prata bajs med en femåring, tänkte hon.

När Lisa, Johan och Ella återvände till huset hade familjen Eriksson utökats med ytterligare fyra medlemmar. Johans två år yngre syster Madeleine, hennes tio år äldre man, Nils, och deras två barn, tvillingarna Markus och Jacob som var fyra år gamla och redan överviktiga.

Mattei ogillade både svägerskan och svågern vilket hon brukade lösa genom att vara extra trevlig mot dem. Som nu när hon öppnade med det stora leendet och dubbelsidiga kindpussar på först sin svägerska och sedan sin svåger innan hon övergick till att fullgöra sin plikt som moster genom att sätta sig på huk och klappa om deras små pojkar.

– Vad roligt att se er, sammanfattade Lisa Mattei och log stort mot samtliga.

– Dig också, Lisa, kvittrade hennes svägerska och log tillbaka med vita tänder och vaksamma ögon.

De nyanlända hade samlats utanför redskapsboden bakom stora huset medan de betraktade husets herre, numera pensionerade ingenjören Gunnar Eriksson, som stod och rensade dagens fångst. En påtagligt nöjd man som i ett av sina många nät hade fått en havsöring på närmare fem kilo. Årets första, och bättre mat än så till dagens lunch gick knappast att uppbringa, enligt fångstmannen själv. Hans hustru stod redan i köket och vispade ihop sin egen hemlagade majonnäs som var ett absolut måste när man åt hans ugnsbakade öring.

– Det är väl inte så ofta som du får lax härute, konstaterade hans svärson Nils. Jag kan då inte påminna ...

– Det är en havsöring, Salmo trutta trutta, korrigerade Johan. Det händer faktiskt någon gång i månaden. Fast lax, Salmo salar, är ovanligt. Det kan bli högst ett par tre stycken per år.

– Ja, som jag för övrigt just sa, underströk Nils.

– Bry dig inte om honom, Nils, sa Lisa Mattei och puffade sin svåger på axeln. Johan är ingen vanlig besserwisser. Han är värsta sorten, den där typen som alltid har rätt.

– Ja, vilket väl inte är någon större konst när man själv kan sätta agendan, instämde Nils samtidigt som han så diskret som möjligt flyttade sig en bit ifrån sin svägerska eftersom han inte tyckte om att folk tog på honom.

Därefter blev allt som det brukade bli när dessa nio medlemmar av familjen Eriksson träffades på landet för att fira helg tillsammans. Först hade Ella tagit med sig sina små kusiner för att visa dem hur man matade hallonen med älgbajs samtidigt som de passade på att smygsnaska lite på sitt lördagsgodis. På säkert avstånd från föräldrarnas ögon.

När det väl var dags att äta vägrade Markus och Jacob att ens smaka på morfars fisk. Fisk var äckligt. Mormors hamburgare däremot var jättegoda. Speciellt om man fick potatischips till. Deras pappa Nils hotade dem med både rumsarrest och indraget lördagsgodis innan deras mormor, den numera pensionerade förskoleläraren, presenterade en kompromiss genom att ställa fram resterna av gårdagens fläskkarré. Lisa Mattei hade gripit tillfället i flykten och avböjt både öl, vin och snaps till maten eftersom hon var tvungen att gå upp tidigt nästa morgon för att åka till jobbet.

Medan Ella lassade in rejält av farfars jättegoda havsöring och Markus och Jacob petade i sin fläskkarré, pratade deras föräldrar om allt det där vanliga som man alltid pratade om innan man kom in på det som det egentligen handlade om där det nästan alltid fanns en dold agenda.

Eftersom Matteis svåger tydligen inte kommit över det där med havsöringen klarade han knappt av att vänta ut sin svärfars förutsägelser om den kommande sommarens väder innan han gjorde ett kulturpolitiskt utspel och förutspådde filmbranschens snara död. Ny teknik, svårare än så var det inte och skulle man uppsöka en biograf i en nära framtid fick det väl bli det enda återstående exemplaret som man bevarat på museum som ett minne från en förlorad tid.

Johan vägrade att ens nosa på betet. Han var helt enig med sin svåger och en mer spännande utmaning än den nya teknik som i grunden skulle förändra filmbranschen kunde han själv knappast tänka sig.

– Utmaning och utmaning, envisades hans svåger som tydligen vägrade att släppa taget även om en redan förlorad sak. Jag tror att du och de där andra kulturnissarna ska räkna med att det kommer att bli en jävligt tuff omställning för er.

– I så fall är det väl inte värre än att jag hittar på något annat, svarade Johan med en obekymrad axelryckning. Bli räknenissc, kanske.

– Vad tror du om att bli ordningsvakt igen? frågade hans syster. Det var väl så du och Lisa träffades, förresten? När du satt i den där vaktkuren i polishuset på Kungsholmen.

Hög tid att täppa till truten på både räknenissen och min lilla svägerska, tänkte Mattei.

– Vad tror du om läkemedelsbranschen, Nils? frågade Mattei med ett oskyldigt leende mot sin svåger. Jag sitter ju numera i styrelsen för vår familjestiftelse, och anledningen till att jag frågar är alla de där Pfizeraktierna som vi förvaltar. Du tror inte det kan vara lika illa där?

Hennes svåger svalde både agn och krok. Enligt honom var det precis tvärtom. Ett av världens långsiktigt mest lönsamma bolag med en forskningsportfölj där man fångat in alla tänkbara kommande behov för västvärldens etablerade medelklass som bara blev fler och fler och äldre och äldre och sjukare och sjukare. En bransch som var okänslig för konjunktursvängningar och ett bolag som var det givna valet oavsett vilken konkurrent man jämförde det med.

– Direktavkastningen på drygt fyra procent icke att förglömma, avslutade Nils, lutade sig tillbaka och markerade det just sagda med en eftertrycklig nick.

– Fyra procent, sa Mattei. Det borde väl inte vara helt hopplöst att hitta något som ger mer pengar än så?

Inte långsiktigt. Inte med den säkerheten i själva placeringen. Dessutom fanns det ju juridiska komplikationer med tanke på det regelverk som stiftelsen skulle följa.

– Jag hade ju nöjet att prata med din käre far Claus om just det här på det där fantastiska familjekalaset i Baden-Baden som han bjöd oss alla på när han fyllde sjuttio härom året.

– Du tänker på de där optionerna som Pfizer ställt ut på honom personligen, som han stoppat in i stiftelsen och som tydligen inte går att sälja hur som helst?

Jag måste prata med lilla pappsen, tänkte Mattei. Hur i hela fridens namn kan han prata om sådant med min korkade svåger. Om han nu hade gjort det. Det kunde mycket väl vara något som hennes svåger bara hittade på för att göra sig märkvärdig.

– Ja, och dessutom tror jag knappast att hans bolag skulle uppskatta något sådant från sin gamle forskningschef.

– Nej, det är klart, instämde Mattei. Vad jag tänkte på var väl närmast om vi inte kunde hitta på något roligare med avkastningen. Jag menar, det är ju ändå en åttio miljoner per år.

– Åttio miljoner, upprepade Nils. Ja, det är ju en del pengar.

Vad konstig du låter plötsligt, tänkte Lisa Mattei innan hon multiplicerade det senaste årsresultatet från den Matteiska familjestiftelsen med tio. Hög tid att sätta in nådastöten, tänkte hon.

– Ja, euro, alltså, förtydligade Mattei. Jag vet inte vad euron står i just nu men det brukar väl vara en åtta, nio kronor. Euro måste det väl ändå vara. Det är ju en tysk stiftelse vi pratar om.

– Nio och sextio, sa Nils som trots det glädjande budskapet lät som en vanlig begravningsentreprenör som försökte trösta en sörjande anhörig.

– Ja, det blir ju ändå en del, bekräftade Mattei. Och vi delar ju nästan aldrig ut några pengar till oss själva.

– Det måste vara väldigt praktiskt att ha hur mycket pengar som helst, sa hennes svägerska.

Du låter lika lycklig som din man, tänkte Lisa Mattei. Undrar när ni tänker be om nåd.

– Jo, visst, instämde Mattei med ännu en axelryckning. Det sparar ju onekligen en del tid om man inte behöver tänka på pengar hela tiden.

Under återstoden av måltiden pratade man om andra saker än familjära angelägenheter och om pengar sades det inte ett ord. Mest lät man maten tysta mun och när Matteis svärfar frågade om någon ville ha en konjak till kaffet, eller kanske ett litet glas likör, för även det gick att ordna, skakade samtliga på huvudet.

Barnen hade redan fått gå från bordet. Ella hade tagit med sig sina två yngre kusiner och uppsökt farmors och farfars sovrum där de kunde mumsa i sig sitt lördagsgodis i lugn och ro medan Ella läste en saga för dem ur sin egen sagobok som hon hade fått av sin morfar Ferdinand som hette precis som den snälla tjuren i den där filmen som hon och alla andra barn brukade se på tv på julafton.

Matteis svåger Nils tackade sin svärmor för den goda maten och sade även nej till kaffet. Han och hans hustru hade nämligen redan i bilen bestämt sig för att ta en längre promenad nu när de för en gångs skull både fått tid att åka ut till landet och dessutom hade en barnvakt som kunde passa Markus och Jacob.

– Själv tänkte jag läsa en bok, sa Mattei. Johan och jag tog en rejäl skogsrunda i förmiddags så oss slipper ni. Och samtalsämnen lär ni väl knappast sakna, tänkte hon.

– Och du då, Johan. Ska du hjälpa Gunnar att rensa näten, eller? frågade Nils.

– Nej, sa Johan och log vänligt samtidigt som han lade armen om axlarna på sin svåger. Jag tänkte läsa platsannonserna i Dagens Nyheter. Utifall att, menar jag.

När Ella hade somnat och Lisa och Johan låg i sängen samman-fattade de ännu en dag på landet i familjens sköte. En viskande konversation eftersom huset var lyhört och Madeleine och Nils låg bara ett par väggar bort. En upprymd Johan som framhöll en egenskap som han tydligen hade glömt under gårdagskvällens samtal. Hans hustru var inte bara mallig, bortskämd och fjär. Hon kunde vara fullkomligt skoningslös också.

– Jag tyckte inte om det där hon sa, om dig och mig, sa Lisa. Det har hon faktiskt inte med att göra.

– Så då la du på en extra nolla i stiftelsens bokslut och körde skiten ur både min lillasyster och hennes räknenisse.

– Ja, sa Lisa. Jag är väl en dålig människa.

– Samtidigt som du glömde bort att berätta för dem att i stort sett de enda människorna på jorden som inte kan få några pengar ur den matteiska familjestiftelsen är medlemmarna av familjen Mattei.

– Ja. Det är väl inte hela världen om man är en dålig människa som jag.

– Nej, sa Johan. Du är en bra människa som inte tar skit från någon. Min syster är en mer komplicerad sort. Bortskämd, famil-jens egen lilla prinsessa, en massa sociala ambitioner som varken hon eller Nisse lyckas leva upp till. Trots Handelshögskolan och Nisse som jobbar på banken och allt det där. Vad blev det istäl-let? Avundsjuka. Det är ju bara att titta på henne. Den äter upp henne inifrån.

– Ja, att hon inte mår så bra kan även jag se.

– Så är det du och jag. En brorsa som jobbar som ordningsvakt medan han läser en massa konstiga saker på universitetet. Som aldrig satt sin fot på Handels. Med de betygen jag hade fick jag väl knappt promenera förbi det där huset på Sveavägen.

– Nåja, sa Mattei. Det är väl inte så konstigt med tanke på att du mest sprang på bio hela tiden.

– När jag först berättade att jag hade träffat en polis så tror jag faktiskt att Madde blev glad. På mina vägnar alltså. En kvinnlig polis var ju ändå ett jävla uppköp för en ordningsvakt som mest låg på gymmet och pumpade skrot hela tiden och trodde att han skulle kunna leva på att lära sig allt om Helan och Halvan. När hon fattade att det inte var någon vanlig radiopolis som jag fått tag i blev det väldigt knepigt för henne och när hon insåg vem din pappa var måste det ha varit rena katastrofen. Undrar hur många hundra timmar hon har ägnat åt att googla på honom. I smyg.

– Lite stalker-varning på min kära svägerska.

– Ja, och med tanke på att hon skiter i nästan alla andra som inte är som min svärfar är det kanske inte så bra. Föddes hon som en dålig människa? Tror jag faktiskt inte. Det blev bara fel alltihop. Syrran är ju fortfarande en snygg tjej. Hon är trettiotre år gammal. Det är väl ingen ålder? Så är hon gift med en tio år äldre räknenisse som tjänar ungefär som jag. Vad tror du kommer att hända med Nisse så fort hon har spanat in någon bättre? Vad tror du skulle hända om hon sprang på någon som din pappa? Hon skulle kasta sig platt, sälja de där båda små tjockisarna till högstbjudande eller i värsta fall ge bort dem gratis, till och med låta Nisse behålla det gamla radhuset ute i Vällingby. Bara han lovade att aldrig höra av sig.

– Fast någon dålig människa är hon inte. Jag får inte riktigt ihop det.

– Ja, jag hör ju hur konstigt det låter. Inte från början, nej. Men sedan blev det inte så bra.

– Vad tror du om att byta ämne?

– Med tanke på att det är min lillasyster vi pratar om, visst.

– Vad tror du om att sluta viska och köra lite vanligt högljutt sex?

– Vad tror du om att vänta till i morgon? Och köra den där lite fjära varianten som jag går igång på.

– Vad tror du om att åka in till stan så fort vi har ätit frukost i morgon?

– Tänkte just föreslå det. Så kan jag slänga av dig på jobbet medan jag tar hand om middag och allt det där.

– Nej, sa Mattei. Vad ska jag till jobbet för? På en söndag. Vad tror du om att äta lunch på Ulla Winbladh och sedan gå på Skansen? Jag har ju lovat Ella att hon skulle få titta på björnungarna.

– Lysande, sa Johan.

– Då gör vi det, sa Lisa.

Så kan jag passa på att spana lite i smyg när jag ändå är där, tänkte hon.

46

Frukost så fort Ella hade vaknat och fått på sig kläderna. Lite morgontrumpen och en aning frånvarande men resklar efter flingor, fil och ett halvt glas äppeljuice. Svärmor var redan ute i trädgården och svärfar tog väl som vanligt upp sina nät, eller om han nu redan var i full färd med att lägga ut nya, tänkte Mattei. Ellas kusiner sov fortfarande. Så även deras föräldrar att döma av att ingen av dem kommit ner för att äta frukost. Eller om det bara var så att de sov räv för att slippa börja dagen med träffa mig, tänkte hon.

I bilen på väg in till Stockholm tog Ella fram sagoboken som hon fått av sin snälla morfar Ferdinand och började läsa en morgonsaga för alla sagoboksbarnen och halvvägs in till staden somnade hon plötsligt mitt i en mening medan hon med lillgammal röst förmanat dem som hon läste för att man måste vara väldigt, väldigt… väldigt… snäll mot alla djur.

– Märkligt, sa Johan. Så fort man sätter henne i en bil och hon bara är det minsta lilla trött somnar hon. Hon är ju ändå fem år, menar jag.

– Vi får hoppas att det fortfarande funkar när hon blir tonåring, sa Lisa. Så fort hon börjar klättra på väggarna för att hon inte får vara ute och ränna hela nätterna spänner vi bara fast henne i barnstolen och kör en sväng på Djurgården. Sedan åker vi hem och bäddar ner henne.

– Den där tyska barnboken, sa Johan som verkade ha tankarna

på annat håll. Den som hon fick av Ferdinand i julas. Den där utan text där man tydligen ska läsa sagor för barnen på bilderna trots att man inte kan läsa för att man är för liten. Jag har inte riktigt förstått tanken med den.

– Då ska jag förklara den för dig, sa Mattei.

Författaren till boken var en känd kvinnlig psykolog som både hade ett eget teveprogram där hon gav råd i samlevnadsfrågor och skrev "vuxenromaner för kvinnor", men som nu hade skrivit "en pedagogisk sagobok för barn som ännu inte hade lärt sig att läsa".

Enligt den tyska baksidestexten fanns det två idéer bakom boken. Den första var att man skulle vända på hela det klassiska konceptet när man läste sagor för barn, förvandla lyssnaren till berättare, så att säga, för att därigenom bejaka barnets naturliga och medfödda kreativitet och kanske i bästa fall fostra en vuxen som tidigt lärde sig att tänka utanför den berömda boxen.

Den andra tanken var att boken också skulle göra det lättare för små barn att lära sig läsa. Genom att sätta egna ord till bilderna i boken skulle barnet förstå sambandet mellan en beskrivning och det som beskrivningen avsåg vilket i slutändan skulle göra det lättare att lära sig läsa även skriven text.

– Aha, sa Johan. Det är därför som det inte finns någon text i den.

– Ja, typ, instämde Mattei. Grejen är alltså att den vanliga passiva sagobokskonsumenten, som till exempel Ella, ska förvandlas till en aktiv berättare som talar om för barnen på bilderna vad som händer och hur de ska hantera det på bästa sätt.

– Ja, då förstår jag precis, sa Johan. Det är alltså därför som vår normalt förtjusande dotter låter som om hon hela tiden läxar upp de där sagoboksbarnen som hon läser för.

– Ja, många av illustrationerna beskriver ju moraliskt knepiga situationer, men om du bara bläddrar fram till nästa sida får du ju svaret på hur du ska lösa det etiska dilemmat genom att den bilden föreställer en ny situation där man på ett föredömligt sätt har löst problemet i föregående bild.

– Enkel och grundläggande tysk pedagogik, konstaterade Johan och nickade. För att komma på något sådant måste man ju vara tysk själv.

– Visst, och jag som halvtysk fattade ju poängen direkt, instämde Lisa. Fast själv tycker jag nog att de där lite äldre förlagorna var tydligare i budskapet. När jag var lika gammal som Ella fick jag den stora tyska barnboksklassikern i födelsedagspresent av min kära farmor Aurore. Boken om Pelle Snusk, eller Der Struwwelpeter som den heter i original. I förstaupplaga, faktiskt. Den kom ut någon gång i mitten på artonhundratalet.

– Vad handlar den om? Gamla barnböcker är inte riktigt min grej.

– Ja, vad tycker du det låter som?

– Det är inget sexuellt, eller?

– Nej, verkligen inte. Nu blir jag nästan lite orolig för dig. Det här är en tysk bok. Den handlar om vikten av att du sköter din personliga hygien. Tvättar dig och klipper naglarna och allt det där. Om du till exempel, som Pelle Snusk tyvärr gör i boken, missar att klippa dina naglar kommer de vuxna att klippa fingrarna av dig. Tydligare än så kan det ju knappast bli. Läs själv. Boken står i hyllan i mitt arbetsrum. Bra bilder är det också. Inte ens en filmvetare som du skulle missa budskapet i dem.

– Jag kan knappt bärga mig. Utan fingrar, inga naglar. Det är ju det som är själva grejen.

Återstoden av dagen tillbringade Lisa, Johan och Ella inom den lilla familjeboxen utan att ens närmare fundera över hur de hade hamnat där. Först promenerade de ut på Djurgården och stannade till nere vid kajen på Strandvägssidan av bron så att Ella fick mata änderna. Därefter åt de lunch på värdshuset Ulla Winbladh innan de fortsatte upp till Skansen för att titta på alla de små björnungarna som nyligen hade vaknat.

Ella var på ett lysande humör, pratade oavbrutet medan hon skuttade runt benen på sina föräldrar. Inte det minsta lik Pelle

Snusk som blivit av med fingrarna för att han slarvat med att klippa sina naglar.

På vägen hem gick de förbi scenen nedanför Solliden. Nu låg den tom och övergiven, inga människor i närheten, lugnt och fridfullt om man så ville. Inte minsta tecken på det som ska hända om knappt tjugo dagar, tänkte Mattei.

III

Måndagen den 18 maj till
måndagen den 25 maj

Jakten på Bombmakaren
och hans kvinna

Det inledande skedet

47

Måndag morgon den 18 maj skulle Lisa Mattei träffa spanings-
styrkan men redan en timme innan mötet skulle börja satt hon
bakom skrivbordet på sitt kontor. Det fanns saker som hon
behövde fundera på med hjälp av papper och penna.

Enligt uppgifter från den engelska underrättelsetjänsten plane-
rade Abbdo Khalid att genomföra ett självmordsattentat under
nationaldagsfirandet på Skansen i Stockholm.

Hur vet jag nu det, tänkte Lisa Mattei samtidigt som hon skrev
en etta överst till vänster på sitt papper.

Frånsett tipset från den engelske kollegan var resultatet av
deras egna efterforskningar minst sagt tunt. Konkret handlade
det om tre omständigheter. För fem dygn sedan, på onsdag mor-
gon den 13 maj, hade Abbdo Khalid under tre timmar gjort en
obevakad utflykt i sin bil till ett område som låg några mil från
huset i Eskilstuna där han bodde. Vad han hade haft för sig där
hade hon och hennes kolleger ingen aning om.

Tipset om den utflykten hade de fått från engelsmännen. Det
byggde på det andra av två sms från en okänd avsändare som
Abbdo Khalid skulle ha mottagit strax efter sju på morgonen den
13 maj. Det första meddelandet hade kommit måndagen den 11
mitt på dagen och det hade han besvarat efter bara några minuter.
I båda fallen skulle det handla om att någon försökt varna honom
för att Säpo hade börjat spana på honom. Hur jag nu vet det,
tänkte Lisa Mattei. För att engelsmännen säger det.

Vad hon visste var dels att de två meddelandena samt de två bekräftelserna faktiskt hade skickats vid de tidpunkter och från de ställen som engelsmännen påstod. Dels att de också hade haft den lydelse som uppgetts. Detta hade deras egna kontroller av teletrafiken bekräftat. I övrigt visste hon i stort sett ingenting. Inte vem som skickat dem, inte vad de egentligen handlade om, inte att det var Abbdo Khalid som hade svarat på dem. Hon kunde inte ens utesluta att det var Alexander som försökte lura henne. Varför han nu skulle göra det, tänkte Lisa Mattei.

Återstod Abbdo Khalids uppgifter till sin handledare vid universitetet i Manchester om varför han inte kunde återvända i tid till den termin som just börjat. För att han hade en sjuk pappa som krävde hans sonliga omsorger eller för att han hade viktigare och betydligt värre saker att ta hand om. Eller att han kanske bara ville skaffa sig lite extra ledighet tillsammans med sin familj och valde den enkla vägen genom att skylla på en sjuk far.

Enda fördelen med den informationen var väl att det var hennes egna medarbetare som tagit fram den. Annars fanns det ingenting bestämt och avgörande som hon kunde sätta fingret på. Inte minsta tecken på oro hos vare sig Abbdo eller hans omgivning, inga tecken på stress eller ändrade rutiner hos vare sig honom, hans familj eller i de kontakter som de hade med omvärlden med hjälp av sina mobiltelefoner och datorer.

Ingenting, tänkte Lisa Mattei innan hon ringde upp Wiklander och bad att han omgående skulle titta in på hennes rum.

Två minuter senare satt de där på varsin sida om hennes skrivbord.

– Jag har suttit här och tänkt lite på vår utredning, sa Mattei. Vad tror du om att börja med att rensa bort sådant som inte har med den att göra?

– Du tänker på den där olyckan Bergling som vår gamle chef såg till att landsförvisa till Fröslunda. Jag tror inte att Johansson låg sömnlös för den sakens skull.

– Inte jag heller, instämde Mattei. Bergling var verkligen en förskräcklig människa. Det där jag sa till dig på telefon i fredags kväll var mer ett försök att skämta till det. Så ajöss med Bergling.

– Ja, verkligen, sa Wiklander och nickade eftertryckligt.

Återstod allt det där andra som det egentligen handlade om. Att Abbdo Khalid var den som Alexander och hans kolleger hävdade att han var. Eller att han var en helt oskyldig människa, eller åtminstone en ganska vanlig människa som bara pratade för mycket och kanske umgicks med fel personer, men att han inte var någon terrorist.

Nitton dygn fram till nationaldagen för att ta reda på hur det egentligen förhöll sig. Om Abbdo Khalid var fågel eller fisk. Om han var hök eller duva? Kanske en haj som slet sitt byte i stycken? Eller bara en loj och sävlig karp som fridfullt betade bland bottennaten som växte på den egna dammens botten.

– Vi får väl hoppas på det bästa, sa Wiklander. Att det framkommer något under vår utredning som håller att ta tag i.

– Anta att det inte gör det då. Att allt bara rullar på. Lugnt och fridfullt. Inte minsta tecken på det där som Alexander pratar om.

– I så fall lär vi väl bli tvungna att ingripa ändå. Med tanke på risken, menar jag.

– Mot sjutton personer i samma familj, sa Mattei. Från gamla farmor som är åttiotvå till fyra små barn som är yngre än min egen dotter Ella. Inget beslut som jag själv går och längtar efter att verkställa.

– Inte jag heller. Den klena trösten för dig och mig är väl att det är Lisa Lamm som får ta det.

– Jag avundas henne inte. Dessutom har jag ett praktiskt problem.

– Du tänker på ditt löfte till Alexander att vi inte ska göra något innan han har godkänt det.

– Precis. För att han måste klara av något annat innan vi agerar.

– Skulle han inte höra av sig i tid, eller om det nu skulle hända något illavarslande före nationaldagen, är det väl inte värre än att vi bryter det löftet. Sverige är en suverän stat, vi här i huset ska tillgodose svenska intressen och vi följer svensk lag. Jag har inga problem med det.

– Inte jag heller, sa Mattei.

– Utmärkt, då har vi åtminstone en handlingsplan, sammanfattade Wiklander. Har vi något mer som vi måste avhandla innan vi träffar våra kära kolleger?

Två saker till enligt Mattei. För det första att hon ville veta mer om Bombmakarens mystiska kvinna, Louise Urqhart. Om det nu var det hon var, och inte bara en rik och vacker medelålders kvinna som fått ihop det med en svensk student av somaliskt ursprung som var femton år yngre än hon själv.

– Jag har mejlat över det jag undrar över till Calle Lewenhaupt. Men det är verkligen ingen hets. Några allmänna funderingar, bara. Så att jag kan fatta vad det är som stör mig med just henne.

– Det sista då, din sista punkt? frågade Wiklander samtidigt som han gjorde en ansats att resa sig upp.

– Det där med Bergling, sa Mattei. Att jag släppt honom, han är ju faktiskt död och varsel tror jag inte på, betyder inte att jag också skulle ha övergett tanken på att vi skulle ha fått en ny mullvad här i huset.

– Så nu tänker du börja röra om i grytan.

– Ja, sa Mattei. Ungefär så. Så slipper åtminstone du öda din tid på att grubbla över om det som jag kommer att säga om en stund bara är ett uttryck för att jag inte är så bra på att skämta till det.

48

Inga nya ansikten. Samma mötesordning som då. En påtagligt pigg och fräsch Lisa Lamm som hälsat alla välkomna innan hon lämnat över ordet till Mattei.

– Okej, sa Mattei. Jag tänkte att Linda kunde börja med att berätta hur det går nere i Eskilstuna så kan Calle ta över sedan och berätta mer för oss om Abbdo och hans familj.

Nere i Eskilstuna gick det bra, enligt Martinez. Sedan kvällen före fanns hela spaningsstyrkan på plats och samtliga hade tilldelats arbetsuppgifter. Återstod en del problem av teknisk natur.

– Kan du utveckla det? frågade Dan Andersson.

– När de är hemma är de väldigt mycket inne i huset, speciellt kvinnorna, svarade Martinez. Det är mycket fördragna gardiner och svårt att se vad de har för sig. Det är inte så att de sitter ute på gräsmattan och solar hela dagarna. Vi måste ta oss närmare kåken, helt enkelt.

– Hur är det med ljudupptagningen då?

– Dåligt. Värre än de där fördragna gardinerna. Det mesta vi kan höra är andra ljud. Diskmaskiner, tvättmaskiner, radioapparater, teven som står på, ungar som kutar runt och skriker. Sedan tycks de ha en massa bönestunder också. Fast inga störningsljud som de lagt ut medvetet som vi fattar det.

– Hur tänkte du lösa det? frågade Wiklander.

– Helena och jag sliter med frågan, sa Martinez. Hon och jag och alla hennes grabbar från det militära.

– Det är det alltför stora avståndet som spökar. Vi måste ta oss närmare deras hus, konstaterade Palmgren. Vad vi har diskuterat är andra tekniska lösningar som komplement till våra kameror, kikare och vanliga riktade mikrofoner. Det handlar om värmekameror, rörelsedetektorer, olika typer av ljudförstärkare och avlyssningsanordningar i närheten av huset. Helst naturligtvis att vi kan installera dolda mikrofoner inne i huset.

– Låter inte alldeles enkelt, sa Wiklander.

– Vi får göra vårt bästa, sa Palmgren. Något ska vi säkert komma på.

– Familjen har fem olika bilar, sa Martinez. När de parkerat dem för natten brukar samtliga stå inomhus. Tre i garaget som finns i husets källarplan och två i det kombinerade garaget och förrådet som ligger vägg i vägg med kåken. Ingen av dem har spårsändare. I och för sig hade vi väl kunnat sätta dit en och annan när de uträttat ärenden på stan men tills vidare har vi avstått. Skulle någon av dem hitta en sådan under bilen är vi rökta.

– Våra tekniker sliter med den biten också, sa Helena Palmgren. De försöker hitta någon utrustning som går att aktivera när vi absolut behöver den och stänga av när vi inte gör det. Så att den inte blir så lätt att hitta, alltså.

– Abbdo Khalid är inte bara elektriker, han är mamma också. En mamma som säkert håller noggrann uppsikt över hela den stora familjen, konstaterade Martinez med ett snett leende. Calle har plockat fram hans cv och det är ingen kul läsning. Han har bland annat varit anställd i mer än ett år som installationstekniker hos landets största larmföretag och det är inga vanliga bostadslarm som han satt in. Khalid har jobbat med avancerade tekniska säkerhetslösningar åt företag och organisationer. Med rörelseaktiverade larm, med sådana som går igång på dofter, ljusförändringar, ljud eller vibrationer, med både dolda och synliga övervakningskameror, med alla tänkbara typer av elektroniska lås, med rubbet, kort sagt.

– Det är inte så att han har varit här i huset och skruvat in saker i väggarna? frågade Mattei. Det skulle ju onekligen förklara ett och annat, tänkte hon.

– Nej, sa Calle Lewenhaupt och skakade på huvudet. Chefen kan vara helt lugn. Det var det första vi kollade.

– Några andra intressanta ställen?

– Ja, tyvärr, sa Lewenhaupt. Vi har visserligen just börjat den genomgången men vi har redan hittat ett flertal finansiella institutioner, banker och dataföretag. Mest sådana kunder, faktiskt.

– Men inget som sticker ut. Och han nu verkligen vill skada oss, sa Mattei.

– Hittills har vi hittat tre, men samtliga ligger tre till fyra år tillbaka i tiden. Det var tre år sedan han slutade jobba på det här larmföretaget.

– Vilka kunder är det då? frågade Mattei.

– Skavsta flygplats utanför Nyköping. In- och utpasserings-kontroller, mest i den delen av flygplatsen där man tar emot olika leverantörer och serviceföretag som jobbar åt Skavsta. Ja, sedan har vi Migrationsverkets huvudkontor nere i Norrköping. In-och utpasseringskontroller även där. Både personer, fordon och gods. Så det tredje jobbet då. Det som tyvärr håller mig sömnlös om nätterna.

– Vilket är det? frågade Ingrid Dahl som hittills inte hade sagt ett ord.

– Nationalmuseum, sa Lewenhaupt och suckade djupt.

– Jag hade ingen aning om att du var så konstintresserad, Calle, sa Ingrid Dahl.

– Jo, det är jag verkligen, sa Lewenhaupt. På Nationalmuseum förvaras Gustav III:s kröning av Pilo, Karl XII:s likfärd av Cederström och inte minst Carl Larssons magnifika skildring av Gustav Vasas intåg i Stockholm. Jag tror inte att jag skulle överleva om någon sprängde Nationalmuseum i luften.

– Vad tror du om att byta ämne, avbröt Martinez. Ge oss en lista bara på all skit som han kan ha hållit på med. Vi andra har en hel del att göra, nämligen.

– Ja, vi gör så, instämde Mattei. Ge oss en lista på företagen och de byggnader där han jobbat. Har de ändrat sitt beteende på något sätt, Linda?

Inte enligt Martinez och de iakttagelser som hon och hennes kolleger hade gjort under de snart sex dygn som de hade spanat. Familjen verkade följa sina invanda rutiner. Betedde sig som vilka människor som helst. Gick till jobbet, jobbade hemma med hushållsgöromål eller ute i trädgården, passade barn, lagade mat, handlade, pratade, umgicks, åt och sov.

Det som skiljde dem från de svenska grannarna i området var deras omfattande religiösa aktiviteter med dagliga och återkommande bönestunder hemma i huset och ibland ute i trädgården samt att husfadern Mohammed Khalid Hussein dagligen brukade besöka moskén nere i Fröslunda tillsammans med en eller flera familjemedlemmar.

Kontakter med andra personer utanför familjen? Utöver faderns moskébesök ingenting. Inga fysiska kontakter av den där vanliga vardagliga karaktären, enligt Martinez. Inga gäster eller ens tillfälliga besökare om man bortsåg från tidningsbudet och brevbäraren. Inga sociala kontakter med dem som var bosatta i samma område. Råkade man passera en granne när man var utanför huset i något ärende rörde det sig enbart om en kort hälsning. Inte att man stannade och pratade med varandra. Samma mönster som man följde när man besökte en affär för att handla något. Man gick in, plockade åt sig det man skulle ha, betalade i kassan och gick därifrån.

Kontakter på telefon, på nätet? Huvudsakligen med somalier. Även en del andra invandrare som också var muslimer. Kontakter som var etablerade sedan länge och som inte omfattade fler än ett trettiotal personer. Släktingar, arbetskamrater, trosfränder. Inga ändringar av tidigare rutiner. Definitivt ingenting som fick nackhåren på en sådan som Martinez att resa sig.

– För att undvika missförstånd är det en sak som jag vill understryka.

– Vad är det då? frågade Dan Andersson. Är det din berömda fingertoppskänsla som spökar?

– Jajamensan, sa Martinez. Jag är nämligen hundra på att Abbdo Khalid, säkert tillsammans med ett flertal i hans familj, tänker spränga ett betydligt antal av oss andra i luften. Svårare än så är det inte.

– Trots att de mest sitter och rullar tummarna när de inte ber sina böner, envisades Andersson.

– De ligger lågt, sa Martinez. Det är nästan tre veckor tills det är dags. De har redan klarat av allt det där väsentliga, för det gjorde de i god tid innan vi började spana på dem. När det väl drar ihop sig kommer det att hända saker däremot.

– Det kan inte vara så illa att de ligger lågt för att de fått reda på att vi har börjat övervaka dem? frågade Mattei.

Dags att så det onda fröet, tänkte hon.

– Nej, sa Martinez. Hur skulle det ha gått till?

– Folk pratar, sa Mattei med en medvetet behärskad axelryckning. Det är väl den vanligaste orsaken. Säger fel saker till fel person. Någon av dina kolleger kan ha bränt sig. Sådant händer också har jag förstått.

– Glöm det, sa Martinez och skakade på huvudet. Jobbar man hos mig så är det två saker som gäller. Se utan att synas och att hålla käften.

– Hur många är ni nu som jobbar där nere, envisades Mattei.

– Trettio, drygt trettio. Trettiotre med mig. Om vi pratar spaning, alltså.

– Och du kan gå i god för samtliga?

– Ja, inte bara det. Jag tror faktiskt jag kan gå i god för alla andra som är med i den här utredningen också. Vi som sitter i det här rummet till exempel. Till och med alla små nördar som sitter nere på Terrorkuten och pickar på sina datorer. Hur skulle någon av er här i huset ha kunnat varna lille Abbdo? Genom tankeöverföring, eller? Vi ligger som en jävla ostkupa över honom och hela hans familj.

– Mina fingrar säger något annat, sa Mattei.

– I så fall tror jag att det beror på att du också har drabbats av den där nojan som ställer till det i huvudet på sådana som oss.

– Jag hoppas att du har rätt och att jag har fel, sa Mattei. Själv tror jag nämligen att antingen är det så att Abbdo Khalid inte är någon terrorist. Han är en helt vanlig muslim med somalisk bakgrund som tyvärr bara råkar avvika från andra somalier i en mängd avseenden som vi annars skulle betrakta som enbart positiva. Men som vi i just hans fall tolkar till hans nackdel.

– Nu blir jag faktiskt orolig för dig, Lisa. Riktigt orolig.

– Eller också är det som du säger, och då tror jag att hans och de andras beteende förklaras av att han vet vad vi håller på med.

– Det finns ju faktiskt en tredje möjlighet, insköt Wiklander.

– Vad är det? frågade Mattei.

– Tack, Jan. Äntligen. Att sådana som han blir lika nojiga som vissa av oss andra, sa Martinez samtidigt som hon nickade åt Mattei.

– Ungefär så, instämde Wiklander. Att hans och de andras beteende inte behöver bero på att någon av oss skulle ha varnat dem eller att någon av dem har upptäckt vad vi håller på med.

– Vad tror ni förresten om en liten bensträckare innan vi byter ämne? föreslog Lisa Lamm diplomatiskt.

– Det tror jag stenhårt på, sa Martinez och reste sig med ett ryck. Vad tror ni om att vi tar en hel kvart för en gångs skull?

– Så att jag hinner börja röka igen, tillade hon med en blick på Mattei.

49

Femton minuter senare hade samtliga deltagare återvänt till mötet med sträckta ben. Arbetsmoralen i styrkan verkar i alla fall god nog, tänkte Mattei som samtidigt inte hade en tanke på att dokumentera just detta i sin utredningslogg. Anteckningar av det slaget brukade alltid tolkas som tydliga tecken på motsatsen och det fanns viktigare saker att bevara till eftervärlden.

Hög tid att hon istället lämnade ordet till Calle Lewenhaupt så att han kunde redovisa sin första kartläggning av Abbdo Khalid och hans familj. Några frågor innan man gick vidare? undrade Mattei. Linda Martinez hade en. Dessutom en rak fråga till just henne. Mattei nöjde sig med att nicka. Undrar om hon tänker be om ursäkt? Jag är ju ändå hennes chef, tänkte hon och log vänligt.

En inlindad ursäkt där Martinez hade börjat med att lugna de övriga deltagarna. Vid närmare eftertanke hade hon valt att inte börja röka igen. Hade hon lyckats hålla upp i drygt ett år, tolv månader, tre veckor och två dygn om man nu skulle vara noga, kunde det gott vänta till dess att även den här utredningen var klar. Därefter kunde hon tänka sig att fira med en rejäl segercigarr.

Just nu fanns det dock viktigare saker att ta itu med än att försöka tala förstånd med sin chef och gräla med sina kolleger. Knappt tre veckor kvar till nationaldagen och själv kände hon av en stigande stress. En känsla som hon uppenbarligen delade med flera och som Lisa Mattei helt säkert hade svårare att hantera i den ensamhet och tunna luft som omgav hennes stora skrivbord.

Därför hennes raka fråga. Fanns det någon konkret grund för den oro som Mattei gett uttryck för? Något som hon och hennes kolleger borde känna till?

– Nej, sa Mattei. Förmodligen är det som du säger. Jag har väl bara fått en släng av den där yrkessjukan som vi alla får leva med som jobbar på det här stället. Om jag nu ska skylla ifrån mig är det väl att det var Calle som smittade mig när han började tjata om att Stig Bergling hade bott i Fröslunda. I Fröslunda av alla ställen.

Ärliga blå ögon, en bestämd skakning på huvudet, sedan den där överslätande humoristiska förklaringen och av åhörarnas reaktioner att döma var helheten övertygande nog. När blev du så här bra på att ljuga? tänkte Mattei.

– Men nu är chefen fullt återställd, konstaterade Carl Lewenhaupt.

– Definitivt, instämde Mattei. Jag är till och med så pigg att jag tror att jag klarar av att ta del av ännu ett av dina särskilda utredningsstöd.

– En helg på landet, en helg i familjens sköte, finns det något bättre, suckade Lewenhaupt.

Calle Lewenhaupt var en alldeles utmärkt medarbetare trots sin udda bakgrund, tänkte Mattei. När han var på gott humör kunde han visserligen bli lite väl ordrik och anekdotisk men eftersom han samtidigt brukade leverera åtskilligt som var högst tänkvärt även när han var som mest underhållande lät hon honom hållas. Den här gången hade han dessutom förvarnat henne och de andra genom att säga att han tänkte inleda med lite allmänna reflektioner kring de somaliska flyktingarna i Sverige för att på det viset ge en bakgrund till det undantag som Abbdo Khalid och hans familj utgjorde.

Med vedertagna mått mätt hade somalierna lyckats mindre väl med att anpassa sig till de sociala mönster som gällde i deras nya hemland. Till den dystra statistik som visade detta tänkte han inte återkomma men däremot fanns det skäl att säga något om hur det här problemet hade påverkat deras omgivning.

Från kommunens sida hade man tyvärr reagerat med den kanske alltför vanliga kombinationen av passivitet och ambivalens och lämnat över ansvaret till den byråkrati som man förfogade över. Det var väl inte värre i Fröslunda än i många andra invandrartäta områden i Eskilstuna, eller i andra delar av landet heller för den delen. Alla hade de tak över huvudet, ingen av dem behövde svälta och ville de utbilda sig och skaffa sig ett jobb var det ingen som försökte hindra dem.

Tvärtom hade man till och med satsat mer pengar för att visa sin goda vilja. Arbetsförmedlingen hade fått extra anslag från kommunen för att inrätta särskilda utbildnings- och sysselsättningsprogram som var "skräddarsydda" för just den somaliska minoriteten och vad de mer akuta sociala problemen anbelangade, de som handlade om deras missbruk och kriminalitet, hade man avsatt kommunala medel för att anställa en särskild kontaktperson med somalisk bakgrund som hade ett grundmurat gott rykte bland de personer och grupper som han skulle arbeta med. Att det sedan hade visat sig att den som fått uppdraget inte hade klarat av det förtroende som hans uppdragsgivare hade gett honom var i vart fall inte kommunens fel.

– Nyfiken fråga, sa Dan Andersson. Vad hade han hittat på då?

– Tre år och sex månader för förberedelse till grovt rån, synnerligen grovt vapenbrott, några grova stölder, diverse narkotikabrott och lite annat också, sa Lewenhaupt. Fyra av hans skyddslingar åkte med i samma ärende. De fick mellan ett och tre års fängelse.

– Ett gott rykte kommer sällan gratis, konstaterade Dan Andersson.

– Nej. Fast just den här gången var timingen kanske lite olycklig, sa Lewenhaupt. Kollegerna i Eskilstuna plockade in dem bara en vecka innan det var dags för det senaste valet. Hur den lokala politiska debatten såg ut efter det behöver jag kanske inte gå in på.

Segregation, social isolering, en somalisk grupp som höll sig på sin kant. Ökade politiska motsättningar, en omgivande "svensk" majoritet som helst ville slippa tänka på dem och där en snabbt växande andel bland de senare helst såg att man "skickade till-baka dem till Afrika igen". Sociala misslyckanden, kriminalitet och missbruk. De senaste årens rädsla för en växande muslimsk terrorism inom den somaliska gruppen hade förvisso inte gjort det hela lättare, sammanfattade Lewenhaupt. Därav också hans rent privata och dystra reflektioner när han höll upp bilden av familjen Khalid mot den fond som visade deras bakgrund.

– De stämmer helt enkelt inte med allt det där andra som jag berättat om, konstaterade Calle Lewenhaupt. Om jag ska ta det hela mycket kort talar vi alltså om en familj med totalt sjutton medlemmar varav fem är barn. Familjefadern Mohammed Khalid Hussein har en elvaårig son med sin andra hustru. Hon heter för övrigt Awa Salah Hushi och är tolv år yngre än sin man. Familjens fyra småttingar är samtliga barn till Mohammeds tredje hustru. Leyla Ahmed Rage heter hon. Hon är också betydligt yngre än de två första fruarna som han hade med sig när han kom hit för snart tjugofem år sedan. Leyla är tjugotvå är gammal och hon kom hit som flykting för fem år sedan. Hon träffade Mohammed på flyktingförläggningen där hon satt, i samband med att han och den muslimska församlingen i Eskilstuna var där på något besök. Några frågor?

– De där småbarnen, insköt Helena Palmgren. Leylas barn. Jag undrar…

– Ja, förlåt mig, avbröt Lewenhaupt. Det är tre flickor som är fyra, tre och två år gamla och en pojke på tio månader. Äldst är gamla farmor, hon heter Salmo Ali Ahmed. Hon är åttiotvå år.

– Rätta mig om jag har fel, men den här Mohammed har alltså tre fruar, insköt Martinez med oskyldig min. Två som han hade med sig när han själv kom hit för tjugofem år sedan och så den där fjortisen som han hittade på någon flyktingförläggning i när-heten av Eskilstuna när han råkade ha vägarna förbi. Som numera är morsa till hans fyra yngsta barn.

– Sjutton år, inte fjorton, korrigerade Lewenhaupt. När de träffades, alltså. Det var för fem år sedan, som jag sa. Flykting-förläggningen hon satt på ligger för övrigt utanför Flen. Det är bara några mil från Eskilstuna.

– Ja, men då är jag med, sa Martinez. Det är ju kristallklart. Pappa Mohammed som har tre fruar och med dem har han alltså tolv barn och för säkerhets skull tog han med sig gamla mamma också. Det blir ju sjutton personer, om jag räknat rätt.

– Ursäkta att jag avbryter, sa Mattei, men du har ingen bild på dem? Jag tror faktiskt att det skulle underlätta.

– Jo, sa Lewenhaupt. Jag har låtit göra ett släktträd också. Det ligger i ert bakgrundsmaterial.

– Det räcker så bra med en bild på dem, sa Mattei och log vänligt.

– Tack, chefen, sa Calle Lewenhaupt.

50

Carl Lewenhaupt, den svenska säkerhetspolisens egen greve, knappade på sin dator och projicerade därefter i stort sett samma bild på kortväggen i rummet som hans likaså adlige engelske kollega Jeremy Alexander hade visat för Mattei och tre av hennes medarbetare när de hade besökt honom i England för en vecka sedan.

Sjutton personer ordnade radvis med foton på samtliga utom de fyra minsta. På den första raden under respektive foto stod deras fullständiga namn, personnummer och mantalsskrivningsadress, huset på Lötgärdesstigen i Eskilstuna för samtliga. Därefter ytterligare en rad som sammanfattade varför de enligt Lewenhaupts beskrivning skiljde ut sig i en positiv mening från andra somalier i Sverige.

Med undantag för Mohammed Khalid Husseins tredje hustru var alla svenska medborgare. Även hennes fyra små barn med Mohammed. Tolv av dem innehade svenska pass, undantaget hustru nummer tre och hennes fyra barn. Nio av dem hade svenska körkort: Mohammed och hans andra hustru, hans fyra vuxna söner och hans tre äldsta döttrar. Ingen av familjens medlemmar som var femton år eller äldre, och därmed hade uppnått straffmyndig ålder, fanns noterade i polisens belastningsregister. Inte heller hos de sociala myndigheterna fanns några anteckningar om vare sig familjära tillkortakommanden i allmänhet, vanlig bristande skötsamhet eller missbruk i synnerhet.

Inte minsta skugga över eller minsta prick på någon av dem och hunna så långt i sina efterforskningar hade varken Carl Lewenhaupt eller hans arbetskamrater på terroristrotelns underrättelsetjänst blivit det minsta förvånade över att samtliga de sju vuxna barnen hade avlagt gymnasieexamen. Med varierande betyg, förvisso, och flertalet av dem på yrkesinriktade utbildningar, men där fanns också ett klart skinande ljus som hade tagit studenten på naturvetenskaplig linje vid gymnasiet i Eskilstuna och dessutom gjort det med så goda vitsord att han hade kunnat välja och vraka bland landets högskolor och universitet. Istället hade han valt att börja vid en vanlig yrkesskola och utbilda sig till elektriker.

Samtliga vuxna, med undantag för farmodern, hade också deklarerade inkomster som av storleken att döma tydde på att åtminstone sju av dem arbetade heltid medan fyra av dem var deltidsanställda, och sammantaget uppgick familjens bruttoinkomster under föregående år till drygt en och en halv miljon kronor.

– Tillkommer barnbidrag och gamla farmors pension, så efter skatt tycks man ha drygt hundra tusen i månaden att leva på. Inget överflöd direkt, men det borde man kanske ändå klara sig på, sammanfattade Lewenhaupt.

– Hur mycket drar de in svart då? frågade Martinez. En hundring till i månaden, eller?

– I nuläget saknar vi uppgifter om den biten, sa Lewenhaupt med ett svårtolkat småleende. Jag lovar att återkomma så fort jag vet mer men samtidigt tror jag inte att du ska hoppas på några större belopp.

– Varför inte det? envisades Martinez. Alla som får chansen jobbar väl svart?

– Med tanke på vad de gör, sa Lewenhaupt. Om vi tar de vuxna barnen, till exempel. Två av dem jobbar inom vården. Den äldsta dottern är undersköterska, en av hennes yngre systrar är vårdbiträde, den tredje är sömmerska som det verkar. Jobbar på en kemtvätt inne i Eskilstuna där man också lappar, lagar och ändrar de kläder som deras kunder lämnar in. Abbdo arbetade ju tidigare som elektriker. Han var för övrigt familjens höginkomsttagare då han jobbade heltid. Tjänade drygt trehundra tusen per år redan som tjugoåring. Numera studerar han på heltid. Vad gäller hans tre yngre bröder är en av dem anställd som säljare och expedit på ett lokalt byggvaruhus strax utanför Eskilstuna, medan de två yngsta grabbarna, av de vuxna bröderna alltså, tycks jobba i restaurangbranschen med lite av varje. På samma krog, om du nu undrar. Det är en mindre krog inne i centrala Eskilstuna och enligt bilderna på stället och matsedeln som de lagt ut på nätet verkar det inte vara något trestjärnigt ställe, direkt. Fast av intäkterna att döma verkar det vara ett populärt hak. Speciellt bland invandrare. Svarta pengar? Ja, det skulle väl i så fall möjligen vara den där krogen, men några mängder tror jag definitivt inte att det handlar om.

– Att man aldrig kan få bli lite glad, sa Martinez.

– Det bästa jag kan bidra med är väl att pappa Mohammed inte verkar vara någon fattiglapp direkt, konstaterade Lewenhaupt. Han äger huset där han och familjen bor. Inget märkvärdigt det heller, men det torde väl i varje fall vara värt en miljon. En och en halv till och med.

– Varken han eller någon annan i familjen har några skulder som det verkar, fortsatte han. Dessutom har han drygt tre miljoner kronor i olika banktillgodohavanden. Vanliga bankkonton, aktier, fonder och ett par kapitalförsäkringar. Han har två lokala bankkontakter, den lokala sparbanken och Handelsbanken.

– Mer än tre mille! Var har han fått tag i dem då? Vunnit på Lotto, hittat dem på gatan? Eller?

– Pappa Mohammed Khalid Hussein verkar vara något av en entreprenör, konstaterade Carl Lewenhaupt. Med risk för att göra dig besviken, Linda.

Entreprenör ända sedan han kommit till Sverige för ett kvarts sekel sedan. Dessutom i den vedertagna svenska meningen med många järn i elden. I och för sig inga stora järn men lönsamma, välskötta och utan anmärkningar från myndigheternas sida.

– Vad vi vet så här långt är att han äger tre affärsverksamheter inne i Eskilstuna. Dels en dagligvaruaffär som tycks vända sig speciellt till muslimska invandrare, dels kemtvätten och skrädderiet där en av hans döttrar arbetar, dels den där krogen där två av hans söner jobbar. Totalt har han närmare tjugo hel- och deltidsanställda. Tre av dem är hans barn, ytterligare några stycken är somaliska släktingar till honom. Övriga är invandrare med annan bakgrund.

– Intressant, sa Lisa Mattei. Har du något mer?

– Det kommer mer, sa Lewenhaupt. Vi har bara börjat än. Hur som helst, här har vi namnen på familjen som vi talar om. Om ni undrar varför jag inte tagit med namnen på de fyra minsta så är det med tanke på vad det hela rör sig om.

Eller "påstods röra sig om", om man nu skulle vara noga och värda sig om objektivitet och distans, korrigerade Carl Lewenhaupt medan han knappade på nytt på sin dator, klickade bort porträtten på familjens medlemmar samt den övriga bakgrundsinformationen och visade det som återstod på den bildskärm som satt på kortväggen i rummet. En lista på de tretton namn som det med största sannolikhet handlade om. Det var ju det mönster som terroristerna ofta följde när man rekryterade sina medhjälpare. Att man började i den egna familjen.

Familjefadern: Mohammed Khalid Hussein, 62 år

Hans tre hustrur
Hans första hustru: Sagal Omar Hassan, 55 år
Hans andra hustru: Awa Salah Hushi, 50 år
Hans tredje hustru: Leyla Ahmed Rage, 22 år

Hans sex söner
Abdullah Mohammed Khalid, 28 år
Hassan Mohammed Khalid, 27 år
Ismail Mohammed Khalid, 24 år
Waaberi Mohammed Khalid, 20 år

Samakab Mohammed Khalid, 11 år
Tio månader gammal son

Hans sex döttrar
Maka Mohammed Khalid, 32 år
Fathia Mohammed Khalid, 30 år
Amina Mohammed Khalid, 29 år
Fyra år gammal dotter
Tre år gammal dotter
Två år gammal dotter

Familjens farmor
Salmo Ali Ahmed, 82 år

Carl Lewenhaupt avslutade sin genomgång med att förklara för sina kolleger hur det kunde komma sig att Mohammeds tre hustrur bar andra efternamn än hans eget samtidigt som de söner och döttrar som de hade fött åt honom bar hans namn och inte deras. Den bakomliggande logiken när somaliska muslimer valde sina namn skiljde sig ofta från den som användes av muslimer med annan etnisk härkomst. Först ett eget personligt förnamn, därefter faderns förnamn, slutligen farfaderns förnamn. Namnen var oftast av arabiskt ursprung, särskilt när det handlade om muslimer.

Det var det namngivningssystem som gällde för såväl män som kvinnor och med hjälp av den omfattande dokumentation som fanns i Migrationsverkets arkiv hade det heller inte inneburit några större svårigheter att reda ut hur det förhöll sig med barnen i just den här familjen. Först det egna personliga förnamnet, därefter faderns förnamn, slutligen farfaderns förnamn.

– Om vi tar vår huvudman, vår så kallade bombmakare som exempel, sa Lewenhaupt. Han heter alltså Abdullah Mohammed Khalid. Abdullah är hans personliga förnamn. Mohammed är hans fars förnamn och Khalid hans farfars förnamn. Om vi jämför hans namn med hans pappas namn, Mohammed Khalid Hussein, förstår vi också varför pappans andra efternamn är Hussein. Det var nämligen hans farfars förnamn men eftersom det var Abdullahs farfars far finns han inte med bland Abdullahs efternamn.

– Man får vara glad att de inte kör med fler sådana där efternamn, konstaterade Linda Martinez.

– Ja, jo, sa Lewenhaupt. Det finns däremot en annan egenskap med valet av de här namnen som jag tror att det är viktigt att vi inte glömmer bort.

– Vad är det då? frågade Lisa Lamm.

Att ett namn betydde något. En förutsägelse om barnets framtid, karaktär eller andra egenskaper, alltid med en positiv innebörd. Att de föräldrar som gav barnet dess namn därmed också uttryckte en förhoppning om de egenskaper som barnet skulle bära med sig genom livet. Så hade det varit i Sverige i gamla tider och så var det fortfarande i den muslimska världen. Åtminstone bland de muslimer som tog sin tro på allvar.

– Om jag ska ta mig själv som exempel heter jag alltså Carl Gustaf Lewenhaupt, förtydligade Lewenhaupt. Både Carl och Gustaf är återkommande förnamn på manliga medlemmar av min släkt. Carl betyder en fri man och Gustaf betyder göternas stav, det vill säga göternas ledare.

– Det är därför sådana som du aldrig heter Ronny eller Conny i förnamn, konstaterade Martinez. Ronny Lewenhaupt. Om du hette Ronny Lewenhaupt skulle du förmodligen bli utslängd från Riddarhuset.

– Med all rätt, instämde Lewenhaupt. Inte utslängd, kanske, men den som gav mig ett sådant namn skulle ha brutit mot ett vedertaget socialt mönster.

Bland rättrogna muslimer, däremot, var man noga med sådant. När sonen Abdullah föddes var han pappa Mohammeds fjärde barn. Han hade redan tre döttrar innan han äntligen fick en son, en gåva från Gud, och det var knappast någon slump att hans pappa Mohammed, som var uppkallad efter den store profeten, valde att ge sin förstfödde son namnet Abdullah.

– Abdullah betyder Guds tjänare, konstaterade Carl Lewenhaupt. Det namnet fick han inte av en slump. Det har jag väldigt svårt att tro.

I allt detta fanns också en saklig poäng som i allra högsta grad hade betydelse för den utredning som de numera arbetade med. Om det nu var på det viset att Abdullah Khalid var den bombmakare som engelsmännen påstod var det samtidigt uteslutet att detta var något som Mohammeds son själv hade kommit på och bestämt sig för att göra. Helt uteslutet enligt Carl Lewenhaupt med tanke på hur den familj såg ut där sonen Abdullah hade vuxit upp.

Mohammed Khalid Hussein var familjens överhuvud och det var han som bestämde allt. Precis allt. Stort såväl som smått, liv eller död, och utan att ens diskutera saken med de övriga medlemmarna av familjen som det rent konkret kunde handla om. Om det nu var som vissa av dem trodde var pappa Mohammed den ende tänkbare huvudmannen i det som man planerade att göra. Hans son Abdullah var ett av hans redskap. Det var hans pappa som hade sagt åt honom vad han skulle göra och med tanke på de intressanta överensstämmelserna mellan sonens val av utbildning och yrke och det attentat som man avsåg att genomföra var det högst sannolikt på det viset att Mohammed i så fall hade planerat det hela sedan åtskilliga år tillbaka.

Om han nu skulle avrunda dessa funderingar fanns det samtidigt något i den engelska kollegans agerande som han själv hade svårt att förstå.

– Vad är det då? frågade Mattei.

Två saker närmare bestämt. För det första att engelsmännen tydligen hade förbigått pappans betydelse i sammanhanget med tystnad. Den mänskliga förklaringen till det var möjligen att det var sonen som deras egen säkerhetstjänst hade fått slag på och att man dessutom inte hade några större möjligheter rent praktiskt att samla in uppgifter om fadern utan hade överlåtit den delen åt den svenska säkerhetspolisen i och med att man gav dem tipset.

Att man dessutom, på det där artiga engelska viset, inte ville genera dem med sådana självklarheter som att den makt som Abdullahs far hade över sin familj låg i sakens natur. När det kom till kunskaper av det här slaget var Jeremy Alexander en internationell auktoritet. Möjligen hade han på grund av det överskattat sina svenska kollegers insikter i samma ämne.

– Jag tror som du, Calle, sa Mattei. Vill han träffa mig någon mer gång ska du få följa med. Jag är inte det minsta ironisk. Mitt misstag, helt enkelt. Jag tänker inte göra om det.

– Tack, chefen, sa Calle Lewenhaupt.

– Det där andra då, sa Mattei. Vad är det?

Den andra saken var betydligt allvarligare än den första. Med den var det samtidigt enklare i den meningen att Alexander helt säkert hade förutsatt att den var känd av hans svenska kolleger. Till och med så känd att han inte ens skickat med de två vetenskapliga uppsatser som han själv skrivit om just detta. Något som Lewenhaupt därför sett till att åtgärda genom att lägga in Alexanders bidrag till beskrivningen av den islamska terrorismen i deras allmänna utredningsstöd under en särskild rubrik i dokumentationen av operation Händige Helge.

I korthet handlade det om följande, enligt Lewenhaupt.

Om Abbdo Khalid planerade att genomföra ett terrordåd av det slag som engelsmännen tydligen trodde, och dessutom lyckades med att göra det, var det så nära en europeisk motsvarighet till den 11 september som man kunde tänka sig. En direkt krigsförklaring mot den politiska ledningen för en av EU:s medlemsstater. En terroristaktion som skulle få världspolitiska konsekvenser och där länderna inom EU och i den övriga västvärlden omgående skulle utlösa omfattande vedergällningsåtgärder som inte bara riktade sig mot den närmast ansvariga terroristorganisationen utan även skulle drabba hela den muslimska världen.

Ett absolut nödvändigt krav för att en sådan aktion skulle kunna omsättas i praktisk handling var att den högsta ledningen för den ansvariga organisationen, i det här fallet al-Shabaab, gav sitt godkännande, en så kallad fatwa. Den intressanta frågan var samtidigt om detta nödvändiga krav också var tillräckligt för att man skulle kunna fatta ett beslut om saken.

Med tanke på vad det hela handlade om var detta inte särskilt troligt enligt Lewenhaupt. Från al-Shabaabs sida hade man redan för flera år sedan beslutat att underställa sig al-Qaidas ledning och till deras närmaste allierade hörde sedan länge både IS och Boko Haram. Enligt Lewenhaupts uppfattning borde man ha rådfrågat dem och dessutom fått deras godkännande innan man fattade ett beslut av den här digniteten.

– Det här är ingenting som man låter en tjugoåttaåring från Eskilstuna bestämma över, sa Lewenhaupt. Alldeles oavsett hur bra han är på att knåpa ihop en eller annan bomb.

– Antag att lille Abbdo bara har blivit tokig då, invände Martinez. Att han plötsligt har bestämt sig för att nu ska han inte bara slå hela världen utan även sin egen lilla pappa med häpnad.

– Den möjligheten har jag naturligtvis övervägt, sa Lewenhaupt. Mot den talar det faktum att den här typen av terroraktioner mycket sällan är verk av så kallade enskilda galningar. De som genomför dem har både ett mandat och ett uppdrag att göra det som de gör. Om det är Abbdo Khalid som saken gäller har jag ännu ingen bestämd uppfattning om vem han egentligen är. Det är jag väl heller inte ensam om.

– Förvisso, instämde Ingrid Dahl som tydligen tyckte att det fanns anledning att yttra sig en andra gång. Det tycker jag själv är ganska så klokt, faktiskt. Med all respekt för Linda och hennes fingertoppar. Ibland händer det tyvärr att våra fingrar pekar åt helt fel håll och då är det alltid sådana som jag som får problem.

– En sak kan vi väl ändå enas om när vi pratar om Abbdo Khalid, insköt Lewenhaupt.

– Vad är det? frågade Helena Palmgren.

– Att han inte verkar vara det allra minsta tokig. Tvärtom.

Mattei nöjde sig med att nicka. Undrar vad Johansson skulle ha sagt nu, tänkte hon. Förmodligen något om att Carl Lewenhaupt, trots att han var greve, verkade vara långt ifrån dum i huvudet.

Möjligen, om han nu var på det humöret, att han inte ens uteslöt att han skulle kunna gå hur långt som helst. Trots hans märkliga bakgrund. Till och med att han hade bjudit "unge greven" på middag på den där italienska krogen uppe på Söder dit han brukade släpa med sig i stort sett alla Matteis kolleger men aldrig henne. Men allt det där kan vänta, tänkte Mattei. Han var inte som jag, jag är inte som han var. Jag gör som jag gör, tänkte hon.

– Utmärkt, sa Lisa Mattei. Är det någon som har några frågor? Om inte tycker jag att vi bryter här. Jag föreslår också att vi väntar med att sätta tid för nästa möte. Skulle det hända något akut är det väl inte värre än att vi träffas omgående.

Ingen hade vare sig några frågor eller några invändningar mot detta. Den enda som sade något var Linda Martinez. Så fort hon återvänt till Eskilstuna avsåg hon att skicka över spaningsfoton på familjens fyra yngsta barn och de olika barnvagnar som man ibland körde runt dem i. Bilder på fyra små barn mellan fyra års och tio månaders ålder, som i samtliga fall tagits när de befunnit sig ute i trädgården till familjens hus. En fyraårig flicka som springer runt och leker med sina två yngre systrar medan hennes mamma sitter i en stol och flaskmatar deras bror som ännu inte har fyllt ett år. Flera barnvagnar både i bakgrunden av bilden och även på andra foton och filmer där deras mamma eller andra kvinnor i familjen hade tagit med dem på promenader runt huset där de bodde.

Bilder på familjens yngsta kunde aldrig vara fel med tanke på det som Abbdo och hans kamrater hade hittat på utanför fotbollsstadion i Manchester för några månader sedan. Inte bilder på deras barnvagnar heller, avslutade Martinez.

– Om han nu skulle försöka sig på att köra samma grej en gång till. Är det okej, eller? frågade Martinez och tittade av någon anledning på sin chef, Lisa Mattei.

– Helt okej, Linda, sa Mattei. Helt okej, upprepade hon. Vad är det för värld jag har hamnat i, tänkte hon.

5 1

Efter mötet hade Lisa Mattei bett att Calle Lewenhaupt skulle följa med henne till hennes rum så att de fick prata förtroligt mellan fyra ögon. Inte av någon särskild anledning utan av mer blandade skäl och när de väl satt där började hon med det mest personliga av dem. Sin egen rastlöshet.

Att leda en sådan här utredning samtidigt som man själv var helt beroende av sina medarbetare var långt ifrån lätt att förlika sig med. Att välja den motsatta vägen och börja lägga sig i det operativa arbetet var samtidigt ännu värre. Styrning på rätt avstånd var vad det handlade om. Det var så man uppnådde resultat värda namnet. Att hon sedan upplevde det avståndet som alltför stort var hennes problem.

Sedan försökte hon lätta sitt dåliga samvete. Känslan av att hon lastade över alldeles för mycket arbete på honom och hans kollega Martinez och att hon samtidigt var dålig på att uttrycka sin uppskattning över det som de uträttade. Behövde de mer resurser var det bara att säga till. I så fall lovade hon att göra allt som stod i hennes makt för att ordna den saken. Värre var det när hon styrde dem fel.

– Som det här med hans pappas roll i det hela. Det du säger är ju en fullkomlig självklarhet. Mitt eget tunnelseende, att det bara är Abbdo som jag haft framför ögonen, beror inte ens på att jag medvetet bestämt mig för att det är så det ligger till. Jag bara hamnade där, helt oreflekterat.

– Jo, men det gör vi väl alla hela tiden. Det viktigaste skälet till att vi har de här mötena är väl just detta. Att påpeka för varandra hur enögda vi är.

– I det sammanhanget kan det vara praktiskt om du vet om en sak, sa Mattei.

– Vad är det då?

– Jag är inte alls som jag ser ut, sa Mattei. Jag är inte det minsta känslig. Om du bara har sakliga argument kan du säga i stort sett vad som helst till mig. Kan du dessutom övertyga mig om att jag har fel blir ingen gladare än jag. Jag är inte snarstucken, jag är inte långsint, jag är saklig och rationell.

– Jag vet, instämde Lewenhaupt. Jag är likadan själv.

– Bra, sa Mattei. Att jag äntligen har fattat att det är hög tid att vi flyttar upp pappa Mohammed på vår agenda. Vad har vi mer?

Åtskilliga bollar befann sig numera i luften, enligt Lewenhaupt. Fler händer än deras hade kastat upp dem. Samtliga noterade, rangordnade efter betydelse och redan föremål för kartläggning och analys. Som till exempel frågan om alla dessa västerländska kvinnor som fick ihop det med män som var terrorister. Det första underlaget skulle snart vara klart. Relevansen av detta i just den här utredningen vågade han inte uttala sig om. Allmänt utredningsstöd, i värsta fall enbart allmänbildande.

– Förr eller senare kommer vi att ha direkt användning av ett sådant material, sa Mattei. Nästa gång ett sådant här ärende dyker upp kanske vi kan spara en förskräcklig massa tid. Till och med hitta den som vi letar efter.

– Det tror jag också. Vad gäller den där engelska kvinnan, Louise Urqhart, har jag samtidigt lite dåligt samvete. De kompletteringar du vill ha är noterade men vi har ännu inte hunnit börja jobba med dem. Jag har förstått att du stör dig på henne. Däremot inte varför du gör det.

– Hon verkar så nöjd, sa Mattei.

– Nöjd?

– Ja, nöjd. Förklara för mig varför.

– Med risk för att jag själv blir generad?

– Ja, definitivt.

– Jaha, ja. Bra sex, det är väl den enklaste orsaken. Vad finns det mer? Att en sådan som Abbdo dessutom fungerar som något slags allmän krydda för en sådan som Louise Urqhart. Med tanke på det liv som hon lever. Lite lagom spännande, så där.

– Det finns något mer, sa Mattei. Jag tror att hon alltid har sett till att skaffa sig bra sex. Jag tror att hon är en sådan där tjej som hela tiden kan ta fram det bästa hos den som hon har ihop det med. Helt bortsett från hur bra han är från början.

– Om vi ska tro Martinez var det väl inga större fel på Abbdo Khalid.

– Nej, men jag får ändå för mig att hon är mer nöjd med honom än vad han egentligen förtjänar. Om det nu är enbart deras sex i förening med den där kryddan i hennes överklasstillvaro som ska vara förklaringen. Det är något i hennes ögon.

– Hennes ögon?

– Ja, det syns ju i hennes ögon att hon är mer än nöjd. Anledningen till det tror jag inte är sex utan något helt annat.

– Och att detta, som nu gör henne så nöjd, skulle vara mer än allmänbildande för oss?

– Definitivt, sa Mattei.

– Då får vi hoppas på det bästa, sa Lewenhaupt. Dessutom att den polletten trillar ner ganska snart.

– Jag tror faktiskt att den kommer att göra det. Så fort jag kan tänka utanför boxen.

– Kan vara svårt nog. Dessutom har vi ju möjligen ett annat bekymmer som vi helst bör undvika. Där är jag helt enig med dig, förresten.

– Du tänker på det där med bränderna och den där kontaktpersonen som man råkade gripa bara en vecka före valet.

– Ja. Svar ja.

Tidsmässiga sammanträffanden av det här slaget störde även Carl Lewenhaupt. Och om nu kommunen kunde ha det dåliga omdömet att anställa en grovt kriminell person, vad var det då som hindrade någon annan från att leja någon för att anlägga eld inne i den muslimska församlingens lokaler? Om detta sedan handlade om dåligt omdöme, onda avsikter eller bådadera i förening var ointressant eftersom det var resultatet som räknades. Martinez förklaring att det kunde handla om vanliga försäkringsbedrägerier hade han däremot släppt. Det var kommunen som ägde de fastigheter där lokalerna låg. Den drabbade församlingen saknade ett ekonomiskt incitament att elda upp de lokaler som de disponerade. Snarare då det motsatta med tanke på den kraftigt subventionerade hyran.

– Vilket inte utesluter att det kan handla om något helt annat. Som att öka motsättningarna mellan de muslimska invandrarna och deras omgivning, sammanfattade Mattei.

– Helt enig med dig, instämde Lewenhaupt. Efter en andra läsning av de här brandutredningarna är jag inte lika övertygad om att vi kan avföra den möjligheten. Allt som krävs är ju att du hittar någon lämplig muslim som kan röra sig fritt i lokalerna. Gäller att hitta någon som brister i tron och kan låta sig påverkas. Av pengar eller något annat.

– Men inget som pekar mot våra kolleger nere i Eskilstuna?

– Nej, inte i nuläget.

– Oavsett vilket vill jag inte att det ska finnas minsta risk för att någon av dem plötsligt halkar in på ett bananskal i det som vi håller på med. Det är till och med så illa att även om det skulle finnas fullt lagliga skäl att ingripa mot Abbdo eller någon i hans familj så tänker jag hindra dem från att göra det. Den biten får vänta till dess att vi är klara med vårt.

– Självklart.

– Hur gör vi rent praktiskt då? frågade Mattei.

– Det enklaste är väl att vi pratar med vår kontaktperson där nere, sa Lewenhaupt. Utan att vi går närmare in på varför vi gör det.

– Det är en pålitlig person?

– Ja, det tror jag utan att känna honom närmare. Den där vanliga typen, tystlåten. Definitivt ingen som du tramsar med trots att han knappt säger något. Dessutom har han ett bra namn.

– Vad heter han då?

– Eskilsson, Lars Eskilsson. Han är deras operativt ansvarige.

– Lätt att komma ihåg. Har han någon gång gett uttryck för någon som helst politisk uppfattning?

– Inte enligt personakten. Jag får till och med för mig att det beror på att han saknar en sådan uppfattning.

– Låt mig tänka, sa Mattei.

– Inte väcka den björn som kanske ändå kommer att sova ända fram till nationaldagen.

– Ungefär så, sa Mattei. En helt annan sak.

– Ja?

– Får jag bjuda dig på lunch?

– Ja, gärna, sa Carl Lewenhaupt.

– Fast inte här i huset. Jag föreslår att vi åker in till stan och äter.

– Säg inte att du tänker släpa med mig till den gamle legendens kvarterskrog uppe på Söder.

– Nej, sa Mattei. Där har jag bara varit en gång. Det var på mottagningen efter Lars Martins begravning. Det är sex år sedan nu, och jag tänker aldrig gå dit igen.

– Jag förstår, sa Lewenhaupt.

– Däremot finns det en alldeles utmärkt fiskrestaurang nere vid Norr Mälarstrand.

– Då har de säkert gös. Gös från Båven eller Hjälmaren. Kan inte bli bättre.

– Bra, sa Mattei. Vi ses i garaget klockan tolv.

52

Det blev en trevlig lunch trots att ingen färsk gös fanns på matsedeln eftersom det var måndag och den fiskare som levererade svensk insjöfisk till restaurangen valde att helga vilodagen sedan han blivit halvtidspensionär för några år sedan. Istället hade de ätit stekt makrill, ångkokt spenat och fransk färskpotatis, druckit mineralvatten med bubblor till maten trots att vanligt kranvatten påstods vara bättre för miljön.

De hade inte diskuterat sitt ärende eller jobbet över huvud taget. Det närmaste de hade kommit var faktiskt att de hade pratat om Lars Martin Johansson och det var Carl Lewenhaupt som hade börjat genom att berätta om den första och enda gången som han hade träffat honom. På en jakt i Sörmland femton år tidigare.

Carl Lewenhaupt höll då på att avsluta sin avhandling i historia samtidigt som han närde en hemlig dröm om att bli något annat. Nämligen spion, eller rättare sagt en sådan som jagade spioner, en "spionjägare". En jakt som han mycket väl kunde tänka sig att viga sitt liv åt. Trots att han aldrig hade varit särskilt intresserad av vanlig jakt, det var något som han mest hade ställt upp på för att hans far inte i onödan skulle behöva oroa sig för hans sexuella läggning. Just den här jakten hade han också först tänkt tacka nej till ända till dess att han fattat vem den där Johansson var som stod på listan över inbjudna gäster och istället skyndat sig att tacka ja.

Efter en bra jakt och en ännu bättre middag hade stämningen blivit ganska uppsluppen, men han hade ändå lyckats ta Johansson avsides för ett enskilt samtal där han berättat om hur han såg på sin framtid. Ung och ärlig som han var hade han också varit noga med att understryka att hans ambitioner kanske grundade sig på romantiska och i sak felaktiga föreställningar om det liv som en spionjägare levde.

Johansson hade nickat instämmande och sagt att livet som spionjägare "förvisso kunde ha sina sidor" men att han annars hade all förståelse för romanser som beslutsunderlag. Rätt hanterade kunde det vara närmast frigörande för den som fick vederfaras nåden att fatta sina beslut på sådana grunder och om Lewenhaupt klarade av den biten skulle han säkert kunna gå hur långt som helst. Därefter hade han avslutat samtalet och lovat att höra av sig så fort han fått tid att tänka på saken. Vid sådana här beslut gällde det att inte rusa åstad, allra minst att göra det efter en så förträfflig middag som den som de just hade inmundigat.

– Ja, sedan hände det inget särskilt. Efter sex månader hade jag definitivt gett upp hoppet och dessutom hade jag läst i tidningen att Johansson skulle sluta på Säpo för att han hade blivit chef för Rikskriminalen. Så jag hade förlikat mig med tanken att det var något som han bara hade sagt för att bli av med mig. Säkert inte första gången som han hade råkat ut för det.

– Men så ringde Wiklander och föreslog att ni skulle träffas för att prata om något som han inte kunde avhandla på telefon.

– Ja, det var bara några dagar efter det att jag gett upp hoppet. Så Jan har berättat hur det gick till när jag hamnade på Säpo?

– Nej, sa Mattei. Men jag kände Lars Martin. Jag vet hur han var. Det var en märklig man.

– Ja, jag har förstått det. Det där med att han kunde se runt hörn. Var det sant, eller?

– I rent mänsklig mening tror jag att han kunde det. Åtminstone fick jag ofta för mig att det var på det viset. Trots att det strider mot en massa fysiska grundlagar. Om det var något som intresserade honom så vägrade han att släppa det och han hade en helt osannolik intuition. Själv beskrev han den som att det handlade om insikter grundade på erfarenhet och det senare kunde man aldrig få för mycket av. Ja, och så allt det där andra, förstås, som högt begåvade människor har. En sak som han ofta sa till mig var att det var viktigt att sådana som vi levde våra liv i kraft av våra tvivel och inte vår övertygelse.

– I kraft av våra tvivel och inte vår övertygelse.

– Ja, det är ett direkt citat. Lars Martin var bra på sådant. Att säga saker som fastnade i huvudet.

– Jag förstår att du saknar honom.

– Ja, speciellt nu kanske, instämde Mattei med en nick och ett svagt leende.

– Istället får du nöja dig med en sådan som jag, sa Lewenhaupt och log även han.

– Du är god nog Calle, bättre än sådana som dig och Jan och Linda kan jag knappast få. Lars Martin hade andra sidor också, ska du veta.

– Som vadå?

– Ibland kunde han bli väldigt påtaglig. När han väl hade bestämt sig hade han inga som helst problem med att utöva sitt chefskap. Vet du vad många av kollegerna inom den öppna verksamheten kallade honom för? Hans smeknamn, eller hans öknamn, snarare.

– Slaktaren från Ådalen.

– Ja, han hade ett kusligt bra öga för mänskliga svagheter. Det var dem han högg tag i när det var dags. Där det gjorde som mest ont. Hans språk var heller inte särskilt diplomatiskt. Speciellt inte när han var på gott humör. Då skulle man börja med att läsa lusen av busen, tvätta honom i munnen med grönsåpa när han ljög, bära ut fanskapet i öronen när man var färdig med honom. Eller koka lim på honom. När han sa det brukade han vara på väldigt gott humör.

– Gjorde han det då? Det där som han sa.

– Nej, aldrig, sa Mattei. Jag tror aldrig han höjde handen mot någon. Det behövdes liksom inte.

– En sammansatt man, konstaterade Lewenhaupt. En djupt övertygad humanist med starkt primitiva drag.

– Ja, ungefär så, ja.

– Om han hade suttit vid det här bordet nu. Vad hade han trott om en sådan som Abbdo Khalid?

– Samma som du och jag. Å ena sidan, å andra sidan. Eftersom han inte hade tänkt färdigt än.

– Det är du säker på?

– Ja, helt säker. Det är därför som både du och jag sitter här.

53

När Mattei hade återvänt till sitt kontor för att i brist på annat ännu en gång bläddra igenom sina växande pappershögar kom hennes chef in på hennes rum. En annan chef än den hon hade träffat veckan innan. En chef som stannade i dörren med ett vänligt leende på läpparna och en frågande nick mot hennes besöksstol. Nu satt han där och det samtal som sedan följde hade blivit riktigt bra.

Mattei började med att tacka för blommorna och hennes chef svarade att det var det minsta han hade kunnat göra med tanke på det han själv hade ställt till med.

Mattei fortsatte med att prata om stress, om en akut situation som de plötsligt hamnat i, om den där typiska mellanmänskliga friktionen som alltför ofta passade på att tränga sig in vid just sådana tillfällen. Och om hon nu skulle rannsaka sig själv kunde hon definitivt inte utesluta att hon förr eller senare skulle ge honom blommor av samma skäl som han gett henne den praktfulla bukett som nu prydde hennes skrivbord.

Hennes chef kvitterade med att berätta att hennes medarbetare Jan Wiklander haft vänligheten att höra av sig redan till helgen och berätta för honom att deras militära samarbetspartners numera tog aktiv del i deras utredning. Även berättat om vem på den militära sidan som skulle ansvara för deras samverkan.

– Helena Palmgren hette hon visst, sa GD. Är det någon som du känner sedan förut?

– Nej, sa Mattei och skakade på huvudet. Du då? Är det någon du känner till?

– Nej, inte vad jag kan minnas. Rimligen borde jag ju ha träffat henne, men nej.

– Att du inte har träffat henne kan bero på att hon är ganska ny här på jobbet. Enligt Jan började hon här för bara några månader sedan.

– Så kan det naturligtvis vara, instämde hennes chef. Vad är ditt intryck?

– Bra, sa Mattei. Hon verkar vettig.

Måste läsa hennes personakt, tänkte hon.

– Skönt att höra, Lisa, sa hennes chef och reste sig. Det här kommer du att ordna. Det är jag fullkomligt övertygad om. Då ska jag se till att ge dig en ordentlig bukett.

– Tack, sa Mattei.

Resten av dagen hade Mattei ägnat åt att älta samma tankar som hela tiden rörde sig i hennes huvud. Var det något som hon hade glömt, något som kanske krävde en ändrad prioritering, höll dokumentationen av deras utredning något så när jämna steg med det arbete som den skulle beskriva?

Mest av allt hade hon tänkt på Louise Urqhart. Samma kvinna som hennes engelske kollega tydligen var övertygad om var Bombmakarens kvinna. Varför ser du så nöjd ut, tänkte Lisa Mattei. Du ser ju till och med... mer än nöjd ut. Och vad är det jag inte ser, tänkte hon.

Till sist hade hon bestämt sig. Laddat ner allt material som hon behövde på en datasticka, tagit med sig de papper och blanketter som krävdes, ringt efter sin chaufför, och tagit hissen ner i garaget.

– Jag tänkte sitta här bak i dag, förklarade Lisa Mattei. Jag har en del papper som jag måste läsa.

– Självklart chefen, sa hennes chaufför och höll upp bakdörren på passagerarsidan åt henne.

En kvart senare stannade han utanför porten till huset där hon bodde. Mattei stoppade tillbaka papperen som hon läst i sin portfölj. Hög tid att få något gjort, tänkte hon.

– Permission to speak, boss? frågade hennes chaufför när han höll upp bildörren åt henne.

– Permission granted, sa Mattei och log mot honom eftersom hon anade vad som skulle komma.

– Alla de där hemliga papperen, sa hennes chaufför och nickade mot portföljen som hon bar under armen. Jag har ju bara jobbat på det här stället i knappt ett år men jag undrar hur stor sannolikheten är att jag kommer att bli knäpp eftersom jag inte ens får prata om att de existerar.

– Det kan jag tyvärr inte säga, sa Mattei, log och skakade på huvudet. Det är hemligt.

– Förstår precis, sa hennes chaufför och nickade. Är det okej om jag önskar chefen en trevlig kväll?

– Helt okej, sa Mattei och log på nytt. Förutsatt att du inte berättar det för någon.

54

För en gångs skull hade hon kommit hem först. Johan hade blivit försenad på jobbet. Han hade stressat förbi dagis och hämtat Ella, jäktat vidare och handlat färdiglagat på en kinesrestaurang inne på köpcentret Fältöversten vid Karlaplan. Äntligen hemma, konstaterade han samtidigt som han lade armen om henne och gav henne en kram.

Ella verkade inte det minsta uppjagad. Pigg och glad och kinesmat var det godaste hon visste och särskilt när hon slapp äta den med pinnar, som nu, eftersom hennes pappa lovat henne både gaffel och sked.

– Sätt er, sa Lisa Mattei och nickade mot matbordet. Så ska jag servera er.

– Vill du ha ett glas vin, förresten? frågade hon Johan. Du ser ut som om du kan behöva det.

– Om du ska ha, så gärna.

– Nej, sa Mattei. Inte jag. Men jag hade tänkt be dig hjälpa mig med en sak. Så möjligen kan du behöva ett glas vin.

– Något hemligt?

– I allra högsta grad, sa Mattei. Top secret.

– I så fall vill jag ha ett glas rött, sa Johan. Man tänker bättre av rött, nämligen.

– Självklart, sa Mattei. Är det okej med en italienare?

– Bättre stöd för reflektioner finns inte.

– Sedan har jag en blankett, också. Som du måste skriva på. Innan jag kan ge dig det där som jag vill att du ska hjälpa mig med.

Inga som helst problem, försäkrade hennes man. Om det nu var som hon just hade lovat honom fick hon gärna ta fram en avbitartång ur deras verktygslåda och knipsa av honom ett finger. Bara han fick läsa.

Medan de satt och åt frågade Lisa Mattei sin dotter om hon hade lust att följa med mamma ner till Djurgårdsbron och mata änderna innan de gick och lade sig.

Ella svarade inte. Tittade bara frågande på sin pappa som om hon inte riktigt trodde på vad hennes mamma just hade sagt. Johan nickade bekräftande till Ella och först då hade hon nickat tillbaka.

– Jättekul, sa Ella. Är du säker på att de inte redan har somnat då?

– Nej, jag är säker på att de är jättevakna, sa Lisa Mattei. Lika säker som jag är på att jag tycks ha glömt kvar min vardag på mitt jobb, tänkte hon.

Änderna var både pigga och vakna, nappade brödskivor ur händerna på Ella som jublade trots att en av dem råkade klämma hennes högertumme. På vägen hem sprang de ikapp till porten. Ella vann första pris och fick trycka på hissknappen trots att hon ju var fem år och egentligen för gammal för sådant.

– Vill du säga godnatt till pappa innan vi läser en saga? frågade Mattei när de var klara i badrummet.

– Han jobbar ju. Han sitter i sitt arbetsrum ju, sa Ella och skakade förvånat på huvudet. Som du gör, mamma, förtydligade hon.

En kvart senare sov hon.

För hennes man hade det tagit längre tid än så. Mattei hade både hunnit med att titta på de sena nyheterna på tv, skicka ett vanligt Peppiga-Pia-mejl till Linda Martinez, tvätta sig, borsta tänderna, gå och lägga sig och läsa åtminstone ett par kapitel i en roman där hon hela tiden hade glömt allt hon nyss hade läst.

Vad håller han på med egentligen, tänkte Mattei till slut. Hon såg på klockan som stod på nattygsbordet bredvid sängen. Tre timmar, bäst att kolla så att han inte tänkt så mycket av allt det där röda som han säkert hällt i sig att han bara har somnat, tänkte hon.

Tydligen inte, för när hon klev in på hans rum och kröp upp i hans stora fåtölj satt han fortfarande framför datorn som stod på hans skrivbord.

– Hur går det för min nyinkallade expert på bildanalyser? frågade Mattei och nickade mot datorn.

– Sådär, sa Johan. Jag är faktiskt klar med den rent reflektiva delen. Vad jag håller på med nu är att försöka ladda ner det som finns på det där minnet som du gav mig. Om jag skulle komma på att det är något som jag glömt och måste kika på det igen.

– Och hur går det? frågade Lisa med oskyldig min.

– Inte bra, sa Johan. Inte alls, faktiskt.

– Kan man tänka sig.

– Ja, visst är det märkligt.

– Det där andra då? Som jag undrade över? Hur har det gått med det?

– Bättre, tror jag, sa Johan och nickade.

– Berätta.

– Visst, om du svarar på en fråga först.

Mattei nöjde sig med att nicka.

– Det där som står på den där blanketten om sekretess som jag fick skriva på. Är det verkligen sant? Allt det där som händer med sådana som inte kan hålla käften.

– Ja, sa Mattei. Helt sant. Och eftersom Ella älskar sin pappa och jag själv inte har hittat något bättre, so far åtminstone, så föreslår jag att du behåller det för dig själv.

– Det är ju helt sanslöst, sa Johan. Jag som trodde att Sverige var en vanlig demokratisk rättsstat. Dessutom har vi ju en regering med både sossar och miljöpartister. Godare människor än så finns väl inte.

– Strunt i det nu, Johan, sa Mattei. Det är väl inte värre än att jag river den om du bara håller truten. Berätta istället. Hur kommer det sig att Louise Urqhart verkar vara så nöjd med sig själv?

Enligt den förhärskande uppfattningen bland hennes manschauvinistiska kolleger, givetvis anförda av Linda Martinez, för värre mansgris än hon fanns inte, skulle det tydligen bero på en kombination av bra sex plus den lilla krydda i en annars innehållslös tillvaro som Abbdo Khalid kunde ge henne.

– Är det rätt uppfattat? frågade Johan. Det är så det står på papperet som du gav mig. Och jag har ju faktiskt träffat de flesta av dem så jag hade ju mina aningar redan innan.

– Ja, det är nog rätt uppfattat. Linda definitivt, Wiklander också. På det där Wiklanderska viset. Calle Lewenhaupt med för den delen. Fast han blir närmast lite generad också. Ganska gulligt, faktiskt. Och flertalet andra. Även om de inte haft så mycket att tillföra.

– Jag är mer inne på din linje, sa Johan. Jag tror att de andra glömmer bort en sak.

– Vad är det då?

– Sex är inte bara ett mål, det är ett medel också.

– Ett medel?

– Ja, ett medel för den som vill uppnå något. Fråga vilken insiktsfull cyniker som helst om du inte tror mig.

Ett medel? Kan det vara så enkelt, tänkte Lisa Mattei. Klart det kan. Hur jävla dum får man bli, tänkte hon.

– Hur jävla dum får man bli, sa Lisa Mattei.

– Jag tolkar det som att jag just har fått sparken, sa Johan. Fast tack för vinet.

– Nej, sa Mattei. Jag tänkte inte på dig. Jag tänkte på mig själv. Hur dum får man bli?

– Så jag finns kvar som extern expert?

– I allra högsta grad, Johan. Du kommer även att få en medalj. I guld. Fast den är hemlig så du får aldrig visa den för någon. Tills vidare får du nöja dig med en puss på munnen.

55

Fredagen den 15 maj fick Linus Rasmusson ett specialuppdrag av sin chef Linda Martinez och eftersom det till och med var hemligare än allt annat hemligt som de arbetade med fick han bara prata med henne. Upplevde han ett behov av att prata med någon annan var det hon som avgjorde den saken alldeles oavsett vad det handlade om.

Onsdag morgon den 13 maj, två dygn tidigare, hade en obevakad Abbdo Khalid under närmare tre timmar uppehållit sig i triangeln mellan Eskilstuna, Strängnäs och Malmköping. Martinez ville veta vad han hade haft för sig. Hade han träffat någon, hämtat något, lämnat något eller bara hittat på något annat jävelskap? Och om det nu var på det viset att han gjort något som inte hade det minsta med deras ärende att göra ville hon naturligtvis veta det också så att hon kunde lägga alltihop åt sidan.

Det var Linus som skulle ordna det åt henne med hjälp av uppgifterna från deras mobilspaning och hennes egna minnesanteckningar från kvällen före då hon hade besökt den mest sannolika platsen för de två mobilkontakter som man hade fångat upp. Mer än så hade hon inte att ge honom. Resten fick han ordna själv och bråttom var det också.

– Du gillar ju kungen, Linus, eller hur, avslutade Martinez.

– Ja, sa Linus som hade svårt att dölja sin förvåning. Dels har jag en väldig respekt för hans stora naturintresse, dels är vi ju båda gamla scouter. Hans Majestät är visserligen betydligt äldre än jag men inom scoutrörelsen brukar vi inte fästa så stort avseende vid åldern. Hur visste du det, förresten?

– Jag såg det i din personakt, ljög Martinez.

– Jag är även en stor beundrare av drottningen och särskilt hennes starka engagemang för utsatta barn...

– Skit i det nu Linus, avbröt Martinez. Det här är viktigare. Jag har just gett dig jordens chans att rädda livet på båda.

Det aktuella området mellan Eskilstuna, Strängnäs och Malmköping täckte en yta på mer än tre kvadratmil där det bodde åtskilliga tusen personer som hade tusentals mobiltelefoner på vilka de skickade tiotusentals meddelanden per dygn och att ens kolla någon enstaka procent av allt detta var uteslutet. Istället hade Linus Rasmusson gjort en sannolikhetsbedömning som vilade på förhoppningen att det som Khalid hade haft för sig avsåg någon eller något som fanns i närheten av den punkt där de båda mobilkontakterna hade registrerats.

Linus hade utgått från den mest sannolika punkten på kartan. Runt den punkten hade han därefter lagt ut en radie på en kilometer som omfattade en yta på drygt tre hundra hektar, på vilken det enligt folkbokföringen bodde totalt sjutton personer fördelade på nio hushåll.

Om Khalids ärende på platsen hade haft att göra med någon som bodde där var sannolikheten att han eller hon fanns bland dessa sjutton personer i stort sett hundra procent. Fullt spaningsbart om man såg till både tidsram och kostnader, tänkte Linus som redan kände sig åtskilligt muntrare.

Förutsatt att det inte var så illa att Abbdo Khalid bara hade stämt möte på den platsen med någon som bodde någon helt annanstans eller att han hade hittat på något annat utan anknytning till stället där han gjort det, för då gällde det att gilla läget ännu mer, tänkte Linus. Med tanke på årstiden kunde det ju varken handla om bär- eller svampplockning, med undantag för stenmurklor förstås, men i den allt tjockare personakten om

Abbdo Khalid fanns i vart fall inga uppgifter som tydde på att det var något allmänt intresse för Sörmlands fauna och flora som fört honom dit. Än mindre att han var fågelskådare som Linus själv. Allra minst att det skulle ha handlat om att uppsöka den fornminnesskyddade runsten som fanns i närheten.

Gilla läget annars är du rökt, tänkte Linus, och vad som då kunde hända med hans naturintresserade konung och hans socialt engagerade drottning ville han inte ens tänka på. Eftersom han var ensam på rummet där han satt upprepade han det för säkerhets skull också med hög röst.

– Gilla läget, sa Linus.

Därefter hade han tillbringat drygt tre dygn med att ta reda på i stort sett allt som han kunde ta reda på om någon utan att behöva fråga den som det gällde. Sent på måndagskvällen den 18 maj var han klar med sina inledande inre spaningar. Därefter hade han sammanfattat dem i en spaningspromemoria på totalt trettioen sidor som han strax före midnatt hade mejlat över till sin chef, Linda Martinez.

Strax efter klockan sju morgonen därpå hade hon svarat. Hon ville träffa honom omgående, senast inom en halvtimme. Tjugo minuter senare hade han klivit in på hennes rum. Martinez hade inte sagt något. Bara nickat mot stolen framför sitt skrivbord medan hon läste något som han inte såg på datorskärmen. Sur verkade hon också.

– Chefen läser min spaningspromemoria, sa Linus i ett försök att lätta på stämningen samtidigt som han markerade sin respekt.

– Trettioen sidor, sa Martinez. Är du dum i huvudet, eller? Hur skulle jag hinna med det? Ge mig en föredragning. Du får fem minuter.

– Okej, sa Linus.

Sjutton personer fördelade på nio hushåll. Samtliga var svenskar, samtliga var i stort sett ostraffade, fem av dem var barn under femton år, nio av dem var pensionärer och av de senare var sex sjuttiofem år eller äldre. De två äldsta var åttionio respektive nittiofem år gamla och båda var intagna på långvården sedan ett år tillbaka.

Linus hade därefter rangordnat dem efter sannolikheten för att de skulle ha någon form av samröre med en sådan som Khalid. Detta hade han gjort utifrån vad han visste om dem som individer samt vedertagna kriminologiska principer och när han väl var klar med det återstod egentligen bara ett praktiskt polisiärt problem.

– Vad är det då? frågade Martinez.

– Ja, ingen av dem kan väl ha ihop det med en sådan där som Abbdo Khalid, sa Linus Rasmusson. Det finns liksom ingen kvar, om du förstår vad jag menar.

– Vadå, ingen kvar?

– Med tanke på vad han tänker hitta på, alltså, förtydligade han.

– Ge mig ett exempel, sa Martinez.

I stort sett alla som bodde där var bra exempel, enligt Linus. Den bästa var väl möjligen den äldsta i sällskapet. En kvinna på nittiofem år som hade levt ensam under de senaste tjugo åren efter sin makes död. Hon hade bott på en liten avstyckad gård på ett avstånd av cirka två hundra meter från det som var skärningspunkten i deras mobilspaningsdata. Förra sommaren hade hon drabbats av en hjärnblödning och sedan nio månader var hon intagen på långvården. Vad skulle en sådan som hon kunna ha gemensamt med en sådan som Abbdo Khalid?

– Vad är det för fel på henne? frågade Martinez. Jag tycker hon låter helt perfekt.

– Jaha, sa Linus. Jag förstår inte riktigt.

– Nej, så pass har jag fattat, avbröt Martinez. Att du fattar nada, alltså. Låt oss anta att du behöver en lokal för att förvara något som du inte kan ha hemma. Jag pratar om allt från en jordkällare till ett vanligt hus som står tomt och utan nyfikna grannar i närheten. Då måste ju en sådan där som hon som gick in i dimman för ett år sedan vara helt perfekt. Bättre hyresvärdinna finns inte. Dessutom är det ju gratis eftersom hon inte har en susning om vad det är som händer hemma i hennes gamla kåk.

– Jag förstår hur du menar, sa Linus.

– Vad bra, sa Martinez.

– Hur tycker du att vi ska gå vidare?

– Inte vi, sa Martinez. Du ska snacka med Frank. Han behövde visst hjälp med något. Om det är något mer som jag tycker att du ska göra åt mig så hör jag av mig. Uppfattat?

– Uppfattat chefen, tack chefen.

– Så lite, sa Linda Martinez.

Hur tar jag nästa steg, tänkte Martinez. Hon vred och vände på sitt ärende i närmare en kvart innan hon bestämt sig för vad hon skulle göra. Därefter ringde hon till deras kontaktperson vid polisen i Eskilstuna, den operative chefen Lars Eskilsson.

Eskilsson svarade med den vanliga grymtningen, vilket var ett säkert tecken för dem som kände honom att de hade hamnat rätt.

– Läget Eskil? sa Linda Martinez. Kul att höra att du mår bra.

– Vad kan jag hjälpa dig med, Linda?

– Dels behöver jag låna en vanlig målad bil av dig. Liten buss, radiobil, vad som helst som det står polis på. Räcker om den rullar. Vi tänkte inte jaga någon.

– Hur länge behöver du den då?

– Max tre dygn, sa Martinez. Helst från och med nu.

– Något mer?

– Ja, om du har några sådana där broschyrer om brottsförebyggande arbete som sådana som du brukar sticka åt folk hela tiden.

– Tonvis, sa Eskilsson.

– Det räcker med en låda, sa Martinez.

– Ses om en timme, sa Eskilsson och knäppte av mobilen.

Eskil är bra, tänkte Martinez. Eskil levererar, inte en massa skitsnack hela tiden.

Kollegan Martinez är bra, tänkte Lars Eskilsson. Inte en massa onödigt gafflande. Snygg är hon också, tänkte han.

56

Lisa Mattei hade anlänt till sitt kontor redan klockan sju på morgonen och för första gången sedan utredningen hade tagit sin början kände hon att hon var en aktiv del av den. Äntligen med i matchen, tänkte Mattei. Dessutom var hon på gott humör, nästan lite fnittrig, faktiskt. Som nu, när hon stängde av sin mobil för att få sitta i fred med sina tankar. Äntligen ensamma, tänkte hon. Därefter tog hon fram papper och penna eftersom det hjälpte henne att tänka. Särskilt nu när hon måste tänka utanför den berömda boxen.

Det får bli en sådan där engelsk box baserad på empiriska iakttagelser och logiskt tänkande, tänkte Mattei som var väl förtrogen med den anglosachsiska common-sense-filosofin. En vanlig kvadrat helt enkelt, tänkte hon och ritade upp en sådan med ungefär tio centimeters sida på det vita A4-arket som låg framför henne.

Inuti boxen fanns Abbdo Khalid, tänkte Lisa Mattei, medan hon med sin prydliga handstil skrev in hans namn mitt i kvadraten. Varför då? Därför att Jeremy Alexander säger det, tänkte Mattei. Och i kraft av den han var, och som en logisk följd av det han påstod om Khalid, befann han sig alltså utanför samma box. Mattei skrev ner hans namn, Jeremy Alexander, utanför boxen i höjd med Khalids namn.

Där var han å andra sidan inte ensam. Där fanns även hans "amerikanske vän" som han återkommande refererade till. Plus alla andra som jobbade med samma saker som han inom västvärldens olika säkerhetstjänster. Sedan drygt en vecka även Lisa Mattei och hennes arbetskamrater vid den svenska säkerhetspolisen och den som placerat henne på den sidan var Jeremy Alexander vid MI6. Samme man som hade satt bombmakaren Khalid inuti den kvadrat som hon själv just hade ritat.

Så där satt han. Ganska ensam som det verkade och möjligen med en person som sällskap. Nämligen Louise Urqhart, som numera skulle vara Bombmakarens kvinna, även om Alexanders utsagor om henne var långt ifrån lika entydiga som de som handlade om Abbdo. Ett slumpmässigt möte mellan Khalid och Urqhart när han skulle hyra en bostad av henne, en plötsligt uppflammande sexuell attraktion, en krydda i en annars innehållslös tillvaro. In i boxen med henne också, allt enligt Alexander.

Mattei hade lagt ifrån sig pennan medan hon tänkte. Anta att det var precis tvärt om, tänkte hon. Att Louise Urqhart i själva verket jobbade för Alexander. Att hon var hans infiltratör, att det också var hon som var motorn i den underrättelseoperation som han drev som var så viktig att allt annat måste vänta och att han inte ens kunde ge Mattei en antydan om vad det hela handlade om. Det skulle i vart fall förklara en sak, tänkte Lisa Mattei. Nämligen varför Louise Urqhart verkade så nöjd på bilderna hon sett.

Mer än nöjd, tänkte hon. Tog pennan och skrev Louise Urqharts namn under Jeremy Alexanders. Ritade en ring runt båda namnen, drog en pil från Urqharts namn och in i rutan. Skrev så hennes namn en andra gång under Abdullah Mohammed Khalid. Ritade ännu en ring runt deras namn.

Därefter lade hon ifrån sig pennan på nytt. Lutade sig tillbaka i stolen, gnuggade högerhanden mot tinningarna, inte det minsta upprymd längre med tanke på konsekvensen av det som hon just hade tänkt och även fäst på papperet som låg framför henne.

Om det nu är på det viset är det ju fullkomligt omänskligt, tänkte Lisa Mattei. Dessutom helt obegripligt med tanke på det som hade hänt i Manchester ett par månader tidigare. Om nu Urqhart jobbade åt Alexander måste hon ju rimligen ha gjort det redan första gången Abbdo Khalid träffat henne, mer än ett halvår före attentatet. Nio döda och ännu fler svårt skadade människor, och varför hade de i så fall inte sett till att förhindra det? För att Alexander inte hade känt till det som skulle hända? För att det var en annan brittisk säkerhetsorganisation, Terroristkommandot vid gamla Scotland Yard, som hade bevakat Khalid och de av hans kamrater som genomfört sprängningen utanför Old Trafford? Att han själv, sent omsider och mest av en slump som han beskrev det, hade fått vetskap om Khalids existens?

Glöm det, tänkte Mattei. Om det nu var så att Urqhart arbetade åt Alexander återstod bara två möjligheter. Att det som de höll på med var så stort och så viktigt att det helgade vilka medel som helst. Eller att hon själv höll på att förlora förståndet på grund av den där yrkesskadan som alla som hon förr eller senare brukade få en släng av.

Vad gör jag nu då? tänkte Lisa Mattei.

En möjlighet var naturligtvis att hon ringde upp honom på deras alldeles egna hemliga telefonlinje – den där "praktiska manicken" där man kunde sitta och titta på varandra medan man pratade – och berättade vad hon kommit fram till. Att hon hade kommit till den insikten utifrån att Louise Urqhart verkade vara nöjdare än vad hon hade anledning att vara. Att hon nu avsåg att "koka lim på Jeremy Alexander" och att hon av det skälet redan hade sett till att via de vanliga kanalerna informera pålitliga krafter inom media och politiken i hans eget hemland om den roll som han faktiskt hade spelat i samband med "den ofattbara tragedin utanför Drömmarnas teater", ett par månader tidigare.

Vad gör den käre Jeremy då, tänkte Lisa Mattei. Först skakar han bekymrat på huvudet, ler vänligt och säger att han blir allvarligt oroad för henne när han hör vad hon säger. Sedan avslutar han samtalet med de vanliga artighetsfraserna, tar med sig inspelningen av samma samtal, som de praktiskt nog fört på engelska, och visar den för sin högste chef, Storbritanniens utrikesminister Philip Hammond.

En galen svensk kvinna, dess värre även näst högsta chef för den svenska säkerhetspolisen, hotar att störta hela den engelska regeringen, ja, kanske hela den brittiska nationen i fördärvet. Tyvärr kan han heller inte utesluta att hon kan få viss framgång med den saken med tanke på vad som tidigare har hänt när mer eller mindre galna visselblåsare varit i farten.

Philip Hammond är en historiskt bildad man. Gott minne har han också och han har därför inga som helst problem att komma ihåg de svårigheter som Tony Blair hamnade i då han försvarade USA:s invasion i Irak med hänvisning till att Saddam Hussein hade tillgång till både kärnvapen och andra massförstörelsevapen. Därför beger sig han och Alexander omgående till Downing Street nummer tio, för att informera landets premiärminister, David Cameron, om den politiska katastrof som är under upp-segling.

David Cameron är en politiskt förfaren man. Han är väl med-veten om skillnaden mellan att anklaga en diktaturstat i Mellan-östern med hjälp av politiska argument, som senare visar sig vara felaktiga, och att med berått mod låta muslimska terrorister ta livet av ett halvdussin brittiska medborgare i deras eget land, fler-talet av dem poliser dessutom. Själva sinnebilden för en politisk katastrof.

Därför tar han omedelbart kontakt med Sveriges statsminis-ter Stefan Löfven, en enkel men rejäl och hederlig karl som han känner och litar på, och ser till att även han får ta del av Matteis samtal med Alexander. Uppenbarligen är det ju så illa att Löfven har en galen kvinna som chef för sin egen säkerhetspolis, som just har förklarat krig mot en vänligt sinnad nation. På eget bevåg och med argument som hon förhoppningsvis är helt ensam om.

Som om inte den stackars Stefan hade nog med egna problem här hemma, tänkte Lisa Mattei. För glad skulle han nog knappast bli och ännu en blomsteruppvaktning från hennes egen chef ver-kade heller inte särskilt trolig. Mer sannolikt att hon inom loppet av någon timme skulle få en vanlig knalltransport till den slutna psykiatriska avdelningen vid Huddinge sjukhus där man lade henne i spännbälte och sprutade i henne en rejäl dos lugnande medel. I och för sig skulle hon ju få sällskap av sin man Johan så fort hennes kolleger räknat ut att det var han, en uppenbarligen lika galen kulturnisse, som tutat i henne de fullkomligt vansinniga motiven för det hon just gjort. Samtidigt vore det en klen tröst att ha Johan inlåst på den manliga avdelningen i korridoren bredvid och vad lilla Ella skulle råka ut för orkade hon inte ens tänka på.

Om man nu ska koka lim på en sådan där som Jeremy Alexander räcker det inte att stoppa ner honom i en knappt fesljummen gryta, tänkte Lisa Mattei. Allra minst om man försökt värma den med enbart sin egen övertygelse. Det behövde hon heller ingen Lars Martin Johansson för att komma fram till. Det kunde hon räkna ut alldeles själv.

Återstod att skaffa rejält med ved till den brasan, tänkte Mattei. Och om det då visade sig att hon hade haft fel, att hennes arbete fått henne att förlora sitt förnuft, var det väl inte värre än att hon sa upp sig och gjorde något annat i stället. Så får det bli, tänkte hon, ringde upp Calle Lewenhaupt och förklarade att hon måste träffa honom omgående.

57

Kollegan Eskilsson vid Eskilstunapolisen hade anlänt till Martinez holk på Lidgatan på utlovad tid. Fem minuter innan han kom hade han ringt till Martinez och sagt åt henne att ställa upp garagedörrarna till huset så att han kunde köra direkt in, så slapp polisbussen stå ute på gatan och sticka i ögonen på folk som bodde där.

– Du måste tro att jag är dum i huvudet, Eskil, hade Martinez svarat. Garaget har stått på vid gavel sedan vi pratades vid för en timme sedan.

Eskilsson hade nöjt sig med en grymtning.

Bussen var av märket Volkswagen och hade förvisso sett bättre dagar, men med tanke på vad Martinez skulle använda den till dög den alldeles utmärkt. Innan han lämnat polishuset hade Eskilsson dessutom printat ut en dekal som han klistrat på insidan av framrutan för att ytterligare förstärka budskapet. SÄKER I SÖRMLAND, stod det på skylten och enligt den mer finstilta texten under denna devis var det tydligen en verksamhet som drevs av den brottsförebyggande enheten vid Eskilstunapolisen. Lådan med broschyrerna om samma sak stod i baksätet på bussen och dessutom hade han tagit med sig en kartong med polisbjörnar som han hade hittat när han varit nere i förrådet för att hämta broschyrerna.

– Polisbjörnar, sa Martinez och skakade frågande på huvudet.

Polisbjörnen Björne, förtydligade Eskilsson. Små teddybjörnar iförda polisuniform som en tidigare rikspolischef hade introducerat i verksamheten redan på nittiotalet och enligt Eskilsson var det enda bestående operativa bidraget som den mannen hade gett till den svenska polisen. Upphovsmannen hade hetat Björn i förnamn, så en inte alltför djärv gissning var förmodligen att det var därifrån han hade fått idén. Hur som helst var det före Martinez tid och skönt att äntligen bli av med skiten, enligt Eskilsson.

Buss, björnar, broschyrer, dessutom en dekal som Eskilsson hade hittat på själv, och var det något mer hon behövde var det bara att hojta till.

Ingenting mer just nu, i vart fall. Konstaplarna som skulle åka i bussen hade hon ordnat och stort tack för det hon redan fått.

Eskilsson levererar, tänkte Martinez. Konstigt att han inte har fått sparken, tänkte hon.

De två konstaplarna som Linda Martinez hade ordnat hette Kajsa Nilsson och Lina Jonsson. De var blonda, vältränade och såg bra ut. Kort sagt som ganska många yngre kvinnliga ordningspoliser, och anledningen till att Martinez hade rekryterat dem som spanare till Säkerhetspolisen var att de brukade fungera alldeles utmärkt när hon spanade på högerextremister i deras miljöer.

Att skicka ner dem till moskén i Fröslunda skulle ha varit en ren katastrof, men för det här uppdraget passade de som hand i handske och med tanke på deras täckmantel hade de också fått dra på sig sina polisuniformer igen. Brottsförebyggande arbete i en lantlig avkrok av Sörmland.

De skulle prata med dem som bodde där, ge dem broschyrer och björnar och hela det brottsförebyggande budskapet utan att någon av dem fick minsta aning om att det handlade om något helt annat. Knappt ett tjugotal personer och ett hundratal byggnader. Från vanliga boningshus, ladugårdar, stall och ekonomibyggnader till jordkällare, gamla husvagnar och till och med ett antal utedass. De skulle kolla hur folk bodde och ta reda på vad

Abbdo Khalid hade haft där att göra. Bråttom var det också. Senast på fredag morgon ville Martinez ha besked.

– Han har träffat någon som bor där. Hämtat något, lämnat något, kollat något som han gömt undan. Jag vill veta vad han har haft för sig.

– Hur pass säker är du på det då, Linda, invände Kajsa Nilsson.

– Lägg ner, Kajsa, sa Martinez och skakade på huvudet. Klart han har.

58

Calle Lewenhaupt verkar vara på hugget, tänkte Lisa Mattei. Bara tre minuter sedan hon ringt efter honom och redan på plats.

– Här, sa Mattei och gav honom listan på frågor som hon just hade printat ut.

– Louise Urqhart, denna vackra engelska kvinna som också ska vara Bombmakarens kvinna, konstaterade Lewenhaupt medan han ögnade genom papperet som hon gett honom. Jag tolkar dina frågor som att du har fått någon idé om varför hon verkar så nöjd på de där filmerna som vi båda tittat på.

– Så fort du ställer en fråga avslöjar du också något om dig själv och vad du vet, konstaterade Mattei.

– Ungefär så, instämde Lewenhaupt. Och om du vet vad du ska leta efter blir det ofta lättare att hitta det.

– Ja, jag har tänkt på det också, faktiskt.

– Och?

– Nej, sa Mattei och skakade på huvudet. Inte den här gången. Nu är det förutsättningslöst letande som gäller. Jag vill veta vad du kommer fram till utan att jag försökt styra dig i en viss riktning.

– Jag förstår precis, sa Calle Lewenhaupt. Det låter illavarslande. Var det något mer?

– Nej, sa Mattei. Det är illa nog som det är, tänkte hon.

Med avbrott för lunch ägnade Mattei återstoden av dagen åt det som man brukade sammanfatta under rubriken administrativa göromål och med tanke på att det konkret handlade om en spaningsstyrka på drygt femtio personer hade det krävt både sin rundliga tid, åtskilliga telefonsamtal och mejlkontakter med de närmast berörda. Praktiska åtgärder som handlade om personal, pengar, utrustning och juridiska frågor. Allt det där som visade att hon hörde verkligheten till, allt det där som hennes påhittade motsvarigheter på film och teve aldrig behövde ödsla en minut på.

Som sista åtgärd innan hon åkte hem för att träffa Ella och Johan läste hon Helena Palmgrens personakt. Intressant kvinna, tänkte Mattei. Jag borde prata med henne i lugn och ro.

På natten drömde hon om sin utredning och av tidigare erfarenhet visste hon att säkrare tecken än så på att hon numera var med i matchen fanns inte. Inte när hon deltog i den trots att hon faktiskt sov och trots att hon helst hade avstått med tanke på vad hennes drömmar brukade handla om.

Som nu när hon står i ett mörkt rum och på avstånd betraktar tre personer och där ingen av dem har sett henne. Mitt i rummet står Abbdo Khalid. Han har långa vassa naglar, precis som Pelle Snusk. Långa nog, vassa nog, för att göra sin fiende illa. Nu håller han upp dem. Visar dem stolt för kvinnan som står framför honom. Louise Urqhart.

Hon ser mer än nöjd ut. Nickar uppmuntrande mot Abbdo som bara har ögon för henne.

Jeremy Alexander ser han däremot inte. Han står bakom ryggen på honom. Därför ser han heller inte den stora saxen som Alexander håller i sin högra hand. Ännu mindre hans slips med de skära elefanterna som vandrar bort över en blå savann.

59

Ett uppdrag i en lantlig avkrok av Sörmland och redan i bussen på väg dit hade Kajsa Nilsson och Lina Jonsson börjat gräla om hur de skulle genomföra det. Enligt Lina var upplägget självklart. Att börja med dem som bodde närmast cirkelns mittpunkt och därefter söka sig utåt mot dess periferi.

– Varför då? frågade Kajsa Nilsson och skakade på sitt blonda huvud. Om du frågar mig så tycker jag att vi gör precis tvärtom.

– Jag förstår inte vad du menar. Sannolikheten för att han som Abbdo har ihop det med bor i centrum av cirkeln är ju större än att han bor i utkanten av den, konstaterade Lina. Vi börjar med kåkarna som ligger närmast skärningspunkten. Vad är problemet?

Det fanns flera problem, enligt Kajsa. Eftersom de ändå måste prata med samtliga som bodde där och kontrollera alla byggnader som låg inom sökområdet fanns det väl alla skäl i världen att göra precis tvärt om för att inte i onödan varsko den som de letade efter. Dessutom var det bra för deras arbetsmoral eftersom sannolikheten för att de till sist skulle träffa rätt hela tiden skulle öka.

– Hur gör vi då? suckade Lina.

– Vi gör som jag säger, avgjorde Kajsa. Vi börjar med den där familjen med alla småungarna. Har vi tur är de hemma och vi har klarat av närmare hälften av dem som bor här.

– En tredjedel av dem som bor här, korrigerade Lina. Du ska alltid överdriva.

– Sluta tjafsa nu, Lina. En tredjedel av samtliga bor i första

kåken som vi kollar medan resten av dem är utspridda på åtminstone åtta andra kåkar. Vad är problemet?
– Okej, okej, okej.

De hade tur. Alla var hemma. Mamma, pappa och deras fyra små barn där den äldste skulle börja skolan till hösten. Den här dagen hade de dessutom sällskap av två små kamrater som bodde i närheten. Två vuxna, sex barn som alla satt i köket och just höll på att avsluta sin lunch när Kajsa och Lina knackade på och berättade om sitt ärende. Den brottsförebyggande kampanj, Säker i Sörmland, som de jobbade med.

Några brott kunde de som bodde i huset inte bjuda på. Det var för övrigt ett skäl till att de hade lämnat Stockholm några år tidigare för att istället flytta ut på landet. Däremot kunde de erbjuda både kaffe, te, hemlagad saft, smörgåsar och en äppelpaj som visserligen inte var hemlagad men god nog ändå. Kajsa och Lisa tackade givetvis ja och slog sig ner vid bordet medan deras värdfolk berättade för dem om det goda livet på landet utan att de ens behövde ställa några frågor till dem.

För tre år sedan hade de sålt sin bostadsrätt i Stockholm. Lämnat hetsen och stressen, alla avgaser och andra miljögifter bakom sig, för att istället köpa en gård i Sörmland med tio hektar mark och ett hus som var mer än dubbelt så stort samtidigt som det bara kostade hälften så mycket som det som de hade fått för sin lägenhet i Birkastan. Numera jobbade mamma deltid på distans som webbdesigner på samma dataföretag där hon arbetat heltid när de bodde i staden men med den viktiga skillnaden att hon numera bestämde över sitt arbete och inte tvärtom.

Pappan i familjen skötte allt det praktiska på deras lilla gård. Man hade en egen gris, egna höns, ett väl tilltaget potatisland, en stor köksträdgård, fruktträdgård och bärbuskar. Allt de egentligen behövde och till och med mer än så, förklarade pappan för Kajsa och Lina, eftersom tre hektar bra åkerjord faktiskt räckte för att försörja en familj av den här storleken. Dessutom ständigt nya projekt. Bikuporna som han just hade köpt och satt upp och fåren som han tänkte börja med till nästa år. Givetvis hade man både hund och katt och deras labrador som de redan hade hälsat på skulle för övrigt valpa om en månad.

– Det är inte så att vi är vegetarianer, sa pappan. Vi äter gärna både kött och fisk och ägg här i huset men det ska vara ekologiska grejor, helst hemproducerat förstås, men även där är vi lyckligt lottade.

– Ja, bättre liv än så här finns faktiskt inte, konstaterade mamman och log vänligt mot deras besökare.

– Ja, det låter ju helt fantastiskt, instämde Kajsa och log ett bländvitt leende mot deras värdinna. Ända tills du blir störtkär i en ny snubbe, tänkte hon.

– Helt fantastiskt, upprepade Lina och log även hon. Ända tills din snubbe spanat in en annan tjej, tänkte hon.

Sedan delade de ut björnar och broschyrer och avslutade med att gå runt och titta på byggnaderna på den lilla gården. Det var deras värdfolk som tagit initiativet även där. Inte för att man oroade sig för några brott – här på gården stod dörrarna nästan alltid olåsta – utan för att de gärna visade hur fint de bodde. Hönshuset, svinstian, ladan, det nya växthuset, till och med det gamla fallfärdiga utedasset som man behållit för att bevara den ursprungliga atmosfären på stället och som pappan avsåg att renovera under sommaren.

– Vad tror du om att avföra dem från tänkbara kontakter med Abbdo Khalid? frågade Lina när de åkte därifrån. Jag tror inte att sådana där miljöpartister är hans grej, liksom.

– Helt enig med dig, konstaterade Kajsa. Dessutom tror jag att han skulle få jävligt svårt med både hunden och deras gris. Hur är det med katter, förresten?

– Vadå katter?

– Ja, en sådan där som Abbdo. Gillar sådana som han katter?

– Hur ska jag veta det, sa Lina.

– Ja, ursäkta så mycket då.

– Jag föreslår att du frågar honom. Dessutom har vi ett problem, sa Lina.

– Vad är det då?

– Vi har nästan slut på våra björnar. Till och med deras jycke fick ju en björn. Jag tror bara vi har tre kvar, faktiskt.

– Du är orolig för att de inte ska räcka? Till alla panschisarna? Nu får du väl ändå ge dig, stönade Kajsa.

Nästa besök på deras lista avsåg den gamla damen på nittiofem år som hade hamnat på långvården för ett år sedan, och även där var det folk hemma. Den första de såg när de svängde in på gårdsplanen var en äldre man som gick och klippte gräsmattan. Det var han som var grannen, förklarade han, som numera såg till hennes hus. Sedan hade de slagit sig ner i trädgården för att prata medan han bjöd "konstaplarna" på kaffe och kanelbullar och beklagade att de gjort sig besvär i onödan. Det som hans gamla granne hade råkat ut för var en sorglig historia, hon hade varit oförskämt pigg ända in i det sista, men några brott hade man nästan aldrig behövt oroa sig för.

– Jag var inne hos mäklaren i Åkers Styckebruk i ett annat ärende och som jag fattade det försöker tydligen hennes barnbarn redan sälja huset. Synd och skam om ni frågar mig. Hon är ju faktiskt inte död än.

Broschyrerna tackade han nej till och någon polisbjörn hade han inte ens blivit erbjuden. Däremot visade han gärna husen för dem eftersom de ändå gjort sig besväret att åka hit. Om de undrade över det nya hänglåset som satt på förrådet var det faktiskt han som satt dit det. Inte för att han trodde att det behövdes utan mest för att han inte hade tid att titta till sin gamla grannes ställe mer än någon gång i veckan.

– Här är det Lugna gatan som gäller, sammanfattade han.

Ytterligare några äldre som bodde i området hade heller inte något intressant att berätta trots att två av dem tackat ja till broschyrerna och en till och med bad om att få ett exemplar av polisbjörnen Björne som han tänkte ge till sitt lilla barnbarn när hon kom på besök.

Som sista ärende på dagen besökte de en ensamstående kvinna på trettiofem år och hennes tolvåriga dotter. Hon hade flyttat dit några år tidigare i samband med sin skilsmässa och skälet till att hon hamnat där var det stora intresse som hon och dottern delade.

– Ridning, förklarade hon. Vi är sådana där hästmänniskor och det finns en alldeles utmärkt ridanläggning här i närheten.

I övrigt hade hon ingenting att rapportera, ingenting som oroade henne och hennes dotter i vart fall, och när Lina erbjöd dottern en polisbjörn himlade hon bara med ögonen och skakade på huvudet.

– Jag tar gärna en om jag får, sa mamman och log överslätande. Jag har en väninna som jobbar på bruket och hon har småbarn.

– Ta två så har du en i reserv, sa Kajsa och gav henne kartongen. Den där gamla rikspolischefen verkar inte ha varit den skarpaste kniven i den lådan, tänkte Kajsa Nilsson.

– Jaha, vad gör vi nu då? frågade Lina så fort de hade återvänt till sin buss.

– Hur många har vi kvar? frågade Kajsa.

– Ännu ett par gamla panschisar kring sjuttio. Plus en gubbjävel på sjuttiosju. Lyckligtvis ensamstående. Det är de som bor närmast den där skärningspunkten som Linda tjatade om. Är det inte där det kommer att hända en massa grejor, förresten?

– Jo, jag tror det, sa Kajsa. Det är ju bara de som kan ha något att berätta.

– Vad tror du om att spara dem till i morgon? Jag är hungrig, nämligen.

– Jag tror som du, sa Kajsa. Vi drar in till Eskilstuna. Käkar och sover. Själv skulle jag kunna tänka mig en bärs också, faktiskt. Så åker vi tillbaka i morgon bitti och löser hela caset.

60

Medan Kajsa Nilsson och Lina Jonsson bedrev sina spaningar i en lantlig avkrok av det fagra Sörmland befann sig deras chef Linda Martinez utanför moskén i Nyfors inne i Eskilstuna. Hon satt bredvid Frank Motoele i hans svarta BMW och anledningen till att de satt där var att hon ville ta sig en närmare titt på Bombmakarens pappa, Mohammed Khalid Hussein. Sedan Calle Lewenhaupt hade sagt sitt ett par dagar tidigare var pappan numera föremål för en lika omfattande övervakning som sin son. Bara hoppas att han har rätt, för annars ska jag strypa den lilla mallgrodan, tänkte Martinez som redan började få ont om folk. Dessutom hade hon en fråga till sin chaufför, Frank Motoele.

– Varför går han till moskén här i Nyfors? Jag trodde det var i moskén nere i Fröslunda som han och familjen hängde? Här är det väl mest sådana där IS-nissar som häckar.

– Mest muslimer från Mellanöstern, bekräftade Motoele. Men en hel del andra också. Pappa Mohammed brukar besöka den här någon gång i veckan. Ofta när han ska träffa sin yngre bror. Han bor här i Nyfors.

– Vad är det han heter, nu igen? Mohammeds brorsa, alltså.

– Ibrahim Khalid Hussein.

– Hur många ungar har han då?

– Tio, sa Frank Motoele. Fem killar och fem tjejer. Med två fruar. Men det kan säkert bli fler. Andra hustrun är bara hälften så gammal som han.

– Hur fan kan man ha tio ungar? frågade Linda Martinez som tidigt hade bestämt sig för att aldrig skaffa några barn. De där mussenissarna måste älska barn.

– Inte enligt Jimmie Åkesson och hans kamrater. Enligt dem är det bara ett sätt att ta makten. Du skaffar så många kids att vi andra blir en minoritet. Sedan är det klart.

– Vem fan vill ha den makten, sa Martinez. Om du ska ha ett dussin ungar i kåken?

– Ta det snacket med Åkesson, sa Motoele. Där har du honom i alla fall, tillade han och nickade mot entrén till moskén, femtio meter längre ner på andra sidan gatan. Pappa Mohammed är han med den mörkgrå kostymen. Han med svart kavaj, den där lilla vita mössan på huvudet och den vita skjortan utanpå brallorna, är hans bror Ibrahim.

– Mohammed ser ju bra ut, sa Martinez. Snygg karl, påminner om den där amerikanske skådisen. Vad är det han heter?

– Du tänker på Morgan Freeman, kanske, föreslog Motoele.

– Ja, så heter han. Snygg karl, självklar på något sätt.

– Är det första gången du ser honom?

– Ja, live faktiskt. Jag har bara sett honom på bild förut. Men det blir ju inte samma sak.

– Förstår vad du menar, sa Motoele.

Välsittande mörkgrå kostym, vit skjorta och slips. Kort, gråsprängt hår. En närmast västerländsk framtoning. Såg ut som den framgångsrike affärsman som han även var, trots sin svarta hud, tänkte Martinez. Naturlig auktoritet i både kroppsspråk och allmän framtoning.

– Vem det är som bestämmer i den familjen behöver ju ingen tvivla på, konstaterade Martinez.

– Mohammed bestämmer allt. Inte bara över familjen eller släkten. Han verkar vara en mycket tung man bland muslimerna här i Eskilstuna.

– Och brorsan hans? Inte en till, tänkte Martinez.

– Jag tror inte det, sa Frank Motoele och skakade på huvudet. Vi har lyssning på hans teletrafik. Dessutom har vi satt en bugg på hans bil. Inget som får mig att gå igång, i varje fall.

– De där tio ungarna? Hur är det med dem?

– Fyra av dem jobbar hos sin farbror. Två av tjejerna står i Mohammeds butik och två av grabbarna jobbar på den där restaurangen som han också äger.

– Ingen som sticker ut?

– Nej, sa Motoele. Den äldste grabben var tydligen bästa kompis med Abbdo när de gick i plugget här i Eskilstuna. De är lika gamla, förresten. Han är också tjugoåtta. Han heter Awale Ibrahim Khalid. Kallades tydligen för Avve när de gick i plugget tillsammans. Abbdo och Avve. Många av deras gamla lärare tycks ha trott att de var bröder eftersom de var så lika varandra och hade samma efternamn.

– Hans kusin. Hans bästis när han gick i plugget?

– Ja. Men jag tror inte att du behöver hetsa upp dig för hans skull heller.

– Vad gör han då?

– Till att börja med bor han i Stockholm, sa Motoele. Spelar fotboll i allsvenskan. För Djurgården.

– I allsvenskan. Då måste han ju vara bra.

– Han var bättre förr om du frågar mig. Nu sitter han mest på bänken. Det verkar vara en glad typ. Inte någon tränings-narkoman, direkt, men tydligen har han ett fenomenalt bollsinne. Awale betyder lycklig, förresten. Arabiska, jag slog upp det eftersom den där greven tjatar så grymt om att namnen betyder en massa för sådana där som dem. Awale verkar vara en glad skit, så det funkade tydligen. Han och Abbdo slutade i stort sett att umgås efter att de hade gått ut nian. Abbdo började på gymnasiet. Hans kusin Avve lirade fotboll. Han lär ha varit svår på tjejer också.

– Så honom kan vi släppa? En glad skit som är svår på tjejer, det är ju inget brott.

– Tror det, sa Frank. Vill du att vi ska hänga på Mohammed och brorsan hans? Jag tror att de är på väg till bilen.

– Nej, sa Martinez. Du får köra mig till holken. Jag har en massa papper som jag måste ta hand om.

– Yes boss, sa Frank Motoele.

Lisa Mattei var chef för en spaningsstyrka på femtio personer varav flertalet så här dags var nere i Eskilstuna och ägnade sig åt det som man inom polisen kallade för yttre spaning, men själv satt hon bakom skrivbordet och på den andra sidan satt Helena Palmgren.

– Anledningen till att jag ville träffa dig var att jag tänkte fråga om jag får bjuda dig på lunch, sa Mattei.

– Ja, gärna, sa Palmgren. När hade du tänkt dig?

– I dag, faktiskt. Tyvärr är jag rädd för att det får bli här i huset. Dessutom i matsalen här uppe. Har du några särskilda önskemål är det bara att säga till.

– Låter väldigt trevligt. Några önskemål har jag heller inte. Jag äter det mesta, faktiskt.

– Vad tror du om wallenbergare? Att du äter det mesta behöver man inte vara polis för att se, tänkte Lisa Mattei. Skärp dig nu Lisa, tänkte hon sedan.

– Wallenbergare. Med sådana där små gröna ärtor. Det blir alldeles utmärkt. Vad vill du prata om då?

– Om dig, sa Lisa Mattei. Eftersom vi aldrig har träffats läste jag din personakt.

– Är det så illa?

– Nej, verkligen inte. Wiklander hade bara gott att säga om dig. Det var en sak som gjorde mig nyfiken, däremot. Att du tydligen bodde i Afrika när du var barn.

– Ja, det stämmer. Jag har för mig att jag nämnde det på något av våra möten. Att min pappa jobbade för Sida. Från början var han präst men så slutade han och började på Sida. Jag var tio när jag kom till Afrika och fjorton när min mamma, jag och min yngre bror och syster åkte hem till Sverige igen. Pappa stannade kvar och sedan skiljde de sig.

– Först bodde du i Kenya och sedan i Etiopien.

– Ja. Ungefär två år på varje ställe. Däremot har jag aldrig satt min fot i Somalia. Det var för osäkert att bo där redan på den tiden.

– Men du gick i skolan där nere?

– Ja, men det var i sådana skolor där sådana som jag gick. Barn till biståndsarbetare och till dem som jobbade vid FN. Undervisning på engelska, tvårätters skollunch, blev skjutsade i bil när vi skulle till och från skolan. Inte särskilt likt de vanliga skolorna som de andra barnen gick i. Du undrar förstås om jag pratar något av språken som man pratar nere på Hornet.

– Ja.

– Jag är ledsen att behöva göra dig besviken. Somaliska? Inte ett ord. Vilket kanske inte är så konstigt. Swahili. En och annan mening, kanske. Tigrinska, det är det språk som lokalbefolkningen talade i den del av Etiopien där vi bodde, är väl det som jag är bäst på. Det var vårt tjänstefolk som lärde oss barn. Vi hade massor med tjänare och med tanke på vad pappa jobbade med var det faktiskt ganska förskräckligt. De som jobbade hos oss när vi bodde i Kenya pratade alltid engelska med oss barn. Om de glömde bort sig och råkade säga något på swahili brukade pappa skälla ut dem. De som jobbade åt oss i Etiopien var inte lika bra på engelska, däremot, så där blev det ofta på tigrinska. Men aldrig så pappa hörde det. För då blev han galen på dem. Men allt det där trodde jag stod i min personakt.

– Nej, faktiskt inte, sa Mattei. Däremot stod det att din pappa är död sedan länge.

– Det stämmer. Han dog där nere. Det måste vara tjugofem år sedan. Jag var bara tjugo år när det hände. Han drack ihjäl sig.

– Det stod däremot inte i akten. Jag tolkar det som du säger att du inte saknar honom så mycket.

– Nej, sa Helena Palmgren. Han var en dålig människa, så jag saknar honom inte.

– Vad tror du om att byta ämne? föreslog Mattei och log vänligt.

– Ja, gärna, sa Helena Palmgren. Varje gång jag tänker på min pappa handlar det bara om allt som han gjorde mot min stackars mamma.

– Mina föräldrar är också skilda, sa Lisa Mattei. De flyttade isär när jag var ungefär lika gammal som du var. Det var faktiskt min mamma som sparkade ut min pappa. Inte för att han var dum mot henne utan för att hon hade tröttnat på honom. De var väl för olika, helt enkelt. Han var akademiker, biokemist, mycket framgångsrik, faktiskt. Dessutom är han tysk. Inte särskilt lik min mamma.

– Vad gjorde hon då?

– Hon var polis, sa Mattei. Numera är hon pensionär.

– Jaha, ja, sa Helena Palmgren och skakade på huvudet. En tysk biokemist och en svensk polis. Det kan knappast ha varit någon vanlig kombination på den tiden.

– Nej, men kärleken lär ju vara blind. Så till sist, när mamma slog upp ögonen, åkte han ut. Då blev han sur och flyttade hem till Tyskland. Där bor han fortfarande. Det är där han tänker dö också. Åtminstone om jag ska tro på vad han säger. Älskar han fortfarande min mamma? Ja, det är jag fullkomligt övertygad om.

– Men det är en snäll och hygglig man?

– Ja, definitivt, sa Lisa Mattei. Min mamma däremot kan ha sina sidor.

– Och allt det kan man läsa om i din personakt, sa Helena Palmgren.

– Nej, sa Lisa Mattei och log. Inte ett ord, faktiskt.

– Jag tycker det där med personakter är lite olustigt. Jag har visserligen inte läst så många, men några har jag läst och det är sedan jag börjat på det här stället.

– Min slipper du läsa, sa Mattei. Dessutom har jag skyddad identitet.

– Den ende som får läsa om dig är vår högste chef?

– Nej, inte ens han. Då måste han få ett särskilt tillstånd först.

Precis som jag om jag nu skulle få för mig att gå igenom hans akt. Tanken bakom det är väl att även om någon vet om att han och jag faktiskt existerar ska de inte få veta något mer än just det.

– Hur nu det ska gå till, sa Helena Palmgren med en närmast uppgiven suck. Jag vet ju till exempel både vem du är och vad du gör. Går jag in på nätet kan jag läsa om din avhandling och om din man som är filmvetare och att ni tydligen har en liten dotter.

– Så det har du gjort?

– Ja, av de där vanliga skälen och det skäms jag inte det minsta för. Det är det där andra som jag har svårt för. Det som folk har berättat om dig i förtroende och under sekretess. Allt det där som du inte kan värja dig mot.

– Ja, jag vet precis, och jag delar din uppfattning.

– Dessutom fungerar det ju inte. Det räcker med att dricka en kopp kaffe här på jobbet för att motsatsen ska vara bevisad. På varje kopp kaffe man dricker begås det säkert tio sekretessbrott av dem som sitter i alla dessa så kallade fikarum, där man sitter för att man fikar efter något mer än en vanlig fika, om jag så säger. Om du vill kan jag ge ett par exempel som handlar om dig.

– Ja, gärna, sa Mattei.

– I förrgår när jag satt där var det någon som undrade hur det var att jobba för dig. Jag sa att jag tyckte att det fungerade utmärkt, och då undrade den personen om jag hade varit hemma hos dig i den fantastiska våningen på Narvavägen där du tydligen bor. Jag sa nej, naturligtvis. Varför skulle jag ljuga om något sådant? Då började flera av de andra som satt där att berätta hur fint du bodde. Till sist kände jag mig faktiskt väldigt ensam. Varför hade du inte bjudit hem mig när alla andra tydligen hade fått komma hem till dig? Så då ställde jag en rak fråga.

– Vad sa de då?

– Det där vanliga. Någon hade varit hemma hos dig och lämnat något underlag. Någon annan hade skjutsat dig hem. Någon tredje kände tydligen någon av dina grannar som bodde i en lika fantastisk våning som din. Hur klarar man av att hantera sådant? Knappast med hjälp av en massa sekretessregler.

– Nej, det går inte. Har du hört något mer? frågade Mattei nyfiket.

– Ja, det senaste jag hörde var att du tydligen hade rekvirerat en radiobil som fått skjutsa din lilla dotter till hennes dagis uppe på Valhallavägen.

– Ja, folk pratar för mycket, sa Mattei. Det är visserligen sant men det fanns också en förklaring, en sådan där mor och dotter-förklaring.

– Själv bor jag i en liten tvåa på Kungsholmen. Jag har ingen man och inga barn. Jag har varken hund eller katt men jag bor bra. Jag har bara hundra meter ner till vattnet vid Kungsholms-strand. Sedan jag började jobba här i huset brukar jag dessutom gå hit om det är bra väder. Det tar tjugo minuter.

– Jag vet, sa Mattei. Det står i din akt. Inte det där att det tar tjugo minuter för dig att gå hit till jobbet men allt det där andra. Du bor på Inedalsgatan om jag inte minns fel.

– Ja, det stämmer. Du har förstås ett kolossalt bra minne för sådant.

– Så där, sa Mattei. Anledningen till att jag noterade den detaljen är att en poliskollega bor på samma gata.

– Han jobbar här i huset?

– Nej, sa Mattei. Lyckligtvis inte. Det är en hemsk människa. Vad tror du om att äta lite?

– Ja, gärna. Jag börjar faktiskt bli lite hungrig även om en kvinna inte ens förväntas prata om sådant.

– Då tycker jag att vi äter, sa Mattei. En sak kan jag dessutom lova dig. Att oavsett hur mycket vi glufsar i oss ska jag hemlig-stämpla vår lunch.

Undrar om hon är flata, tänkte Lisa Mattei när hon efter lun-chen återvände till ensamheten bakom sitt stora skrivbord. Ingen man, inga barn, lever ensam, verkar inte bry sig särskilt om sitt utseende trots att hon med små medel säkert hade kunnat göra åtskilligt åt det. Definitivt ingen muntergök. Åt som en hel karl gjorde hon också, tänkte Mattei som plötsligt kände sig fnissig på det där oförklarliga viset som hon gjort under de senaste veckorna.

Hög tid att hon ryckte upp sig. Helena Palmgren var en lojal medarbetare, villig att göra rätt för sig, en allvarlig människa att döma av det hon sa och gjorde. Hennes sexuella läggning, om den nu var si eller så, var heller inte intressant. Dessutom var hon en kollega och det var stor tur för henne själv att Helena Palmgren och alla andra medarbetare inte kunde se vad som allt oftare rörde sig i huvudet på deras chef.

I brist på något vettigt att ta sig för ringde hon upp Jan Wiklander. Samtalet med honom tog fem minuter och bestod mest av det kallprat som skulle till för att den kontakt som hon tagit inte skulle behöva framstå som märklig i rent social mening. Själva ärendet hade de klarat av på knappa minuten. Inga problem, enligt Wiklander. Allt rullade på enligt planerna och om det hände något akut, intressant eller oväntat skulle han givetvis omgående höra av sig.

Återstår dina papper, tänkte Lisa Mattei så fort hon avslutat samtalet och det var först när Calle Lewenhaupt ringde henne några timmar senare som hon fick något att göra som kunde påminna henne om att hon faktiskt ledde den för tillfället mest personalkrävande polisutredningen i landet.

Hade hon tid att träffa honom? Trots att klockan närmade sig fem och det väl egentligen var dags att avsluta arbetsdagen och åka hem till familjen?

– Mitt rum om två minuter, sa Mattei. Undrar vad Helena Palmgren gör efter jobbet, tänkte hon. Hon som lever ensam. Vad är det hon åker hem till?

Calle Lewenhaupt hade ett konkret förslag. Det hade framkommit uppgifter om Abbdo Khalids far som deras spaningsstyrka med fördel borde få ta del av snarast. Den närmare innebörden av dem ville han vänta med att berätta om till dess att han fått svar på ytterligare några konkreta frågor som var av betydelse för hans samlade bedömning.

– Vad tror du om ett nytt möte nu på fredag morgon klockan åtta? frågade Lewenhaupt.

– Meddela åklagaren, skicka ut en kallelse till samtliga gruppchefer i mitt namn. Fredag klockan åtta. Samma plats. Du ordnar det praktiska.

– Ja, något annat?

– Hur går det med Urqhart? frågade Mattei.

Om henne hade det tyvärr inte framkommit något nytt. I vart fall inget som stred mot den beskrivning som deras engelske kollega hade gett till dem. Möjligen att man hade lyckats komplettera beskrivningen med en och annan detalj.

– Som vadå? frågade Mattei.

– Om jag ska ta ett exempel bland frågorna som du gav mig. Det där med hennes mamma som dog när hon var tio år. Dödsdatum hade vi ju tidigare, men nu har vi även klarat ut dödsorsaken.

– Vad dog hon av?

– En bilolycka i samband med en semester nere på Rivieran. Ensam i bilen. Tydligen hade hon kört av vägen och åkt utför någon brant. Inga misstankar om brott. Nykter var hon också av obduktionsprotokollet att döma.

– Jaha, sa Mattei. Vad är det för fel på att dö på det där vanliga viset som alla i stort sett dör på, tänkte hon. I cancer, hjärnblödningar och hjärtattacker.

– Jag har ett förslag, fortsatte hon.

– Ja?

– Jag vill att du för säkerhets skull pratar med Kolya, sa Mattei.

– Kolja? Kolya med y, Kolya Barabanov.

– Ja, sa Mattei.

– Jag visste inte ens att han levde fortfarande. Han måste väl vara uråldrig vid det här laget?

– Åttio, sa Mattei. Han är pigg som en ärta. Prata med honom. För säkerhets skull.

– I så fall har vi ett problem, sa Lewenhaupt. Jag får inte prata med Kolya. Jag förväntas inte ens känna till hans existens.

– Nu får du, sa Lisa Mattei. Jag har just gett dig tillstånd. Det praktiska kan du ta med Jan.

Inte ens känna till, tänkte Mattei. Återstår fikarummet.

– Kolya Barabanov. Chefen vill att jag pratar med Kolya.

– Ja, sa Mattei.

– Wow, sa Carl Lewenhaupt. Jag ska visserligen snart fylla fyrtio men… Kolya Barabanov… wow.

Roligt att du kunde göra åtminstone någon glad, tänkte Lisa Mattei när hon för andra gången i rad på bara ett par dagar satte sig i baksätet på sin tjänstebil.

En kvart senare stannade hennes chaufför utanför hennes port. Med vaksamma ögon kontrollerade han området i deras närhet innan han själv klev ut, öppnade dörren åt henne och såg till att hon kom in i huset där hon bodde.

– Är det något mer som jag kan göra för chefen? frågade han.

– Du tänkte fråga om du fick följa mig till dörren?

– Ungefär så, sa hennes chaufför och log.

– Nej. Den biten fixar jag själv, sa hon.

Nu är jag ju hemma, tänkte hon. Hemma hos Ella, hemma hos Johan och hemma till… hemma till vad, tänkte hon.

61

På torsdag förmiddag avslutade Kajsa Nilsson och Lina Jonsson det spaningsuppdrag som de inlett dagen innan. Återstod att knyta ihop säcken och prata med de tre tänkbara uppgiftslämnare som de ännu inte hade besökt. Ett gift pensionärspar i sjuttioårsåldern samt deras närmaste granne, en ensamstående man på sjuttiosju år.

Kvällen före hade Kajsa Nilsson tyvärr druckit några öl för mycket, det hade försenat dem båda och Lina Jonsson började gräla på henne så fort de satt sig i den lånade polisbussen.

– Jag måste ha ätit någon skit. Den där pizzan som vi köpte, den där med räkor och korv på, jag tyckte att den luktade lite skumt, gnölade Kajsa.

– Jag åt samma pizza som du, sa Lina. Jag mår toppen men till skillnad från vissa andra drack jag bara en bärs.

– Jo, men ibland kan det ju faktiskt räcka med att det är fel på en enda räka, framhärdade Kajsa.

– Vad tror du om ett halvt flak starkbärs då? frågade Lina.

– Okej då. Men lova att stanna vid första macken så att jag får köpa halstabletter och en kall cola.

Sammantaget hade detta medfört att de blivit två timmar försenade, så när de väl svängde in på gårdsplanen till det lilla torpet där deras pensionärspar bodde var klockan tio på förmiddagen. Därefter gick allt som smort.

De som de ville prata med var hemma. Bara en sådan sak. De satt ute i trädgården, läste varsin tidning och drack kaffe. De var vänligt inställda, närmast smickrade över det intresse som polisen i Sörmland plötsligt visade dem. Givetvis erbjöd de både kaffe och smörgåsar. Kajsa tackade nej medan Lina tackade ja. Lade extra majonnäs och gurka på sin smörgås med leverpastej och gjorde i smyg grimaser åt Kajsa som smuttade på sin medhavda Coca-Cola, sög på sin halstablett och försökte undvika att andas på dem som hon pratade med.

Deras värdfolk berättade för dem om det liv som de numera levde och stället som de bodde på. Den som hade mest att säga var kvinnan medan mannen oftast nöjde sig med att nicka instämmande och gjorde det även när han omnämndes i tredje person.

Torpet där de nu bodde hade de köpt av grannbonden för tjugo år sedan. Först hade de använt det som sommartorp och helgställe men för fem år sedan, när "maken" hade gått i pension, hade de valt att flytta ner och bo där på heltid. Inga problem eftersom det numera var fullt renoverat av samme make och innehöll alla bekvämligheter som de kunde önska sig. En av många fördelar som följde av att vara gift med en hantverkare.

– Säga vad man vill om Tore men han är inte född med tummen mitt i handen, konstaterade hustrun medan hennes man nöjde sig med att humma och nicka instämmande.

Vad brott beträffade hade de också varit lyckligt förskonade från allt det där som enligt deras lokaltidning tyvärr tycktes ha drabbat många som bodde i området. Inbrott, stölder, skadegörelse, ofta unga tjuvar och våldsverkare med drogproblem som tydligen bodde i Eskilstuna samtidigt som de genomförde rena brottsturnéer på den omgivande landsbygden.

– Så allt det där har ni sluppit medan ni bott här, sammanfattade Kajsa som så här dags mest längtade tillbaka till Eskilstuna och nästan såg fram emot att få stoppa upp alla mobila skärningspunkter i baken på sin chef Linda Martinez.

– Ja, det tycker jag nog att man kan säga, instämde hustrun

samtidigt som hon skickade ett tvekande ögonkast mot sin make.

– Nåja, sa Tore och harklade sig innan han tog till orda, och äntligen hade det lossnat.

Inga utsocknes knarkare, lyckligtvis, men om Tore nu fick önska sig något var det väl att han och hans kära hustru hade sluppit ifrån sin närmaste granne.

– Jag utgår från att det här stannar mellan oss, sa han och tittade uppfordrande på både Kajsa och Lina.

– Självklart, sa Lina. Allt ni vill berätta om stannar vid det här bordet.

– Ja, vi har faktiskt tystnadsplikt enligt lag, så på den punkten kan ni vara helt lugna, instämde Kajsa utan att med ett ord nämna alla andra punkter där de inte hade skäl att vara det.

– Är det han den här Ove Kristiansson som ni köpte torpet av? frågade Lina.

– Högst densamme, sa Tore och det var för övrigt just med deras köp av torpet som det hela hade tagit sin början.

Ganska snart efter tillträdet hade det visat sig att torpet var behäftat med så pass många dolda fel att de till sist hade insett att säljaren måste ha lurat dem. Först hade de försökt prata honom till rätta, men det hade varit som att "hälla vatten på en gås".

I nästa steg hade de vänt sig till polisen och anmält säljaren för bedrägeri, men det enda som hade hänt var att polisen sagt att det inte handlade om ett brott utan om en civilrättslig tvist och att de inte hade med saken att göra.

– Men det är ju förskräckligt, sa Lina och skakade på sitt blonda huvud.

– Ja, verkligen, assisterade Kajsa. Vad gjorde ni då?

– Ja, det där fanskapet Kristiansson gick ju omkring och flinade, men vad han inte hade en aning om var att Ulla jobbade som sekreterare på en advokatbyrå uppe i Stockholm. Så sedan tog det hus i helvete.

Med hjälp av hustruns kontakter hade man fått tag på en advokat inne i Eskilstuna som tagit över ärendet och skött det till punkt och pricka enligt lagens bokstav. Säljaren hade slutat flina, gått med på en förlikning och i slutändan även gjort rätt för sig genom att betala tillbaka en hygglig andel av köpeskillingen.

– Vilken trist typ, sammanfattade Lina.

– Jo, sa Tore. Men lyckligtvis är det väl så att vi snart är av med honom.

– Berätta, sa Kajsa. Är han döende? I någon sjukdom, alltså, förtydligade hon.

Döende och döende, närmast en smakfråga, enligt Tore. Dels var han ju närmare åttio och livet han levde var väl knappast hälsosamt. Deras granne var inte bara en "lurendrejare", han var också en "fyllbult", "gammal hembrännare" och "allmänt misskötsam". Även hans personliga hygien lämnade numera det mesta i övrigt att önska. En riktig "lortgris" och säkrare tecken än så på att slutet närmade sig med raska steg fanns väl knappast. Det var till och med så praktiskt att när det handlade om hans brottslighet fanns det papper på den saken hos polisen.

Han var åtminstone dömd för ett par rattfyllor, enligt Tore. Enda gången som polisen hade dykt upp där de bodde, det var bara något år efter att de hade köpt torpet, hade de kommit för att hämta Kristiansson och hans hembränningsapparat. Tydligen hade han även sålt sprit till ungdomar både inne i Åkers Stycke-bruk och i andra närliggande samhällen.

– Så då hamnade han i finkan, sa Tore. Sedan lyckades han tydligen hitta någon läkare som hjälpte honom så att han fick vård istället.

– Trots att han verkar vara rena yrkesförbrytaren, sa Kajsa utan att göra minsta min av att hon redan tagit del av Ove Kristianssons både magra och ålderstigna utdrag ur polisens belastningsregister.

– Nej, det är verkligen ingen trevlig människa, instämde Tores hustru Ulla.

– Men inga utsocknes skummisar som har ställt till med några problem, sa Kajsa för att avrunda besöket och äntligen kunna avsluta dagen med att ta sig en närmare titt på Ove Kristiansson.

– Ja, eller bara har strukit omkring här, alltså, sa Lina.

En ny tveksam blick utväxlades mellan deras värdpar innan Tore nickade och hans hustru Ulla på nytt tog till orda.

– Nja, sa Ulla. Jag vet inte ens om det är värt att nämna men för ett år sedan, det var någon gång i slutet på förra sommaren, var det någon som inte bor här som hade kört i diket där borta i korset där man svänger av om man ska upp till Kristianssons ställe. Ja, eller åker därifrån, tillade hon förtydligande.

Sedan reste hon sig upp från bordet där de satt och pekade mot vägkorset knappt hundra meter ner på grusvägen. Det hade varit sent på kvällen för det var mörkt ute, så något registreringsnummer på bilen hade inte gått att se. En sådan där liten svart stadsjeep som i stort sett alla som bodde här på landet åkte omkring i. Någon riktig dikeskörning hade det väl heller inte varit tal om. Snarare att bilen hade hamnat utanför vägrenen och hjulen på höger sida sladdat ner i diket. Han som kört hade kommit ut och ställt sig och tittat på det som hänt. Sedan hade han satt sig i förarsätet igen och efter ett par försök hade han lyckats ta sig upp på vägen och fortsatt i riktning in mot Eskilstuna. Det hela hade väl tagit en fem minuter.

– Hur såg han ut då? frågade Kajsa.

Det var ingen som de känt igen och ingen av dem som bodde alldeles i närheten hade heller en sådan bil som den som han åkt i. En yngre man. Ganska liten och smal. Verkade vara ensam i bilen. I vart fall hade varken hon eller maken sett till några passagerare. Men förmodligen var det hela helt ointressant.

– Ja, han verkade inte full eller så. Det hade ju regnat något alldeles förskräckligt den där dagen. Så det kanske inte var så konstigt att han fick sladd på bilen, sa Ulla.

Något mer som någon av dem kunde komma ihåg? En tredje tveksam blick mellan de båda makarna innan Helge nickade, Ulla började prata igen och polletten äntligen trillade ner.

– Ja, han var mörkhyad, sa Ulla som plötsligt inte verkade helt bekväm med det hon sa.

– Du säger mörkhyad, sa Kajsa. Hur menar du då? Var han typ spanjor eller mörkare ändå?

– Han var neger, sa Tore och harklade sig för säkerhets skull. Även om jag vet att man inte får säga så.

62

Hela stället där Ove Kristiansson bodde bar tydliga tecken på det förfall som hans grannar hade vittnat om. Från de trasiga tegelpannorna på taket, de hängande stuprännorna och den flagnande rödfärgen på husets ytterväggar hela vägen ner till de murkna trappstegen som ledde upp till verandan och ytterdörren in till huset.

På gårdsplanen stod en gammal EU-moppe som man inte behövde körkort för att framföra. Slarvigt parkerad var den också med framhjulet på tvären, dikt an mot stengrunden på huset.

– Vad fint han bor, konstaterade Lina så fort de klivit ut ur bussen. Undrar om Sköna Hem har varit här och gjort reportage om Ove och hans Sörmlandsdröm.

Hennes kollega Kajsa tassade upp för trappan, kände på dörrvredet och öppnade försiktigt den olåsta dörren. Från det inre av huset hördes ljud som tydde på att någon satt där inne och tittade på fotboll på tv.

– Känner du doften, viskade Kajsa.

– Han kanske bara har en massa katter, väste Lina. Trettio typ.

– Inte gammalt gubbkiss, sa Kajsa och skakade på huvudet. Busdoften.

– Jag tycker nästan att det luktar spaningsgenombrott, sa Lina, samtidigt som hon knäppte upp remmen som säkrade hennes tjänstevapen i pistolhölstret hon bar vid sin högra höft.

Försiktigt smög de i riktning mot ljudet från teven. Kajsa först, Lina bakom henne med höger hand på kolven. Visserligen var han sjuttiosju år, men om nu Ove Kristiansson hade ihop det med en sådan som Abbdo Khalid kunde man aldrig veta. Kajsa stannade utanför den öppna dörren till teverummet.

– Hallå, vi är från polisen. Är det någon här, sa Kajsa, ställde sig mitt i dörröppningen och log vänligt mot den äldre mannen som låg i soffan och mycket riktigt tittade på en fotbollsmatch.

– Helvete, snuten, sa Ove Kristiansson. Satte sig upp med ett ryck och ställde ifrån sig ölburken på bordet.

– Jag hoppas vi inte kommer och stör, sa Lina och ställde sig bredvid sin kollega samtidigt som hon diskret knäppte remmen på hölstret.

– Det är lugnt, sa Ove, log och skakade på huvudet. Två snygga tjejer mitt på blanka förmiddagen. Det stör inte mig.

Ove Kristiansson bjöd varken på kaffe, te eller smörgåsar. Varsin "kall bira" kunde de få och i övrigt var han lika talför och välkomnande som alla andra som bodde i denna avkrok av Sörmland.

Kajsa började med att berätta om att de var ute i brottsförebyggande ärenden. Ove Kristiansson hade inga problem med det. Senast snuten hade varit hemma hos honom hade de snott hans hembränningsapparat, så om det var en sådan som de letade efter var han tvungen att göra dem besvikna. Även i övrigt tyvärr. Med tanke på deras ärende hade de gjort resan förgäves. Där han bodde begicks det nämligen inga brott.

– Det säger du, sa Kajsa och spärrade upp sina blåa ögon. Inga brott. Det är ju jätteovanligt.

Inte det minsta konstigt, enligt deras värd. Där han bodde fanns nämligen bara vanliga svenskar och svårare än så var det inte.

– Inga blattar, förtydligade Ove Kristiansson, med en talande axelryckning.

– Vad gör du annars om dagarna, Ove? frågade Lina.

Levde det goda livet på landet enligt den tillfrågade. Njöt sitt välförtjänta "opium" som pensionär. Kikade på fotboll på tv, drack en och annan kall bira till sin inlagda sill och sitt stekta fläsk med bruna bönor. Till och med en sup till helgen, om de nu undrade över det.

– Det låter helt fantastiskt, sa Kajsa och fyrade av ett bländvitt leende. Hos Ove är det helg hela veckan, tänkte hon.

Ja, inga bekymmer där, instämde Ove. På somrarna brukade han hålla sig hemma men så fort vintern slog till drog han utomlands. Spanien på hösten, Thailand på vintern. Enkelt och självklart och inga problem där heller. Som pensionär hade han tidigt bestämt sig för att åldras med behag.

Hunnen så långt hade Ove fått upp berättarfarten ordentligt och bjöd dem på en resumé över sitt innehållsrika liv. Från sin vilda ungdom då han spelat elbas i det lokala rockbandet Åkersraggarna, alla tjejerna, alla kompisarna, alla partajen, all bira och borsten och en hel del röka med, för den delen. Hela det glada sextiotalet och halva det galna sjuttiotalet.

Sedan hade han blivit stadgad karl, tagit över gården och jordbruket efter sin pappa som hade hamnat på långvården och på det viset hade han hållit på i närmare tjugo år innan han på nytt hade bytt bana i livet och börjat med att sälja sitt fädernearv. Livet som bonde blev för jobbigt, helt enkelt. Själv hade han knappt haft tid att gå på muggen och fredagsdanserna på Rogge inne i Strängnäs var ett minne blott.

– Vad gjorde du istället? undrade Lina.

– Jag gick in i byggsvängen, sa Ove.

Gräv- och byggentreprenad, förtydligade han. Hela paketet från vanliga diken till vägbyggen och anläggning av konstgjorda sjöar som Stockholmsdirektörerna ville ha på sina nyinköpta gods när de skulle träffa alla de andra direktörerna för att skjuta änder och dricka årgångsviner.

Lysande tider hade det också varit eftersom de jaktintresserade formligen badade i pengar som de stulit från alla ovetande pensionärer som köpt aktier för sina surt förvärvade. Ajöss till den tryggade ålderdomen, enligt Ove Kristiansson. Hur det nu skulle ha kunnat sluta på något annat sätt när vanliga tjuvar i kritstreckskostym fick fritt fram att stjäla från rena jubelidioter som knappt klarade av att sätta in sina löständer i rätt käke. Fast det var klart. Regnade det på prosten kunde åtminstone några stänk hamna på en hederlig entreprenör som han själv.

– Lysande tider, upprepade Ove samtidigt som han öppnade sin tredje öl.

Fast inte om man ska tro din konkursförvaltare, tänkte Kajsa. Hög tid att hon fick stopp på den gamle fyllskallen.

Med visst besvär lyckades hon så till sist leda honom ut ur minnenas allé för att istället fråga honom vad han trodde om en del intressanta tips som på senare tid hade kommit in till den brottsförebyggande avdelningen vid polisen i Sörmland. I klartext handlade det om ett antal yngre förmågor som satt på olika flyktingförläggningar i närheten men mest tycktes ägna sig åt att åka runt i grannskapet och stjäla från dem som bodde där.

Men tacka fan för det, enligt Ove Kristiansson. För att inte fatta den saken måste man antingen vara polis eller socialarbetare.

– Zigenare, sa Ove Kristiansson. De stjäl som korpar så fort de har lärt sig att gå. Eller romer som det heter bland alla fisförnäma jävlar.

– Faktiskt inte. Just de här som vi har fått tips om lär vara negrer, sa Lina som gärna anpassade sitt språk till den hon talade med om det var till gagn för jobbet som hon skulle göra.

– Somalier faktiskt, tillade hon med oskyldig min för att se hur mycket kallt stål han tålde.

Hur fan man nu kunde skilja en neger från en annan neger, sa Ove. Själv kände han inga negrer. Hade aldrig pratat med en neger. Svarta var de hur som helst och där fanns nästa problem i samband med observationer av just sådana.

– Hur menar du då? sa Kajsa.

– Ja, så fort solen går ner så blir de ju osynliga, flinade Ove.

Den sista kvarten ägnade de åt att se sig om bland byggnaderna på gården tillsammans med en Ove som så här dags var ganska ostadig på benen men samtidigt inte hade något att dölja. Hans hembränningsapparat hade de dessutom tagit ifrån honom för tjugo år sedan. Numera fick alla som orkade fylla i en blankett tillstånd att koka sitt eget brännvin och enbart i Sörmland fanns det säkert tjugo olika lokala förmågor som hade statens tillstånd att sälja sitt hemkörda på bolaget. Synd och skam enligt Ove, hans eget hade varit tio gånger bättre och den gången snuten snodde hans gamla kolonnbrännare hade de också lagt en kulturgärning i graven.

När de satt i bussen på väg tillbaka till Eskilstuna sammanfattade de sina intryck av Ove Kristiansson.

– Okej Lina, sa Kajsa. Vad tror vi om Ove?

– Jag tror inte att han är muslim, sa Lina.

– Rasist?

– Skämtar du? Du hörde väl vad han sa? Ove är rena rårassen.

– Fyllskalle?

– Definitivt, instämde Lina. Fast slug fyllskalle. Tänkte du på hans ögon?

– Icke troende muslim, fysiskt åt helvete, kroppen hans är säkert dubbelt så gammal som prästbetyget, knappast något för Mästarnas Mästare och duschar varje dag gör han inte heller. Rasist, yes. Fyllskalle, yes, fast med sluga ögon. Återstår frågan. Har han ihop det med Abbdo Khalid?

– Precis, sa Lina. Det är där som det blir knepigt, för mig åtminstone.

– Hur menar du då? frågade Kajsa.

– Vad ska Abbdo Khalid ha en sådan som Ove Kristiansson till? Det är det som jag inte fattar. Helt bortsett från det där med personkemin, menar jag.

63

Så fort Kajsa och Lina hade lämnat tillbaka bussen och de broschyrer som blivit över bytte de om till sin vanliga civila mundering, ringde efter en taxi och åkte till holken på Lidgatan. Därefter ägnade de eftermiddagen åt inre spaning.

Först kontrollerade de Abbdos bilinnehav, därefter letade de fram den där dagen mot slutet av förra sommaren då regnet plötsligt hade vräkt ner över Eskilstunatrakten och en ung svart man hade slirat av vägen och ner i diket bara hundra meter från gården där Ove Kristiansson bodde.

Abbdo Khalid ägde och körde en svart Toyota RAV4, en mindre stadsjeep som stämde väl med den beskrivning som det pensionerade paret hade gett dem. Så långt var allt gott och väl.

Sommaren året före hade varit lång, varm och torr. Dag efter dag med en sol som lyste från en blå himmel. Torsdagen den 8 augusti hade himlen plötsligt svartnat för att därefter öppna sig på vid gavel. Ett veritabelt skyfall över Eskilstunatrakten som hade pågått under tre timmar på eftermiddagen och där SMHI uppmätt en nederbörd på drygt etthundrafemtio millimeter. Lokala översvämningar, flera trafikolyckor på grund av regnet och ett rent trafikkaos på E6:an i höjd med Eskilstuna. Dessutom var det ett par veckor innan Abbdo Khalid hade åkt till England.

Tre veckor senare hade det regnat på nytt, men då befann sig Abbdo redan i Manchester i England, två hundra mil väster om Eskilstuna. Så långt var det hela ännu bättre.

Återstod att visa vad han hade haft för sig innan det hände. Hade han besökt Ove Kristiansson på hans gård eller hade han bara råkat passera förbi?

Att pussla ihop Ove Kristiansson med Abbdo Khalid var inte alldeles enkelt. Å ena sidan Ove Kristiansson som var sjuttiosju år gammal och verkade stå med en fot i graven. Som hade två gamla rattfylleridomar och en fängelsedom för brott mot alkohollagen som omfattade både hembränning och olaglig försäljning av alkohol. Som hade fått körkortet indraget för andra gången när han dömts för rattfylleri för sex år sedan och som aldrig hade fått ut något nytt. Detta ungefär samtidigt som det byggföretag som han då drev hade försatts i konkurs.

Dessutom fanns det ett halvdussin brottsanmälningar som samtliga hade lagts ner. Ett tjugo år gammalt bedrägeri i samband med att han sålt det avstyckade torpet till grannarna som de pratat med. En sex år gammal anmälan från konkursförvaltaren som påstod att Ove skulle ha undanhållit tillgångar i sitt byggbolag i samband med konkursen. Bokföringsbrott och skattebrott som påbröd till den senare misstanken.

En man som även var svårt alkoholiserad och tog tillvara varje tillfälle att ge uttryck för sina rasistiska åsikter och som inte var det minsta lik den femtio år yngre Abbdo Khalid.

Å andra sidan Abbdo. En flykting från Somalia som hade kommit till Sverige som barn, troende muslim, helt säkert nykterist, ostraffad, skötsam, till och med framgångsrik och utan minsta prick i de register som fördes av polisen och andra myndigheter.

– Vad fan ska en sådan som Abbdo ha ihop det med Ove för, sa Lina och knackade uppfordrande på pappershögen som låg mellan dem på bordet där de satt vid sina datorskärmar.

– Jo, sa Kajsa. Om det är personkemin vi pratar om håller jag med dig. Ungefär som med min senaste snubbe. Fast där var det ju en del annat som funkade förstås.

– Men knappast här, va, sa Lina och himlade med ögonen.

– Nej, jag tror inte att Ove och Abbdo har ihop det på det viset, men om vi nu skulle anta att han faktiskt är den som vissa av oss tror. Terrorist och bombmakare, värsta sorten, om du frågar mig. Vad tror du om det?

– Ännu mer obegripligt, sa Lina och skakade på huvudet. Om jag vore en ung och framgångsrik bombmakare skulle jag inte ta i en sådan där som Ove med tång ens. Dessutom fattar jag faktiskt inte vad Ove Kristiansson i så fall skulle kunna hjälpa honom med. Tänk dig att Ove sitter där i soffan med alla sina ölburkar medan han kopplar ihop en massa elsladdar i olika färg med en sprängladdning. Jag skulle i vart fall inte vilja sätta mig bredvid honom.

– Inte jag heller, sa Kajsa. Jag hör vad du säger, jag förstår vad du menar, jag tycker som du.

– Så vad gör vi?

– Vi får väl skriva på det, sa Kajsa och ryckte på axlarna.

– Skriva på det?

– Ja, i vår pm. Så får Linda använda sina världsberömda fingrar och tala om för oss vanliga puckhuvuden vad det är som gäller.

– Vi delegerar uppåt, sa Lina och ljusnade märkbart.

– Ja, vad tror du om det?

– Lysande, sa Lina. Du är ett geni, Kajsa.

Linda Martinez hade tydligen stängt av sin mobil. Istället blev de kopplade till Frank Motoele men han tog inte ens emot deras samtal. Däremot gick det bra att lämna meddelanden. Kajsa skickade ett sms som Frank svarade på i stort sett omgående. Att de skulle avvakta vidare besked.

I väntan på det och i brist på bättre ägnade Kajsa och Lina resten av eftermiddagen åt att titta på foton av Abbdo Khalid. Hundratals foton som deras kolleger hade tagit under de senaste tio dygnen. Ytterligare ett hundratal som de hade hämtat ur olika register eller hittat på nätet.

Ett av dem var ett gammalt klassfoto som föreställde Abbdo och hans klasskamrater från nionde klass i grundskolan i Eskilstuna. Fotot var från år 2002 och Abbdo hade varit femton år gammal när det tagits.

– Fan, jag känner igen den här andra snubben. Honom har jag kollat upp på Facebook, sa Lina och räckte över fotot till Kajsa.

– Du menar Avve, sa Kajsa. Han som lirar för Djurgården. Han som står bredvid Abbdo. Det är hans kusin och bästa polare när de gick i plugget. De är jävligt lika, medge det.

– Nej, inte Avve. Den där blonda sötnosen, den där vitskallen som står längst ut till höger och flinar. Gick inte han på PHS uppe i Stockholm samtidigt som du? Han som du brukade berätta om. Han som bara hade en sak i sitt lilla huvud, sa Lina och satte för säkerhets skull fingret på den som hon avsåg.

– Fan, sa Kajsa och skakade på huvudet. Det är inte sant.

– Vadå, inte sant?

– Jo. Det är Kåtfrasse, bekräftade Kajsa. Det är för bra för att vara sant. Niklas Fransson. Det står ju till och med här på kortet. Jag visste att han var från Eskilstuna, men jag hade inte en susning om att han gick i samma klass som Abbdo när han gick i plugget.

– Allas vår Kåtfrasse?

– Yes. Niklas Fransson. Känd på hela polishögskolan som Kåtfrasse. Mannen, människan, myten. The very same, bekräftade Kajsa.

64

Fredagen den 22 maj klockan åtta på morgonen hade spanings-styrkans ledning och samtliga gruppchefer haft sitt fjärde möte. Deras utredning gick nu in på den tolfte dagen. Fjorton dagar kvar till nationaldagen och ett planerat attentat som till varje pris måste förhindras. Förutsatt att det som deras engelska kolleger hade varnat dem för också var sant. Långt ifrån alla tips var det och det gällde även den information som utväxlades mellan de olika ländernas säkerhetstjänster. Deras egen utredning hade heller inte kunnat bidra på den punkten. Snarare det motsatta. Nya fråge-tecken som hela tiden radade upp sig men inga svar som var värda namnet. Återstod att gilla läget till dess att man förhoppningsvis vunnit klarhet i vad det hela egentligen handlade om. I värsta fall att tvingas ingripa ändå, att göra det "för säkerhets skull".

Innan det var dags att träffa spaningsstyrkan hade Lisa Mattei informerat Lisa Lamm om de två sms som en okänd avsändare hade skickat till deras misstänkte huvudman Abbdo Khalid. Att det var engelsmännen som upplyst henne även om detta och att de krav som de hade ställt för att göra det var omfattande. Oav-sett de senare förbehållen hade hon nu ändå bestämt sig för att underrätta Lisa Lamm om saken. I värsta fall handlade det ju om att de hade en mullvad i huset som försåg Khalid med informa-tion om vad de höll på med.

– Jag förstår vad du menar, sa Lisa Lamm och skakade på huvudet. Nu fattar jag också hur det kommer sig att du blev så sur på Martinez vid vårt senaste möte. Det blir lite mycket på en gång, om jag så säger. Först att vi ska ta reda på vad unge Khalid egentligen håller på med. Sedan om vi har en mullvad som jobbar hårt för att vi inte ska lyckas med den saken.

– Ja, sa Mattei. Om det nu är så illa att vi har en mullvad under fötterna på oss innebär det ju också att Khalid faktiskt avser att genomföra en terroristaktion.

– Vad gör vi åt det då? frågade Lisa Lamm.

– Jag har ett förslag, sa Lisa Mattei.

– Du tänker sticka ner lite pinnar i jorden för att se om vår eventuella mullvad ger några livstecken ifrån sig.

– Ja, sa Mattei. Röra om i grytan och se om det är något intressant som flyter upp till ytan.

– Klart vi ska göra det, sa Lisa Lamm. Vad väntar vi på?

En kvart senare när alla var på plats inledde Lisa Lamm mötet med att berätta om att hon tänkte ge dem ytterligare information som låg i den allra högsta sekretessklassen. Tills vidare var den avsedd enbart för deras kännedom. Om någon av dem som satt där upplevde ett behov av att föra samma uppgifter vidare till sina egna medarbetare fick man komma till henne och be om lov först. Samtliga som satt i rummet nickade instämmande.

– Okej, sa Lisa Lamm. Då ska jag kortfattat tala om vad det hela handlar om. Så fort jag är klar kan man få ställa frågor under högst fem minuter så att vi inte i onödan inkräktar på Calle Lewenhaupt här som har intressanta saker att berätta om Mohammed Khalid Hussein och hans familj.

– Nu ska jag berätta om det där andra, fortsatte Lisa Lamm.

Sedan gjorde hon det. Dessutom valde hon att börja med själva poängen. Nämligen att det tyvärr fanns tecken som tydde på att de hade en mullvad i huset. I bästa fall någon som valt att bara gräva sina gångar under just den här utredningen. I värsta fall någon som höll på att underminera hela byggnaden som de satt i.

– Några frågor? frågade Lisa Lamm så fort hon var klar. Ingen av dem verkar direkt glad, men de tycks ju ändå ta det med en viss fattning, tänkte Lisa Lamm. Hur jag nu ska tolka det.

– Jag har en, sa Dan Andersson. Det är en sak som jag inte fattar.

– Vad är det då? sa Lamm.

– Det här första meddelandet droppar ner redan i måndags förra veckan. Någon gång vid lunch. Är det rätt uppfattat?

– Ja, svarade Lisa Lamm.

– Men då har vi ju ännu inte inlett någon utredning. Själv vet jag så dags inte ett dyft om någon Abbdo Khalid. Ingen av oss andra heller, som sitter här.

– Ja, möjligen med undantag för mig då, insköt Lisa Mattei och log vänligt.

– Nej, så menar jag verkligen inte, försäkrade Dan Andersson.

– Du kan vara helt lugn, Dan, sa Mattei. Jag lovar och försäkrar. Jag är oskyldig.

– Jag skulle inte ens drömma om att tro något annat, sa Dan Andersson. Ingen här i huset. Glöm det.

– Vad tror du då? frågade Lisa Lamm.

– Ja, spontant naturligtvis, att det inte kan vara sant.

– Om det nu ändå är det. Låt oss anta det. Att vi faktiskt har en mullvad här i huset. Vad tror du då?

– I så fall tror jag tyvärr att han eller hon talar engelska, sa Dan Andersson.

– Okej, sa Lisa Lamm. Jag föreslår att vi funderar på saken. Om ni inte har några fler frågor tänkte jag låta Calle få ordet. Att gräva sig fram tar tid, det vet vi väl alla som sitter här, men jag tror inte att vår eventuella mullvad lär hinna kravla ifrån oss.

65

Innan Carl Lewenhaupt kom in på själva ämnet för dagens möte
– Mohammed Khalid Hussein och hans stora familj där äldste
sonen Abdullah numera misstänktes för att vara bombmakare
åt al-Shabaab – berättade han att han och hans medarbetare även
hade uppfyllt ett tidigare löfte.

I deltagarnas mejlkorgar fanns nu ett mycket omfattande
material om de unga västerländska kvinnor som fått ihop det
med män som på olika sätt kunde kopplas till muslimska ter-
roristorganisationer. Uppgifter som de nästan alltid själva hade
lagt ut på nätet. Sammanlagt handlade det om tusentals kvinnor
enbart i USA och Västeuropa och antalet växte dessutom snabbt
för varje dag. I Sverige rörde det sig totalt om ett femtiotal unga
kvinnor som hade trätt fram i offentligheten och vittnat om sin
nya tro och det heliga krig som de numera deltog i. Många av
dem kom från Göteborg och Västsverige, oklart varför, och de
organisationer som det oftast handlade om var IS, al-Shabaab
och al-Qaida. I den ordningen räknat efter antalet anhängare,
förtydligade Lewenhaupt.

Den information man tagit fram hade lagts in som ett allmänt
utredningsstöd eftersom man inte hade kunnat hitta någon kon-
kret anknytning till deras eget ärende, enligt Calle Lewenhaupt.

– Med tanke på vad de lovar att göra med oss och att det finns
hur mycket material som helst som vi sållat bort är det väl bara
att tacka och ta emot, konstaterade han.

Hur som helst, fortsatte Lewenhaupt, hög tid att han kom till saken, det vill säga hur Mohammed Khalid Hussein och hans familj kommit till Sverige.

De hade anlänt som kvotflyktingar i januari 1993. Vid den tidpunkten bestod familjen av nio personer, han själv, hans tjugo år äldre mor, hans två hustrur och sammanlagt fem barn. På hösten året före hade de flytt från sin hemstad Buulobarde. En stad med knappt tjugo tusen invånare belägen mitt i landet, ungefär två hundra kilometer norr om huvudstaden Mogadishu i den centrala Hiranregionen i Somalia.

Mohammed och hans familj tillhörde den största klanen i landet, Hawiyeklanen, som omfattade något mer än en fjärdedel av landets drygt tio miljoner invånare. Det var en familj med en framskjuten ställning i området. Mohammed var näst äldste son till den lokale klanhövdingen och de var dessutom ekonomiskt framgångsrika. Bönder och handelsmän och bland annat ägare till den största lokala marknaden för handel med kreatur och jordbruksprodukter. Det senare var också det konkreta skälet till att de tvingades fly. Deras fiender försökte komma över deras ekonomiska tillgångar.

I Somalia rådde vid den här tiden fullt krig sedan drygt ett år tillbaka. Landets sittande president och hans regering hade störtats 1991, staten hade kollapsat, presidenten och stora delar av hans regering och landets militära ledning hade flytt utomlands och ett blodigt inbördeskrig rasade mellan de olika klanfamiljerna och olika rebellgrupper som rekryterats ur landets tidigare armé. FN och USA hade ännu inte inlett sin militära intervention i landet.

Skälet till att Mohammed och hans familj flydde från sin hemby var att hans far, klanledaren, hade beordrat honom att göra det. Att åtminstone rädda delar av släkten om den nu skulle riskera att utplånas helt. Ett klokt beslut, som det visade sig. Redan några månader senare dödades Mohammeds äldste bror och ett år efter att han kommit till Sverige som flykting även hans far och två av hans farbröder.

Mohammed och hans familj flydde söderut med bil till Kenya. En resa på mer än hundra mil som tog närmare två dygn och slutade i staden Dadaab som ligger cirka tjugo mil nordväst om Kenyas huvudstad, Nairobi. I staden fanns basen för FN:s flyktingkommissariat och den omgavs av det som vid den här tiden beskrevs som världens största flyktingläger, med en halv miljon registrerade flyktingar.

De flesta av dem kom från det hårt krigsdrabbade grannlandet i norr, Somalia, och lägret i Dadaab var också den första anhalten på flyktingarnas resa innan de lyckades ta sig till olika länder utanför Afrika, till Europa, Kanada och även USA. Mohammed och hans familj tillhörde en mycket liten och privilegierad grupp. De medförde både egna ekonomiska tillgångar och egna pass. Sannolikt var det de skäl som avgjorde att Sverige accepterade dem som kvotflyktingar trots att de saknade anhöriga som tidigare flytt dit. De var därmed utvalda av det land som skulle bli deras nya hemland.

Jämfört med det som de varit med om tidigare måste resan till Sverige ha varit rena semestertrippen. Familjen flögs direkt från Nairobi till Arlanda norr om Stockholm. Efter de sedvanliga kontrollerna som Migrationsverket genomförde placerades de slutligen på en flyktingförläggning i Jättuna utanför Flen, några mil söder om Eskilstuna.

Jättunahemmet var en stor förläggning med svenska mått mätt. Där bodde som mest fyra hundra flyktingar, flertalet av dem från Bosnien och Somalia. Det var också en anläggning som vid den här tiden ofta kritiserades i media på grund av olika missförhållanden och de konflikter som rådde mellan de boende. Jämfört med lägret i Dadaab, med en halv miljon flyktingar och det liv som de där tvingats leva, måste det ändå ha upplevts som ett paradis av Mohammed och hans familj.

Efter drygt ett år på förläggningen i Jättuna beviljades familjen permanent uppehållstillstånd i Sverige och flyttade till Eskilstuna. Först till en lägenhet i Fröslunda och efter ytterligare ett halvår till huset på Lötgärdesstigen. Ett hus som de till en början hyrde av kommunen men som Mohammed snart fick köpa till ett förmånligt pris. Det tycktes gå bra för Mohammed och hans växande familj. Mohammed ägde snart en kemtvätt där man också kunde få sina kläder lagade och ändrade. Dessutom en mindre livsmedelsbutik. Hans äldste son Abdullah hade just börjat skolan och var redan bäst i klassen.

Ungefär så skulle man, enligt Carl Lewenhaupt och hans medarbetare på terroristrotelns underrättelseavdelning, kunna sammanfatta hur det hade gått till när Mohammed och hans familj hade hamnat i Eskilstuna i Sverige, nästan tusen mil norr om sin gamla hemstad Buulobarde i Somalia.

Eftersom Lewenhaupt och hans kolleger hade betraktat familjen med andra ögon än vad Migrationsverket hade gjort för mer än tjugo år sedan fanns det även några omständigheter som var värda att understryka. Inte minst mot bakgrund av att Mohammed och hans familj nu var det högst prioriterade ärendet på Säpos agenda.

Den politiska situationen i Somalia var lika kaotisk i dag som för tjugo år sedan när familjen hade flytt därifrån. Landet lika härjat av krig, fattigdom, svält och sjukdomar som då. Det var fortfarande ett av få länder som saknade en fungerande centralregering. Om Lewenhaupt skulle rangordna jordens länder på en skala från ett till tio som grundades på social, ekonomisk och politisk misär – plus allt annat kollektivt mänskligt elände som man kunde uppleta – var Somalia en given tiopoängare.

Samtidigt hade det skett intressanta politiska förändringar, såväl i Somalia som i omvärldens förhållningssätt till landet. FN och USA tycktes mer eller mindre ha gett upp sina tidigare ambitioner att skapa någon form av begriplig politisk och social ordning i landet. Allra minst att göra det med militära medel. Från detta fanns två undantag och inget av dem betingades av någon omsorg om landet och dess invånare. Tvärtom handlade det om att skydda omvärlden från Somalia.

För det första de insatser som man gjort mot de somaliska sjö-rövare som härjade utanför landets kuster, från Indiska oceanen i sydväst till Adenviken i norr. För det andra de återkommande aktionerna från USA som riktade sig mot de terroristorganisa-tioner som hade sin bas i landet.

Det som återstod i övrigt var det ekonomiska och sociala biståndet från FN och dess olika hjälporgan samt de vanliga bidragen från de rika länderna i Väst. I Sveriges fall handlade det om trehundra miljoner kronor per år i "bidragspengar och utvecklingsstöd" till de drygt tio miljoner invånarna i ett av värl-dens fattigaste länder.

Så långt det allmänna politiska läget och den ekonomiska och sociala bakgrunden. Men med tanke på deras ärende fanns det annat som var mer intressant.

När Mohammed och hans familj lämnat Somalia existerade inte al-Shabaab. Det skulle dröja mer än tio år innan organisationen grundades. I dag var al-Shabaab en betydande maktfaktor i lan-det och förfogade bland annat över en egen armé med tio tusen soldater varav åtskilliga tusen hade deltagit i betydligt fler krig än det som de ständigt förde i sitt hemland mot sina närmaste grannar. Krig som många av dem också hade utkämpat för den islamiska saken i Afghanistan, i andra delar av Afrika och över hela Mellanöstern.

Sedan flera år tillbaka hade al-Shabaab sitt starkaste fäste i familjens hemstad Buulobarde i Hiranregionen. Efter att famil-jen lämnat Somalia hade också den klan Mohammed tillhörde, Hawiyeklanen, stärkt sitt inflytande både i landet och inom al-Shabaab. Inom organisationen gjorde man i och för sig ingen åtskillnad mellan somalier från olika klaner, deras gemensamma islamska tro var överordnad den tillhörigheten, men samtidigt var det ingen hemlighet inom västvärldens säkerhetstjänster att många av dem som tillhörde al-Shabaabs högsta ledning också kom från Hawyieklanen.

Återstod Mohammed själv. När han kommit till Eskilstuna

för mer än tjugo år sedan hade han varit den förste i sin släkt som flytt till Sverige. Numera hade han sällskap av ytterligare ett par hundra släktingar som kommit hit som anhörigflyktingar till Mohammed och som motsvarade ungefär tio procent av de cirka två tusen somalier som bodde i området.

Samtliga somalier i Eskilstuna var sunnimuslimer. Samtliga medlemmar av Mohammeds släkt tillhörde Hawiyeklanen. Hur många av dem som också stödde al-Shabaab på olika sätt återstod att ta reda på. Själv höll Carl Lewenhaupt det för högst sannolikt att det kunde handla om åtskilligt fler personer än enbart Mohammeds äldste son, Abbdo Khalid.

Mohammed var den främste av Eskilstunas muslimer och det fanns ingen som ifrågasatte hans ställning. Han var en djupt troende muslim och kände personligen Eskilstunas samtliga sex imamer. Samtidigt var han också en framgångsrik affärsman och tillika svensk medborgare sedan femton år tillbaka.

– Vad vi ännu inte vet är om han också har några kontakter med al-Shabaab. Och om han nu har det, hur mycket han har att säga till om, sa Carl Lewenhaupt.

– Vad tror du själv då, Calle? frågade Lisa Lamm. Är han fågel eller fisk?

– Intressant fråga, sa Lewenhaupt. Eftersom jag tror att vi kommer att klara av den saken ganska snart avstår jag gärna från spekulationer. Om jag ska ge er ett tips så föreslår jag att ni tittar på alla bilder på Mohammed som Martinez och hennes medarbetare har tagit. Titta på hans kroppsspråk och hur hans omgivning förhåller sig till honom. För att underlätta tolkningen har jag också skickat med en promemoria som handlar om kroppsspråk bland muslimer som en av mina medarbetare har skrivit.

– Och den hittar vi som vanligt i våra mejlkorgar, konstaterade Lisa Lamm och log.

– Självfallet, sa Lewenhaupt. För oss ta-reda-på-saker-människor är era mejlkorgar alltid vår resas mål.

66

Först på fredag eftermiddag kunde Kajsa Nilsson och Lina Jonsson rapportera till sin chef Linda Martinez. De gav båda uttryck för sina tvivel på samma tema. Vad skulle Abbdo ha Ove till? Om man nu levde ett hemligt liv som gick ut på att skruva ihop bomber borde man väl till varje pris undvika just lösmynta gamla alkoholister som Ove Kristiansson. Återstod det där andra med bilen som kört i diket och mobilkontakten som tagits alldeles i närheten av gården där Ove Kristiansson bodde.

– Vad tror ni om det då, tjejer? frågade Martinez.

– Kan ju faktiskt vara en ren tillfällighet, sa Kajsa.

– Precis, instämde Lina. Det här är ett sådant där typiskt läge då man faktiskt inte kan utesluta slumpen.

– Ibland blir jag faktiskt jävligt orolig för er båda, sa Martinez. För nio månader sedan körde Abbdo Khalid i diket bara hundra meter från Kristianssons gård. För en vecka sedan hade han en mobilkontakt på samma ställe. Vad fan gör han där? Ska han hålla någon minneshögtid som handlar om den där dikeskörningen, eller?

– Förstår vad du menar, sa Kajsa. Ja, lite mysko är det kanske.

– Jo, onekligen ett intressant sammanträffande, bekräftade Lina.

– Var det något mer, suckade Martinez.

– Ja, möjligen en sak till, faktiskt, men den handlar inte om Kristiansson, sa Kajsa.

– Ta det med Frank i så fall, sa Martinez och skakade på huvudet. Dags för lille Linus att ta steg två, tänkte hon.

Linus Rasmusson inställde sig hos Linda Martinez knappt en halvtimme senare. Pigg och positiv, inte minst mot bakgrund av hur det hela hade slutat förra gången han träffat henne.

– Om jag fattade saken rätt ville chefen att jag skulle gå vidare med den där Kristiansson, sa Linus. Hur hade chefen tänkt sig upplägget?

Martinez tittade upp från datorn där hon satt och nickade mot den spaningspromemoria som Kajsa och Lina hade upprättat.

– Läs vad våra två blondiner har kommit fram till, sa Martinez. Fundera ut ett eget upplägg. Säg till när du är klar att ge mig ett förslag.

Först läste Linus sina kollegers pm. Det tog fem minuter. Sedan tänkte han skarpt i ytterligare fem minuter innan han harklade sig försiktigt.

– Jag lyssnar, sa Martinez och lutade sig tillbaka i stolen där hon satt.

Linus beskrev hur han såg på de fortsatta spaningarna mot Ove Kristiansson och hur han tänkte genomföra dem. Det tog honom ytterligare två minuter.

– Vad tror chefen om det? frågade han.

– Lysande, Linus, sa Martinez. Det finns hopp om dig. Så stick iväg nu och se till att det blir något gjort för en gångs skull så att vi hinner rädda livet på din gamla polare från scouterna.

67

Frank Motoele hade inte gett uttryck för någon större entusiasm när Kajsa Nilsson föreslagit att de skulle utvidga sina spaningar till att även omfatta Abbdo Khalids gamle klasskamrat Niklas Fransson, trots att denne numera var polis och hade jobbat i Eskilstuna under samtliga sju år som han varit det.

Vad kunde en sådan som polisassistent Fransson bidra med? Tolv år sedan han gått i skolan tillsammans med Abbdo och deras vägar skilts åt. Knappast bästa kompisar ens vid den tiden om nu Frank skulle våga sig på en gissning om den saken. Bland sina kolleger mest känd för sitt öknamn och sitt bristande omdöme som polis.

Kajsa Nilsson hade framhärdat och vägrat att ge med sig. Vilka gamla kompisar var det som man kände bäst? Jo, just dem som man hade gått i plugget med när man växte upp. Alldeles oavsett Kåtfrasses tillnamn och hans rykte inom polisen trodde hon att det kunde vara värt ett försök.

Ingen i spaningsstyrkan hade ju ens träffat Abbdo Khalid. Man hade tittat och lyssnat på honom i smyg. Man hade gått igenom alla register för att se om man kunde upptäcka något om honom på det viset. Man hade pratat med några av hans gamla lärare, arbetskamrater och chefer på de jobb som han hade haft. Enbart med sådana där man kunde vara säker på att de inte skulle berätta för Abbdo om det samtal som polisen haft med dem. Hög tid att man tog kontakt med någon som hade andra erfarenheter. Någon som kunde sätta lite kött på benen på den som de spanade på.

– Fransson måste ju ha snackat med Abbdo tusentals gånger och han är ju trots allt polis.

Till sist hade Frank Motoele gett med sig. Förutsatt att samtalet med Niklas Fransson gjordes under täckmantel och mycket bestämda förutsättningar. Kajsa Nilsson fick ikläda sig ännu en ny roll. Den här gången som knarkspanare på Rikskrim uppe i Stockholm. Hennes samtal med Niklas Fransson måste också ske under formella former på polishuset i Eskilstuna. Vad gällde de praktiska frågorna skulle Motoele ta dem med Eskilsson.

– Hör honom upplysningsvis om vad han kan ha att berätta om Khalid. Se till att han fattar att det är sekretess som gäller. Hitta inte på några detaljer om knarkärendet. Man ska aldrig ljuga mer än nödvändigt. Se till att han får skriva under ett yppandeförbud innan han går därifrån. Och säg inte ett pip om vad det egentligen handlar om.

– Ja, vad hade du trott att jag tänkte göra? frågade Kajsa. Vad hände förresten med det där om att man ska ha förtroende för sina kolleger? Du kan lita på mig. Jag lovar.

– Bra, sa Frank. Om du gör som jag säger lovar jag att lita på dig.

– Kul att vi är överens, sa Kajsa.

På lördag förmiddag den 23 maj höll kriminalinspektör Kajsa Nilsson vid Rikskriminalen förhör "upplysningsvis" med sin gamla klasskamrat från polishögskolan, polisassistenten Niklas Fransson vid polisen i Eskilstuna. Han var precis som hon kom ihåg honom.

– Du är snyggare än någonsin, Kajsa. Vad kan jag hjälpa dig med? frågade Niklas Fransson och log på samma sätt som han säkert alltid hade gjort när han pratade med en kvinna som såg ut som Kajsa Nilsson.

– Med den här gubben, sa Kajsa Nilsson, gav honom fotot från nionde klass och satte pekfingret på Abbdo Khalid.

– Lille Abdullah Mohammed, fast i plugget kallades han bara

för Abbdo. Jag hjälper dig gärna, Kajsa. Det vet du. Du kan alltid lita på mig. Oavsett vad det gäller.

– Vad kan du berätta om honom då? frågade Kajsa Nilsson.

I stort sett allt, enligt Niklas Fransson. Åtminstone från de nio år som de hade gått i skolan tillsammans och trots att de inte hade varit bästisar, direkt. Abbdo höll sig på sin kant. Undvek att umgås med vanliga människor som Niklas.

– Hans bästa polare var hans kusin Avve. Han gick också i samma klass. Abbdo? Vad ska jag säga om honom? Han var jävligt bra i plugget. Bäst i klassen. Bäst i skolan till och med. I vissa ämnen som matte och så. Liten, tyst snubbe, en sådan där som sitter längst fram och svarar på alla frågor. Som inte ens behöver räcka upp handen för att få frågan. Ja, du vet den typen. Hans kusin Avve däremot...

– Ja. Vad var det med honom då?

– Det var en helt annan lirare. En ganska glad skit, faktiskt. Helt överjävlig på att spela fotboll. Ja, du vet om att han spelar i allsvenskan?

– Ja, sa Kajsa. Men berätta mer om Abbdo. Värsta plugghästen, liten och tyst. Blev han mobbad också?

– Nej, glöm det. Han hade säkert tjugo blodsbröder i samma plugg. En del av dem var rent livsfarliga. Rena yrkesmördarna. Det visste alla. Om du jävlades med någon av dem så fick du alla på dig. Då var du rökt.

– Försökte han använda sig av det? Att han hade en massa äldre kompisar som ställde upp för honom.

– Nej, sa Niklas. Abbdo höll sig på sin kant, som jag sa. Plugghäst. Snäll och hygglig om det var något du behövde fråga honom om. Men det var aldrig han som tog kontakt med dig.

– Men hans somaliska blodsbröder då? Det var ingen av dem som försökte jävlas med Abbdo?

– Du menar att de skulle ha gett sig på Abbdo? För att han inte var som de?

– Ja, typ.

337

– Nej, nej. Det hade ju varit rena självmordet.

– Varför då?

– Jo, men det måste du väl ändå veta? Vem Abbdos pappa är. Mohammed Hussein.

– Det enda jag vet om honom är att han är helt ostraffad. Vanlig framgångsrik affärsman om jag fattat saken rätt.

– Nu blir jag orolig på allvar för dig, Kajsa. Mohammed är somaliernas boss. Han är rena Gudfadern för dem trots att de är muslimer. Gäller alla somalier här i Eskilstuna. Om någon av dem skulle ha gett sig på hans äldste son, lille Abdullah var Mohammeds ögonsten, hade han varit en död man. Jag minns när vi gick på lågstadiet. Det fanns alltid några äldre somalier som fanns i närheten av Abbdo och kollade att ingen jävlades med honom. Riktigt ruggiga typer, till och med våra lärare sket ner sig om de bara tittade på dem.

– Men Abbdo själv var en snäll och hygglig kille. Plugghäst, lite försynt. Gjorde inte en fluga förnär, förtydligade Kajsa Nilsson.

– Nej, varför skulle han göra det? Det behövde han ju inte. Abbdo var Mohammeds äldste son. Det räckte. Därför blir jag också lite förvånad när du dyker upp här och börjar fråga mig om Abbdo för att han skulle vara inblandad i något knarkärende. Vem som helst av de andra, även hans kusin Avve faktiskt, men inte Abbdo. Rena mysteriet om du frågar mig. Att han skulle hålla på med droger, alltså.

– Just den biten kan jag inte gå in på, som jag sa till dig.

– Nej, det är helt okej. Men jag blir ändå förvånad. När vi gick i plugget Abbdo och jag, jag menar vi gick ju ändå i samma klass i nio år…

– Ja?

– Den enda som aldrig krökade till, som aldrig rökte på, det var Abbdo. Han höll inte ens på med tjejer. Så fort vi började på högstadiet slutade han att gå på våra klassfester. Hans kusin däremot var svår på tjejer, rökte på, drack bira, gillade att partaja. Fullt normal. Inte särskilt lik Abbdo.

– Hur klarade han sig i skolan? Jag menar Avve, alltså.

– Nej, han var verkligen inget snille. Jag tror till och med att jag hade bättre betyg än han. Avve var street-smart, men han la av plugget så fort han slutat nian. Trots att han var näst bäst på nationella provet när vi gick sista året. Abbdo var bäst naturligtvis. Det var inget konstigt med det. Men att Avve plötsligt var näst bäst slog hela världen med häpnad. Ingen av våra lärare fattade någonting. Ingen av oss andra heller. Det tog ett tag innan jag räknade ut hur det hade gått till. Det är faktiskt en riktigt bra historia. Dessutom säger den något om Abbdo.

– Kan du inte berätta den då, sa Kajsa.

Att gå i samma klass som Abbdo och hans kusin Avve hade medfört vissa praktiska problem eftersom de var så lika varandra till det yttre. De förväxlades ständigt så fort de inte satt i klassrummet, förstås, där Avve alltid satt längst bak och spanade in tjejerna i klassen medan hans kusin satt längst fram, läste i en bok, knappade på sin dator eller svarade på alla frågor som ingen annan kunde svara på.

Så fort man lämnade klassrummet kunde det däremot bli problem. En av kamraterna i klassen hade försökt skämta till det och föreslagit att Abbdo och Avve skulle bära namnskyltar på bröstet där det för enkelhetens skull skulle stå "Neger ett" och "Neger två" och vem av dem som skulle vara ettan eller tvåan kunde de ju singla slant om. Abbdo var bäst i skolan i samtliga pluggämnen. Avve var bäst på att spela fotboll. Att singla slant om saken var enklast.

Avve hade tagit förslaget från den skämtsamma sidan. Visst, om förslagsställaren bar en likadan skylt där det stod att han hade en liten pitt var han gärna Neger två. Abbdo hade inte sagt ett ord, bara gått därifrån och på rasten hade Niklas sett hur han pratat med ett par av de allra värsta i det somaliska brödraskapet.

– Det var inget bra förslag, sa Niklas och skakade på huvudet. Det fattade min kompis redan när han skulle gå hem från plugget samma dag. Det var några av dem som Abbdo hade pratat med som ordnade den saken.

– De spöade upp honom.

– Skämtar du. Det är bara förnamnet. När han kom hem stod de och väntade på honom. De släpade ner honom i tvättstugan i kåken och sedan slog de honom sönder och samman. Innan de gick tog de alla hans kläder. Sedan tog de en sprejburk och lämnade ett meddelande på honom. Sprejade det på bröstet på honom där han tyckte att Abbdo och Avve skulle ha sina namnskyltar.

– Vad stod det där då?

– Nästan död Svenne, sa Niklas.

– Men någon måste väl ha gjort en anmälan, sa Kajsa.

– Lyckligtvis inte, sa Niklas. För då hade det stått död Svenne på honom nästa gång man hade hittat honom.

– Det låter ju helt vansinnigt. Någon vuxen måste väl ändå ha reagerat? Vad gjorde hans föräldrar? Vad gjorde lärarna i skolan?

– Ingenting. Alla höll käften. Gladast för det var nog min kompis som föreslagit det där med namnskyltarna. Han fick ju i alla fall leva.

– Låter verkligen som en riktigt bra historia. Vad glad jag blir när jag hör den.

– Ja, fast den har faktiskt en poäng på slutet. Som säger något om både Abbdo och Avve.

– Okej, jag lyssnar.

– Veckan efter det där med namnskyltarna kom Avve med ett annat förslag. Till mig faktiskt, säkert för att jag också spelade i skollaget i fotboll. Både han och Abbdo var också trötta på att bli förväxlade hela tiden, så därför erbjöd de sig att ha tröjor med olika färg. Att Abbdo skulle ha en gul tröja, gult var ju Lejonets färg, så kunde Avve ha en blå. Så blev det också. Hela sista året som vi gick i plugget gick Abbdo omkring i en gul t-shirt medan Avve hade en likadan fast blå. Alla andra blev väldigt glada, lärarna inte minst. Det var faktiskt först efter nationella proven, när det visade sig att även Avve var ett geni, som jag fattade hur det låg till. Avve var en kul kille, något av en levnadskonstnär som jag sa, men något snille var han inte.

– De hade bytt tröjor med varandra.

– Precis. Du vet ju själv hur det gick till på de där proven. Kanske hundra stycken kids som sitter där och ska fylla i sina frågeformulär medan två trötta lärare ska kontrollera att det inte är någon som fuskar. Bara en i taget som får gå ut på muggen men ett väldigt springande hela tiden. Det var väl inte så svårt att räkna ut hur det hade gått till.

– Men så blev du ju polis, också, sa Kajsa och log. Mästerdetektiven som löste det stora tröjmysteriet, tänkte Kajsa Nilsson. Hur han nu hann med det mellan alla tjejerna.

– Ja poliser, det är vi ju båda, sa Niklas och log ännu bredare. Vad tror du förresten om att gå ut och ta en öl och snacka gamla minnen från skolan?

– Jag trodde du var gift, retades Kajsa. Samma gamla Niklas. Ger aldrig upp hoppet.

– Gift och gift, sa Niklas. Det är väl ändå att ta i. Jag har en tjej som jag dejtar till och från. Men snacka gamla minnen från PHS har väl ingen dött av? Vad tror du om det?

– Jag vet inte ens hur länge jag blir kvar här i stan. Men visst, slå en signal i början på nästa vecka så får vi se, sa Kajsa. Om du bara visste hur många som dött av att prata gamla minnen, tänkte hon.

– Allt det där visste vi ju redan, konstaterade Frank Motoele när Kajsa ett par timmar senare hade berättat för honom vad deras kollega Niklas Fransson haft att säga om Abbdo Khalid och den tid som de gått i skolan tillsammans.

– Allt är väl ändå att ta i, invände Kajsa. Det där om den misshandlade skolkamraten kände i alla fall inte jag till. Inte det där om när de bytte tröjor med varandra heller.

– Vad vi nu ska med det till, om det är sant, sa Frank Motoele. Snart femton år gamla uppgifter. Att fuska på ett prov är inget brott. Vad det där misshandelsoffret beträffar så gjordes det ju aldrig någon anmälan. Har du försökt prata med honom, förresten?

– När skulle jag ha haft tid med det? Dessutom går det inte, för jag hann i vart fall med att kolla upp honom.

– Varför går inte det då?

– Han är död, sa Kajsa. En drunkningsolycka för tre somrar sedan. Var ute och fiskade på Hjälmaren tillsammans med några polare. Var rejält på fyllan, trillade i och drunknade.

– Varför blir jag inte förvånad, sa Frank Motoele.

– Jag tycker ändå det säger något om både Abbdo och hans kusin, envisades Kajsa. Den försynte plugghästen Abbdo, femton år gammal, som säger åt sina elaka kamrater att nästan, men bara nästan, slå ihjäl hans klasskamrat. Åtminstone jag får en annan bild av Abbdo Khalid.

– Den biten har jag aldrig haft några problem med. Abbdo är en mördare. Att andra än han får sköta själva jobbet är heller inget konstigt. Han har större uppgifter i livet som väntar på honom.

– Vad skulle du själv ha gjort förresten, fortsatte Kajsa Nilsson, om någon skulle ha sagt åt dig att ha en sådan där skylt på bröstet?

– Det vill du inte höra, sa Motoele.

– Jo, det vill jag visst. Jag vill veta hur du skulle ha reagerat om någon hade försökt kränka dig på det viset. Det säger nämligen något om dig som person. En sådan som Abbdo måste ju ha blivit kränkt hur många gånger som helst av folk som inte visste vem han var utan bara gick igång så fort de såg en svart snubbe. Hur skulle du ha gjort om någon hade gjort likadant mot dig?

– Aldrig någon som har försökt kränka mig, sa Frank Motoele.

– Nej, vad det nu kan bero på. Kolla dig själv i spegeln någon gång om du inte fattar vad jag menar.

– Ja, jag lovar att fundera på saken.

– Försök inte smita nu, Frank. Svara istället. Vad skulle du ha gjort?

– Då skulle det inte ha stått nästan död på honom. Och den praktiska biten skulle jag ha fixat själv.

68

Linus Rasmusson hade ett uppdrag, en plan för att genomföra det samt ett problem som stred mot själva grundregeln för allt seriöst polisarbete: att gilla läget. Ett uppdrag, en plan, ett problem.

Uppdraget hade han fått av sin chef, Linda Martinez, och det gick ut på att visa att det fanns ett samband mellan Abbdo Khalid och Ove Kristiansson, i detalj klarlägga vad detta samband bestod i samt säkra all den bevisning som krävdes för att döma Ove Kristiansson till ett längre fängelsestraff eftersom det låg i sakens natur att det måste handla om ett brottsligt samband mellan de båda. Så låg det till enligt Martinez, svårare än så var det inte och de praktiska detaljerna överlät hon med varm hand åt Linus eftersom hon själv hade viktigare saker för sig.

Linus hade tagit fram en plan för hur han skulle närma sig sitt spaningsobjekt, vinna hans förtroende och få honom att göra alla de där misstagen som räckte för att han skulle hamna i finkan. Tyvärr hade han också ett problem eftersom han inte trodde att det fanns något samband, allra minst av en kriminell natur, mellan Khalid och Kristiansson. Vad skulle en sådan som Khalid med en sådan som Kristiansson till?

Linus hade pratat med sina kolleger Kajsa och Lina om saken, de hade ju ändå träffat Ove Kristiansson, men det som de hade haft att tillföra hade knappast varit till gagn för hans arbetsmoral.

– Ove Kristiansson är en svårt alkoholiserad äldre man, sa Kajsa Nilsson. Han sitter i en gammal kåk som håller på att rasa ihop medan han super skallen av sig. Glöm det där sambandet mellan dikeskörningen och mobilsamtalen som Martinez tjatar om. Det är ett sådant där olyckligt sammanträffande bara. Det händer hela tiden i den här branschen.

– Ja, tyvärr är det väl så illa, instämde Lina. På den punkten är Kajsa och jag för en gångs skull helt överens.

Återstod att gilla läget ändå samt att genomföra den handlingsplan som han hade lagt upp, tänkte Linus Rasmusson och på lördag förmiddag skred han till verket. Ungefär samtidigt som Kajsa Nilsson träffade sin gamla klasskamrat från polishögskolan parkerade Linus Rasmusson sin taxi på gårdsplanen utanför Ove Kristianssons hus, tutade tre gånger, stängde av motorn och klev ut.

Efter fem minuter och ytterligare tre tutningar öppnades dörren till huset och Ove Kristiansson steg ut på sin veranda, barfota, i otvättade jeans och en till hälften knäppt rutig skjorta i flanell.

– Vad kan jag hjälpa dig med då, grabben? frågade Kristiansson medan han flackade med blicken mellan Linus och hans taxibil.

– Ja, jag ber om ursäkt, sa Linus. Men jag hade en beställning till klockan tio. Kristiansson. Körning till Eskilstuna centrum. Enkel resa.

– Vadå, taxi? Jag har inte beställt någon taxi.

– Jag har beställningen här, sa Linus och höll upp sin mobil.

– Jag har fan inte beställt någon taxi, upprepade Kristiansson och skakade på huvudet.

– Mystiskt, sa Linus. Men det är du som är Kristiansson?

– Ja, vem fan skulle jag annars vara? Det står ju på brevlådan nere vid vägen. Om du har körkort kan du väl läsa innantill.

– Så du har inte beställt någon taxi?

– Nej, sa Kristiansson. Rätta mig om jag har fel, men jag har för mig att jag just sa det. Två gånger också, för säkerhets skull.

– Jävligt konstigt, upprepade Linus. Jag har ju beställningen här på mobben. Det finns ingen annan Kristiansson som bor här i närheten? Så att det blivit något missförstånd, menar jag.

– Nej.

– Kan det finnas någon som vill jävlas med dig tror du, föreslog Linus. Sådant händer också, tyvärr.

– Säkert, sa Ove Kristiansson och flinade. Men ingen som heter Kristiansson.

– Typiskt, suckade Linus. Jag får sätta upp det som en bomkörning helt enkelt.

– Visst, sa Kristiansson. Men du ska inte räkna med att få några stålar från mig. Jag pröjsar bara för sådant som jag har beställt.

– Självklart, sa Linus. Det här får vi på Taxi Sörmland stå för. Dessutom får jag be dig om ursäkt för att jag kom och störde mitt i helgfriden.

– Skit i det, grabben. Det är sådant som händer. Vad gör du nu då?

– Ja, jag måste ju tillbaka till stan, suckade Linus. Jag har kört natten så jag måste lämna tillbaka bilen senast klockan tolv.

– Vad tror du om att jag liftar med dig in till stan så kan jag passa på att uträtta ett ärende som jag ändå måste göra?

– Tyvärr, sa Linus. Det går inte.

– Vad är problemet? Du kan släppa av mig var som helst inne i stan.

– Jag får inte ha några passagerare om taxametern är avstängd. Jag är ledsen, men det beror på försäkringsreglerna där man kräver...

– Skit i det nu grabben, avbröt Ove Kristiansson. Vad tror du om en hundring svart?

– Okej, sa Linus och ljusnade. En hundring. Det är helt okej.

– Bra, sa Ove Kristiansson. Ge mig fem minuter så jag får sätta på mig dojorna.

En kvart senare satt Ove Kristiansson i framsätet på Linus taxi på väg till Eskilstuna. Hundringen hade Kristiansson betalat i förskott. Han hade också satt på sig rena kläder och åtminstone vaskat av sig det värsta. Strumpor och skor, nytvättade jeans, skjortan knäppt och även den helt i sin ordning. En äldre pensionär från landet som måste in till staden för att uträtta ett ärende. Dessutom hade han lagt bort titlarna med Linus.

– Var vill du att jag ska släppa av dig, Ove? frågade Linus.

– Vad tror du om systembolaget, svarade Ove och flinade.

– Passar utmärkt, sa Linus. Det ligger ett bolag alldeles i närheten av vårt garage.

– Jag har ett förslag också. Vad tror du om att köra mig tillbaka? Så kan du tjäna en hundring till.

– Problemet är att jag måste lämna tillbaka bilen, sa Linus.

– Du har ingen egen?

– Nej, sa Linus. Men om du ger mig en kvart extra tror jag att jag kan låna en. Av en polare. Han jobbar också på taxi, förresten.

– Och han kan låna ut sin bil?

– Ja, han råkade bryta foten när vi lirade fotboll förra veckan. Han är sjukskriven.

– Ja men då gör vi så. Det är taget.

– Jo, sa Linus. Men grejen med honom är att han vill ha betalt för soppan också, om man ska låna hans bil. Oss emellan är han ganska snål, faktiskt.

– Sådana kryllar det väl av. Snåla jävlar som ska sko sig på sådana som dig och mig. Det är väl inte värre än att du får en hundring till.

– Schysst, sa Linus. Schysst av dig, Ove. Jävligt schysst.

Tjugo minuter senare hade han släppt av Ove utanför systembolaget och så fort han försvunnit in genom dörrarna hade Linus ringt till Linda Martinez och förklarat att han befann sig mitt i centrum och behövde byta till en annan bil. En helt vanlig bil.

– Okej, sa Linda. Kör ner till Stadshotellet och ställ dig på deras parkering så ska jag se till att du får en ny bil. Hur går det förresten?

– Det går bättre än bra, sa Linus.

– Bra, sa Martinez. Du har en ny kärra inom tio minuter.

Ove Kristiansson var på ett utmärkt humör. Linus hade lastat in en back starköl och två välfyllda systempåsar i baksätet på bilen och fyrtio minuter senare hade han burit in samma varor och ställt dem i Oves kök. Ove hade klappat honom på axeln och tackat honom för hjälpen. Det var inte alla ungdomar nu för tiden som var som Linus. På hans tid, när han hade varit lika gammal som Linus, ställde alla ungdomar upp om det var någon gamling som behövde hjälp. Så var det inte längre. Sådana som Linus var sällsynta och de allra värsta, de som stal från sådana som Ove och försökte kväva dem med deras egen kudde så fort de somnat för att i lugn och ro kunna dra ut deras guldtänder, brukade jobba på hemtjänsten.

– Om du inte hade varit tvungen att köra skulle jag ha bjudit dig på en bira, sa Ove. Men det får bli en annan gång. Dessutom har jag bara en kall kvar så den tänkte jag klämma själv. Så fort jag lagt mig på soffan och slagit på dumburken.

– Det är helt okej, sa Linus. Ta mitt kort förresten. Mitt företagskort, ifall du behöver hjälp någon annan gång. Det är mitt eget mobilnummer som står på kortet.

– Fan, Linus, sa Ove och suckade. Du är unik grabben. Nu är det nog bäst att du drar hem till Eskilstuna innan jag ångrar mig och ger dig min enda kalla bira.

Återstår Ove, tänkte Linus Rasmusson och suckade djupt medan han körde tillbaka till Eskilstuna för andra gången samma lördag. Svårt alkoholiserad förvisso, snart åttio år gammal och chansen var mer än hygglig att han skulle supa ihjäl sig på den här sidan jul. En ensam människa och säkert inte lätt att ha att göra med om man kom på kant med honom. Tog man honom på rätt sätt däremot var han säkert snällare än de flesta. Hur sannolikt är det att en sådan som Ove har ihop det med en sådan som Abbdo Khalid, tänkte Linus och suckade på nytt. Lika troligt som att en duva vill vänslas med en hök.

69

När Mattei hade återvänt till sitt rum efter mötet där Carl Lewenhaupt berättat om hur familjen Khalid kommit till Sverige hade hon först tagit itu med de administrativa ärenden som hennes sekreterare Karin hade lagt på hennes skrivbord. De låg där i en liten plastficka och väntade på att Mattei skulle ta hand om dem och säga sitt innan hon skickade dem vidare till nästa vårdnadshavare i det stora huset på Ingentingsgatan i Solna.

De låg där som en del av de administrativa rutiner som avsåg att trygga byråkratins existens och i bästa fall även skänka innehåll och mening i livet åt dem som jobbade i huset. Oavsett vilket upptog de en allt större del av Matteis vakna tid. Undrar vad som händer om jag bara kör dem i papperstuggen, tänkte Mattei. Att döma av färgen på plastfickan var det ingen som skulle dö på kuppen.

Istället hade hon gjort det hon skulle och väl klar hade det varit dags att äta lunch i sällskap med Lisa Lamm och Jan Wiklander. Lunch i personalmatsalen där man hade pratat om i stort sett allt mellan himmel och jord utom deras egen utredning. Helt enligt anvisningarna om sekretess enligt SISU men även av omsorg om alla deras arbetskamrater som befann sig inom hörhåll och därmed utgjorde en risk för att kunna äventyra själva saken.

Sedan hade de avslutat sin måltid genom att önska varandra en trevlig helg. Wiklander, som hade det operativa ansvaret under helgen, hade lovat att höra av sig om det hände något som krävde deras omedelbara närvaro, men eftersom tidigare erfarenheter talade starkt emot att det skulle göra det såg han samtidigt fram emot att träffa dem på måndag.

Det finns en klar brist i anvisningarna för SISU, tänkte Mattei när hon på vägen ut ställde ifrån sig sin bricka i disken. Där stod bara sådant som man inte fick prata om, men det gavs inga som helst rekommendationer för vad man borde prata om istället. Att prata om det väder som rådde utanför huset på Ingentingsgatan var nästan alltid fullt i sin ordning, men så fort man övergick till att jämföra det med andra väderförhållanden var man inne på farliga vägar. Som vädret i södra England för snart fjorton dagar sedan. Än värre, och ett klart och tydligt sekretessbrott enligt SISU, vore att ens göra antydningar om den sol som hade lyst från den blå himlen ovanför RAF Brize Norton på måndag eftermiddag den 11 maj.

Äntligen ensamma, tänkte Lisa Mattei. Hon satte sig ner bakom sitt stora skrivbord. Öppnade sin dator. Loggade in på Händige Helge och öppnade den mapp under kategorin "Allmänt utredningsstöd" som var Carl Lewenhaupts senaste bidrag till hennes utredning.

Därefter ägnade Lisa Mattei ännu en eftermiddag av sitt liv åt att titta på filmer med unga västerländska kvinnor där de ömsom bekände sin starka tro på islam, ömsom lovade att själva ta död på sina motståndare i det heliga krig där de numera deltog.

Det var unga svenska kvinnor som levde i en relation med en muslimsk man med en helt annan etnisk bakgrund och med en av Säkerhetspolisen styrkt anknytning till olika terrororganisationer inom den islamiska världen. Påfallande ofta var kvinnorna blonda, blåögda, ljushyllta och med vita tänder. Alltid osminkade, ofta vackra att se på, och i en annan tid hade de mycket väl kunnat stå modell för både konstnären Carl Larsson och den tidens svenska kvinnoideal. Den genomlysta blicken i deras ögon. Lugn, avklarnad, stadig. Sättet som de uttryckte sig på. Oftast sakligt, konstaterande, balanserat, lidelsefritt, till och med befriat från känslor, utan att höja rösten, utan minsta tillstymmelse till ett leende, ofta välformulerat och allt sammantaget tecken på en problemfri uppväxt i en bildad svensk medelklass.

Och totalt befriade från humor, tänkte Lisa Mattei, tog telefonen och ringde till Carl Lewenhaupt.

– Hej Calle. Har du tid att träffa mig?

– Ja.Vad vill du prata om?

– Om de där svenska blondinerna som du mejlat över som hela tiden ska skära halsen av oss andra.

– Det är något som du har sett i ögonen på dem?

– Ungefär så, instämde Mattei.

Mattei började med att prata om den europeiska terrorismen under sjuttiotalet. Att kvinnor var aktiva terrorister var inget nytt. Ulrike Meinhof, Gudrun Ensslin, Irmgard Möller, Brigitte Mohnhaupt och Hanna Krabbe, för att nu bara nämna en handfull av dem, hade haft hundratals medsystrar runt om i Europa på den tiden det begav sig. I social mening var de i stort sett lika de kvinnor som nu var en del av den islamska terrorismen. Bildad medelklass som ofta såg bra ut. Att de sedan trodde på helt olika saker var heller inte intressant, enligt Mattei. Däremot uttrycket i deras ögon.

– Ulrike och hennes väninnor kunde du ju läsa, förklarade Mattei. De var glada, förbannade, påtända, beslutsamma, mordlystna, vad du vill, men de hade verkligen ögon som visade vad som rörde sig i huvudet på dem. Men inte de här tjejerna som du mejlar över femtio år senare. Det enda du ser i deras ögon är det där ljuset som någon tycks ha tänt i huvudet på dem. Samma stadiga sken, det fladdrar inte ens.

– Jag förstår vad du menar, sa Calle Lewenhaupt och nickade. De har sett sanningen och ljuset, förstått meningen med livet. Det gör att du är höjd över allt det där andra.

– Bra, sa Mattei. Då ska du få ett tips av mig. Ring kollegerna i Uppsala och be att de skickar över de videofilmade förhören som de höll med Sara Svensson i det där Knutbyärendet som de hade 2004.

– Du menar barnflickan som sköt pastorns fru och grannen?

– Precis, sa Mattei. Be dem mejla över dem utan att tala om varför. Om någon skulle undra så säg att det handlar om rikets säkerhet.

– Det är bra förhör, sa Calle Lewenhaupt.

– Nej, sa Mattei. Förhören är usla, men barnflickan är bra. Hon har precis samma slags uttryck som de där tjejerna som jag pratar om. Dessutom är hon i samma ålder som de.

– Ja, hon var väl också djupt troende. Fast kristen.

– Ja, sa Mattei. Den biten köper jag. Det kan du se i hennes ögon. Problemet är det där som hon påstår att hon har gjort. Det tror jag nämligen inte på.

– Intressant, sa Calle Lewenhaupt och nickade eftertänksamt.

– Sedan har jag en sak till som jag undrar över.

– Vad är det då?

– Om du nu har den där starka tron … varför måste du då hela tiden hålla på och åkalla den som du tror på? Det är ju Allah hit, och Profeten dit, i stort sett i varenda mening och oavsett vad det handlar om. Själv är jag ju kristen på det där vanliga svenska viset att jag är döpt och konfirmerad, men anta nu att jag plötsligt skulle bli frälst på riktigt.

– Ja?

– Jag skulle inte drömma om att hänvisa till Vår Herre för att förklara vad jag ätit till middag eller hade på mig när jag skulle gå på kalas. Varför skulle jag besvära honom med sådant? Han har väl andra och viktigare saker att tänka på?

– Tron tar sig olika uttryck, sa Calle Lewenhaupt samtidigt som han knäppte händerna över magen och riktade blicken uppåt. Jag hade en äldre kvinnlig släkting som var djupt troende …

– Vad tror du om att vänta med henne, avbröt Mattei. Jag har nämligen en annan sak som stör mig. Som har stört mig hela tiden under den här utredningen. Som du och jag redan har pratat om.

– Du menar Louise Urqhart.

– Precis, sa Mattei. Uttrycket i hennes ögon är ju inte det

minsta likt det som du ser hos de där muslimska blondinerna som du har skickat på mig. Vet du varför det är på det viset?

– Nej, jag lyssnar, sa Carl Lewenhaupt.

– Oavsett vilken Gud vi pratar om tror jag inte att Louise Urqhart går hans ärenden. Hon har andra uppdragsgivare. Hur går det med Kolya, förresten?

– Jag ska träffa honom nu på torsdag. Jan har ordnat det praktiska.

– Torsdag? Det är ju nästan en vecka dit.

– Ja, jag vet, men enligt Jan behövde Kolya den tiden om han skulle kunna hjälpa oss.

– Okej, sa Mattei. Det säger han bara för att kunna klå oss på mer pengar. Men jag köper det om du tar reda på vem Louise Urqhart jobbar åt.

När Mattei kom hem hade Ella redan somnat. Två timmar tidigare än normalt och inte för att hon blivit sjuk utan för att hon varit på utflykt med dagis under dagen och varit helt slut när Johan hade kommit för att hämta henne.

– Hon satt och nickade till redan medan vi satt och åt, men innan hon slocknade för kvällen hälsade hon till sin mamma och bad att jag skulle pussa och krama på dig när du kom hem.

– Ja, och själv tog jag med mig en present till dig. Jag la datastickan på ditt skrivbord. Det är lite fler filmer som jag vill att du ska titta på.

– Självklart, sa Johan. Var har du papperen som jag ska skriva på?

– Det slipper du den här gången, med tanke på dina tidigare insatser. Själv tänkte jag faktiskt följa Ellas exempel. Med tanke på morgondagens kalas och att jag känner mig gammal, rynkig och grå.

På lördagen lämnade de Ella hos hennes mormor eftersom mamma och pappa skulle gå på ett kalas utan barn hemma hos pappas kompisar. Ella gjorde inga invändningar. Kul att få träffa mormor, extra kul eftersom hon just hade kommit hem från sin semester i Italien och säkert hade köpt med sig någon present till Ella.

I samband med att Lisa Mattei lämnade över sin dotter passade hon också på att ge en liten påminnelse till sin egen mamma.

– Vad fin du är. Man ser verkligen att du haft en bra semester.

– Tack, sa Linda Mattei. Italien så här års är verkligen bra. Precis lagom varmt.

– Ja, så man orkar äta ordentligt, instämde Lisa Mattei. Du är snart lika rund och god som Ella.

– Ja, det problemet tycks ju inte ha drabbat dig, sa Linda Mattei som plötsligt såg mer ut som den polis som hon en gång varit än den mor som hon fortfarande var.

– Det beror på att jag inte stoppar i mig en massa socker hela tiden, sa Lisa Mattei. Puss och kram Ella, puss och kram mamma, var rädda om er nu, vi ses i morgon.

Kalas på Dalarö i Stockholms skärgård. Vänner och bekanta till Johan som sysslade med film och tv. Framgångsrika människor och tillräckligt många för att minska risken för att man skulle bli sittande hela kvällen med någon som hade druckit alldeles för mycket eller bara var svår att uthärda i största allmänhet.

Lisa Mattei hade hamnat vid samma bord som värdinnan. En känd skådespelerska som tydligen var i ungefär samma ålder som Mattei trots att hon till skillnad från alla andra inte fyllde år varje år. Nu var hon glad och nyfiken och lagom berusad och dessutom hade hon just skrivit på ett kontrakt där hon skulle spela huvudrollen i en större teveserie som handlade om en kvinnlig polis.

– Är det okej om jag ringer dig, Lisa, och ber om lite tips? frågade värdinnan. Vi kanske kunde ta en lunch någon dag?

– Ja, sa Lisa Mattei och log. Det är klart vi kan. Här har jag inte hamnat av en slump, tänkte hon.

– Jag menar, ditt jobb måste ju vara hur spännande som helst. Spioner och terrorister och allt det där. Själv ska jag vara en helt vanlig snut, något slags kvinnlig True Detective, men jag pratade med Johan och då förstod jag att det var du också innan du började jobba på Säpo.

– Ja, det är jag fortfarande faktiskt, sa Mattei. Försöker, åtminstone, tänkte hon.

– Ja, men tänk om det händer någonting då? Någon som skjuter statsministern eller någon som den där tokiga Breivik som sprängde halva Oslo i luften innan han åkte ut på en ö och sköt hundra ungar. Då kommer det plötsligt en helikopter och landar mitt i kalaset och du bara åker i väg och kan inte säga ett ord till någon ens om vad det är som har hänt.

– Ja, det vore inte så kul, sa Lisa Mattei.

– Swooosch, bara. Rakt upp i luften och iväg, sa värdinnan och gjorde en yvig gest med händerna.

– Ja, typ, sa Lisa Mattei och log ännu bredare. Med tanke på hur trevligt jag har hoppas jag verkligen att jag slipper det. Du är ingen tankeläsare direkt, tänkte hon.

På kvällen blev det dans, men inte nere på bryggan utan i ännu ett tält som festarrangören hade slagit upp mellan poolen och gästhuset. Tydligen hade värden, som var tjugo år äldre än sin fru, även lagt sig i den inhyrda discjockeyns val av musik. Mycket gamla godingar från hans egen tid och åtskilliga tryckare om han nu behövde påminnas om den.

Lisa dansade med Johan och eftersom hon druckit två glas champagne i väntan på maten och två glas vin till den, var det sannolikt förklaringen till att hon också sjöng med i texten till musiken som de dansade till.

– Will you still love me when I'm sixtyfour, nynnade Lisa Mattei i örat på sin man. Det är Beatles, Johan, en riktig gammal goding.

– Om du säger det så, sa Johan.

– Jag är full, Johan, sa Lisa Mattei. Jag är dyngrak.

– Nej, sa Johan. Möjligtvis en aning berusad. Jämfört med resten av sällskapet är du snarast spiknykter.

Innan de somnade i värdfolkets stora gästhus pratade de om festen. Lite för mycket av The Great Gatsby, tyckte Johan. Dessutom av den där svenska modellen där folk drack mer än vad Gatsbys gäster hade gjort. Filmen hade han heller inte tyckt om. Men boken var bra.

– Vad tror du om det där med Beatles då? När jag är sextiofyra, alltså.

– Du menar när jag är femtiosju, sa Johan. När jag slutat träna, lagt på mig trettio kilos övervikt och ser ut som alla andra som lyfte skrot fem dagar i veckan när de trodde att de var odödliga. Medan du fortfarande ser ut som en nyponros.

– Ja, vad tror du då?

– Jag hoppas att du fortfarande älskar mig, sa Johan.

– Nu är du så där igen, sa Lisa Mattei.

– Ja, det är tur att ingen hör oss. Kommer du att kunna hjälpa vår värdinna med hennes rollgestaltning?

– Jag funderar på att sammanföra henne med Martinez, sa Mattei. Det är så nära jag tror man kan komma.

– Ja, sa Johan. Själv lovar jag att försöka ta hand om dig och Ella. Medan du tar hand om alla andra. Du kommer ihåg vad jag sa.

– Ja, sa Mattei. Det är tur att ingen hör oss.

Lisa Mattei somnade utan drömmar. Jag lever, tänkte hon. Johan lever, Ella lever. Inget ont kommer att hända oss.

På söndag eftermiddag hämtade de Ella hos hennes mormor och så fort de satt sig i bilen hade Ella en hemlighet som hon ville berätta för sina föräldrar. Om de lovade att inte berätta för mormor vad hon hade sagt.

– Jag lovar, sa Johan.

– Jag lovar, upprepade Lisa. Ingenting i kors.

– Mormor lagar inte så god mat längre, sa Ella.

IV

Tisdagen den 12 maj till
onsdagen den 27 maj

Jakten på Bombmakaren,
hans kvinna och hans väst

70

Linda Martinez hade ett praktiskt förhållningssätt till det mesta i livet och särskilt romantiskt lagd var hon heller inte. Därför hade det inte varit så svårt för henne att bortse från de råd som brukade ges av både poliser och deckarförfattare där de förordade att man skulle leta efter de pengar som gärningsmannen behövde eller den kvinna som han brukade ha i sin närhet.

Vad Abbdo Khalids pengar anbelangade överlät hon med varm hand jakten på dem till Jan Wiklander och Calle Lewenhaupt och alla deras intellektuella. Om de ville öda sin tid på att gå igenom Abbdo Khalids deklarationer, bankutdrag och transaktionerna på hans kreditkort fick det bli utan hennes hjälp. Själv visste hon bättre. Sådana som Khalid använde kontanter och alldeles oavsett om pengarna var svarta eller vita skulle man inte hitta dem i hans bokföring.

På samma sätt var det med hans eventuella kontakter med kvinnor. Sådant kunde akademiker som Lisa Mattei hålla på med. Någon som Louise Urqhart torde väl knappast dyka upp i Eskilstuna av alla ställen, tänkte Martinez och suckade djupt.

Istället hade hon inriktat sig på den sprängväst som sannolikt skulle användas vid attentatet. Att någon skulle släpa upp en barnvagn på Sollidenscenen på Skansen verkade inte särskilt troligt, men i övrigt skulle han väl följa samma recept som utanför Old Trafford. Några kilo dynamit, några hundra vassa bitar av vanligt armeringsjärn, en väst av lämpligt tyg för att bära upp det hela.

Följ västen, tänkte Linda Martinez och det hade hon tänkt redan tisdagen den 12 maj då hon inlett sitt uppdrag. På kvällen samma dag hade en av hennes spanare, Sandra Kovac, ringt upp henne på mobilen och berättat att Abbdos två år yngre bror, Hassan Mohammed Khalid, tydligen arbetade på ett större byggvaruhus alldeles i utkanten av Eskilstuna. Det hette Eskil i Tuna Bygg AB, hade gott renommé och det mesta i lager. Som armeringsjärn, bultsaxar, skärverktyg, lödkolvar, elsladdar, presenningar och tyg till presenningar i olika utföranden och kvaliteter. Där fanns fler tänkbara utlösningsanordningar än vad den mest ambitiösa bombmakare hade rätt att begära och dessutom sålde man dynamit och tändkapslar till de kunder som behövde det i samband med olika byggjobb och anläggningsarbeten och som hade de tillstånd som krävdes.

Hassan Khalid hade jobbat där i snart tio år, sedan han hoppat av gymnasiet i andra ring. Först som springschas och alltiallo, därefter på lagret och numera som säljare. Uppskattad av sina arbetskamrater och med chefernas fulla förtroende. Om det var någon som kunde ordna fram de nödvändiga ingredienserna var det Hassan Khalid.

Redan dagen därpå hade Hassan Khalid fått en ny arbetskamrat. Hon skulle inventera lagret, gå igenom deras sortiment och se om det var något som man borde stryka eller köpa in istället. Hon hette Sandra Kovac. Tydligen flyktingbarn som han själv, fast från Jugoslavien, och i samma ålder som han.

Chefen hade bett att Hassan, eller "Hasse" som alla på jobbet kallade honom, skulle visa henne runt i lokalerna, se till att hon fick ett ledigt skrivbord och ett skåp i omklädningsrummet.

– Jajamensan, sa Hassan "Hasse" Khalid och log brett. Det ska jag fixa om du hänger med mig, Sandra.

Linda Martinez kände tidigt att hon hade fått grepp om situationen och att det mesta rullade på som hon hade planerat. Det var visserligen en stor familj, men de verkade följa fasta rutiner och höll sig antingen hemma i huset där de bodde eller på sina arbetsplatser. De verkade inte ha något större umgänge, de ägnade sig inte åt spontana aktiviteter och definitivt inte åt några busfasoner. Deras misstänkte huvudman, Abbdo Khalid, gick sällan utanför tomten till huset och möjligen kunde det vara en källa till oro. Om det nu var som engelsmännen påstod borde han kanske ha varit mer aktiv än vad han verkade vara.

Med den inre spaningen var det som vanligt enklare eftersom den kunde bedrivas under helt andra och mer kontrollerade former. I det här fallet av hennes kolleger på terroristrotelns underrättelseavdelning uppe i Stockholm och ansvaret för det arbetet låg inte ens på hennes bord. Vad det handlade om var att ta fram och sammanställa allt som över huvud taget fanns skrivet om deras misstänkte gärningsman, hans familj, vänner, bekanta och de övriga kontakter som han hade. Allt från barnens födelsejournaler till sjukhusets anteckningar om den stroke som hade drabbat hans gamla farmor några månader tidigare. Precis allt som gick att hitta i polisens, Migrationsverkets, Skattemyndighetens, skolans, sjukvårdens, Socialförvaltningens och alla andra upptänkliga myndigheters register.

Givetvis att ta reda på allt det där andra också. Allt som man kunde hitta på nätet, allt som handlade om deras bilar, mobiler, datorer, kreditkort och övriga elektroniskt hanterade kontaktvägar med omvärlden. Slutligen att man hade resurser för att hantera även det oväntade och akuta som alltid inträffade. En tidigare okänd person som plötsligt dök upp i utredningen, någon ny kontakt som togs, gamla invanda rutiner som ändrades.

Inga större problem där heller som det verkar, tänkte Martinez som blivit varnad i tillräckligt god tid och redan nu var bättre beväpnad än de flesta brukade vara. Problemet var att det inte hände något.

71

I Eskilstuna var det Lugna gatan, men under de första dagarna hade Martinez knappt hunnit tänka på saken eftersom hon varit fullt upptagen med allt annat. Det var först när man närmade sig helgen som hon börjat bli irriterad. Varför gör de ingenting? tänkte Martinez.

Deras misstänkte huvudman Abbdo Khalid lämnade sällan huset annat än för sin dagliga joggingrunda eller för att sätta sig i sin bil och åka in till stan för att uträtta privata ärenden av en trivial natur. Handla tidningar, besöka restaurangen där två av hans bröder arbetade eller träffa sin far för ett gemensamt besök i någon av stadens moskéer.

På samma sätt var det med hans pappa som tidigt åkte till sitt arbete och ofta återvände sent hem. Som tillbringade dagen på sitt kontor eller besökte sina tre affärsrörelser och pratade med personalen som arbetade där. En god del av sin dag verkade han också ägna åt religiösa aktiviteter. Åtminstone ett par dagliga besök i någon av stadens sex moskéer, ofta i sällskap med sin bror. Han verkade också känna samtliga imamer väl. Förde ofta långa samtal med de lokala muslimska ledarna, samtal som av de inblandades kroppsspråk att döma tycktes vara präglade av stor ömsesidig aktning och respekt.

Även Abbdos vuxna syskon följde samma mönster. De gick till sina arbeten, förrättade sina böner och umgicks mest med familjen, en och annan släkting och sina arbetskamrater. Den elvaårige sonen gick till skolan och väl där verkade han bete sig som alla andra elvaåriga pojkar. På rasterna spelade han fotboll och lekte med sina kamrater och det som möjligen skiljde honom från dem var att han brukade gå direkt hem när skoldagen var slut. Med familjefaderns gamla mamma, hans tre fruar och de fyra minsta barnen var det ännu enklare. De gick sällan utanför tomten annat än för att handla mat eller ta med de små barnen på promenad och ingen av de senare gick på dagis. En familj starkt präglad av sin muslimska tro. Fem dagliga bönestunder fördelade över dygnets timmar. Den första tidigt på morgonen och den sista sent på kvällen.

Det mest dramatiska som hade hänt under den inledande veckan var när familjen hade samlats ute i trädgården för att grilla och äta middag tillsammans. Den elvaårige sonen hade smugglat ner en mindre fyrverkeripjäs bland grillkolen och fått hela familjen att hoppa högt medan han själv skrikande av skratt rusat runt i trädgården tills han fångats in av en av sina äldre bröder. Sedan hade han fått en rejäl åthutning av pappa Mohammed som denne hade avslutat med en kram och en klapp på huvudet innan allt återgick till det normala igen.

Frustrationen hos Martinez och hennes spanare var ansenlig. En kväll hade man samlats för att diskutera hur man skulle kunna åstadkomma en övervakning värd namnet. Hur man åtminstone skulle få sina dolda mikrofoner på plats inne i huset så att man kunde höra vad de sa. Helst också några bra kameror alldeles i närheten så att man även kunde se vad de höll på med.

En av Martinez spanare hade föreslagit, halvt på skämt, halvt på allvar, att man kanske skulle anlägga en "kontrollerad brand" inne i huset. Givetvis inte för att skada någon som bodde där utan mest för att få ett skäl att flytta på dem till något bättre och mer spaningsbart ställe. Som något lämpligt våningshotell som kommunen förfogade över och där man redan i förväg sett till att få den tekniska utrustningen på plats.

Martinez hade skakat på huvudet. En brand var fullkomligt

uteslutet alldeles oavsett hur kontrollerad den nu var. Möjligen en vattenläcka eller ett långvarigt elavbrott som kunde ge motsvarande resultat. Definitivt ingen brand, men gärna lite kreativa förslag så att den förlamning man hamnat i äntligen kunde brytas.

Under den första och den andra veckan hade det inte hänt någonting av ens marginellt intresse för Martinez och hennes kolleger. Det där med Abbdos oplanerade utflykt på onsdagen den 13 maj räknades inte så länge man inte kunde visa att han ägnat sig åt några kriminella aktiviteter eller ens visste vad han hade haft för sig.

Att han tydligen ljugit för sin handledare vid universitetet i Manchester var heller inte särskilt intressant eftersom det oavsett syftet inte handlade om ett brott.

En spaningsstyrka på drygt trettio personer som faktiskt inte verkade ha något som var värt att spana på. Dessutom bara drygt en vecka kvar till den stora smällen som hade utlovats, tänkte Linda Martinez. Men i värsta fall var det väl så illa att allt redan var klappat och klart. Att vår bombmakare åker tillbaka till England medan någon av de andra reser till paradiset, tänkte Martinez.

Och det var först då som det äntligen hade börjat hända saker.

72

Dan Andersson var fyrtiofem år gammal, gift med en kvinna som var tre år yngre och jobbade som civilanställd utredare på länskriminalen i Stockholm. Tillsammans hade de tre barn, samtliga pojkar i skolåldern, och hela familjen Andersson bodde i en villa ute på Mälaröarna ett par mil utanför Stockholm. Den absoluta majoriteten av deras grannar arbetade antingen som poliser, inom räddningstjänsten eller i sjukvården, och så långt hunnet i beskrivningen – i den där fyrkantiga sociologiska meningen – var Dan Andersson en typisk medelålders polis på så kallad mellanchefsnivå, som var verksam i Stockholm.

I den yrkesmässiga meningen var han känd för att vara lojal, plikttrogen, tystlåten och både arbetsvillig och kapabel. Framför allt tystlåten. Att han i det privata sammanhanget kunde vara både social och underhållande var en annan sak. Till skillnad från alldeles för många av hans kolleger inom den svenska polisen skulle Dan Andersson aldrig ens ha drömt om att diskutera det som hade hänt på hans arbetsplats med sin hustru, detta trots att hon till skillnad från majoriteten av landets övriga polisfruar faktiskt arbetade inom samma myndighet. I början av deras förhållande hade hon retats med honom för den sakens skull och till och med frågat honom om det inte var så enkelt att han hade någon annan men efter tio år hade hon slutat med det. För att hon både respekterade och trodde på skälen till hans tystnad men framför allt för att han gärna pratade om annat. Om allt det som egentligen betydde något för henne och honom, för deras barn och det liv som de levde.

Dan Andersson hade arbetat som polis i närmare tjugofem år, först tio år i Stockholm, därefter sammanlagt sex år utomlands. Därefter hade han återvänt till Sverige och sedan åtta år tillbaka var han biträdande chef på Säkerhetspolisens avdelning för personskydd, den avdelning som hade till uppgift att skydda den kungliga familjen, regeringen, och alla andra högt uppsatta personer med jämförbar fallhöjd, som beroende på olika omständigheter åtminstone tillfälligt kunde ha behov av personskyddets tjänster.

I dagligt tal i huset där han jobbade var avdelningen för personskydd känd som "livvakterna" trots att flertalet av dem som arbetade där inte förväntades hinna skjuta först, eller ens i värsta fall stoppa den kula som var avsedd för skyddsobjektet med sin egen kropp. Allra minst Dan Andersson som ägnade i stort sett hela sin tid åt att göra hotbildsanalyser och riskbedömningar i samband med personskyddets olika uppdrag.

Nationaldagsfirandet på Skansen var ett återkommande ärende på hans bord. Ett högt prioriterat uppdrag, men samtidigt inte unikt. Mellan två och tre ärenden av samma dignitet brukade hamna på hans skrivbord varje månad. Efter mötet med de engelska kollegerna var situationen en helt annan och när han tisdagen den 12 maj hade återvänt till kontoret hade han delegerat alla andra uppgifter till sina medarbetare för att han själv skulle kunna ägna hela sin tid åt det nya ärendet.

Dan Andersson hade börjat sin dag med att betrakta sitt bevakningsuppdrag på nationaldagen med nya ögon. Där fanns en omständighet som omedelbart hade fångat hans intresse. Svensksomaliska vänskapsförbundet var en av de många organisationer som skulle få ta emot en svensk flagga ur Hans Majestät Konungens hand i samband med nationaldagsfirandet på Skansen. Överlämnandet skulle ske på Sollidenscenen och om mottagaren bar en självmordsbomb under kläderna fanns det knappt en bättre plats på jorden med tanke på vem som skulle lämna över flaggan och vilka som satt längst fram i publiken.

Den som i en rent fysisk mening skulle ta emot den svenska fanan ur kungens hand var förbundets ordförande. En man i femtioårsåldern som kommit till Sverige som flykting för tjugo år sedan, som numera var svensk medborgare och gift med en svensk kvinna med vilken han hade fyra barn, bosatt i Nacka utanför Stockholm. Han var visserligen muslim men han arbetade också som personalansvarig på ett bevakningsföretag i Stockholm.

I Dan Anderssons värld talade detta till mannens fördel, men eftersom han framför allt var en mycket noggrann person hade han ändå beordrat en omfattande kontroll av mannen i fråga. Den hade inte gett något särskilt. Tvärtom fanns det flera personer i ordförandens närhet som beskrev honom som en trevlig, hygglig och hjälpsam människa som levde ett liv som vilken annan Svensson som helst. "Fullt normal faktiskt trots att han tydligen är sådan där mohammedan."

Han drack öl och snaps vid högtidliga tillfällen, åt skinka till jul, sill till midsommar och till och med kräftor i augusti. Hans familj hade två hundar och sin muslimska tro hade han aldrig gjort något väsen av.

Dan Andersson lade hans personundersökning åt sidan. Man kan inte få allt, tänkte Andersson. En kräftätande muslim var inget bra val och dessutom var mannen så överviktig att även en mindre och mycket välskuren bombväst ändå skulle få honom att framstå som närmast grotesk. En vecka senare hade också hans kollega Ingrid Dahl lanserat en person som till det yttre stämde betydligt bättre med den vedertagna bilden av en självmordsbombare. En mycket välbyggd och vältränad kvinna dessutom. Problemet med henne var ett annat. Att hon nog var den människa i landet som Dan Andersson helst hade velat slippa i det här sammanhanget. Leyla Abdul Hussein.

73

Dan Andersson tyckte inte om sådant som störde den planering och de rutiner som var A och O i den verksamhet han ansvarade för. Han hade fullt upp med att bekymra sig över allt annat och oförutsett som kunde drabba hans skyddsobjekt.

Först hade ordföranden i vänskapsförbundet hört av sig för att föreslå en ändring i den del av programmet som han själv skulle ha medverkat i, nämligen att ersätta honom med den person som först fått erbjudandet att ta emot den svenska fanan. Hon var föreningens utan jämförelse mest kända medlem vilket kanske inte var så konstigt eftersom hon även var landets mest kända somalier över huvud taget, Leyla Abdul Hussein.

Leyla Hussein, numera "Leyla" med hela svenska folket oavsett ursprung, hade kommit till Sverige som politisk flykting från Somalia tio år tidigare. Då var hon femton år gammal och hade redan från första veckan i sitt nya hemland betraktats som ett stort löfte inom friidrotten. Sju år senare var hon världens mest kända kvinnliga långdistanslöperska. Två VM-titlar och två EM-titlar av fyra möjliga under de senaste två åren. Hon hade vunnit både fem och tio tusen meter i EM och VM och att hon skulle upprepa den bravaden under de kommande olympiska spelen var inte bara landets sportjournalister utan i stort sett alla rörande överens om.

I kraft av sina idrottsliga meriter hade hon också satt ett annat rekord. Hon hade blivit svensk medborgare redan efter fem år.

Den normala tiden för flyktingar från Somalia var annars den dubbla även sedan man räknat bort dem som inte klarat av att sköta sig i mottagarlandet Sverige.

Leyla Hussein var älskad av alla på det där viset som säger mer om den som ger uttryck för sin kärlek än den som är föremålet för den. Att hon även var troende muslim var inget bekymmer annat än för en och annan idrottsexpert som spekulerade i hur många sekunder fortare hon hade kunnat springa om hon hade valt att göra det utan en heltäckande löpardräkt och en sjal som dolde hennes hår. Vad det nu spelade för roll i hennes fall eftersom hon ändå gjorde det snabbare än någon annan på hela planeten.

När hon hade vunnit sitt första internationella mästerskap hade en av landets mest kända författare bekänt sin kärlek till Leyla Abdul Hussein i en stort uppslagen kulturartikel i landets största morgontidning. Vem kunde väl vara mer kvalificerad än han att ge uttryck för den känslan? Som författare hade Vår Herre gett honom ett språk som han var helt ensam om och i sin ungdom hade han också varit en mycket framstående löpare.

Därmed ägde han också gåvan och insikten att se vem hon egentligen var och att likna henne vid den vind som blåser över Afrikas horn. Den svalkande kvällsbrisen över den sönderbrända stäppen som mot kvällen skänker lindring åt såväl människor och djur som under dagen plågats svårt av solens skoningslösa hetta.

"Det blåser en vind över Afrikas horn", samma vind som svalkat hans egen panna redan den första gången som han sett henne, samma vind som han också såg i varje löpsteg som hon tog.

Att Leyla Hussein – mot den bakgrunden – var den som först hade fått erbjudandet om att ta emot den svenska fanan var kanske inte så konstigt. Tyvärr hade hon då varit tvungen att tacka nej eftersom hon redan var uppbokad för att springa fem tusen meter på en stor idrottsgala i Berlin. Sedan hade hennes läkare ändrat på den saken. Bestämt att hon skulle avstå ifrån att delta i sammanlagt tre redan planerade tävlingar för att inte riskera att överanstränga sig och därmed äventyra sin insats under de kommande olympiska spelen.

Förbundets ordförande hade fått nys om saken och omedelbart ringt upp Leyla som direkt hade tackat ja. En kortare promenad på Skansens stora scen var inga som helst problem. Hon hade sprungit betydligt längre än så med den svenska flaggan i sina lyftade händer.

Därefter hade ordföranden talat med hovets pressekreterare som på hovets och Hans Majestät Konungens vägnar uttryckt sitt oreserverade gillande. Slutligen hade han talat med Dan Andersson som lovat honom att han omgående skulle diskutera saken med sin chef och göra det i en positiv anda trots att det i och för sig stred mot de vedertagna rutinerna för de arrangemang där statschefen skulle närvara.

Så fort Dan Andersson hade lagt på luren hade hovets kvinnliga pressekreterare ringt upp honom och bekräftat den beskrivning som vänskapsförbundets ordförande just hade gett honom. Därför hade Dan Andersson också fattat beslutet själv. Vad har jag för val, tänkte Dan Andersson. Att en enkel kommissarie som jag skulle motsätta mig Hans Majestät Konungens vilja? På Sveriges nationaldag? Glöm det, tänkte han.

Återstod att byta ut ordföranden mot Leyla Hussein i programmet för den 6 juni och att underrätta spaningsstyrkan om saken eftersom han i alla fall bestämde över den detaljen.

Jag hatar kändisar, tänkte Dan Andersson när han mejlade iväg meddelandet om Leyla Hussein till alla sina kolleger i spaningsstyrkan.

En timme senare kom hans kollega, den gamla långdistanslöperskan Ingrid Dahl, in på hans rum och berättade om den pollett som just hade trillat ner i hennes huvud så fort hon hade läst hans mejl om att ordföranden i Svensk-somaliska vänskapsförbundet numera var ersatt av Leyla Hussein.

74

Sedan tisdagen den 12 maj satt kommissarie Ingrid Dahl, som var chef för spaningsstyrkans förhörsenhet, i vänteläge. Hennes medarbetare hade löst det hela genom att hålla förhör i andra ärenden medan hon mest hade ägnat sig åt att läsa det utredningsmaterial som hela tiden kom in. Bland annat hade hon tittat på ett stort antal foton på Abbdo Khalid och hans familj för att se om det var någon av dem som hon kände igen. Det var något i alla dessa bilder som hade väckt hennes intresse, men eftersom hon inte visste vem eller vad det handlade om hade hon skjutit det åt sidan och istället läst om annat som stod i materialet. Kvar fanns den där irriterande känslan av att det ändå var något som hon hade missat och det var först när Leyla Husseins namn hade dykt upp i deras utredning som det som legat och skavt i hennes huvud äntligen hade fallit på plats.

Ingrid Dahl kände Leyla Hussein. De tillhörde samma friidrottsklubb i Stockholm. Landets mest framgångsrika för övrigt. Ingrid Dahl och Leyla hade till och med tävlat mot varandra, även om det var åtskilliga år sedan och inga jämförelser i övrigt.

– Jag vet inte hur många gånger hon har varvat mig, sa Ingrid Dahl och log.

– Det kan inte ha varit lätt, sa Dan Andersson.

– Jo, sa Ingrid Dahl och skakade på huvudet. Du skulle se henne springa, tillade hon.

– Okej, sa Dan Andersson. Berätta om det där du kommit på.

– Senast jag träffade henne var på Idrottsgalan för några

månader sedan. Vi satt visserligen inte vid samma bord, hon skulle ju få pris som vanligt och satt bland de fina gästerna, men jag sprang på henne före middagen när alla gick runt och vimlade med varandra. Då pratade jag med Leyla och även med en kille i samma ålder som hon hade med sig och som jag uppfattade som hennes pojkvän eller i vart fall någon killkompis till henne.

– Vem var han då? frågade Dan Andersson.

– Han på bilden. Han som står bredvid Leyla, sa Ingrid Dahl och räckte över ett exemplar av landets största skvallertidning som även innehöll ett reportage från den stora idrottsgalan några månader tidigare.

De vanliga kändisfotona, det största av dem med Leyla Hussein i centrum omgiven av alla andra glada och mer eller mindre kända festdeltagare. En av dem en ung svart man i Leylas egen ålder. Prydligt klädd i mörk kostym, vit skjorta och slips, vänligt leende mot kameran.

– Vem är han? frågade Dan Andersson.

– Det var Leyla som presenterade mig för honom. En gammal kompis till henne, också somalier, hon kallade honom för Hasse, och det tycktes han inte ha något emot.

– Du ser inte vem det är, tillade hon.

– Nej, sa Dan Andersson och skakade på huvudet. Helt oss emellan tycker jag att alla de där svarta idrottsgrabbarna ser likadana ut.

– Jag är ganska säker på att Hasse, han på bilden där, är identisk med Hassan Mohammed Khalid. Abbdos ett år yngre bror som jobbar på det där byggvaruhuset i Eskilstuna, sa Ingrid Dahl.

– Jaha, ja, sa Dan Andersson. Det är ju inget dåligt sammanträffande i så fall. Och nu tror du att vår lille Hasse har lyckats övertyga Leyla om att hon ska sätta på sig en sådan där självmordsbomb...

– Glöm det, avbröt Ingrid Dahl. Glöm det, upprepade hon.

– Varför ska jag glömma det då?

– Leyla är den mest förtjusande unga kvinna du kan tänka dig, sa Ingrid Dahl. Hon är en god människa, en enkel och självklar människa och hon skulle aldrig ens drömma om att göra något sådant.

– Varför skulle en sådan som han annars träffa henne, envisades Dan Andersson.

– Ibland blir jag faktiskt lite orolig för dig, Danne. De känner ju varandra. De verkade gilla varandra. De har samma bakgrund. De kanske gick i skolan tillsammans när de var små. Det kanske är han som utnyttjar henne för att ta reda på saker om det där nationaldagsfirandet. Vad vet jag?

– Låter som Calle Lewenhaupts bord, sa Dan Andersson. Jag hatar kändisar, tänkte han.

Dagen därpå hörde en av underrättelserotelns många medarbetare av sig till Dan Andersson. Han hade svar på åtminstone några av de frågor som Dan Andersson hade mejlat över dagen innan. Såväl Leyla Abdul Hussein som Hassan Mohammed Khalid var medlemmar i Svensk-somaliska vänskapsförbundet sedan flera år tillbaka. Att man skulle få ta emot en svensk flagga på nationaldagen var en väl bevarad hemlighet inom förbundet sedan ett halvår tillbaka.

För drygt tio år sedan hade Leyla och Hassan gått i samma klass i grundskolan i Eskilstuna och högst sannolikt var det då som de först hade träffats. Efter nionde klass hade Leyla och hennes familj flyttat till Stockholm. Eventuella ytterligare och senare kontakter mellan dem var numera föremål för utredning och så fort han och hans kolleger hade något mer att berätta skulle de givetvis höra av sig omgående.

Jag hatar kändisar, tänkte Dan Andersson igen och den enda trösten var väl att den vind som blåste över Afrikas horn blåste över andra skrivbord än hans eget.

75

Alla människor i major Carl Björklunds omgivning var rörande överens om att han hade en barsk yttre framtoning. När det kom till hans inre egenskaper gick samtidigt meningarna om hans person brett isär. Å ena sidan hans få och nära vänner som hävdade att Calle var en mycket rättfram, hederlig och i grunden hygglig person och oftast brukade beskriva honom i just den ordningen. Givet rätt sällskap kunde han också vara en utomordentlig sällskapsbroder med såväl en drastisk humor som en alldeles utmärkt sångröst, som tyvärr alltför få hade fått tillfälle att lyssna till.

Å andra sidan alla de som utifrån personlig erfarenhet kunde vittna om att major Björklund var en vanlig primitiv skitstövel med en människosyn som han lyckligtvis verkade vara ensam om. Den stora majoriteten däremellan hade löst frågan på det vanliga viset genom att beskriva honom som en mycket sammansatt person.

Vad hans rent yrkesmässiga kunskaper beträffade var däremot samtliga rörande överens. När det kom till det som man inom den väpnade verksamheten brukade beskriva som "lätta vapen" besatt major Björklund en unik expertis och för hans uppdragsgivare var det dessutom så praktiskt att han hade gett begreppet en vid tolkning.

Major Carl Björklund visste det mesta om det mesta när det kom till så kallade lätta vapen. Allt från vanliga skjutvapen som pistoler, revolvrar och automatvapen, med en vikt på högst några kilo, till pansrade fordon och flygplan för militärt bruk som kunde väga mer än hundra ton. Det enda område som han aldrig uttalade sig om var de vapen som användes "enkom för marint bruk". Ville man veta något om sådant fick man tala med någon annan.

Själv hade han aldrig varit särskilt intresserad av vatten, han brukade inte ens meta när han var barn, och tanken på att han vid vuxen ålder skulle kajka omkring på böljan den blå lämnade honom kall. Carl Björklund var infanterist. Kollegerna vid flygvapnet kunde han stå ut med så länge de gav behövligt understöd till honom och hans kamrater nere på marken som skulle göra jobbet. Och därmed punkt.

Sedan Helena Palmgren haft sitt första möte med sina nya kolleger i ledningsgruppen hade hon kallat till sig Carl Björklund och gett honom det underlag som han behövde för att genomföra det uppdrag som hon tänkte ge honom. Dels den kriminaltekniska undersökningen från attentatet utanför fotbollsstadion i Manchester, dels olika uppgifter som handlade om den planerade självmordssprängningen på Skansens stora scen.

Helena Palmgren ville att Björklund skulle konstruera en självmordsväst åt dem med samma laddning och typ av projektiler som den som deras bombmakare låtit placera i en barnvagn utanför Old Trafford. Därefter skulle han genomföra en rekonstruktion och se vilka skador som en sådan sprängväst kunde åstadkomma bland publiken som satt framför scenen.

– Hur pass duktig är han? muttrade Björklund. Den där Bombmakaren, alltså.

– Vi har tyvärr anledning att tro att han är väldigt duktig, sa Helena Palmgren. Han är utbildad elektriker och har bland annat arbetat som installationstekniker vid ett av våra större säkerhetsföretag. Sedan något år tillbaka studerar han fysik och kemi på universitetet. Enligt våra engelska kolleger var det han som konstruerade den där bomben som användes i Manchester.

– Vad har han tillgång till för grejor? frågade Björklund.

– Allt det där vanliga som vem som helst kan köpa på vilket byggvaruhus som helst, sa Helena Palmgren. Plus sprängmedel förstås, förmodligen dynamit av samma typ som han använde i England. Sådan där som man använder inom byggbranschen.

– Men han har inte tillgång till militärt material?

– Nej, inte som det verkar, sa Palmgren.

– Trist, sa Björklund och skakade på sitt tunga huvud.

– Nu förstår jag faktiskt inte vad du menar, Carl, sa Helena Palmgren. Det är väl alldeles utmärkt att vi slipper tänka på sådant.

– Ja, men jag tänkte på Bombmakaren, förklarade Björklund. De flesta av de där figurerna är rena idioter, men den här verkar ju inte vara det. Om man nu äntligen träffar någon som vet vad han håller på med är det naturligtvis tråkigt att han inte har tillgång till de bästa grejorna, konstaterade major Björklund. Var det något mer?

– Tack, sa Helena Palmgren.

Fem dagar senare fick Helena Palmgren ett mejl från major Björklund med rubriken "Mission Completed".

Han hade låtit tillverka två olika bombvästar enligt de förutsättningar som gällde. En avsåg han att ta med sig och demonstrera för sina åhörare när han gjorde sin muntliga föredragning. Den andra hade han redan låtit spränga när han genomförde sin rekonstruktion. Major Carl Björklund stod till spaningsledningens och andra intresserades förfogande när de så önskade, och redan nästa eftermiddag fick han träffa dem.

Strax innan han höll sin föredragning förde Helena Palmgren honom avsides för att ge honom ett ord på vägen.

– Det här har vi ju talat om tidigare du och jag, Carl, sa Helena Palmgren, men jag skulle verkligen uppskatta om du försökte vårda ditt språk och inte gör alltför många personliga utvikningar från ämnet.

Björklund grymtade till svar men eftersom han samtidigt nickade var det förhoppningsvis fråga om en instämmande grymtning. Vad har jag för val, tänkte Helena Palmgren och kvävde en uppgiven suck.

76

Major Björklund hade själv fått välja rum för sitt framträdande och då han skulle hålla en föreläsning med ett begränsat antal deltagare hade han valt den minsta av de föreläsningssalar som fanns i huset. Vanliga sammanträdesrum hade han svårt för. Än mer för de aktiviteter som de som brukade sitta i dem ägnade sig åt. Själv gick han bara på stabsmöten i händelse av skarpt läge.

När det dussin personer som infunnit sig väl satt på sina platser ödslade Björklund inte någon onödig tid på vare sig välkomsthälsningar, presentationer eller andra formaliteter.

– Jag heter Carl Björklund, major Carl Björklund, inledde Björklund.

– Jag kommer att tala om två saker. Först ska jag redovisa en rekonstruktion av det attentat som vår motståndare tydligen planerar att genomföra. Därefter kommer jag att demonstrera en så kallad sprängväst av samma typ som vår självmordsbombare sannolikt kommer att bära, fortsatte han samtidigt som han nickade mot den skyltdocka iförd fotsid vit kaftan som stod bredvid bordet där han satt.

– Detta kommer att ta trettio minuter och därefter finns det alltså tid för frågor, avslutade Björklund samtidigt som han började knappa på den dator som stod på bordet.

Därefter gjorde Björklund precis som han hade lovat och började med att visa filmsnuttar och bilder från ett närbeläget militärt övningsfält där han själv och två av hans trogna medarbetare hade byggt upp en kopia av den del av Sollidenscenen på Skansen där självmordsbombaren skulle stå samt de främsta bänkraderna där publiken skulle sitta.

– Ett par gamla bassar av det rätta virket som jag lyckligtvis kunde rädda kvar när våra kära politiker fattade det där olycksaliga beslutet att avskaffa den allmänna värnplikten, sa Björklund som tydligen tyckte att det var hög tid för en personlig utvikning.

Helena Palmgren skakade på huvudet och skickade ett beklagande ögonkast i riktning mot Lisa Mattei. Lisa Mattei nöjde sig med en nick och ett svagt leende till svar.

Major Björklund var till det yttre påfallande lik den där lille fete kommissarien vid Solnapolisen, han vars namn hon vägrade att uttala ens i sina inre monologer, tänkte Mattei. Möjligen med den skillnaden att Björklund var en decimeter längre, betydligt rakare i ryggen och aningen mindre fet, tänkte hon.

Major Björklund verkade inte bry sig om vad sådana som Mattei tänkte. Han marscherade raskt vidare. Pekade och förklarade med hjälp av bilderna som han visade på bildskärmen på kortväggen bakom honom.

Den manliga skyltdockan på scenen föreställde Hans Majestät Konungen. Han som var iförd blå kavaj, förtydligade Björklund. Den kvinnliga skyltdockan som stod på armlängds avstånd mitt emot Hans Majestät var den som skulle genomföra attentatet. Det var därför hon var iförd samma kläder som skyltdockan vid hans sida.

Placeringen av de båda huvudaktörerna var helt enligt programmet och de hel- och halvfigurer i papp som satt på bänkraderna nedanför scenen föreställde således den närmast sittande publiken. De övriga i publiken som satt bakom dem fick man tänka sig, av de där vanliga praktikalitets- och budgetskälen samt den numera begränsade tillgången på fungerande och pålitliga bassar, förtydligade majoren.

Så långt rekonstruktionen och förutsättningarna för dramat. Dags för dess höjdpunkt, själva smällen när självmörderskan på scenen utlöste den bomb som hon bar närmast kroppen dold under den vita kaftanen. Björklund hade låtit filma den med tre olika kameror. En vanlig kamera och två höghastighetskameror, och för säkerhets skull lät han visa den två gånger.

Först det bländande vita skenet, sedan den öronbedövande smällen, den flera meter tjocka, bruna svärmen av projektiler som spred sig i solfjädersform över publiken, allt det som bara tog en enda hundradels sekund. Sedan allt det som fanns kvar. Fragment och mindre delar av de två skyltdockorna uppe på scenen, sönderskjutna och perforerade bänkrader, högar med träsplitter, pappfigurerna som slitits i stycken, skjutits sönder och samman eller uppvisade hål efter en eller flera projektiler.

Major Carl Björklund hade använt sig av fyra kilo dynamit av den vanliga civila modellen som man använder inom byggbranschen och för andra praktiska ändamål. Väl fördelade över den laddningen – på framsidan av västen med tanke på bärarens och målens placering – fanns åtta hundra projektiler med en sammanlagd vikt av åtta kilo. Vikten för hela västen var drygt tolv kilo, allt enligt de anvisningar som han hade fått och följt. Själv hade han också blivit förvånad över hur pass effektiva projektilerna av vanligt armeringsjärn hade visat sig vara. De hade farit runt som en svärm bålgetingar, rikoschetterat till en betydligt högre andel än vad som gällde för till exempel vanliga runda stålkulor, och därmed ökat sannolikheten för att en och samma projektil skulle träffa fler än ett av de avsedda målen.

– Utifrån de förutsättningar som jag just har visat kommer den här bomben att döda eller allvarligt skada mellan sjuttio och åttio procent av samtliga i publiken som befinner sig inom en cirkelsektor på etthundratjugo grader och med en radie på mellan tjugo och trettio meter beroende på vinkeln till detonationen, konstaterade Björklund.

– Därefter avtar naturligtvis effekten med det ökade avståndet, men det finns inga egentliga hinder mot att man kan bli dödad på ett avstånd av upp till hundra meter från explosionen, avslutade han.

– Hur många blir det då, sa Lisa Mattei som inte avsåg att sitta ytterligare en kvart innan hon fick ställa den frågan.

– Vi kanske kan ta det...

– Nej, avbröt Mattei. Svara på frågan istället.

– Mellan åttio och hundra som dödas och ungefär det dubbla antalet som blir mer eller mindre allvarligt skadade. Det ligger faktiskt en bra bit över genomsnittet för sådana här aktioner, sa Björklund.

– Kungen, drottningen och tre statsråd kommer att närvara. Kungen står på scenen och de andra sitter på första raden mitt för platsen där kungen står. Hur kommer det att gå för dem?

– Sannolikheten för att någon av dem skulle överleva är försumbar, sa Björklund.

– Tack, då har jag inga fler frågor, sa Lisa Mattei.

Samtliga de fem som tillhörde den högsta skyddsklassen. Plus den bonus som deras självmordsbombare skulle få på köpet i form av allt från landshövdingen i Stockholm, höga civila tjänstemän och militärer, utländska diplomater och alla andra som bara råkade tillhöra deras familjer.

Major Björklund övergick därefter till att visa hur "man lagar till en bra bombväst" och i stort sett följde han samma koncept som vem som helst av stjärnkockarna på tv. Och precis som på tv genom att visa ett filmat inslag.

Ett stort laboratorieliknande kök med en rejält tilltagen bänk mitt i rummet där han lagt upp sina olika ingredienser; själva stommen till bombvästen som den här gången var i kraftigt vitt bomullstyg för att inte lysa genom den vita kaftanen som skulle bäras utanpå västen, en stapel med dynamitgubbar, en rejäl hög med spetsigt avklippta bitar av armeringsjärn, en flaska med något som såg ut som vanlig matolja, ett par mobiltelefoner, några rullar med elsladdar i olika färg och tjocklek.

Så hans olika hjälpmedel, en hushållsapparat av äldre modell i vilken man bland annat kunde knåda deg i ett roterande kärl med en spatel av trä som omrörare, diverse verktyg och andra redskap som han behövde och på det stora hela såg det alltså ut som upptakten till vilket matlagningsprogram som helst.

Det som skiljde Björklund från alla de andra kockarna på tv var dels hans lugna och balanserade framtoning, dels de kläder han valt att bära. Rejält tilltagna rörmokarhandskar och en skyddsmask som täckte mun och näsa. I bakgrunden stod också två manspersoner iförda samma utstyrsel, som under tystnad avvaktade Björklunds olika förberedelser.

Sannolikt hans två trogna bassar, tänkte Lisa Mattei.

Sedan pekade Björklund och förklarade vad som fanns på bordet. Att allt som stod på bordet gick att köpa i den vanliga dagligvaruhandeln. Dynamiten erbjöd heller inga större problem. Det räckte med att känna rätt person och det fanns fler än tio tusen invånare i landet som hade laglig tillgång till sprängmedel. Men nog om detta, konstaterade majoren. Hög tid att komma till saken och iordningställa en väl fungerande bombväst med klassiskt snitt och innehåll.

Medan en av bassarna tog av det vaxade omslagspapperet på dynamitgubbarna, bröt och smulade dem i mindre bitar som han lade ner i degtråget på den gamla hushållsmaskinen började den andre skvätta i det som såg ut som matolja och inom loppet av några minuter hade man förvandlat dynamitgubbarna till något som såg ut som en vanlig deg. Björklund stack ner en träslev som han hållit upp mot publiken medan han nickade gillande åt det han såg. Fast och spänstig, framför allt formbar men inte för lös. Den ska vara lätt att stryka ut på västen, förklarade han.

Sedan hade han gjort det med hjälp av en vanlig stekspade som också var gjord i trä medan hans två trogna bassar stoppade ner prydliga rader av spetsiga järnbitar i sprängdegen, som Björklund sedan täckte över med ett nytt lager sprängdeg. Därefter var det dags för de två tändhattarna med vidhängande sladdar. Den som man alltid behövde och den som kunde vara bra att ha i reserv. Han kontrollerade att mobiltelefonen som den senare gick till var satt på ljudlöst och att batteriet till den var fulladdat. Slutligen placerade han ett nytt framstycke i tyg över sin laddning.

Vanliga kardborrband hade sytts på innan och det enda man behövde tänka på var att höljets sida skulle vara ungefär sju centimeter längre än fronten på västen. Det är ju viktigt att laddningen får plats utan att det ser sladdrigt ut, förtydligade Björklund. Därför föredrog han kardborrband av den där lite bredare modellen som var lätta att korrigera i olika riktningar. Det skulle vara snyggt, prydligt och välsittande trots att just detta plagg bara skulle användas vid ett enda tillfälle.

Man skulle tänka igenom det man skulle göra innan man gjorde det, göra det lugnt och sansat med väl avvägda rörelser, så långt som möjligt undvika redskap av metall, trä var det givna alternativet, och ville man inte få en huvudvärk som fick en vanlig migränattack att framstå som en smekning skulle man alltså inte provsmaka degen genom att stoppa fingret i munnen.

Och samtliga tevekockar skulle så här dags vara döda, tänkte Lisa Mattei.

– Ja, det var väl det hela. Jag beklagar att jag dragit över tiden med ett par minuter, sa majoren samtidigt som han nickade mot Lisa Mattei.

– Några frågor, sa Björklund och svepte med blicken över de församlade.

– Jo, jag har en fråga, sa Lisa Lamm och nickade mot skylt-dockan som stod vid Björklunds sida. Den där skyltdockan. Har hon en likadan väst på sig som den som du sprängde på filmen?

– Ja, självklart, sa Björklund samtidigt som han drog den vita kaftanen över huvudet på dockan och pekade på västen.

– Men den är inte laddad, väl, sa Lisa Lamm som inte verkade helt bekväm med frågan hon just hade ställt.

– Det är klart att den är laddad, sa Björklund. Däremot har jag inte apterat laddningen. Om det är ett önskemål från åklagaren kan jag naturligtvis göra det. Det är snabbt avklarat.

– Nej, det är bra ändå, sa Lisa Lamm och skakade avvärjande på huvudet. Jag tror jag har fattat.

– Den där lilla plastdosan som hon har på höften, sa Ingrid Dahl. Är det hennes egen utlösningsanordning?

– Ja, sa Björklund, som du säkert ser så har jag tejpat den på hennes höft. Då slipper hon ha den i handen men hon vet ändå var den sitter, så det är bara att hon trycker på den genom den där klänningen. Då smäller det.

– Men anta att jag hinner skjuta henne innan då, sa Martinez.

– Då smäller det inte, men det problemet kan jag däremot lösa åt henne, sa Björklund samtidigt som han fiskade upp en mobil ur fickan på sin kavaj. Då trycker jag på min mobil. Att jag står någonstans i närheten är ju bara för att jag vill se vad som händer. Så länge jag har täckning kan jag stå i stort sett var som helst.

– Men anta att vi stör ut alla mobiler i området. Då funkar inte den heller, sa Dan Andersson.

– Nej.

– Hur löser du det då?

– Ingenting är enklare, sa Björklund. Att vår självmordsbombare får bära en utlösningsanordning med så kallat dödmansgrepp, det vill säga att bomben detonerar så fort man släpper greppet om utlösningsanordningen, att jag har en radiostyrd backup och att jag väljer en frekvens som är svår att störa ut. Eller att jag förprogrammerar utlösningen.

– Så en sådan här historia går inte att förhindra, sa Andersson.

– Går och går, sa Björklund och ryckte på axlarna. Det går alltid att göra saker och även att hindra folk från att göra saker. Problemet är att det senare brukar ta längre tid. Låt mig säga så här. Om den som ska göra jobbet bara finns på plats är det i stort sett omöjligt att hindra den personen från att genomföra sitt uppdrag.

När föreläsningen var över förde Lisa Mattei majoren avsides och tackade honom för ett alldeles utmärkt föredrag. Själv avsåg hon att höra av sig igen eftersom det var ytterligare ett par saker som hon undrade över. Inga som helst problem, enligt major Björklund. Han stod till chefens förfogande när helst hon så önskade. Hans egen beredskap var god och hur det var ställt med hans fosterland på den punkten förväntades han ju inte uttala sig om.

– Oroa dig inte, sa Mattei. Om jag vill prata med dig så är det fritt fram att prata om allt som har med saken att göra.

– Klart besked, tack chefen, sa Björklund, nickade och rätade på sin redan raka rygg.

Inte det minsta lik den där feta lilla olyckan i Solna, tänkte Lisa Mattei när hon steg in i hissen för att åka upp till sitt tjänsterum på den översta våningen. Björklund var typen som levererade vad han hade lovat och att han ibland blåste i sin lilla leksakstrumpet medan han gjorde det tänkte hon överse med. Major Björklund och hans två trogna bassar som han lyckats rädda kvar. Men vilka fler kan jag lita på? tänkte Mattei när hon klev ut ur hissen.

77

Söndagen den 24 maj träffade Linus Rasmusson sin chef Linda Martinez för att berätta om det möte han hade haft dagen före med Ove Kristiansson. Hur han vunnit Kristianssons förtroende, kört honom till systembolaget inne i Eskilstuna och sedan hem igen, hur han fått betalt i svarta pengar, burit in starköl och brännvin i hans kök och hur han slutligen – som kronan på verket – passat på att anteckna numret till den mobil som Kristiansson lagt ifrån sig på köksbänken medan han gick in "på muggen för att lätta på trycket".

En tydligen både tidskrävande och högljudd tillställning enligt Linus, men ingen var ju gladare än han med tanke på vad han själv höll på med på andra sidan av den stängda toalettdörren. Numret på mobilen, en sådan där vanlig kontantkortsapparat med okänd innehavare, hade sedan omgående lagts in i deras mobilspaningsregister tillsammans med en begäran om att man skulle gå igenom Kristianssons samtalshistorik för den senaste månaden.

Linda Martinez nickade gillande flera gånger medan Linus pratade på och när han kom till mobilen uttryckte hon till och med muntligen sin uppskattning.

– Fan, Linus, sa Linda Martinez. Jag börjar tro att det trots allt finns hopp om dig. Ett tag hade jag nästan gett upp det, nämligen.

Nu eller aldrig, tänkte Linus och sedan berättade han om sitt stora problem. Nämligen att han var fullkomligt övertygad om att Ove Kristiansson inte hade minsta samröre med Abbdo

Khalid. Fullkomligt uteslutet, enligt Linus eftersom Khalid och Kristiansson levde sina liv på två helt olika planeter.

Linda Martinez ögon smalnade. Hon förstod att han tydligen hade pratat med de två korkade blondiner som hon tyvärr, i brist på bättre, hade lånat in från författningsskyddets spaningsrotel, och som hon omgående skulle skicka tillbaka så fort hon var klar nere i Eskilstuna.

– Jag vet ju inte hur dumma i huvudet de var från början, sa Martinez, men det lär väl knappast ha varit utvecklande för dem att behöva tillbringa sin tid tillsammans med alla de där skinnskallarna som de håller på och duttar med.

– Jo, visst, instämde Linus, men jag vet inte om du läste förhöret som Kajsa Nilsson höll med den där kollegan här nere i Eskilstuna. Jag tyckte faktiskt att det bidrog till bilden av Abbdo, vad han är för slags människa, alltså.

– Kajsa Nilsson? Är det hon som har ännu större tuttar än den där andra tuttlisan?

– Ja, sa Linus. För det hade hon ju, faktiskt, tänkte han. Även om Lina Janssons var stora nog.

– Hon som pratar med sin gamle kompis Kåtfrasse från polishögskolan, denne lokale legend inom kåren här i Eskilstuna, som berättar lite blandade iakttagelser om hur han uppfattade Abbdo när de gick i plugget tillsammans för en jävla massa år sedan.

– Ja, sa Linus.

– Nu blir jag jävligt orolig för dig Linus, sa Martinez. Men eftersom jag är en snäll och hygglig människa ska jag faktiskt ge dig en sista chans. Har du papper och penna så du kan anteckna?

– Ja, sa Linus och tog fram den lilla svarta anteckningsbok som han tidigt insett var ett nödvändigt hjälpmedel för en sådan som han.

– Det finns ett samband mellan Ove Kristiansson och Abbdo Khalid, sa Linda Martinez samtidigt som hon blängde på Linus. Abbdo har köpt, lånat eller hyrt någonting av Kristiansson. Eller också har den gamle fyllskallen hjälpt honom att göra någonting som han inte klarar av att göra själv. Är det uppfattat?

– Ja, sa Linus. Vad har jag för val, tänkte han.

– Utmärkt, sa Martinez. Jag vill att du ska ta reda på vad det handlar om. Sedan ska du berätta det för mig.

– Ja, sa Linus.

– Vad bra, sa Martinez. Är det något mer som du undrar över?

– Ja, om chefen har några tips, sa Linus. Hur jag ska gå vidare?

– Ja, sa Martinez. Börja med att gå igenom den där jävla konkursansökan och hittar du inget där är det väl inte värre än att du går igenom hans soptunna och fortsätter med dynghögen som han har bakom lagården.

– Ja, sa Linus. Inte så konstigt att den kvinnan lever ensam, tänkte han.

Konkursförvaltaren hade tydligen varit en mycket noggrann man. Förteckningen över konkursboets tillgångar – Ove Anlägger och Gräver AB – upptog hundratals olika föremål från spadar, spett, högafflar, verktyg, presenningar, overaller och vanliga gummistövlar till fyrhjuliga motorcyklar, en gammal Scania Vabis lastbil, tre olika traktorer, vanliga kärror för olika transporter och till och med en gammal grävskopa. Dessutom verkade det som om i stort sett samtliga tillgångar i konkursboet antingen hade sålts, kasserats, gått till skroten eller förkommit på annat sätt i samband med att konkursen hade avslutats sex år tidigare.

Linus var visserligen både gammal scout, fågelskådare och allmänt naturintresserad, men när det kom till all den utrustning som Ove tydligen hade behövt för att gräva diken, anlägga dammar och göra allt det där andra som han hade hållit på med, visste han i stort sett ingenting. Därför fick han också ägna åtskillig möda åt att tolka vad som faktiskt stod i de papper som han läste.

"Tryckluftsdriven borr med dieseldrivet aggregat" var förmodligen vad han trodde att det var och så långt inga problem. "Traktor med hydraulisk grävarm" hade han rett ut med hjälp av att googla medan annat hade tagit längre tid, som "frontlastare med skopa". Och oavsett allt annat kvarstod den stora frågan. Vad i hela fridens namn skulle Abbdo Khalid med allt detta om han nu bara avsåg att tillverka en vanlig bombväst?

Hela Linus tid hade det samtidigt tagit, vilket väl var själva tanken med den straffkommendering som hans chef hade satt honom på. Ett eländes elände, som pågick ända tills det ringde på hans mobil på förmiddagen onsdagen den 27 maj och hela hans situation förändrades inom loppet av en enda minut.

78

På onsdag förmiddag den 27 maj ringde Ove Kristiansson till Linus Rasmusson. Ove verkade vara på ett alldeles lysande humör. Hade han kunnat se papperen som Linus satt och bläddrade i hade han säkert omgående slängt på luren men eftersom han inte kunde det utbad han sig istället Linus tjänster. Ove behövde körning tur och retur Eskilstuna där han hade lite olika förrättningar att ta hand om. Systembolaget givetvis, då det ju var hög tid att bunkra upp inför den kommande helgen, men även ett par andra ärenden.

– Säg en, max två timmar, plus körningen förstås, tre timmar totalt, summerade Ove. Fixar du det, Linus?

– Ja, det är inga problem. Jag ska jobba i natt så jag behöver inte vara på jobbet förrän sex, sa Linus.

– Lysande, sa Ove. Vad tror du om att plocka upp mig vid tolvblecket så jag hinner duscha och dra på mig ett par rena brallor?

– Ja, sa Linus. Så hinner jag låna kompisens bil under tiden.

– Hur är det med honom, förresten, sa Ove.

– Han är fortfarande sjukskriven, sa Linus. Hoppar runt på kryckor. Så det är lugnt.

– Ja, man ska passa sig för sådan där skit, sa Ove och suckade. Fotboll är ju rena kampsporten nu för tiden. Kör försiktigt nu, grabben.

– Inga problem, instämde Linus. Jag tutar när jag står på gårdsplanen.

– En sak till, tillade Linus som om tanken just hade slagit honom. Du sa tre timmar. Vad tror du om en femhundring? Svart.

– Det är taget, sa Ove.

– Plus en hundring för soppan då, eftersom jag måste låna min polares bil.

– Ja, det är klart att den snåle jäveln måste ha en slant också, instämde Ove som verkade ha spenderbyxorna på sig. Du får sex hundra spänn. Rostfritt som vi sa på min tid när jag var i grävsvängen.

Så fort Linus hade avslutat samtalet med Ove ringde han upp Frank Motoele och berättade att han behövde hjälp med ett par saker. Dels behövde han låna samma röda Golf som han använt veckan före, dels behövde han backning av ett par kolleger.

– Du ska köra Ove Kristiansson till bolaget och hem igen, sa Motoele som tydligen hade ordning på det som hände runt omkring honom.

– Ja, sa Linus.

– Bilen är inga problem, sa Motoele. Vad jag inte fattar är varför du behöver backning. Det där med systembolaget kan du väl fixa själv?

– Han hade ytterligare ett par ärenden som han skulle ta hand om. Vad det är vet jag inte, för jag ville inte fråga honom på telefon, men det vore bra om någon kunde hänga på honom och se vad han har för sig.

– Klokt, sa Motoele. Hur pass varsk är han?

– Som en vanlig blind, om du frågar mig.

– Okej, sa Motoele. Skicka ett mess så fort du är tillbaka i staden så hänger vi på.

Ett par minuter i tolv parkerade Linus på Ove Kristianssons gårdsplan. Tutade tre gånger varpå Ove ganska omgående kom ut och tog plats på passagerarsätet bredvid honom. Propert klädd i jeans och samma jacka som förra gången, nyduschad och nyrakad av doften och hans rosiga kinder att döma och fortfarande på bästa humör.

– Var vill du börja, Ove? frågade Linus så fort de inledande hälsningarna var avklarade.

– Vadå börja? frågade Ove.

– Ja, du sa att du hade flera ärenden som du måste klara av. Bolaget och en del andra grejor som du inte sa vad det var, förtydligade Linus.

– Ja, nu är jag med, sa Ove. Systembolaget och resebyrån.

– Du tänker dra på semester, sa Linus. Fan, vad skönt det låter.

– Såg du det där programmet på teve i helgen? Med den där lappjäveln som spår hur vädret ska bli genom att sitta och glo på en massa abborrar som han metat upp.

– Nej, sa Linus. Det har jag missat.

– Den där lappen är rent för jävlig på att spå väder, sa Ove. Det är visst färgen på fenorna som han går efter. Ja, på abborrarna då, alltså.

– Vad sa han då? Om hur det skulle bli i sommar, menar jag, förtydligade Linus.

– Rent för jävligt, sa Ove och skakade på huvudet. Speciellt här nere i Sörmland. Så jag funderar faktiskt på att dra iväg.

– Vart tänkte du åka då? frågade Linus.

– Jag har inte bestämt mig, sa Ove. Det får väl bli det gamla vanliga. Spanien, Kanarieholmarna, Thailand. Det löser sig. Har jag tur finns det väl någon bra sista minuten som man kan hänga på.

En halvtimme senare hade de klarat av Oves systemärende trots att beställningen den här gången var betydligt större än den förra. Två backar med starköl, sex flaskor whisky och sex flaskor vodka. I kraft av sina tidigare insatser fick Linus följa med in från början så att Ove slapp bära. Medan Linus bar ut varorna i bilen betalade Ove kontant. Drygt fyra tusen kronor, plus de två tusen som han betalade i lördags, vilket gör sex tusen på knappt en vecka, och här är det något som inte stämmer, tänkte Linus.

I vart fall inte med det som stod i alla papper som han hade läst.

På resebyrån tog det längre tid trots att Ove inte hade spanat in Kajsa Nilsson när hon höll upp dörren åt honom och följde efter honom in i lokalen.

Han är ju trots allt närmare hundra, tänkte Linus. Då har man förmodligen slutat med sådant.

En kvart senare började han undra på allvar. För att bara gå in och hämta några broschyrer om olika resmål var det lång tid och när det hade dröjt ännu en kvart innan Ove kom ut igen hade misstankarna börjat gnaga i huvudet på Linus. Några broschyrer hade han heller inte med sig när han satte sig i bilen. Däremot en gul plastpåse som han hade stoppat i fickan på sin jacka. Han har växlat pengar och här är det en grej till som inte stämmer, tänkte Linus Rasmusson.

När han svängde ut från trottoaren såg han Frank Motoele och Lina Jonsson försvinna in i lokalen, vilket var ett dåligt tecken. Det var ingen bra känsla som hade satt sig i magen på Linus. Trots att Ove verkade lika glad och nöjd som tidigare. Till och med ännu gladare om man nu skulle vara noga, tänkte Linus.

– Fick du tag i någon resa? frågade han.

– Nja, sa Ove och skakade på huvudet. Jag tyckte inte att de hade något som kändes så där alldeles klockrent.

– Så du funderar på att stanna hemma? frågade Linus.

– Enligt den där lappjäveln på tv så skulle han och de andra lapparna få bra väder där de bodde medan vi här nere i stort sett skulle behöva sätta oss i båten för att ta oss till brevlådan.

– Så du tänkte åka norröver? frågade Linus. Vad du i så fall behöver växla pengar för, tänkte han.

– Lapphelvetet? Glöm det, sa Ove och skakade på huvudet. Då stannar jag hellre hemma och chansar. Skulle det bli alltför jävligt är det väl inte värre än att jag ångrar mig.

En halvtimme senare hade Linus burit in Oves ölbackar i köket och ställt dem på köksbänken. Systempåsarna hade Ove själv tagit hand om och när Linus kommit in med den andra backen hade han redan hällt upp en öl och en sup åt sig själv.

– Skål Linus, du är en bra grabb, sa Ove, höjde glaset, tog halva supen och sköljde efter med öl.

Sedan betalade han Linus för resan. Gav honom en extra hundralapp i dricks och en klapp på axeln när han följde honom ut. Om det var något mer som han behövde hjälp med lovade han att höra av sig.

– Du ska ha en bra sommar, Ove, sa Linus och log.

– Du också, sa Ove.

När Linus passerade Oves brevlåda, ungefär där Abbdo Khalid skulle ha kört i diket sommaren innan, fick han ett sms från Frank Motoele. Frank ville träffa honom så fort som möjligt och helst omgående. I deras holk i Eskilstuna.

”Ses om en halvtimme”, svarade Linus. Vad har du nu hittat på, tänkte Linus som tyvärr hade börjat fästa sig vid Ove.

79

När Linus klev in i det bakre rummet i holken på Lidgatan fanns Frank Motoele, Kajsa Nilsson och Lina Jonsson redan på plats. De satt och åt pizza och drack mineralvatten och deras nöjda miner bådade inte gott för Ove Kristiansson.

– Berätta, sa Frank Motoele och lade ifrån sig kniv och gaffel innan han strök sig över munnen med högerhandens ovansida.

Så Linus berättade. Om Oves inköp på systembolaget, sex tusen kronor på fyra dagar, vilket rimmade illa med hans pension på knappt femton tusen i månaden efter skatt, om "lappjäveln och hans abborrfenor" och Oves idé om att åka på en tidig semester för att undvika det bibliska skyfall som samme lapp hade lovat sörlänningarna till sommaren. Så om besöket på resebyrån där Ove avsett att titta i lite broschyrer för att få idéer om tänkbara resmål och hur han återvänt till bilen efter en halvtimme utan broschyrer men med en tjock plastpåse från Forex växlingskontor som tydligen låg vägg i vägg med resebyrån.

– Hade han köpt någon resa då? frågade Motoele.

– Nej, sa Linus och skakade på huvudet. Han slet fortfarande med frågan. Han uteslöt inte ens att den där samiske väderspåmannen kunde ha fel och att han kanske borde chansa och stanna hemma istället.

– I så fall ljög han för dig, sa Kajsa Nilsson.

– Han köpte en treveckors till Pattaya. Avresa onsdag den tredje juni, nästa vecka alltså, insköt Lina.

– Fast vi får för oss att det kan bli längre än så, assisterade Kajsa. Han frågade nämligen tjejen som sålde resan om hon kunde ge honom tips på några bra lägenhetshotell i Pattaya.

– Vad gjorde han mer då? frågade Linus.

– Ja, det är väl nu som det börjar bli intressant, sa Frank Motoele. Han köpte tvåhundra tusen thailändska bath. Det motsvarar ungefär femtio tusen svenska kronor.

– Det borde väl åtminstone räcka i tre veckor, sa Linus. Med tanke på vad spriten kostar i Thailand, förtydligade han.

– Säkert, sa Motoele. Mer intressant är att han betalade med engelska pund. Totalt fyra tusen pund i femtiopundsedlar.

– Går det, sa Linus och skakade på huvudet. Bara dyka upp så där och be dem växla in fyra tusen pund.

– Han hade faktiskt ringt dem i går och frågat och när han sa att han ville ha dem i thailändska bath hade det inte varit något problem.

– Var hade han fått dem ifrån? Punden alltså?

– Enligt vad han hade sagt till tjejen på växlingskontoret hade han varit i London och tittat på fotboll i helgen. Satsat hundra pund hos en lokal bookmaker och vunnit närmare fem tusen som han tagit ut i kontanter eftersom han inte visste om checken som de ville ge honom gick att lösa in här hemma i Sverige.

– Glöm det, sa Linus och skakade på huvudet. Jag körde honom till bolaget i lördags och frågar du mig så tillbringade han den helgen i soffan framför sin tv.

– Där han säkert låg och glodde på fotboll, sa Kajsa Nilsson. Gjorde han åtminstone när vi var hemma hos honom.

– Ja, vi kollade den biten, sa Lina. Han har i stort sett alla sportkanaler som finns.

– Vad har ni gjort med pengarna då? frågade Linus.

– De är redan på väg till våra tekniker uppe i Stockholm, sa Motoele.

– Hittar de Khalids fingrar på de sedlarna så är han väl körd, sa Linus och suckade.

– Återstår den stora frågan, sa Motoele. Varför skulle Abbdo Khalid ge en massa pengar till en sådan som Ove Kristiansson? Vad finns det för skäl för honom att göra det?

– Inga, sa Linus och skakade på huvudet. Inte ett skäl i världen om du frågar mig.

– Han kanske är en överdängare på att sy, föreslog Kajsa och fnissade.

– Ja, hans västar kanske är berömda över hela Sörmland, sa Lina. Han är liksom bombvästarnas Karl Lagerfeld.

– Det här är tyvärr inget som vi kan skämta bort, sa Motoele. Om det nu är så att Khalid har gett honom en massa pengar måste vi ta reda på vad det är som han har betalat för.

– Hittar vi Khalids fingrar på pengarna är det väl bara att vi plockar in Ove och sätter honom i finkan, sa Kajsa.

– Ja, och sedan lovar vi att bjuda honom på en pilsner så fort han blir en snäll gammal fyllgubbe och berättar alltihop för oss, fnissade Lina.

– Det går inte, sa Frank Motoele och skakade på huvudet. Om Khalid ens misstänker att vi har hämtat in Ove är vi körda.

– Hur gör vi då? frågade Linus.

– Vi får ta reda på det ändå, sa Motoele.

Innan Frank Motoele lämnade dem tackade han dem för ett väl utfört jobb. Att Linda Martinez klättrade på väggarna skulle de heller inte bry sig om. Martinez var som hon var och om det inte hände saker hela tiden blev hon på det viset. Att prata förstånd med henne tänkte han också vänta med. Kunde man bara koppla ihop Ove Kristianssons pundsedlar med Abbdo Khalid skulle även Linda Martinez bli fullt normal igen. Eller åtminstone så normal hon kunde bli.

– Vad gör vi nu då, tjejer? frågade Linus så fort Frank Motoele hade gått. Undrar om någon av dem är intresserad av fåglar, tänkte han.

V

Onsdagen den 27 maj till
tisdagen den 2 juni

Jakten på Bombmakaren
och hans kvinna

Spaningsgenombrott

80

Onsdagen den 27 maj fick Linda Martinez det genombrott i spaningarna som hon så hett längtade efter. Sexton dagar efter det att den engelske kollegan hade hört av sig och trots att hon ännu inte hade hört ett ord om de pundsedlar som Ove Kristiansson hade växlat in några timmar tidigare.

Yes! Äntligen börjar det hända saker, tänkte Linda Martinez. Tog sin mobil och ringde upp Lisa Mattei trots att klockan redan slagit elva på kvällen och hon sannolikt hade gått och lagt sig.

– Det har hänt något, sa Mattei, och det var mer ett konstaterande än en fråga.

– Vi har äntligen fått känna på den söta doften av ett genombrott här nere, sa Martinez.

– Kom hit då, sa Mattei. Och ring Lamm och Wiklander ifall de också vill vara med. Mitt kontor om en timme. Fixar du det?

– Ja, vi är redan på väg, sa Martinez.

– Bra, sa Mattei. Ring vår körcentral när du passerat Södertälje och be dem komma och hämta mig.

Den söta doften av ett spaningsgenombrott, tänkte Lisa Mattei medan hon bytte om från nattlinnet som hon fått av Ella i julklapp – det där Ella själv hade skrivit "Mammas" på bröstet med textilpenna – till sina vanliga jeans, blå skjorta och blå kavaj. Bara tio dagar kvar, tänkte Mattei. Hoppas det är sant, tänkte hon, eftersom det frestade på att leva i kraft av sina tvivel.

De satt i det lilla sammanträdesrummet vägg i vägg med hennes kontor. Lisa Lamm och Jan Wiklander och hon själv. Martinez medförde två av sina spanare, kriminalinspektörerna Jan Sten och Lars Hård, gamla i gården, spanare av det mer traditionella snittet och bland kollegerna givetvis kända som "Stenhård". Det var också Stenhård som turades om att ha ordet eftersom de hade varit med när det hänt och tagit filmen som de visade för de andra. Alla hennes gäster verkade också påtagligt pigga och förväntansfulla trots den sena timmen.

– Jag tänkte att chefen skulle få kika på lite färska bilder från Eskilstuna, sa Lars Hård, log mot Lisa Mattei och matade in en skiva i dvd-spelaren.

– Den handlar om två av våra misstänkta, fortsatte han. Dels äldsta dottern i familjen, hon som jobbar som sömmerska och utför lagningar på kemtvätten som pappan äger, dels pappans yngsta fru. Vi tog den för bara några timmar sedan.

Kvart i sex på kvällen hade hustru nummer tre lämnat huset där familjen bodde. Redan detta var ovanligt eftersom hon sällan gick ut och hittills hade hon aldrig gjort det vid den här tiden på dygnet. Redan innan hon lagt handen på grinden till trädgården hade också spanarna som satt i holken hundra meter bort börjat fotografera henne. Hon var klädd som vanligt, från den svarta huvudduken ner till den långa, fotsida kjolen som helt dolde hennes ben, och under armen bar hon ett avlångt paket inslaget i brunt papper.

Sedan promenerade hon in mot stadens centrum och knappt en halvtimme senare ringde hon på dörrklockan till tvättinrättningen där den äldsta dottern arbetade. Affären var stängd sedan klockan sex men tydligen var hon väntad eftersom någon därinne öppnat och släppt in henne i lokalen.

– Det är äldsta dottern som öppnar och släpper in henne, förklarade spaningsledaren. Det är bara de två i lokalen. Det är vi helt säkra på trots att den som öppnar inte syns i bild. Som chefen säkert redan observerat är ju persiennerna i både skyltfönstret och dörren mot gatan nerfällda.

– Hur har du löst det då? frågade Mattei som inte kände sig det minsta orolig på den punkten med tanke på alla glada spanarminer runt omkring henne.

– Bra spelare har turen på sin sida, inflikade Martinez. Rummet där de sitter och syr och lagar kläder ligger mot innergården. De två fönstren i det rummet är bara täckta nedtill av vanliga gardiner. Mina grabbar här tog sig högst upp i trapphuset till ett kontor som ligger tvärs över gården och sedan var det bara att köra och låta filmen rulla. Bra bilder blev det också, sa Martinez och nickade till Lars Hård som tryckte på knappen till fjärrkontrollen.

Två kvinnor i den klassiska muslimska klädedräkten sitter på varsin sida om ett sybord på en kemtvätt i Eskilstuna som även erbjuder lagning. Den ena av dem börjar med att ta av det bruna omslagspapperet från en tygrulle med ett vitt tyg i något som mycket väl kan vara bomull i en grövre kvalitet.

Tyget breds ut på bordet, täcks med redan färdigritade mallar, och två kvinnor med en märkpenna, en stor skräddarsax och fyra flinka händer hjälps åt att klippa ut fram- och bakstycke på något som högst sannolikt ska bli en ärmlös väst, lång nog att nå ner till grenen på den som ska bära den.

Den äldsta dottern sitter nu lutad över sin symaskin, familjefaderns yngsta hustru kommer och går i bakgrunden, serverar te, lägger fram nya tygstycken, färdigskurna tygbitar av varierande form och längd, till sist en rulle med kardborrband som den äldsta dottern syr fast längs bröstet och bålen, på gott humör som det verkar eftersom de både pratar och skrattar.

– Det tog nästan tre timmar, sa Lars Hård och tryckte på pausknappen. Om chefen vill kan vi naturligtvis spela hela ...

– För mig räcker det bra. Vad säger du, Lisa? sa Mattei.

– För mig också, sa Lamm. Jag har en fråga dock. Av bilderna att döma verkar det som om västen har två skikt, så att säga. Först den där långa inre västen och sedan de stora fickorna på framsidan som man tydligen säkrar med kardborrband.

– Det stämmer, sa Jan Sten. Vill åklagaren ha detaljbilder på det?

– Ja, sa Lisa Lamm. Jag vill ha detaljbilder på allt som visar att det inte är någon vanlig väst som jägare och fiskare brukar springa omkring i.

– Med tanke på färgen lutar vi åt att den inte ska användas till sådant, sa Martinez och flinade. Men visst, jag förstår vad du menar. Jag ska prata med major Björklund om saken. Han lär visst vara rena modegurun när det kommer till att designa västar åt självmordsbombare.

– Jag vill ha den vanliga händelserapporten samt allt underlag senast före lunch i morgon, sa Mattei. Vad hände med västen, förresten? Finns den kvar i affären?

– Nej, sa Lars Hård. De slog in den i samma bruna omslagspapper som tygrullen låg i och tog med den hem. Plus det som blev över av rullen och alla urklippta bitar som de inte hade användning för.

– Hur kom de hem? frågade Mattei.

– Den näst äldsta brorsan kom och hämtade dem i sin bil. Hans syster ringde honom på sin mobil och en kvart senare kom han och plockade upp dem. De åkte direkt hem till huset.

En plus en plus en gör tre, tänkte Mattei. Plus Abbdo som Alexander gav oss, vilket gör fyra, tänkte hon.

– Bra jobbat, sa Lisa Mattei. Nu tänkte jag åka hem och sova och jag föreslår att ni andra gör detsamma.

Två timmar senare låg Lisa Mattei i sin säng igen. Klockan hade redan passerat tre på natten. Hon rörde sig mellan sömn och dvala medan alla tankar som brukade föregå hennes drömmar strömmade genom hennes huvud utan att hon viljemässigt kunde styra över dem. Som den där tecknade Disneyfilmen, till exempel. Den där Askungen ska gå på bal på slottet, den som hon sett på teve på julafton sedan hon var en liten flicka, sett fler gånger än hon kunde minnas, tillsammans med både mamma och pappa, alla släktingar och den lillebror som hon aldrig fick, filmen med alla de glada och flitiga små mössen som sjunger och dansar medan de hjälper Askungen att sy hennes klänning.

Vem bryr sig om en bal på slottet, tänkte Mattei medan hon kurade ihop sig i fosterställning och pressade sina knutna nävar mot det som molade i hennes mellangärde. Först en timme senare hade hon äntligen somnat.

Under de närmsta dagarna brukade Lisa Mattei tänka på onsdagen den 27 maj som den tidpunkt då hon äntligen hade fått sitt första efterlängtade spaningsgenombrott. Den dag då hennes motståndare hade börjat röra på sig och övergå från tankar och ord till handling. Något som hennes medhjälpare dessutom lyckats dokumentera och som i bästa fall var den första biten i den bevisning som krävdes för att yrka ansvar för förberedelse till mord för de tre personer som fanns med på spaningsbilderna.

Fyra av sjutton i samma familj och räknade hon bort gamla farmor och de fem yngsta barnen så återstod ytterligare sju presumtiva gärningsmän, tänkte Lisa Mattei. Vad återstod efter dem? Inget. Bara en familj på sjutton personer som hon och hennes kolleger hade förintat.

Det var så hon först hade tänkt. Medan hon ännu trodde att hon hade kontroll över det som hennes motståndare planerade att göra och där hon själv skulle förhindra att det skulle ske.

81

Först fjorton dagar av väntan då i stort sett ingenting hade hänt. Så slutet av den tredje veckan då allt plötsligt började hända slag i slag. Det är precis som om någon har dragit proppen ur vasken, tänkte en lycklig och plötsligt befriad Linda Martinez eftersom hon ännu inte hade en aning om hur rätt hon tänkte.

Torsdagen den 28 maj kunde deras åklagare Lisa Lamm räkna in den femte av sina misstänkta gärningsmän. Då hade Abbdos ett år yngre bror, Hassan Khalid som jobbade på byggvaruhuset, lånat med sig en skärslip, en metallsåg och en bultsax från sin arbetsplats, och dessutom köpt sextio meter armeringsjärn. Helt öppet, med personalrabatt och arbetsgivarens goda minne eftersom han skulle lägga in ett nytt cementgolv i källaren till huset där han och hans familj bodde.

När han kom hem efter arbetsdagens slut parkerade han sin bil på tomten till huset och så fort han klivit ut ur bilen kom hans äldste bror och deras far ut och hjälpte honom att snabbt bära ner både armeringsjärn och verktyg i källaren till boningshuset.

Dumt nog hade han på sin lunchrast sex timmar tidigare gått avsides och övat på den uppgift som det faktiskt handlade om. Att med hjälp av en bultsax förvandla armeringsjärnen till fungerande projektiler. Snett avklippta, som stympade koner, med en längd på mellan två och tre centimeter och en vikt på cirka tio gram, spetsiga, taggiga, dödsbringande. Allt dokumenterat på bilder som tagits i smyg av hans senaste arbetskamrat på byggvaruhuset, kriminalinspektören Sandra Kovac, som arbetade med att inventera lagret och gå igenom firmans sortiment trots att hon redan hade en arbetsgivare som betalade henne en mer än dubbelt så hög lön.

Senare på kvällen körde Hassan sin yngre bror, Waaberi "Wabbe" Khalid, till hans fotbollsträning och medan han var fullt upptagen med att titta på honom och hans lagkamrater gjorde Martinez spanare sitt. Dyrkade upp bakluckan på hans bil och lät en bombhund använda nosen för att ta reda på vad som eventuellt hade funnits där under tidigare transporter.

– Jycken höll på att vifta av sig svansen, förklarade bombhundens husse när han pratade med Martinez på telefon senare på kvällen. Inte minsta tvekan. Det måste ha legat en rejäl laddning i den skuffen.

– Har du någon aning om hur mycket det kan handla om? frågade Martinez.

– Åtskilligt om du frågar mig, svarade hundföraren. Men just den biten är kanske inte Sampos starka sida.

Istället ringde Martinez till Sandra Kovac och bad henne kolla om det möjligen var så att man saknade dynamit på byggvaruhuset där Hassan arbetade.

Sandra Kovac ringde tillbaka redan morgonen därpå.

– Är du vaken, Linda? frågade Sandra. Annars kan jag ringa senare om du vill.

– Sluta jävlas med mig, sa Martinez.

– Fem kilo dynamit tycks vara på driven. Jag har kollat deras bokföring och i förrgår var det en kund som var inne och köpte och betalade fem kilo Dynamex av Nitro-Nobels utmärkta tillverkning. Den rekommenderar vi förresten starkt här på Eskils Bygg...

– Vad tror du om att komma till saken?

– Ja, precis. Saken är väl tyvärr att det tycks vara någon som tagit tio kilo, inte fem således, ur förrådet där man förvarar grejorna. Gissa vem det var som expedierade kunden? En händelse som ser ut som en tanke, om jag så säger.

– Jag tror jag förstår vem du menar, sa Martinez. Vad vet du om kunden?

– Ingen skugga över den mannen, sa Kovac med sådant eftertryck att Martinez kunde se henne skaka på huvudet trots att de talade med varandra på telefon. Det är en lokal förmåga. Han har en mindre firma som sysslar med schakt- och sprängningsarbeten. Alla papper i ordning.

– Skönt att höra, sa Martinez.

82

Kolya Barabanov hade varit en av tre avhoppare från den ryska underrättelsetjänsten som hade valt att söka sig till Sverige efter Sovjetunionens sammanbrott. Han hade kommit hit på hösten 1991. Först hade han åkt bil till Tallin. Därifrån hade han tagit färjan över till Helsingfors och satt sig på första plan till Stockholm. Falska pass och andra identitetshandlingar hade han gott om, han saknade inte pengar, och alla de hemliga papper som han skulle leva på under återstoden av sitt liv hade han redan gömt undan på säkra ställen utomlands. Kolya Barabanov var inte den som slarvade med detaljerna kring sin sista resa.

När han kommit till Arlanda hade han satt sig i en taxi och åkt direkt till Militära underrättelsetjänstens lokaler på Östermalm i Stockholm. Talat med vakten i entrén och på engelska bett att få träffa den överste som säkert var den i huset som oftast svurit över just honom.

– Vem kan jag hälsa från, sa vakten som hade varit med förr.

– Du kan hälsa honom från Kolya, Kolya Barabanov, sa Kolya.

Fem minuter senare satt han och översten i varsin bekväm fåtölj på överstens tjänsterum, Kolya rökte dagens första cigarill, den utlovade vodkan var på väg, stämningen var redan den bästa och så hade det också förblivit under de tjugofem åren som följde. Att Kolya hade valt Sverige framför USA, eller någon av alla dess allierade, var ett medvetet val. För en man med hans bakgrund var det här det givna valet. Under sina sammanlagt tjugo år vid GRU, den ryska militära underrättelsetjänsten, hade han arbetat i stort sett hela tiden på den avdelning som hade hand om Mellanösternfrågor och konkret hade arbetet mest handlat om politisk terrorism. Att främja aktioner där Israel ofta var huvudmålet och palestinierna i regel hans mest pålitliga bundsförvant. Att Kolja inte hade valt att hoppa av till USA, England eller Tyskland var ingen slump. Hellre säkra svenska kronor än osäkra dollar, D-mark eller pund och om han i framtiden ville göra affärer med sina gamla kontakter fanns det knappast något bättre ställe där han kunde ha sitt lilla kontor än i Stockholm och det neutrala Sverige.

Numera var Kolya en gammal man med ett nytt hemland, en ny identitet och ännu ett språk, till och med ett nytt utseende för att undvika onödiga problem om någon från hans tidigare liv skulle råka springa på honom i hans nya. Han levde ensam i en mindre lägenhet på Gärdet. En välskött bostadsrättsförening där han själv var föreningens kassör, han hade nära till naturen när han tog sin dagliga långpromenad, många bra restauranger inom gångavstånd, trevliga grannar i hans egen ålder, väluppfostrade nog att inte ställa frågor till honom om hans bakgrund och det liv han tidigare hade levt. Det gjorde man inte till en man som av sitt namn och sin ålder att döma mycket väl kunde vara en judisk flykting och ha egna erfarenheter av nazismens alla fasor när han varit barn.

På en punkt var han sig lik. Uttrycket i hans ögon var precis detsamma som hos den överste Kolya Barabanov som hade jobbat tjugo år vid GRU. Som en dag hade satt sig i sin tjänstebil, kört ut ur garaget och försvunnit från jordens yta och med den tiden var det ju så praktiskt att de människor som numera omgav honom inte hade en aning om den saken och allra minst några ögon att jämföra med.

Torsdagen den 28 maj fick Carl Lewenhaupt träffa honom i hans lägenhet på Rindögatan på Gärdet. Kolya hade bjudit på kaffe och mineralvatten och efter de inledande artigheterna hade han börjat med att berätta om Louise Urqharts mamma, Judith Rebecka Stein, engelsk medborgare, judinna, född 1950 och uppvuxen i London dit hennes släkt hade kommit redan i mitten på artonhundratalet. Död i Tel Aviv den sjätte augusti 1982.

– Tel Aviv? Inte franska Rivieran? frågade Carl Lewenhaupt.

Tel Aviv, inte franska Rivieran, ingen bilolycka heller för den delen. Judith Stein hade dödats av den kvinnliga självmordsbombare som lämpligt nog valt att utlösa sin bomb på det café i Tel Avivs centrum där Stein skulle träffa en uppgiftslämnare som hennes palestinske motståndare inte till något pris kunde låta henne träffa. Allt det där andra, som stod att läsa i hennes papper, var den täckningsmanöver som hennes uppdragsgivare Mossad hade låtit genomföra tillsammans med sina medhjälpare vid de franska och engelska säkerhetstjänsterna.

En intressant detalj i detta sammanhang, enligt Kolya, var att det inte ens var kroppen efter Judith Stein som låg begravd på den judiska begravningsplatsen i Manchester. Med tanke på det skick som hennes kvarlevor hade befunnit sig i ville man inte ta den risken.

Istället hade man skickat dit en kropp efter en annan död kvinna som till ålder och utseende mycket väl kunde passera som Judith Stein efter den bilolycka som tagit hennes liv.

– Vem var hon då? frågade Carl Lewenhaupt.

– Spelar det någon roll, sa Kolya med en trött handrörelse. Du ska veta en sak, unge man, att vid den här tiden fanns det hur många som helst att välja bland.

Judith Steins problem var inte att hon hade jobbat för Mossad i tio år när hennes motståndare blivit tvungen att ta livet av henne. Hennes problem var att hon var alldeles för duktig på det hon gjorde och att hon gärna arbetade ute på fältet med alla de risker det medförde. Vad hon nu hade där att göra, suckade Kolya.

En rik och oberoende kvinna som hon som dessutom bodde i England och hade alla möjligheter att göra något annat inom underrättelseverksamheten. Att till exempel syssla med sådant som han själv och även hans unge gäst valt att ägna sig åt.

Det hade funnits ett starkt äventyrligt drag hos Judith Stein. Hon drogs till spänningen och därmed också till faran. Som nattfjärilen som söker sig till ljuslågan trots att hon vet att den kan bränna vingarna av henne, sa Kolya och skakade beklagande på huvudet.

Precis som hennes dotter tydligen hade valt att leva sitt liv, enligt de gamla kontakter som han hade pratat med. Själv hade han aldrig träffat Louise Urqhart. I och för sig hade han säkert noterat hennes existens vid något av alla de tillfällen då han hade haft anledning att läsa hennes mors personakt. Säkert hade han då också beklagat att en liten flicka hade tvingats leva med en sådan mor.

Någon lärdom av det som hade hänt hennes mamma – för det kände hon säkert till i detalj sedan länge – tycktes hon heller inte ha dragit. Istället hade det snarare blivit tvärt om. "Like mother, like daughter", sa Kolya och suckade på nytt. För en romantiker som han låg det ju annars nära till hands att kvinnor i det avseendet var klokare än män. Alla dessa söner som valde att leva samma liv som sina fäder. "Like father, like son", som var ack så vanligt i den verksamhet som både han och hans gäst valt att tjäna.

Kolya hade gjort det bästa av det liv som hans gamla hemland kunde erbjuda en ung man med hans bakgrund. Han hade valt att bli officer vid underrättelsetjänsten. Skrivbordsofficer, inte pansarofficer som hans far som stupat under det stora fosterländska kriget. Än mindre kavallerist som hans farfar som hade dött redan i inbördeskriget mot de Vita upprorsmakarna för snart hundra år sedan.

Det fanns tyvärr också tecken som tydde på att Louise Urqhart var mer äventyrlig än vad till och med hennes mamma hade varit. Judith Stein hade åtminstone hållit sig till en uppdragsgivare och att det blivit just Mossad var både logiskt och förväntat med tanke på hennes bakgrund och religion.

Dottern Louise, däremot, var en typisk frilans med alla de problem som detta kunde medföra för både henne själv och den hon för tillfället arbetade åt. Under hela sin aktiva tid verkade hon ha hoppat från tuva till tuva på det gungfly där hon valt att leva. Mossad, CIA, MI6, för att nu bara nämna några av dem som hon oftast arbetade åt. Men aldrig åt araberna, för dem hatade hon av födsel och djupt personliga skäl. Inte åt ryssarna heller för den delen, men inte för att hon hatade dem utan för att hon inte litade på dem. Kanske för att vi påminner henne alltför mycket om henne själv, avslutade Kolya och smålog.

– Jag förstår att även du och dina kamrater har fått problem med henne, tillade han.

– Ja, det är jag den förste att erkänna, sa Carl Lewenhaupt.

– Du får väl trösta dig med att det misstaget begicks före din tid, sa Kolya. Att livet inte är rättvist, att det därför är du som får städa upp efter de misstag som begicks av andra än dig.

– Tyvärr är det väl så, instämde Carl Lewenhaupt. Vad i hela fridens namn är det gubben sitter och pratar om, tänkte han.

– Själv skulle jag nog ha avstått från att använda mig av en sådan som Louise Urqhart, sa Kolya och Calle Lewenhaupt hade numera tappat räkningen på för vilken gång i ordningen han skakade på huvudet.

Vad är det han försöker säga? tänkte Carl Lewenhaupt. Hög tid att chansa och hur maskerar man bäst en rak fråga?

– En rak fråga, Kolya, sa Calle Lewenhaupt. Hur skulle du själv ha gjort? Om du hade varit i samma situation som mina chefer var den gången, menar jag.

Först nickade Kolya eftertänksamt. Sedan berättade han hur han skulle ha gjort, eftersom hans blick tydligen inte var densamma som den hade varit för tjugofem år sedan. Att även han hade åldrats och börjat förlora den där närvaron som var nödvändig för att överleva om man nu var en sådan som han.

83

– Hur gick det hos Kolya? frågade Lisa Mattei en timme senare.

Alldeles utmärkt, enligt den tillfrågade, men innan han berättade om det var det en annan sak som han ville ta upp. Även den av intresse för analysen av Louise Urqharts person och konkret handlade den om hennes verksamhet som hyresvärdinna.

– Det är något som dina små räknenissar har kommit på, sa Mattei.

– Definitivt, sa Lewenhaupt. Det är inga dåliga grejor.

– Gud så spännande, sa Lisa Mattei. Ja, jag menar det verkligen, förtydligade hon med tanke på sättet som hon råkat säga det på.

Lewenhaupts medarbetare vid underrättelseroteln hade gått igenom det material om muslimsk terrorism i Storbritannien som deras engelska kolleger, i det här fallet MI5 och Antiterroristroteln vid gamla Scotland Yard, hade lämnat över för kännedom till sina kolleger vid de andra västerländska säkerhetstjänsterna.

– Det är ett mycket omfattande material, sa Lewenhaupt. Inte minst när det gäller bakgrundsbeskrivningar av de personer som ingår i det. Tusentals sidor.

– Ett sådant som det är lätt att drunkna i, sa Mattei.

– Helt klart, sa Lewenhaupt. Om vi nu ska undvika det och gå pang på rödbetan ligger det alltså till på följande sätt. I Manchester med omgivningar bor det ungefär två och en halv miljon människor varav cirka tre hundra finns med på engelsmännens listor över kända, misstänkta eller presumtiva terrorister med anknytning till olika muslimska terroristorganisationer. Hur många av dem tror du att det är som under de senaste åren har hyrt ett rum eller en lägenhet av Louise Urqhart?

– Hur många rum hyr hon ut? frågade Mattei.

– Ett hundratal, sa Lewenhaupt.

– Med tanke på att vi talar om två och en halv miljoner människor som väl åtminstone borde ha tillgång till närmare en miljon sovrum torde väl sannolikheten att någon som Abbdo Khalid hyr ett rum av Louise Urqhart vara ungefär noll procent, sa Mattei.

– På den punkten är du och vår statistikchef rörande överens. Noll procent.

– Hur många är det då?

– Ja, hittills har vi hittat tjugo som har bott där under längre eller kortare tider.

– Vilket ger oss två möjliga förklaringar, sa Mattei.

– Precis. Om hon nu är den som hon i hemlighet påstås vara, Bombmakarens kvinna, skulle ju det förklara saken. Dyker det upp sådana som du och jag och vill hyra en bostad av henne så skakar hon på huvudet. Har inte ens en ledig garderob att erbjuda. Om en sådan som Abbdo ställer samma fråga, däremot, möts han av stora famnen.

– Är det så?

– Nej, sa Carl Lewenhaupt. Om det är som Kolya säger rakt ut, som du själv tydligen har misstänkt ett bra tag och som även jag numera tror, är det precis tvärt om. Hyresvärdinnan Louise Urqhart är definitivt inte Bombmakarens kvinna. Inte kvinna till någon som är som Abbdo.

– Vem är hon då?

– Om det är hyresvärdinnan Louise Urqhart vi talar om har hon spunnit ett nät där hon fångar in flugor som Abbdo Khalid. Husen äger hon visserligen själv, men den för vars räkning hon hyr ut dem är Jeremy Alexander och sådana som han.

– Trots att hon ser så rar ut, sa Mattei. På bilderna tillsammans med Abbdo, menar jag.

– En lycklig spindel, sa Lewenhaupt. Som just har fångat den fetaste flugan på bra länge.

– Det kan ju inte bli bättre, sa Mattei, och den hon såg framför sig var Jeremy Alexander och hur han skulle se ut när hon berättade vad hon och hennes medarbetare hade upptäckt om den Louise Urqhart som han försökt sälja in till dem.

– Det var en sak till, sa Calle Lewenhaupt. En sak till som Kolya råkade säga i förbigående utan att han nog hade riktigt klart för sig vad det var han sa.

– Vad var det?

– Ja, risken med att berätta det är att du ger mig sparken.

– Den risken finns väl alltid, sa Lisa Mattei.

– Okej, sa Calle Lewenhaupt.

– Vad bra. Vad väntar du på?

– Jag fick för mig att han var övertygad om att du och Louise Urqhart kände varandra.

– I så fall måste jag ha glömt det. Var han full, eller? frågade Mattei som hade svårt att dölja sin förvåning.

– Vad han säger är att ni skulle ha träffats i samband med ett uppdrag i oktober för snart tio år sedan.

– När, var, hur och varför? frågade Mattei.

– Norra Mallorca i början på oktober 2006. Ni var där för att genomföra ett uppdrag tillsammans.

– Vad gick det ut på då? frågade Lisa Mattei. Vem hade gett oss det uppdraget?

– Tydligen din gamle chef, Lars Martin Johansson, sa Calle Lewenhaupt.

– Och vad skulle vi hjälpa Lars Martin med?

– Han skulle ha skickat dit dig och Louise Urqhart och ett par andra, som Kolya inte gav mig namnen på, för att ni skulle mörda den man som hade skjutit statsminister Olof Palme tjugo år tidigare.

– Men Calle, sa Mattei och gjorde en avvärjande gest med båda händerna. Hör du vad du själv sitter och säger? Om vi hade suttit i ett vanligt fikarum hade färgen trillat av väggarna vid det här laget.

– Enligt Kolya hade ni gjort det för att skydda Säkerhetspolisens verksamhet. De gärningsmän som låg bakom mordet på Palme hade nämligen båda jobbat vid Säpo. Om detta kom till allmän kännedom skulle verksamheten vid Säpo ha skadats i grunden.

– De där båda som skulle ha skjutit Palme. Hade vår käre Kolya något namn på dem? frågade Mattei trots att hon redan visste svaret.

– Ja, sa Calle Lewenhaupt. Den ene hette Claes Waltin och den andre hette Kjell-Göran Hedberg. Enligt Kolya lär det ha varit du som hittade dem. Båda har mycket riktigt jobbat på det här stället. Waltin var hög chef, närmaste man till den dåvarande operative chefen. Han hette Berg, förresten, och det var Johansson som tog över efter honom, men allt det där vet du säkert bättre än jag. Den andre, Hedberg, alltså, jobbade på personskyddet på Säpo under några år. Båda är för övrigt döda. Hedberg omkom i en gasexplosion på sin båt. Den lär ha sprängts i luften när han var ute för att ta en fisketur på morgonen den tionde oktober 2006. Åtminstone enligt den officiella utredningen som den spanska polisen lät göra. Den har jag kikat i nämligen, det finns en kopia i vårt arkiv. Det var Hedberg som ska ha varit skytten nere på Sveavägen. Waltin lär ha varit den som anstiftade det hela. Något år innan Hedberg omkom ska Waltin ha drunknat alldeles i närheten av den plats där båtolyckan inträffade. Dödsfallsutredningen på honom, som ju borde finnas här i huset med tanke på vem han var, har jag däremot inte hittat.

– Titta på mig, Calle, sa Mattei.

– Ja.

– Tror du på fullt allvar att jag skulle kunna låta dränka en person och spränga en annan i luften? Oavsett om det nu hade varit så att de hade gjort allt det där som Kolya sitter och yrar om?

– Nej, sa Calle Lewenhaupt. Nej, upprepade han.

– Vad bra, sa Mattei. En nyfiken fråga. Hur kommer Louise Urqhart in i den här historien?

– Tydligen hade Johansson hyrt in henne som lockbete. Hon skulle lura ut Hedberg på sjön så att man slapp riskera att skada några oskyldiga när man sprängde honom och hans båt i luften. Vid den här tiden lär hon ha jobbat som frilans åt CIA.

– Så de var också med på ett hörn och hjälpte till? CIA?

– Ja, enligt Kolya.

– Du hör väl själv hur det låter, sa Mattei.

– Ja, sa Calle Lewenhaupt. Jag förstår vad du menar.

– En fråga till, sa Mattei. Hur kan du vara så säker på att Louise Urqhart befann sig på Mallorca i oktober för snart tio år sedan?

– Det står faktiskt i papperen om Urqhart som Alexander gav oss. Som du minns finns det en ganska utförlig beskrivning av alla resor som hon har gjort. Resan till Mallorca finns med där. Urqhart var där i tre veckor. Åkte hem dagen efter att Hedberg hade omkommit i den där gasolyckan när han var ute på sjön.

– Kan man tänka sig, sa Mattei. Just den biten tycks jag ha missat. Såvitt jag vet har jag aldrig pratat med henne i hela mitt liv. Aldrig ens träffat henne. Och om vi hade hittat på något sådant här tillsammans skulle jag nog ha kommit ihåg det.

– Ja, det är en olustig historia. Vad gör vi nu då?

– Ja, jag tänkte inte ge dig sparken, sa Lisa Mattei. Vad tror du om att vi försöker få någon begriplig ordning på den här utredningen som vi håller på med och lägger det där andra åt sidan? Tills vidare åtminstone, tänkte hon.

– Definitivt, sa Calle Lewenhaupt och log.

– Bra, sa Mattei. Jag hör av mig så fort jag behöver din hjälp.

Är det något som du försöker säga till mig? tänkte Lisa Mattei så fort Calle Lewenhaupt hade lämnat henne, och den hon tänkte på var inte honom utan Jeremy Alexander.

84

När kommissarie Lars Enochson, biträdande chef för Säpos tekniska rotel, anlände till sin arbetsplats på torsdag morgon den 28 maj låg ett kuvert med fyra tusen pund och väntade på honom i hans laboratorium. Dessutom en skriftlig begäran från någon kollega till honom som jobbade åt Linda Martinez och som av efternamnet att döma i vart fall inte var smålänning som Enochson.

Fast inför Vår Herre lär vi ju alla vara smålänningar, tänkte Enochson som själv var en typisk sådan. Kristen med en stark gudstro, sparsam med både egna och andras pengar, tystlåten, en både kunnig och flitig arbetskarl och givetvis mycket försiktig med såväl destillerade som jästa drycker. En typisk smålänning, kort sagt, tänkte Enochson och att Vår Herre gjort sådana som han till människans mall och andliga föredöme var förvisso ingen slump.

Därefter grep han sig an det uppdrag som hans kollega med det konstiga efternamnet bett att han skulle hjälpa honom med och då han hade valt att lösa det helt efter eget huvud – den hjälpsökande kollegan var uppenbarligen ett läsbarn i en forensisk mening – kunde han också mejla över ett svar till hans chef Linda Martinez redan på eftermiddagen samma dag. Nästan som om han varit en vanlig kriminaltekniker, fast på låtsas, som i alla de där serierna man kunde se på teve hela tiden, tänkte Enochson. Själv tittade han aldrig på dem. Däremot hände det att han såg på högmässan på söndag förmiddag.

Först hade han lyst på högen med sedlar med sin kära lampa med det särskilda ljus som brukade visa om det fanns DNA på det föremål som han undersökte. I högen med sedlar hade han hittat spår av något som sannolikt var saliv redan på den första sedeln i bunten. Därefter på ungefär var tionde sedel, varje gång på samma ställe. Högst sannolikt avsatta av någon som följde den gammaldags seden att slicka på sin tumme med jämna mellanrum när han räknade igenom en större bunt med sedlar. Dessutom sannolikt högerhänt av spårets placering att döma, tänkte Enochson.

Sedan hade han säkrat samtliga de sannolika salivspår som han hade hittat, totalt nio stycken på åttio sedlar, genom en försiktig topsning. Stoppat topsarna i de vanliga provrören och skickat alltihop vidare till den biolog som var ansvarig för analysen av rotelns DNA-spår. Två timmar senare hade han fått svar. Samtliga nio DNA-prov gav träff på den misstänktes DNA, Abdullah Mohammed Khalid.

En typisk småländsk arbetsdag för en typisk smålänning som han, tänkte Enochson. En dag fylld av id och ävlan där han mot slutet av den fick njuta frukterna av sitt arbete.

Hög tid för övrigt att han åkte hem om han skulle hinna åka förbi mataffären Willys och handla riktiga småländska isterband till den där specialrabatten som han hade läst om i sin morgontidning.

85

Linda Martinez var ingen typisk smålänning. Så fort hon hade läst meddelandet från kollegan Enochson gjorde hon high-five med sig själv och ringde omgående upp Lisa Mattei.

– Läget, Lisa? frågade Martinez.

– Jo tack bra, ljög Mattei som fortfarande satt och funderade på den där märkliga historien som Calle Lewenhaupt hade berättat för henne.

– Minns du den där kvällen för en fjorton dagar sedan när du och jag var och spanade mitt ute på bonnavischan i mörkaste Sörmland? frågade Martinez.

– Du menar när vi var och kikade på det där stället där Abbdo skulle ha varit när han bekräftade det där meddelandet som han hade fått.

– Just precis. Kul att höra att du är med i matchen.

– Vilken match pratar vi om, sa Mattei.

– Ja, att han hade varit där för att träffa någon som bodde där, alltså.

– Jaha, ja. Den matchen. Ja, den är jag med i. Också, tillade Mattei trots att hon visste att det var bortkastad möda på en sådan som Linda.

– Som du kanske har sett i alla papper som vi skickat över till dig hittade vi ju en gammal gubbe som jag själv blev lite småvarm av.

– Du menar den där Ove Kristiansson som jag sett fladdra

förbi bland alla andra papper i den här utredningen? Vad jag fortfarande inte fattar är varför han skulle ha ihop det med en sådan som Abbdo.

– Jo, men det har han. Av det du säger förstår jag att du inte hunnit läsa kollegan Enochsons lilla tekniska protokoll som dök upp för ett par timmar sedan.

– Nej, sa Mattei. Men om du vill berätta för mig lyssnar jag gärna. Inte en till, tänkte hon.

Säga vad man vill om Linda, men särskilt långrandig av sig är hon inte, tänkte Mattei några minuter senare när hon hade fått alla detaljerna klara för sig om Kristiansson och hans pundsedlar.

– Så nu kan vi alltså binda Ove Kristiansson till Abbdo Khalid, sa Mattei.

– Skämtar du? sa Linda.

– Nej, inte om det, sa Lisa Mattei. Vad jag fortfarande inte fattar är däremot varför de skulle ha haft ihop det. De är ju inte direkt lika, om man så säger.

– Vi sliter med frågan, sa Martinez. Gissa om vi här nere har hissat den där gamla fyllskallen de senaste timmarna.

– Vad bra, sa Mattei. Så fort du vet vad de har haft ihop hör du av dig.

– Du kommer att vara den första som får veta, Lisa, sa Martinez.

Lisa Mattei blev kvar på jobbet i alldeles för många timmar. Missade både middagen med Ella och Johan och att natta sitt enda barn. Vad hon kunde ha missat i övrigt orkade hon inte ens tänka på.

Istället ägnade hon sig åt grubblerier. Först åt ganska meningslösa sådana om Lars Martin Johansson. Om det nu var så illa att han – trots allt hon visste om honom – ändå hade gjort verklighet av sina ständiga utfästelser om att koka lim på alla och envar som väckte hans misshag.

Inte Johansson, tänkte Mattei. Möjligen hade han hittat på något annat som han hade föredragit att inte berätta om och oavsett vad det handlade om hade det väl knappast med hennes egen utredning att skaffa. Vi glömmer det, bestämde Mattei. Åtminstone tills vidare.

Istället funderade hon på sin egen utredning. Av någon anledning hade den börjat störa henne ju mer hon fick veta och mest stördes hon av att hon fick rätt hela tiden. Antingen är det så att du är en bättre polis än vad du vågar erkänna ens för dig själv, tänkte Lisa Mattei. Att det bara är det där alltför vanliga bristande kvinnliga självförtroendet som plågar dig. Eller också är det någon som driver med dig. Eller båda delarna, tänkte hon eftersom hon nu var den hon var.

Sedan åkte hon hem. Ella sov, även Johan sov. Nästan alla sov väl så här dags. Till sist hade också hon somnat. Utan drömmar den här natten.

86

Fredagen den 29 maj började Ismail Mohammed Khalid sitt nya jobb på restaurang Solliden som låg på Skansen, bara drygt hundra meter från Skansens stora scen. "Isse" – som hans kompisar kallade honom – hade fått anställning på Solliden som kökshandräckning, städare och allt i allo. Ett arbete som han hade tidigare erfarenhet av. Under de senaste två åren hade han jobbat med i stort sett samma saker på sin pappas restaurang i Eskilstuna.

Att Isse Khalid skulle flytta till Stockholm hade inte kommit som någon överraskning för utredarna. Det hade man vetat om sedan första veckan då man hade börjat avlyssna hans telefon och fånga upp hans datatrafik. Isse Khalid verkade vara en meddelsam ung man och hade alla de vanliga kontakterna på nätet. Ett tacksamt spaningsobjekt, helt enkelt.

Kvar fanns egentligen bara ett par frågetecken. Dels hur han hade fått jobbet på Solliden, dels var han skulle bo medan han jobbade i Stockholm, och det var först då man skuggade honom på hans resa upp till Stockholm som man blev klar över det senare och även fick ett uppslag till hur han hade fått det nya jobbet.

Isse Khalid hade tydligen fått hyra ett rum i källarplanet till en villa som låg i Högdalen söder om Stockholm. På gångavstånd från tunnelbanan och en halvtimmes restid från Skansen. Villan i Högdalen ägdes av en sextioårig man från Saudiarabien, Abdul

Karim, som invandrat till Sverige för närmare fyrtio år sedan och numera var svensk medborgare sedan trettio år tillbaka.

Abdul Karim var en intressant person. Dels var han en djupt troende muslim och en mycket respekterad äldre medlem av en av Stockholms större muslimska församlingar, dels var han en framstående affärsman. Genom ett antal olika bolag ägde han bland annat flera fastigheter, restauranger och serviceföretag i Stockholmsområdet. Sedan åtskilliga år tillbaka var han också föremål för ett växande intresse från Säkerhetspolisens sida då man misstänkte att han gav ekonomiska bidrag till olika muslimska terroristorganisationer i Mellanöstern. Misstankar som samtidigt inte hade gått att styrka.

Att en man med hans resurser och hans kontakter kunde ordna både jobb och bostad åt en ung trosfrände var inte det minsta märkligt. Samtidigt fanns det annat som oroade analytikerna på underrättelseroteln och även deras högste chef Jan Wiklander. Hög tid att prata om saken med någon vettig människa, tänkte Wiklander, och en kvart senare satt han i den vanliga besöksstolen på Lisa Matteis rum.

Det var två omständigheter som bekymrade Wiklander. För det första fanns det inga tidigare kända samband mellan Abdul Karim och Mohammed Khalid Hussein eller någon annan av medlemmarna i hans familj. För det andra att Ismail tydligen skulle bo hemma hos Abdul Karim. I det hus som han och hans stora familj bodde i. Men inga andra.

– En sådan som Karim borde ju kunna fixa ett hyresrum åt Khalid genom att bara ringa ett telefonsamtal. Men grabben ska ju tydligen bo hemma hos honom. Det tycker jag nog är lite märkligt.

– En nyfiken fråga, sa Mattei. Abdul Karim, är det han som vissa här i huset kallar för vår egen Usama bin Ladin?

– Det lär ha förekommit. I ett och annat fikarum, sa Wiklander. Usama från Högdalen var det senaste som jag hörde. Fast det var på en personalfest så det räknas väl inte.

– Och vi är helt säkra på att Isse Khalid inte är utbildad trafikpilot?

– Ja, sa Wiklander och smålog. Just det är vi helt säkra på. Unge Khalid har körkort för både bil och motorcykel men någon pilotlicens har han inte. Att han skulle ha lärt sig flyga i smyg håller vi också för mindre sannolikt.

– Det kan inte vara så enkelt att Abdul Karim och pappa Mohammed har någon gemensam kontakt?

– Som vi i så fall har missat, vilket i och för sig har hänt förut, sa Wiklander och nickade.

– Jag håller med dig på en punkt, sa Mattei. Det blir liksom lite för mycket. Jobb på Solliden, hundra meter från den utlovade stora smällen, lille Isse som ska bo hemma hos Högdalens egen Usama, visserligen i källaren, men ändå. Samtidigt finns det en annan sak som stör mig betydligt mer.

– Vad är det då?

– All den här nya informationen som plötsligt bara rasar in. Den stämmer alldeles för bra. Anta att vi har en mullvad här i huset, eller bara i den här utredningen. Då borde ju Abbdo och alla andra ha lagt ner det här projektet omgående. Istället verkar det som om de ångar på värre än någonsin. Det går ju knappt en dag utan att ännu en av våra misstankar har bekräftats.

– Den enkla förklaringen till det är väl att vi inte har någon mullvad i huset.

– Ja, förhoppningsvis är det väl så enkelt. Problemet kanske är att jag inte kan släppa tanken. Orkar du lyssna på en sådan där gullig historia, en mor-dotter-historia?

– Om den handlar om Ella och hennes mamma lyssnar jag gärna.

– Ja, självklart. Vad trodde du? När Ella var två, tre år gammal fick hon ett pussel i present av sin snälla morfar. Eftersom han är som han är var det naturligtvis avsett för ungar som var minst fem år gamla. Hur som helst. Det föreställde en gul anka, faktiskt. Sådant där som alla ungar gillar. Det var inget märkvärdigt pussel, kanske en femtio bitar, högst. Men för Ella gick det inget vidare och hon blev fullkomligt vansinnig när hon inte fick ihop det. Ett tag satt vi där varje dag med det där pusslet och till sist började hennes snälla mamma att ge henne rätt bitar hela tiden. Det här ser ut som en näbb på ankan, Ella... Vad tror du om... Ja, du vet säkert hur man löser det. Om det nu är för barnets skull eller för ens egen eller för bådas är väl en annan sak. Vad jag menar är bara att det är så jag känner mig just nu. Det är det som stör mig. Jag sitter där med ett pussel som jag inte får någon ordning på och jag kan till med tänka mig att plocka fram nagelfilen för att få bitarna att passa... så plötsligt är det som om någon står bakom mig och sticker åt mig rätt bitar hela tiden. Det stör mig.

– Jag förstår vad du menar, sa Wiklander.

– Men det stör inte dig?

– Nej, faktiskt inte, sa Wiklander och skakade på huvudet. Jag tror du krånglar till det i onödan, nämligen.

Lisa Mattei nöjde sig med att nicka. Jag hoppas du har rätt, tänkte hon.

Samma dag som Mattei och Wiklander – och flera än de för övrigt – ägnade sig åt att rannsaka de olika tankar som rörde sig i deras huvuden hade Linda Martinez inlett den yttre övervakningen av sitt senaste objekt, Ove Kristiansson. En uppgift som inte krävde några större grubblerier. Ove Kristiansson var inte bara ett tacksamt spaningsobjekt. Han var mer än så. Han var lättspanad så till den milda grad att även de allra yngsta medlemmarna i någon av polisens alla Kalle Blomkvist-klubbar hade gått i land med uppdraget.

Skälet till detta var att Ove Kristianssons liv följde fasta rutiner och att han delade sin tid mellan att sova, supa, titta på tv och äta ett mål lagad mat varje dag. Av lämningarna i hans soptunna att döma var hans matvanor också lika enahanda som hans liv i övrigt. Kött och potatis, korv och potatis, sill och potatis, alltid öl och brännvin vad som än stod på menyn.

Vid tiotiden på förmiddagen brukade Kristiansson komma ut på sin farstukvist. Oavsett väderlek klädd i tofflor, kalsonger och en t-tröja. Som första åtgärd brukade han ställa sig vid husknuten och pinka innan han gick ner till brevlådan och hämtade sin morgontidning. En promenad på totalt två hundra meter. Väl tillbaka i huset öppnade han dagens första öl innan han lade sig i soffan för att titta på tv. Av ljudet att döma i regel på någon av alla hans sportkanaler.

Under de fem dygn som den yttre övervakningen av honom pågått hade han lämnat huset där han bodde vid sammanlagt sex tillfällen, varav fyra avsåg besöket vid husknuten och hans motionsrunda tur och retur brevlådan. På söndagarna fick han ingen morgontidning så då nöjde han sig med att uppsöka husknuten för sin dagliga, närmast rituella förrättning. Den enda post han hade fått var olika reklamförsändelser. Inga besök, inga samtal. Inte ens en dator som han kunde sitta vid. Trots sitt intresse för idrott verkade han heller inte intresserad av att satsa pengar på de olika fotbollsmatcher som han ständigt tittade på.

Tisdagen den 2 juni, dagen innan han skulle åka till Thailand på semester, hade han gjort två avsteg från sina rutiner. På förmiddagen, efter besöket vid brevlådan, hade han ringt till Åkers Taxi och beställt en bil till klockan åtta nästa dag. Hans plan skulle visserligen inte avgå från Arlanda förrän klockan ett på dagen men han föredrog tydligen att vara ute i god tid så att han slapp stressa i onödan.

Därefter hade han satt sig på sin EU-moppe och åkt drygt en mil till Åkers Styckebruk. Kajsa Nilsson och Lina Jonsson hade följt efter honom i bil för att se vad han skulle göra. En uppgift som var enkel nog då man redan den första morgonen hade satt en spårsändare på hans moped. Kristiansson hade parkerat utanför den lokala stormarknaden. Först hade han köpt ett par jeans, två sommarskjortor och ett par sandaler. Sedan hade han gått in på livsmedelsavdelningen och köpt rimmat fläsk, bruna bönor och ännu en sillburk. Därefter hade han åkt hem igen och att han hade haft sällskap även på den resan hade han givetvis ingen aning om.

– Det verkar som om han tänkte fira semestern med en riktig festmåltid innan han drar iväg till Thailand, sa Kajsa Nilsson. Både sill och fläsk med bruna bönor. Det är ju en tvårätters, ju.

– Ja, det är sorgligt. Om det är så här man ska ha det när man blir gammal är det för jävligt, sa Lina Jonsson. Du såg de där kläderna han köpte?

– Han vill väl vara fin när han kommer till Thailand, sa Kajsa.

– Stackars Ove, sa Lina.

– Vet du vad som är ännu jävligare, sa Kajsa.

– Nej?

– Att jag fortfarande inte fattar vad Abbdo Khalid ska med Ove till. Trots de där pundsedlarna som gör att alla tycks klättra på väggarna. Nu har vi suttit och glott på honom i en vecka snart och jag fattar fortfarande inte ett jävla något.

– Abbdo kanske bara ville hjälpa honom, sa Lina.

– Hoppas att det är så, sa Kajsa och flinade. Jag skulle gärna ge tusen spänn för att se hur Linda ser ut om det visar sig att Abbdo bara ville hjälpa en gammal man som hade det svårt.

87

På fredag förmiddag den 29 maj hade Abbdo skickat ett mejl till sin handledare vid universitetet i Manchester. Hans pappa var numera fullt återställd från sin sjukdom. Själv avsåg han att så fort som möjligt återvända till universitetet för att få ordning på sina försenade studier. Flygresan var beställd och klar och hans plan skulle landa i Manchester redan på tisdag eftermiddag den 2 juni.

Hans handledare hade svarat i stort sett omgående. Han såg fram emot att få träffa honom. Däremot hade han själv ett praktiskt problem då han skulle åka på en konferens i Edinburgh på tisdag kväll och inte återvända till Manchester förrän på fredag eftermiddag. På lördagen den 6 juni hade han däremot tänkt besöka sitt kontor på universitetet. Därför hade han också ett förslag, att de träffades vid elvatiden på lördagen. Hur passade detta med Abbdos planer? Inga som helst problem, enligt Abbdo. Klockan elva den 6 juni skulle han inställa sig på sin handledares kontor.

Nästan för bra för att vara sant, tänkte Mattei när hon läste igenom de utväxlade mejlen som Säpos underrättelserotel hade sänt över för hennes kännedom. Samtidigt som Abbdo slog sig ner på sin handledares rum på universitetet i Manchester skulle kungen och drottningen och alla andra inleda årets nationaldagsfirande på Skansen i Stockholm.

Tre timmar senare hörde underrättelseroteln av sig på nytt.

Bara en timme tidigare hade deras mobilspaning fångat upp det tredje meddelandet från den mystiska LU, vilket mottagaren omgående hade bekräftat på samma sätt som tidigare.

C U soon! L U

Den som hade sänt meddelandet befann sig tydligen fortfarande i Stockholms city. Mottagaren som bekräftat meddelandet hade befunnit sig i Eskilstuna, men inte i familjens hus på Lötgärdesstigen utan mitt inne i centrum där pappa Mohammed hade sitt kontor och där hans tre affärsrörelser också låg.

Var Abbdo Khalid befann sig var mer oklart. Enligt Martinez var det ingen av hennes spanare som hade sett honom lämna familjens hus. Samtidigt fanns det heller ingen som observerat honom inne i huset eller ute på tomten under den aktuella tiden.

– Hur tolkar ni det då? frågade Mattei när hon pratade med Martinez på telefon.

– Kan ju vara hans pappa eller någon av hans syskon som svarat, sa Martinez. Ett halvdussin av dem är ju inne i stan så dags.

– Men inte Abbdo?

– Kan heller inte uteslutas. Om han nu följt med någon av de andra. Lagt sig på golvet i baksätet eller krupit ner i bakluckan.

– Hör av dig om du får veta något mer, sa Lisa Mattei.

Det börjar röra på sig, tänkte Mattei. En sak var hon numera helt övertygad om. Att det inte var Louise Urqhart som var avsändaren. Detta handlade om något helt annat. En snabbt växande övertygelse om att hon hade en mullvad i sin omedelbara närhet. En förvissning som märkligt nog gjorde att hon kände sig närmast uppiggad.

88

Söndagen den 31 maj hade Abbdo Khalid satt sig i sin bil och åkt till Stockholm där han besökt Skansen. Han hade strosat runt inne på området, först tittat på de små brunbjörnarna som numera var både pigga och vakna, sedan fotograferat en vemodig älgtjur med sin mobilkamera, promenerat vidare förbi restaurang Solliden och den närbelägna scenen där man snart skulle fira nationaldagen. Han hade stått vid sidan av scenen i ett par minuter, försjunken i egna tankar som det verkade och utan att titta på något särskilt, innan han fortsatt förbi terrariet för att till sist äta en kebab på serveringen som låg bredvid aphuset.

Därefter hade han satt sig i bilen igen, kört in till city och rakt ner i det stora parkeringshuset under Åhléns. Han hade parkerat bilen, försvunnit in i tunnelbanan och där hade de som skuggat honom tappat bort honom. I brist på bättre hade två av dem avvaktat i närheten av hans bil och när han återvänt dit efter drygt en halvtimme hade han lagt en plastpåse från Åhléns på passagerarsätet bredvid förarplatsen.

— Ja, det är ju för jävligt, om du frågar mig, Linda, sa den ansvarige gruppchefen när han ringde och berättade för Martinez om sina vedermödor. Det är ju sådant där som bara inte får hända men lyckligtvis hade vi ju tur som en tokig så jag tror att den där luckan när han försvann kan vi nog fylla i.

— Vad gjorde han då? frågade Martinez. Sådant där som händer hela tiden trots att det inte får hända, tänkte hon.

– Det var en ren chansning, men det var den där påsen som fick en av tjejerna i gruppen att reagera. Hon hade själv varit på Åhléns och handlat för bara en vecka sedan. Köpt en mobiltelefon och lite annat som hon fått i samma slags påse. Tyckte hon kände igen den så hon kutade direkt upp på deras avdelning för mobiler och datorer och all annan hemelektronik och när hon visade en bild på honom för en av tjejerna som stod i kassan så hade hon känt igen honom.

– Han köpte en ny mobiltelefon?

– Två, faktiskt. Med kontantkort.

– Vad gjorde han sedan då? frågade Martinez.

– Han åkte direkt hem, konstaterade spaningschefen. Lugn och städad körning. Han kom hem för knappt en timme sedan. Sedan dess har vi inte sett röken av honom, så gissningsvis sitter han väl nere i källaren och slöjdar på den där västen som någon av dem ska använda som biljett till paradiset. Fixar till det där sista med mobilerna som de ska ha som backup om det händer något.

– Ja, det låter väl inte helt orimligt, instämde Martinez.

Om ett par dagar åker han till England och innan dess måste han ju få alla bitarna på plats, tänkte Martinez. Ett jobb som enligt major Björklund kunde ta en halv dag i anspråk även för den som visste hur man gjorde och hade allt som behövdes inom räckhåll. Ett jobb som inte tillät något slarv för då kunde det gå illa.

Bombvästen som enligt majoren sannolikt skulle förses med två utlösningsanordningar. En manuell, plus en mobil som backup på västen. Till sist ännu en mobil som bars av någon annan som befann sig på säkert avstånd och som bara skulle användas för att skicka ett enda meddelande. Utifall att.

VI

Onsdagen den 3 juni till
fredagen den 5 juni

Jakten på Bombmakaren
och hans kvinna

Det avslutande skedet

89

På onsdag morgon den 3 juni hade Abbdo Khalid tagit farväl av sin familj. Med tanke på att han bara skulle åka till Manchester för att avsluta sommarterminen och att han skulle återvända till Sverige om en månad hade det varit en mycket osvensk tillställning. Hela hans stora familj, inklusive hans gamla farmor, hade funnits på plats på gårdsplanen utanför huset för att säga adjö till den äldste sonen. Först hade hans far kramat om honom innan han dragit honom till sig och kysst honom på båda kinderna. Sedan resten av familjens medlemmar, hans farmor, hans bröder, Abbdos egen mamma och hans pappas två andra hustrur, hans vuxna systrar och allra sist de små barnen.

Därefter hade han och brodern Hassan satt sig i Abbdos svarta Toyota och åkt iväg. Martinez hade avdelat sammanlagt tre spaningsfordon och sex spanare för att se till att han kom dit utan att passera någon kemtvätt på vägen. För säkerhets skull hade hon också ordnat så att det fanns en helikopter i närheten om Abbdo och Hassan försökte sig på några större äventyrligheter.

Ingenting av det man oroat sig för hade hänt. Hassan hade kört lugnt och sansat och en mil före flygplatsen hade den av spaningsstyrkans bilar som legat en kilometer framför dem ökat takten för att finnas på plats vid avgångsterminalen när de två övervakningsobjekten anlände dit.

Kriminalinspektörerna Jan Sten och Lars Hård hade på diskret avstånd följt efter Abbdo Khalid genom bagage- och passkontrollen och eftersom han bara medförde en mindre ryggsäck som handbagage fanns det inga väskor som de behövde bekymra sig om. Vad han nu skulle ha haft en väska till? Alla kläder och allt annat som han behövde fanns ju redan på plats i Manchester i den lilla lägenhet som han fortfarande hyrde.

Abbdo hade gjort ett lugnt och avslappnat intryck. Han hade handlat tidningar i kiosken i avgångshallen och strax innan det var dags att stiga ombord på planet hade han gjort ett kort besök på den närbelägna toaletten. Efter drygt en minut hade han kommit ut igen och ställt sig i kön till gaten, visat sitt pass ännu en gång och klivit ombord.

Lars Hård och Jan Sten hade fått sällskap av sina fyra kolleger och när planet till Manchester taxat ut på startbanan hade sex par polisögon följt det från de stora perspektivfönstren i avgångshallen.

– Jaha, ja, så var vi äntligen av med den lilla olyckan, hade kriminalinspektör Lars Hård konstaterat med ett bistert leende.

Hans kolleger hade nöjt sig med att nicka instämmande eftersom ingen av dem hade en aning om hur fel han hade.

Ungefär samtidigt som Abbdo och Hassan lämnade huset på Lötgärdesstigen i Eskilstuna hade Ove Kristiansson klivit ut på farstubron till huset där han bodde. En ovanligt prydlig Ove Kristiansson som medfört en mindre väska med axelrem samt en större resväska i läder av äldre modell.

Medan taxichauffören lyfte in hans bagage i bilen hade Ove Kristiansson låst ytterdörren med dubbla slag och för säkerhets skull gått ett varv runt huset för att kontrollera att det inte fanns något fönster som han glömt att stänga. Det var det hela och som avsked föga likt det som Abbdo Khalid hade fått.

Så fort hans taxi hade passerat förbi hans egen brevlåda hade den fått sällskap av två spaningspatruller på resan upp till Arlanda. En bil hade legat några hundra meter framför taxin och en bakom den och att även ha en polishelikopter i reserv var det ingen som ens hade ägnat en tanke åt. Allra minst Martinez.

Abbdo Khalids avresa till England hade mest varit en praktisk fråga. Att se till att han verkligen kom dit. På den punkten hade Lisa Mattei träffat en överenskommelse med Jeremy Alexander och den tänkte hon hålla så länge den inte äventyrade hennes eget uppdrag, trots det som hade framkommit om Louise Urqhart.

På eftermiddagen fick hon också ett mejl från Alexander där han bekräftade att Abbdo Khalid numera fanns på plats i sin lägenhet i Manchester och att han räknade med att hans eget uppdrag skulle vara avklarat senast vid midnatt den 5 juni.

Hans kolleger vid den brittiska antiterroristroteln planerade att gripa Abbdo Khalid tidigt på morgonen den 6 juni. På en punkt ville han också lugna henne. Att Abbdo skulle kunna fly från sina engelska övervakare under tiden däremellan var fullkomligt uteslutet. Så fort Abbdo var gripen hade Alexander också ordnat så att han i stort sett omgående skulle kunna återbördas till Sverige. Senast på lördag eftermiddag den 6 juni skulle den svenska säkerhetspolisen kunna hämta upp honom på privatterminalen på Bromma flygplats. Sammanfattningsvis hade de båda, enligt Alexanders bestämda uppfattning, all den tid de behövde för att i god ordning kunna slutföra det arbete som de var satta att göra.

Alexander avslutade sitt meddelande med att önska henne lycka till. Mattei kvitterade hans lyckönskningar och sa att hon inte hade några invändningar mot deras överenskommelse. Givetvis förutsatt att hon inte plötsligt hamnade i ett skarpt läge som krävde omedelbara insatser.

Ove Kristianssons resa till Thailand hade aktualiserat andra problem av huvudsakligen juridisk karaktär. Medan Kristiansson suttit i sin taxi på väg till Arlanda hade Mattei diskuterat dem tillsammans med Lisa Lamm och Jan Wiklander och redan innan den som de pratade om hade anlänt till Arlanda flygplats hade de löst dem i bästa samförstånd.

Att anhålla Kristiansson var inga problem enligt Lisa Lamm. Det beslutet hade hon redan fattat. Så fort hon fått reda på att

Abbdo Khalids DNA hade funnits på de engelska pundsedlar som Kristiansson bevisligen haft i sin besittning, var de juridiska förutsättningarna uppfyllda. Återstod att göra det på ett sådant sätt att man inte i onödan varnade hans olika medbrottslingar. För säkerhets skull, om inte annat, oavsett om det fanns någon mullvad i huset på Ingentingsgatan.

– Jag föreslår att vi kontaktar våra finska kolleger så kan de gripa Kristiansson när hans plan mellanlandar i Helsingfors, sa Lisa Lamm. Att vi har folk på plats som omgående kan ta hem honom till Sverige igen och att vi sätter honom på det vanliga stället. De praktiska detaljerna överlämnar jag med varm hand åt Jan och hans kamrater.

– Jag är helt enig med dig, sa Wiklander och nickade. Det är ju ändå tre dygn fram till nationaldagsfirandet, så minsta risk för läckage måste undvikas. Det där med finnarna är inget problem. Jag ska ordna så att vi kan flyga tillbaka honom med ett eget plan. Har han något bagage som han checkar in får det stanna på Arlanda.

– Vad jag tycker behöver ni ju inte ens fråga om, sa Mattei och log vänligt. Inte med min numera välbekanta mullvadsnoja.

– För ordningens skull, sa Lisa Lamm och log även hon.

– För ordningens skull vill jag då ta tillfället i akt att instämma med samtliga föregående talare, sa Mattei.

– Och nu när jag ändå har ordet, fortsatte hon, vill jag passa på att rikta ett särskilt tack till min käre kollega som lovat att ta hand om allt det praktiska så att jag själv kan återgå till mina vanliga tvivel på både högt och lågt.

– Vad är det som stör dig nu, Lisa? sa Wiklander.

– Det som du och jag redan har pratat om, sa Mattei.

– Vad är det då? frågade Lisa Lamm.

– Ungefär följande, sa Mattei. Under fjorton dagar händer ingenting. Veckan därpå händer det en förskräcklig massa saker och nu, när det är tre dagar kvar, gör plötsligt alla de närmast sörjande precis som vi förväntar oss att de ska göra. Det stör mig.

– Allt det där som lugnar mig, sa Wiklander. Allt det där som får mig att tro att vi har legat rätt hela tiden.

Ove Kristiansson anlände till Arlanda i god tid, drygt två timmar före avgång. Efter att ha checkat in sin väska och passerat passkontrollen gick han in på taxfree-shopen och köpte en flaska whisky. Därefter satte han sig i baren och drack öl och vodkashots och när han väl kommit i väg somnade han på planet redan innan det hade landat i Helsingfors. Där var han tydligen tvungen att byta plan, något som han måste ha missat, och det var inte förrän han skulle kliva ombord på planet som han skulle byta till som han anade oråd på allvar. Hur skulle den där lilla "fluglorten" kunna ta honom till Bangkok? tänkte Kristiansson. Han blev stökig, belades med handfängsel och först när han hade landat på Bromma verkade han förstå att det som han hade råkat ut för inte gällde något vanligt valutabrott.

När polisen gick igenom hans väska, handbagage och fickor hittade de sammanlagt sexhundra tusen bath, fem tusen pund och drygt en tusenlapp i svenska sedlar. Totalt mer än tvåhundra tusen svenska kronor.

När Ingrid Dahl besökte Kristiansson i hans rum på den slutna psykiatriska avdelningen på Huddinge sjukhus där sådana som han ibland hamnade sov han djupt. Läkaren på avdelningen hade förklarat för henne att Kristiansson tyvärr hade varit i ett sådant skick när han förts in att man hade tvingats ge honom en rejäl dos lugnande medel. Förhoppningsvis skulle hon kunna prata med honom nästa morgon.

Dahl ringde Mattei och berättade om läget. Mattei tackade för informationen och önskade henne lycka till.

Skönt att det äntligen händer något som jag inte hade räknat med, tänkte hon.

90

Ungefär samtidigt som Ove Kristiansson hade lämnat Sverige för att flyga till Thailand på semester så hade Säpo – under ledning av den noggranne smålänningen kommissarie Enochson – inlett sin husrannsakan nere på Kristianssons gård.

I hans frysbox hade man hittat ytterligare en bunt sedlar. Drygt hundra tusen kronor i svenska femhundralappar som låg instoppade i en blå systembolagspåse. Att de aldrig lär sig, tänkte Enochson och suckade. Under Kristianssons säng låg ett gammalt hagelgevär och en ask patroner och trots att man kom att tillbringa tre dagar hemma hos Kristiansson var detta i stort sett allt som han hade behövt anteckna i sitt beslagsprotokoll.

Det juridiska värdet av dessa fynd var också tveksamt. Med innehavet av pengarna var det sannolikt så att det inte ens var brottsligt. Att sättet han tjänat dem på sedan kunde vara det var en annan sak och den återstod i så fall att styrka. Med tanke på hur bankernas inlåningsränta såg ut nu för tiden var det väl till och med ett fullt rimligt placeringsalternativ, tänkte Enochson och suckade på nytt.

Det gamla hagelgeväret och asken med patroner i kaliber tolv utgjorde däremot bevis för ett vapenbrott. Kristiansson hade fått sina vapenlicenser indragna för tjugo år sedan då han hade dömts för hembränning, men med tanke på hans höga ålder och att det sannolikt handlade om ett vapen som blivit kvar efter någon äldre släkting eller bekant var det inget som skulle rendera honom något hårdare straff. Men många bäckar små, tänkte Enochson som den smålänning han var.

I övrigt hade man inte hittat något av straffrättsligt värde. Definitivt inget som band Kristiansson till Abbdo Khalid och de aktiviteter som man misstänkte honom för. Att det man hittat vittnade om ett djupt socialt och mänskligt förfall var en annan sak. Straffbart var det inte.

Dammråttor stora som hundar, gamla tombuteljer och ölburkar överallt, och med tanke på hur det såg ut i köket var det väl närmast ett mysterium att Kristiansson inte tagit livet av sig eftersom det tydligen var så att han själv lagade maten som han åt. En mycket ensam och svårt alkoholiserad äldre man, lort, allmänt elände och mänsklig misär, sammanfattade Enochson när han föredrog ärendet för deras åklagare.

– Ja, någon pedant verkar han ju inte vara, instämde Lisa Lamm.

– Spriten, sa Enochson. Denna djävul som slår svaga människor till marken och formligen förgör dem.

– Ja, visst. Det är hemskt, Lars, men jag får ändå tacka dig för det ni fick gjort, sa Lisa Lamm som inte verkade intresserad av några längre utläggningar på detta tema.

– Ja, det är fullkomligt obegripligt, sa Enochson.

– Hur menar du? frågade Lamm.

– Vad en sådan som den där Khalid skulle kunna ha för användning av en sådan som Ove Kristiansson, förtydligade Enochson.

– Han kanske har köpt något av honom, föreslog Lamm.

– Ja, vad det nu skulle vara, suckade Enochson.

91

På torsdag förmiddag den 4 juni höll Ingrid Dahl det första förhöret med Ove Kristiansson och innan hon gjorde det hade hon pratat med hans läkare. Kristiansson var mycket upprörd, förklarade doktorn. Dessutom hade han akuta abstinensbesvär och bland annat mycket högt blodtryck. För detta hade han fått alla de vanliga medicinerna. Till frukost hade han druckit en halv kopp kaffe och ätit en ostfralla. Alltid något.

– Är han talbar? frågade Ingrid Dahl.

– Ja, men jag skulle inte våga mig på några garantier vad gäller det han säger. Det kan nog bli lite vad som helst.

– Du säger att han är förbannad. Verkar han orolig också?

– Ja, kanske. Men mest förbannad, faktiskt.

– Okej, sa Ingrid Dahl. Vi får se var vi hamnar.

– Lycka till, sa läkaren samtidigt som han skakade på huvudet.

Förbannad men talbar. Det kunde ha varit värre, tänkte Ingrid Dahl.

– Jag kanske ska börja med att presentera mig, sa Ingrid Dahl. Jag heter Ingrid Dahl och jobbar som förhörsledare hos polisen. Hos Säkerhetspolisen, om man nu ska vara noga.

– Grattis Ingrid, sa Ove och blängde på henne.

– Är det okej om jag kallar dig för Ove?

– Ja, vad fan. Jag heter ju det. Så det är väl skit samma, men jag skulle ju bra gärna vilja veta varför jag sitter här. Och om det nu skulle vara så att jag är misstänkt för något vill jag ha hit en advokat.

– Självklart, sa Ingrid Dahl. Har du några speciella önskemål?

– Det kan du ge dig fan på, sa Kristiansson. Jag vill ha den där Eriksson. Han som brukar vara med på tv. Det är en skarp jävel.

– Advokaten Johan Eriksson?

– Ja.

– Då lovar jag att ringa honom, sa Ingrid Dahl och nickade vänligt.

– Bra, sa Ove. Sedan vill jag veta vad fan jag gör på det här stället?

– Ja, självklart ska du få veta det, sa Ingrid Dahl. Anledningen till att du sitter här är att åklagaren har anhållit dig som misstänkt för medverkan till ett grovt terrorbrott. Vad det handlar om är att du skulle ha hjälpt en person som heter Abdullah Mohammed Khalid, som planerar att genomföra ett sådant brott.

– Det här är fan ta mig inte sant, sa Kristiansson och skakade på huvudet.

– Själv får jag för mig att du kan ha sålt olika grejor till honom och att du fått en hel del pengar för det.

– Det här är fan ta mig inte sant, upprepade Kristiansson och skakade på huvudet. Jag känner fan inga terrorister. Jag umgås inte med sådana. De där stålarna du yrar om. När skulle jag ha fått dem? Hur mycket stålar pratar vi om?

– Ungefär en halv miljon, sa Ingrid Dahl. På senaste tiden, alltså.

– Jag skulle ha fått en halv miljon av någon jävla terrorist. Är det vad du sitter och säger?

– Ja, sa Ingrid Dahl och nickade. På senaste tiden har du fått ungefär en halv miljon av Abbdo Khalid. I engelska pund, närmare bestämt. Hur mycket du har fått totalt vet jag faktiskt inte, men det kommer vi naturligtvis att ta reda på.

– Vet du vad jag vet, sa Ove Kristiansson.

– Nej, berätta.

– Att jag tydligen har råkat ut för en galen snutkärring som tror att jag skulle ha ihop det med någon jävla terrorist.

– Nej, sa Ingrid Dahl. Då har du missförstått mig. Det är inget som jag tror. Det är något som jag vet. Jag vet att du känner Khalid och jag vet att han gett dig en halv miljon. Så den biten behöver vi inte sitta här och bråka om.

– Vad bra, sa Ove. Då är det helt okej om jag går härifrån då.

– Det kan inte uteslutas att det blir så, sa Ingrid Dahl. Anledningen till att vi sitter här, du och jag, är att jag vill att du ska berätta för mig varför han har gett dig de där pengarna. Det kanske är så enkelt att han har lurat dig. Du har kanske sålt något till honom som det är helt okej att sälja men han har inte sagt vad han egentligen tänker använda grejorna till.

– Det enda jag har råkat ut för är en galen snut, sa Ove Kristiansson och skakade på huvudet.

– Jag har ett förslag, sa Ingrid Dahl och tittade på klockan.

– Ja, vad fan är det då?

– Att jag pratar med din advokat medan du funderar på saken, så kan vi ta ett nytt snack du och jag. Kanske redan i eftermiddag, du och din advokat och jag.

– Ja, se till att fixa hit den där Eriksson. Själv är jag färdigsnackad.

– Dessutom kan jag lova dig en sak.

– Vad är det då?

– Berätta vad du hjälpt honom med. Om du bara kan ge mig en bra förklaring som inte handlar om att du hjälpt honom med något brott så ska jag personligen se till att du får lämna det här stället. Det där andra vet jag redan, så det behöver vi inte sitta här och tjata om.

– Du, se till att fixa fram den där advokaten.

– Självklart, sa Ingrid Dahl. Så hörs vi i eftermiddag när du har funderat på saken.

92

På torsdag eftermiddag hade spaningsledningen ett nytt möte och som första punkt på dagordningen stod det ingripande som de skulle göra ett och ett halvt dygn senare. Ett tjugotal personer skulle gripas eller omhändertas, bland dem en äldre och svårt handikappad kvinna på över åttio år och fyra små barn. Därmed en mängd praktiskt som måste lösas. Dels juridiken som Lisa Lamm och hennes två biträdande åklagare slet med. Dels själva ingripandet som NI, den nationella insatsstyrkan, hade ansvaret för.

Sedan en vecka tillbaka övade NI på den insats som man skulle göra och insatschefen själv, kommissarie Honkamäki, hade infunnit sig till mötet för att berätta för de andra deltagarna vad han och Lisa Mattei hade kommit fram till.

Så fort de engelska kollegerna hade försäkrat sig om Abbdo Khalid skulle man börja plocka in de övriga medlemmarna i familjen. Även Isse Khalids hyresvärd, Abdul Karim, skulle tas in till förhör utan föregående kallelse och utfallet av det fick sedan avgöra om han skulle anhållas. Utöver dessa gripanden skulle man även genomföra husrannsakningar på ett halvdussin olika ställen. I familjens villa givetvis, men även i husfaderns olika affärsrörelser, på Restaurang Solliden och i det rum som Isse Khalid hyrde hemma hos Abdul Karim i hans villa i Högdalen.

– Både jag och Lisa och Lisa är överens om att vi ska göra det här så snyggt och prydligt som möjligt utan att vi därför behöver tumma på säkerheten, sa Honkamäki.

– Hur hade du tänkt dig detta, rent praktiskt? frågade Dan Andersson.

– Så fort Abbdo sitter i finkan borta i England plockar vi in de andra pö om pö, sa Honkamäki. Flertalet av de vuxna kommer ju att åka i väg tidigt till sina olika jobb och då tänkte vi ta dem när de lämnat huset och är på väg till jobbet. Så fort vi är klara med dem tar vi dem som finns kvar i huset. Gissningsvis talar vi då om pappans tre fruar, hans gamla mamma och de fem yngsta barnen.

– Och ingen tårgas och inga rökbomber eller några sådana där chockgranater, sa Lisa Lamm.

– Definitivt inte, sa Honkamäki. Det tänkte vi försöka undvika.

– Är det någon som undrar över något i samband med detta? frågade Lisa Lamm.

– Ja, det skulle väl vara en sak i så fall, sa Helena Palmgren. Har ni ordnat med folk från räddningstjänsten utifall att det skulle hända något oplanerat, och socialen, jag tänkte på de små barnen och deras mammor?

– Självklart, sa Lisa Lamm. Hela vägen från gamla farmor, som vi tänkte placera på sjukhuset inne i Eskilstuna, till småbarnen och deras mammor. De som blir anhållna har vi ordnat plats åt på häktet här uppe i Stockholm.

– Återstår en fråga, sa Lisa Lamm. Som ni vet anhöll vi Ove Kristiansson redan i går misstänkt för medverkan till terroristbrott. Jag vet att det är många som undrar över honom och hans roll i det här. Dessutom vet jag att du, Ingrid, höll förhör med honom för några timmar sedan. Vore intressant att höra hur det gick.

– Ja, visst, sa Ingrid Dahl. Kristiansson är förbannad men han går att prata med. Sedan är han oskyldig också, givetvis. Har inte en aning om vad jag sitter och yrar om. Han har aldrig träffat någon Abbdo Khalid. Givetvis inte tagit emot några pengar från honom.

– Ja, det låter ju blytungt, sa Linda Martinez.

– Nåja, sa Ingrid Dahl. Det är klart att han känner Khalid och att han tagit emot pengar av honom. Det har jag också sagt rakt ut till honom. Att just den biten behöver vi inte öda vår tid på.

Att det handlar om att vi vill veta varför han har fått dem.

– Vad säger han då? frågade Calle Lewenhaupt.

– Inte så mycket, sa Ingrid Dahl. Annat än att jag är en tokig kärring, förstås. Jag hoppas för övrigt att jag kan hålla ett nytt förhör med honom redan nu i eftermiddag. Jag och Ove och hans advokat, som kommer att bli Johan Eriksson, om det nu är någon av er som undrar över det. Det var hans eget förslag för övrigt.

– Ja, fattas bara. Den där Eriksson är ju det givna valet för alla stackars oskyldiga, sa Martinez.

– Ja, instämde Lisa Lamm. Eftersom det också är en utomordentligt kompetent man har jag all förståelse för det.

Under den följande timmen hade man diskuterat varför Abbdo Khalid hade gett en massa pengar till Ove Kristiansson och åsikterna om det hade täckt alla förekommande alternativ. Allt från att Khalid hade köpt någonting av Kristiansson som inte alls hade med den här saken att göra – vilket Helena Palmgren i vart fall inte kunde utesluta – till att han sålt "tonvis med dynamit" till Khalid, enligt Martinez

– Det är den där fingertoppskänslan som du får, sa Carl Lewenhaupt som för säkerhets skull höll upp handen och visade genom att gnida tummen mot de övriga fingrarna.

– Vad tror du själv? sa Martinez.

– Jag vet faktiskt inte, sa Lewenhaupt. Däremot kan jag bjuda er på två frågor.

– Vilka är de då?

– För det första var Kristiansson i så fall skulle ha fått tag på den dynamiten. För det andra vad Khalid i så fall ska ha den till. Om jag fattat saken rätt har han redan all den dynamit som han behöver. Det är för övrigt du som har talat om det för mig. Att det saknas fem kilo på det där byggvaruhuset där hans bror jobbar.

– Jag tror inte att vi kommer mycket längre än så här, sa Lisa Lamm. Vi håller kontakten och skulle det hända något så ses vi igen.

93

Efter mötet ringde Mattei till major Björklund och bad att få träffa honom omgående. Hon hade nämligen ett par frågor som hon trodde att han skulle kunna hjälpa henne med.

Björklund dök upp efter en kvart och började med att ursäkta sig med sin dåliga höft. Numera tog alla trappor sin rundliga tid.

– Jag saknade dig på dagens sammanträde, sa Mattei.

– Inte för min skull, hoppas jag, grymtade majoren. Jag har svårt för sammanträden.

– Jag också, sa Mattei. Jag tycker att folk pratar alldeles för mycket skit.

Den tog bra, tänkte hon när hon såg förvåningen i hans ögon.

– I så fall är vi två, sa majoren. På den punkten är jag helt överens med chefen. Dessutom var jag inte ens inbjuden. Det var väl något hemligt förstås som en enkel man som jag inte behövde veta.

– Hemligt och hemligt, sa Mattei och ryckte på axlarna. Jag hade gärna sett att du hade kommit. Vi pratade om Ove Kristiansson, nämligen, och det hade varit intressant att höra vad du tror om honom.

– Ove Kristiansson, sa Björklund och skakade på huvudet. Vem är han?

– Han sitter anhållen sedan i går, sa Mattei. Misstänkt för samröre med Abbdo Khalid.

– Tydligen alltför hemlig för en sådan som jag, sa Björklund och skakade på huvudet.

– Du har inte hört talas om honom? Märkligt, tänkte Mattei.

– Nej, sa Björklund. Och det beror inte på att jag är någon vanlig latoxe som inte läser mina meddelanden. Gissningsvis beror det på det där systemet för delgivning av information som man tillämpar här i huset. Det där som man kallar för vertikal och horisontell segmentering. Rena vansinnet om chefen frågar mig.

– Ja, det kan ha sina sidor, instämde Mattei. Vet du vad vi gör Carl – är det okej att jag kallar dig Carl, förresten?

– Ja, det är helt i sin ordning, sa Björklund.

– Då gör vi så här, sa Mattei. Jag mejlar över all information som vi har om Kristiansson så kan du läsa den i lugn och ro på ditt rum.

– Vad är det chefen undrar över då?

– Abbdo Khalid har tydligen gett en massa pengar till Kristiansson. Ungefär en halv miljon som det nu verkar. Min fråga är följande. Varför har han gjort det? Vad behöver Khalid en sådan som Kristiansson till?

– Jag förstår, sa Björklund. Och när vill chefen veta det?

– Så fort som möjligt, helst omgående, sa Mattei.

– Jag hör av mig, sa Björklund och reste sig med viss möda.

En timme senare ringde han till Mattei.

– Chefen undrade vad Khalid behöver en sådan där som Kristiansson till, sa Björklund.

– Ja, sa Mattei.

– Ingenting, sa Björklund.

– Ingenting?

– Nej.

– Jag är ledsen, Carl, sa Mattei. Men jag är tyvärr tvungen att be dig komma hit igen.

– Ge mig en kvart, sa Björklund. Det är de där jävla trapporna.

En kvart senare var major Carl Björklund på plats. På utlovad tid.

– Det där som du sa på telefon. Kan du utveckla det?

– Ja, sa Björklund. Vad jag menar är följande. Om vi talar om att tillverka en bombväst har den där Khalid redan allt som han behöver. De papperen har jag läst nämligen. Han har en väst, han har fem kilo dynamit och det räcker gott och väl. Han har material till sina projektiler. Han har allt som han behöver för att utlösa sprängladdningen. Sist men inte minst vet han hur man gör. Slutsatsen därmed given. Han har inget behov av en sådan där som Kristiansson. Inte om det är en bombväst vi talar om.

– Och ändå har han gett honom en massa pengar.

– Den enkla förklaringen till det är väl att han i så fall har betalat honom för att få hjälp med något annat. Att han har en alternativ plan, som vi säger i min bransch. Att han av någon anledning tvingats överge sin ursprungliga plan med bombvästen och istället valt att följa den alternativplan som han säkert haft i beredskap hela tiden.

– Det tror du, sa Mattei. Utan att du rimligen kan ha en aning om någon mullvad som gräver sig runt här i huset, tänkte hon.

– Ja, jag skulle åtminstone ha haft en sådan, sa Björklund.

– Har du några förslag?

– Om vi tar den där tokige norrmannen, han Breivik, som exempel. Han blandade ihop en bomb som bestod av konstgödsel och dieselolja och med hjälp av den demolerade han halva regeringsbyggnaden inne i Oslo. Den där bomben var på ungefär ett och ett halvt ton. Hade han haft samma mängd dynamit hade han jämnat hela kvarteret med marken.

– Vad skulle Abbdo i så fall få den ifrån? Dynamiten, menar jag?

– Den där Kristiansson har ju ett förflutet i byggbranschen. Det är väl ingen konst för en sådan som han att komma över sådant. Jag såg att han gick i konkurs för en sex sju år sedan.

– Ja, det stämmer.

– Spelar ingen roll, sa Björklund och skakade på huvudet. Med de flesta sprängmedel är det så praktiskt att om du förvarar dem på ett korrekt sätt är de fullt användbara även om de legat lagrade i upp till femtio år. I våra militära lager finns hundratals ton sprängmedel som har legat där i mer än tio år. Det är inga vanliga livsmedel som vi pratar om.

Nej, tänkte Mattei som nöjde sig med att nicka. Snarare det motsatta, tänkte hon.

– Du får ge mig ett förslag, Carl, sa Mattei. Anta att du har en sådan där som Kristiansson som har ett förflutet i byggbranschen. Anta att han fortfarande har kvar en massa prylar från den tiden. Vad är i så fall det bästa som han kan hjälpa dig med?

– I så fall är jag rädd för att jag behöver mer än en timme på mig, sa Björklund. Jag måste nämligen skaffa mig ett grepp om vad han höll på med medan han arbetade med den där rörelsen som han drev och det är ju åtskilliga hundra sidor som jag behöver läsa.

– Vad tror du om i morgon förmiddag? sa Mattei.

– Ja, om chefen är nöjd med en kvalificerad gissning skulle det nog vara möjligt.

– I morgon förmiddag är helt okej för mig, sa Mattei. Klockan är ju snart sex. Dags att gå hem. Var bor du förresten?

– På Östermalm, sa Carl Björklund. På Jungfrugatan.

– Då bor vi nästan grannar, sa Mattei. Har du bil?

– Nej, sa Björklund. Ingen normal människa som bor där jag bor har det. Fast i dag önskar jag nästan att jag hade det. Med tanke på min höft, alltså.

– I så fall har jag ett förslag, sa Mattei. Eller tre förslag, rättare sagt.

– Jag lyssnar, sa Björklund.

– Jag kör dig hem. Jag ser till att fixa ditt underlag så du kan läsa det i lugn och ro hemma utan att vare sig du eller jag behöver hamna i finkan på grund av något sekretessbrott och medan jag gör det kan jag bjuda dig på en whisky. Eller om det är något annat som du föredrar istället.

– Whisky blir bra, sa Björklund. Så jag tackar ja, till samtliga erbjudanden.

– Jag hade gärna bjudit dig på middag också. Men det får bli en annan gång för ikväll måste jag nämligen hem och natta min lilla dotter.

– Ja, det har jag all förståelse för, sa major Björklund och nickade. Är det den där lilla flickan som radiopolisen fick skjutsa till dagis när hon och hennes mamma inte kunde gå på Skansen?

– Det stämmer bra det, sa Mattei. Hur vet du det, förresten? Är det något du har hört i fikarummet?

– Nja, sa Carl Björklund. Det var faktiskt min chef som nämnde det.

– Helena? Helena Palmgren?

– Ja, sa Carl Björklund.

– Varför gjorde hon det då?

– Jag förutsätter att det stannar mellan oss.

– På den punkten kan du vara helt lugn, sa Mattei.

– Om det nu stannar mellan oss beror det på att Palmgren är en riktig liten moralkärring. Hon var upprörd över att en sådan som du använde dig av polisens resurser på det viset.

– När var det då? Som hon berättade det för dig, alltså.

– Det måste ha varit flera veckor sedan, sa Björklund.

– Ja, jag får väl rycka upp mig, sa Mattei. För flera veckor sedan, tänkte hon. Det får inte vara sant.

– Inte för min skull, sa major Björklund. Jag har gjort liknande saker själv.

– Jag ska fixa den där whiskyn åt dig, Carl. Sedan behöver jag tio minuter för det där med datorn också.

– Inga som helst problem, sa Björklund. Jag sitter bra där jag sitter.

– Här har du whiskyn, sa Mattei och räckte över både buteljen och ett glas. Datorn får du strax. Vill du ha vatten också?

– Nej, sa Björklund och skakade på huvudet. Vatten har jag aldrig varit särskilt svag för.

Mattei gick ut i sin sekreterares rum och laddade ner de uppgifter om Ove Kristianssons rörelseverksamhet som Björklund kunde behöva. Sedan ringde hon till Carl Lewenhaupt.

– Hej Calle, sa Mattei. Är du kvar i huset?

– Ja, sa Lewenhaupt. Jag har till och med funderat på att sälja min lägenhet. Vad ska jag med den till? Det är ju här jag bor. Ingentingsgatan är inte bara min borg, det är mitt hem också.

– Gör det, sa Mattei. Kan du komma upp till mig om en halvtimme?

– Ja, jag kan komma nu om du vill.

– En halvtimme blir bra, sa Mattei.

Sedan ringde hon till sin chaufför och bad att han skulle köra hem major Carl Björklund till hans bostad på Jungfrugatan.

– Och chefen själv då?

– Jag har tyvärr fått ändrade planer, sa Mattei.

Därefter återvände hon till sitt rum och ställde den lilla bärbara datorn på skrivbordet framför sin gäst.

– Här har du allt som jag tror att du behöver, sa Mattei. Om det är något du saknar hör du bara av dig.

– Det ska nog ordna sig, sa Björklund.

– En alldeles utmärkt whisky, tillade han medan han ställde ifrån sig det tomma glaset. Dricker chefen själv whisky?

– Nej, sa Mattei. Jag dricker vin.

– Ja, det är klart det, sa Björklund och suckade av någon anledning.

– Sedan har jag ordnat en chaufför också. Han står i garaget och väntar på dig, men själv måste jag tyvärr stanna kvar på jobbet.

– Det har hänt saker, konstaterade Björklund.

– Ja, sa Mattei. Det där vanliga, du vet.

– Vore mig fjärran att forska i det, sa Björklund. Själv ska jag be att få tacka. För både whiskyn och chauffören.

– Nej, sa Mattei och skakade på huvudet. Det är jag som ska tacka dig. Även om jag skulle ha gett vad som helst för att slippa tacka för just det här, tänkte hon.

94

På torsdag eftermiddag höll Ingrid Dahl och en av hennes kolleger det andra förhöret med Ove Kristiansson. Kristiansson hade numera fått den advokat som han önskade och innan förhöret inleddes hade de fått samråda i enskildhet med varandra under drygt en kvart. Med tanke på det som sedan hände under förhöret var det ett beslut som Ingrid Dahl ångrade. Samtidigt något som hon inte kunde göra någonting åt eftersom det var en rättighet som Kristiansson hade.

Kristiansson var inte lika upprörd längre. Han verkade snarast frånvarande och redan när han hade fått den första frågan hänvisade han till sin advokat.

– För tids vinnande, så vi slipper sitta här i onödan, vill jag att du berättar för mig vad det är som du har hjälpt Abbdo Khalid med, sa Ingrid Dahl. Att du känner honom och har tagit emot pengar av honom vet vi ju redan.

– Fråga Eriksson, sa Ove Kristiansson. Själv har jag ingenting att säga.

– Jag är rädd för att du nog ändå måste svara på den saken själv, sa Ingrid Dahl.

– Det har jag ju, sa Kristiansson. Ta det med min advokat.

– Jag tolkar det som att du vägrar att svara, sa Dahls kollega.

– Ja, nåja, sa hans advokat. Själv skulle jag väl snarare tolka det som att Kristiansson bara utnyttjar sin lagliga rätt att inte behöva svara på några frågor.

– Så advokaten tänkte göra det i hans ställe då, envisades Dahls kollega.

– Ja, fast på just den här punkten är jag rädd för att jag inte har så mycket att tillföra, sa advokaten.

– Nu blir jag verkligen nyfiken, sa Dahls kollega. Jag uppfattar det som att du har andra upplysningar som du kan ge oss.

– Ja, definitivt, sa advokaten.

– Vad är det då? frågade Ingrid Dahl trots att hon redan visste svaret.

– Inte så mycket tyvärr, sa advokaten. Ove och jag har ju pratat igenom den här saken nu och jag tycker nog att hans uppfattning är både enkel och entydig. Han har aldrig träffat Khalid. Aldrig tagit emot några pengar från honom eller gjort någonting som skulle ge Khalid anledning att ge honom några pengar.

Längre än så kom man heller inte trots att både Ingrid Dahl och hennes kollega gjorde sitt bästa under närmare en timme.

95

En kvart efter det att Mattei hade skilts från Carl Björklund slog sig Calle Lewenhaupt ner i samma stol som majoren hade suttit i. Tiden däremellan hade hon ägnat sig åt funderingar för att se om det var något som tydde på att hon hade fått alltihop om bakfoten och därmed få ett skäl att avstyra deras möte innan det ens hade börjat. Tyvärr hade hon inte hittat något, så därför satt han där han satt. Tur att inte den stolen kan tala, tänkte Mattei. Stor tur med tanke på det hon nu tänkte säga.

– Jag tänkte be dig om en tjänst, Calle, sa Mattei. Det som jag tänkte be dig göra får du bara prata med mig om. Du kommer att behöva hjälp med att ta reda på det som jag ber dig om. Gissningsvis kommer du att klara dig med ett par personer och de får bara prata med dig.

– Det här låter allvarligt, sa Carl Lewenhaupt.

– Ja, sa Mattei. Om det är så att jag har rätt är det nog det allvarligaste ärende som både du och jag eller någon annan här i huset ens har varit i närheten av.

– Vad handlar det om då?

– Jag kommer till det, sa Mattei. Men innan jag gör det, med tanke på vad jag sedan kommer att säga, tänkte jag erbjuda dig möjligheten att tacka nej. Skulle det visa sig att jag har haft fel kommer jag nämligen att åka ut på öronen och sannolikt kommer du att få göra mig sällskap.

– Glöm det, sa Lewenhaupt och skakade på huvudet. Jag litar fullständigt på dig.

– Trots att jag har haft fel vid fler tillfällen än ett.

– Ja. Med tanke på hur ofta du brukar ha rätt är jag villig att ta den risken. Speciellt efter det där med Urqhart. Vem hade räknat ut det mer än du? Ingen.

– Tack, sa Mattei. Du ska veta att jag verkligen uppskattar det.

– Ja, och själv skulle jag ju bli väldigt glad om du berättar vad det handlar om. Innan jag dör av vanlig enkel nyfikenhet.

– Vet du vad en Talpa europaea är?

– Ja, sa Lewenhaupt. Det är en mullvad. Den europeiska varianten om jag ska vara noga.

– Som vår då, sa Mattei. En helt annan fråga. Vad gillar du att läsa personakter?

– Inget vidare, sa Calle Lewenhaupt. Dels tycker jag att det är ungefär som att lukta på folks underkläder och dels tycker jag nog att det som står där alltför ofta är fel. Två av mina bästa medarbetare skulle aldrig ha fått sätta sin fot här i huset om jag hade trott på det som stod i deras personakter.

– Jag tycker ungefär som du, sa Mattei. Tyvärr är jag ändå tvungen att be dig läsa den här, sa Mattei och räckte över en svart pärm till honom.

– Vem handlar den om då? frågade Carl Lewenhaupt.

– Läs själv, sa Mattei. Namnet står överst på första sidan. Bara att slå upp pärmen.

– Okej, sa Carl Lewenhaupt och gjorde som hon sagt.

– Helena Palmgren? sa han sedan.

– Ja.

– Helena Palmgren som är den militära underrättelsetjänstens kontaktperson här i huset. Nummer tre i rang av dem från Must som jobbar här.

– Ja, sa Mattei. Jag trodde att du redan kände mullvadsdoften.

– Du driver med mig?

– Nej, sa Mattei. Definitivt inte. Jag kan inte utesluta att jag har fel, men jag tror tyvärr att jag har rätt.

– Så det är alltså Palmgren som har skickat de där tre mystiska sms:en på den där mobilen som Khalid köpte när han var i Manchester.

– Ja, sa Mattei. Den telefonen var väl i stort sett det enda som vår mullvad inte visste om att vi kände till vid den tidpunkten när hon skickade de två första meddelandena. När hon skickade det tredje visste hon det naturligtvis. Det hade ju vår åklagare berättat för henne och alla andra som satt med på sammanträdet där jag såg till att Lisa Lamm sa det. Det var också därför hon skickade det tredje meddelandet. För att få oss att tro att det är någon annan som gör det. Som Louise Urqhart till exempel.

– Men vänta nu, sa Lewenhaupt. Med all respekt tycker jag ändå att det här som du nu säger är lite tunt. Det kan ju vara jag som gjort det. Jag satt ju också med på det där mötet.

– Jag är rädd för att det är Palmgren, sa Mattei och anledningen till att jag tror det är en sådan där vanlig banal sak som folk bara slänger ur sig utan att de riktigt fattar vad de har sagt.

– Vad är det då?

– Det tänkte jag vänta med att berätta, sa Mattei. Inte för att det är någon hemlighet, inte på minsta vis utan för att det är en så lång och krånglig historia. I korthet handlar den om att två kvinnliga radiopoliser skjutsade Ella och mig till hennes dagis när vi skulle ha gått på Skansen. Det var för övrigt samma dag, måndagen den elfte maj, som Alexander ringde till oss och tipsade oss om Khalid. Bara någon timme efter det samtalet.

– Men det är Palmgren som har berättat det där med Ella och radiopoliserna och Skansen.

– Ja, trots att hon inte borde ha känt till det.

– Men vänta nu, sa Calle Lewenhaupt. Det första meddelandet som den där mystiska LU skickade kom ju medan ni satt på planet. Du, Jan, Linda och Dan Andersson. Inga andra.

– Det är rätt uppfattat, men det fanns faktiskt två personer som visste om varför vi åkte till England innan vi satt på planet.

– Och det var du och vår generaldirektör.

– Ja, sa Mattei.

– Det blir lite mycket om du ursäktar, sa Carl Lewenhaupt. Ungefär som den där historien som Kolya berättade om att Lars Martin Johansson och du själv och några till, plus CIA förstås, skulle ha låtit mörda två gamla Säpoanställda som hade mördat Olof Palme tjugo år tidigare. Det finns ett fult namn på den typen av teorier, som vi ju alla vet.

– Ja, jag vet, sa Mattei och log. Fast den här är faktiskt ännu bättre.

– Nu är jag inte med, sa Lewenhaupt.

– Nej, sa Mattei. Hur skulle du kunna vara det? Saken är nämligen den att varken jag eller vår käre generaldirektör hade en aning om Abbdo Khalids existens när det där första meddelandet skickades iväg.

– Nu är jag definitivt inte med, sa Calle Lewenhaupt.

– Nej, hur skulle du kunna vara det? Det tog ju mig fjorton dagar innan jag fattade hur det låg till. Vill du ha den korta eller den långa varianten?

– Den korta, sa Lewenhaupt. Börja med den korta får vi se om jag ens fixar den.

– Jag tror den räcker gott, sa Mattei. Vår generaldirektör känner Helena Palmgren. Förmodligen har de ihop det. När Alexander ringer till oss berättar GD för Palmgren om vad han just har fått höra. Inte för att de är i maskopi eller så utan av det där vanliga manliga skrytskälet. För att visa vilken enastående märkvärdig man han är. Dessutom babblar han lite i största allmänhet om mig och Ella och vårt inställda Skansenbesök. Eftersom Palmgren också känner Abbdo Khalid anar hon omgående vem det sannolikt handlar om. Så för säkerhets skull väljer hon att varna honom. Det är det första meddelandet. Att han måste vara försiktig. Det andra däremot är en direkt varning att han ska lägga ner, för så dags vet hon ju att det handlar om just honom och att vi är honom på spåret. Det har nämligen vår generaldirektör också berättat om så fort han fått reda på att det handlar om ett ärende med somalier från Eskilstuna. Resten har hon räknat ut själv och det enda som hon har missat är det där med telefonen. Så fort hon blir klar över det lägger hon ut villospåret.

– Men de tänker ändå genomföra den där självmordsbombningen på Skansen?

– Nej, sa Mattei. Den tror jag att vi numera kan glömma. Istället har de en alternativ plan som de följer. Det är väl därför som Ove Kristiansson plötsligt ramlar in i vår utredning.

– Men de gör ju saker hela tiden som tyder på att de tänker genomföra attentatet på Solliden.

– Det gör de för vår skull. Det är också därför som de gör det på det där sättet. Ungefär som att sätta in en helsidesannons i tidningen.

– Abbdo kommer att bli gripen och hemskickad till oss.

– Ja, förvisso. Vad vi nu ska anklaga honom för. Ett självmordsattentat som aldrig blev av.

– Jag förstår vad du menar.

– Bra, sa Mattei.

– När började hon här hos oss? Helena Palmgren, alltså?

– Strax efter nyår. Strax efter att vi hade fått vår nye chef.

– Så du tror att det var han som fick hit henne?

– Ja, förmodligen. Det var väl hit hon ville. Även om han förnekar att han ens vet vem hon är. Och det finns inte ett spår av honom i hennes papper.

– Har du frågat honom?

– Nej, det är klart att jag inte har. Han har berättat om det. På det där vanliga enfaldiga viset som sådana som han håller på hela tiden. Utan att fatta vad det är som han egentligen säger.

– Men hur kom hon med i utredningen?

– Dels beroende på hennes tjänst. Dels beroende på att din

chef, vår gemensamme gode vän Jan Wiklander rekommenderade henne. Om du undrar varför han inte sitter här beror det på att det förmodligen skulle ha tagit livet av honom. Det är det sista jag vill.

– Vad gör vi nu?

– Två saker, sa Mattei. För det första att du kan styrka sambandet mellan Helena Palmgren och Abbdos familj. Jag får av någon anledning för mig att det kan ligga ganska långt tillbaka. Börja med tiden då familjen Khalid kom till Sverige. Ta reda på vad Palmgren hade för sig under samma tid.

– Det där andra då? Att hon och vår GD skulle ha ihop det?

– Det är alldeles för lätt för dig, Calle, sa Mattei. Så det tänkte jag att några andra ska få ta reda på. Dessutom skulle jag inte drömma om att låta en känslig själ som du gräva i den dynghögen.

– Vad gör vi sedan då? Om det skulle visa sig att du har rätt?

– Den dagen, den sorgen, sa Lisa Mattei och ryckte på axlarna. Var det inte så Johansson skulle ha sagt, tänkte hon.

96

På fredag förmiddag den 5 juni åkte Ingrid Dahl till det slutna psyket på Huddinge sjukhus för att hålla sitt tredje förhör med Ove Kristiansson. Hon kom dit samtidigt som hans advokat och när de klev in på avdelningen stod Kristianssons läkare och väntade på dem.

En timme tidigare hade Kristiansson drabbats av en mycket kraftig blodtryckshöjning och eftersom det fanns en akut risk att han skulle få en hjärnblödning hade man gett honom stora mängder blodtryckssänkande mediciner. Trycket började man nu få ordning på, men att hålla några förhör med honom var uteslutet av medicinska skäl.

– Jag har ett förslag, sa Ingrid Dahl och log mot advokaten när de lämnade avdelningen. Vad tror du om att jag får bjuda dig på lunch?

– Det tror jag är ett mycket dåligt förslag, sa advokaten och log även han. Eftersom jag tror att jag vet vad du vill prata om.

– Vad tror du om att vi går halva vägen var och tar en fika tillsammans?

– Okej då, sa advokaten. Eftersom det är du, Ingrid.

Ingrid Dahl och advokat Eriksson slog sig ner vid ett avsides beläget bord i den stora serveringen som låg i sjukhusets entré. Hon hämtade kaffe åt dem båda och sa omgående det hon ville säga.

Kristiansson hade sålt något till Khalid. Något som Khalid behövde för att genomföra en terroristaktion. På den punkten var hon numera helt säker och även han borde ju vara det eftersom han kände till den bevisning som fanns mot hans klient.

Däremot visste hon inte vad Kristiansson hade hjälpt Khalid med och fick hon inte reda på det ökade risken kraftigt för att Khalid skulle kunna sätta sina planer i verket. Om det nu handlade om en fullt laglig affär var hon naturligtvis villig att överse med den. Och om Kristiansson hade sålt en massa sprängmedel till Khalid lovade hon att göra sitt bästa för att han skulle få ett så lindrigt straff som möjligt.

– Jag vill att du försöker få honom att ta sitt förnuft till fånga. Det finns faktiskt inga som helst formella hinder för att du som advokat försöker göra det.

– Ja, det är jag naturligtvis medveten om. Jag har till och med förklarat det för honom. Problemet är att han bara skakar på huvudet. Han har aldrig träffat Khalid.

– Antag att Khalid lyckas göra någonting i stil med det som Breivik gjorde. Hur tror du att Kristiansson skulle klara av att hantera det? Han har ju till och med en dotter, utanför äktenskapet visserligen, som har två barn, Kristianssons barnbarn, som han ändå tycks ha viss kontakt med. Hon skickar alltid kort till honom på hans födelsedagar, på julafton och på fars dag. Dem hittade vi vid husrannsakan. De låg i nattygsbordet i hans sovrum, så något måste de ändå betyda för honom. Hur tror du hon och hennes barn skulle må när alla andra blir klara över att hennes pappa och ungarnas morfar har hjälpt hela landets egen Breivik?

– Jag förstår vad du menar, sa advokaten. Problemet är att min klient inte tycks förstå det.

– Vad tror du om att ändå göra ett nytt försök?

– Det tror jag på. Jag lovar att prata med honom så fort han går att prata med.

– Tack, sa Ingrid Dahl.

97

På fredag morgon berättade major Carl Björklund för Lisa Mattei vad en terrorist kunde använda en före detta bonde och byggentreprenör till. Enda haken med Ove Kristiansson var väl att han inte hade någon ordning omkring sig. Men om han nu hade haft det skulle det finnas åtskilligt som en sådan som han kunde erbjuda en sådan som Abbdo Khalid. Allt från konstgödsel, dieselolja och dynamit till de lokaler som krävdes, och ett antal olika fordon som man kunde ha bruk för när det var dags att skrida till verket. Dessutom fanns det ytterligare en omständighet som var värd att ha i åtanke. Att det rena hantverkskunnandet som Kristiansson använt i sitt dagliga och fullt lagliga värv givetvis också gick att använda för att genomföra olika kriminella aktiviteter.

– Okej, Carl, sa Lisa Mattei. Om du nu fick välja. Vad skulle du använda Kristiansson till?

– Inte till en bombväst i vart fall, för det klarar jag själv, sa Carl Björklund

– Vilket jag är den första att intyga, sa Mattei. Men anta att du skulle tillverka en annan typ av bomb då. Vad skulle han kunna hjälpa dig med, i så fall?

– Det beror alldeles på vilken typ av mål som vi pratar om, sa Carl Björklund. Om det handlar om hårda mål, som till exempel byggnader, eller om mjuka mål som människor. Det finns en enkel tumregel om du är intresserad.

– Ja, sa Mattei.

– Om en sådan där som Abbdo Khalid ska ge sig på mjuka mål använder han sig av projektiler som bärs av tryckvågen från explosionen. Till exempel dynamit och vassa bitar av armeringsjärn som han använde utanför den där fotbollsarenan. Om en sådan som jag skulle göra det behöver jag inte ens några projektiler. Jag har nämligen mycket bättre saker att ta till.

– Vad är det då?

– Jag ska ge dig några exempel. Explosiva gaser som enkelt uttryckt steker ihjäl folk inom loppet av en sekund. USA använder sig av det i sina hellfire-missiler i den där varianten som är avsedd för mjuka mål och som de har på sina drönare som de använder för attackuppdrag.

– Något mer, sa Mattei.

– Vanliga giftgaser, biologiska stridsmedel, radioaktiva preparat. Det finns hur mycket som helst att välja på. Det handlar mest om hur du vill att de ska dö, konstaterade en påtagligt nöjd major.

– Men inte för någon som Abbdo.

– Nej, han får lyckligtvis hålla sig till den enklaste varianten. Sprängmedel och olika projektiler, nästan alltid av metall. De dödar ju på längre håll än själva tryckvågen.

– Skönt att höra att han bara har tillgång till sådant, sa Lisa Mattei. Om du skulle ge dig på ett hårt mål då? Som en byggnad till exempel.

– Då skulle jag undvika projektiler och förlita mig enbart på sprängmedel och tryckvågen från explosionen. Den dödar ju också människor. Dels de som står i närheten, dels de som befinner sig inne i byggnaden när den rasar ihop.

– Men inga projektiler?

– Nej, sa Carl Björklund. Nästan inga projektiler som våra terrorister använder klarar av att penetrera hårda ytor. Kan du bara söka skydd har du en hygglig chans att klara dig. Det kan till och med räcka att du bär skyddsväst eller råkar stå bakom en bra dörr.

– Hur skulle du göra då, Carl? Om du ville gå till historien på det här viset med hjälp av sådana grejor som Ove Kristiansson kan hjälpa dig med.

– Då skulle jag skaffa mig en traktor eller en lastmaskin. Fyrhjulsdriven av den största modellen. Tjänstevikt mellan tio och tjugo ton. Den skulle fungera som ett slags civil stridsvagn för engångsbruk.

– Sedan då?

– Sedan skulle jag lasta på några hundra kilo dynamit, mer än så behöver jag inte, och köra rakt in i Rosenbad. Och utlösa explosionen.

– Vad skulle hända då?

– Hela kvarteret skulle rasa ihop, sa Carl Björklund. Om jag skulle välja dag skulle jag nog göra det på en torsdag när hela regeringen sitter i sammanträde i den där kåken.

– Men hur skyddar vi oss mot en sådan sak? frågade Mattei.

– Ja, inte genom att lägga ut några betongsuggor på ett par hundra kilo styck, fnös major Björklund.

– Har du möjligen skrivit något om detta?

– Naturligtvis. Underlaget ligger redan i din mejlkorg. Jag skickade över det innan jag haltade hit.

– Och de andra i spaningsstyrkan har också fått det?

– Självklart, sa Carl Björklund. Det ligger i sakens natur.

– Varnad är väpnad, förtydligade major Björklund.

98

På fredagen den 5 juni hade antalet medarbetare som passerade Lisa Matteis tjänsterum ökat märkbart. Ett tydligt tecken på att det höll på att dra ihop sig. På Säpo var man klar med sin planering och de åtgärder som man skulle genomföra var fastlagda i detalj. Knappast läge för Mattei att börja lufta sina tvivel på vad det hela egentligen handlade om.

Efter mötet med major Carl Björklund hade hon fått besök av Dan Andersson som var fylld av tillförsikt inför morgondagen. Han och hans medarbetare var väl förberedda och så fort deras motståndare hade gripits såg han fram emot ett lugnt nationaldagsfirande. Särskilt på Solliden och Skansens stora scen.

– Jag tror precis som du, Dan, instämde Mattei och att den övertygelsen bottnade i att det skulle bli så även om de ställde in all bevakning var något som hon inte tänkte gå in på.

På fredag eftermiddag dök Wiklander upp. Han var på ett utmärkt humör. Tänk så lätt det var att hitta saker om man bara visste var man skulle leta! Först hade han till och med övervägt att ge en flaska whisky i present till major Björklund som ju var upphovsman till den promemoria som äntligen hade satt alla hans medarbetare på rätt spår och fått dem att hitta det som de tidigare hade sökt förgäves efter. Något som han dock vid närmare övervägande bestämt sig för att avstå ifrån.

– Vad var det som fick dig att ändra dig? frågade Mattei.

– Det var den där slutklämmen där han började lägga ut texten om att det var nödvändigt att vi förstärkte säkerheten runt ett antal så kallade hårda mål, ja, byggnader alltså, av avgörande betydelse för rikets säkerhet. Sådana fanns det tydligen ett tjugotal enbart i Stockholmstrakten. Från Rosenbad till Drottningholms slott. Även vi här i huset fick den äran. Säkerhetspolisens högkvarter på Ingentingsgatan i Solna.

– Björklund är sådan, fast det är egentligen inget ont i honom. Hur skulle det gå till då? Rent praktiskt alltså?

– Att man skulle komplettera bevakningen med att avdela militär personal för uppdraget. Givetvis med adekvat utbildning och beväpning.

– Adekvat beväpning?

– Ja, som granatgevär och den där svenska pansarvärnsroboten Bill som det blev ett sådant liv om för något år sedan när regeringen vägrade sälja den till Saudiarabien. Tänk dig det, Lisa. Major Björklunds båda bassar som står i givakt utanför vårt kontor med varsin sådan där robot i famnen. Det skulle inte lugna mig.

– Jag tyckte de var ganska gulliga faktiskt, lite som den där seriefiguren 91:an Karlsson. Du hade hittat något, sa du, påminde Mattei.

Det som Wiklanders medarbetare hade hittat var de mycket omfattande vägbyggen som man hade genomfört tjugofem år tidigare då man hade breddat E20 mellan Mariefred och Eskilstuna. Bland annat hade man byggt ett femtiotal nya av- och påfarter och även dragit om järnvägen längs Mälaren mellan Södertälje och Västerås. Ett bygge som hade pågått i åtskilliga år och kostat ännu fler miljarder. Dessutom krävt hundratals ton dynamit för att kunna genomföras.

Det var två omständigheter som hade väckt underrättelserotelns intresse. För det första hade Sprängämnesinspektionen vid flera tillfällen riktat skarp kritik mot de olika entreprenörer som deltog i dessa vägarbeten. Enligt inspektionen slarvade man med redovisningen av de olika sprängmedel som man använde. Resultatet hade blivit det vanliga. De utpekade hade lovat att bättra sig och med detta hade också myndigheten låtit sig nöja.

En av de många lokala entreprenörer som hade deltagit i arbetet var den gräv- och schaktfirma som ägdes av Ove Kristiansson. De här åren, då man byggde om motorvägen, hade också varit de ekonomiskt goda åren i Kristianssons liv. Som mest hade han haft ett dussin anställda och en ansenlig maskinpark. När det stora vägbygget avslutats hade det dock blivit andra och hårdare tider för Kristiansson och vid konkursen återstod i stort sett ingenting av det företag som han en gång hade ägt.

– Fick Kristiansson några anmärkningar från inspektionen under den här tiden?

– Nej, sa Wiklander och skakade på huvudet. Två av de största entreprenörerna fick det, men så fort de hade lovat bot och bättring lade man ner utredningarna mot dem.

– Vad du menar är alltså att under många år arbetade Kristiansson i en miljö där det i stort sett var fritt och franko att stoppa på sig en massa dynamit och andra sprängmedel.

– Ja, närmast klassisk underrättelseinformation om man så vill, sa Wiklander och log.

– Vad tyckte Lisa Lamm om det då? frågade Mattei.

– Ja, hon gjorde väl inte vågen, direkt.

– Jag tycker det är intressant, sa Mattei. Att Ove Kristiansson på den tiden var en helt annan människa än den han är i dag. I dag är han bara en gammal farbror, ensam och sorglig och alkoholiserad och gud vet vad.

– Ja, det stör mig också.

På eftermiddagen åkte Lisa Mattei hem för att träffa Ella, äta middag med henne och Johan och läsa hennes godnattsaga innan hon återvände till jobbet.

– Det är inte så att du har skaffat dig en ny älskare? frågade Johan.

– Nej, jag har redan en. Sedan tio år tillbaka.

– Vad heter han då?

– Säpo, sa Mattei. Vet du vad. Jag börjar faktiskt bli väldigt trött på honom.

– Nationen står inför ett skarpt läge, sa Johan. Min hustru är tvungen att sova på jobbet.

– Ungefär så, sa Mattei.

– Var rädd om dig, älskling, sa Johan. Ring innan det brakar loss på allvar så att Ella och jag hinner sätta på oss de där gamla bayerska poliskaskarna som din pappa gav oss i present till kräftskivan för några år sedan. De där som skaver så förbannat i nacken på en.

– Jag lovar, sa Mattei.

99

Den 5 juni, vid elvatiden på kvällen, hade Lisa Mattei ett kortare samtal med Jeremy Alexander på "den där praktiska manicken" där man kunde se den som man pratade med. För honom rullade allt på enligt planerna och vad han undrade var om han kunde ringa henne ett par timmar senare och bestämma de praktiska detaljerna för morgondagen. Inga som helst problem, sa Mattei. Hon fanns tillgänglig under hela natten.

– I wish you the best of luck, Lisa, sa Alexander.

– You too, sa Lisa Mattei trots att hon hade slutat göra det så fort hon hade förstått vad han och hans amerikanske vän tänkte göra.

Ännu en ny slips, tänkte Mattei så fort hon avslutat deras samtal. Undrar vem han tillhör den här gången, tänkte hon.

Vid tvåtiden på natten, svensk tid, hörde Alexander av sig på nytt. Han och hans amerikanske vän var klara med sitt. Återstod lite uppstädningsarbete under de närmaste timmarna. Därefter skulle USA:s president göra ett uttalande för de allierades räkning på eftermiddagen den 6 juni svensk tid. Den exakta tidpunkten skulle han återkomma till.

Vad gällde Abbdo Khalid avsåg man att gripa honom vid sjutiden på morgonen, engelsk tid. Även där hade man full kontroll på situationen. Just nu låg han och sov hemma i sin lägenhet i Manchester. Så fort han var gripen och man hade klarat av de nödvändiga formaliteterna skulle man skicka hem honom till Sverige med "Engelska posten".

– Jag skulle gissa att du kan plocka upp honom på Bromma någon gång vid fyratiden i eftermiddag. Vi hör av oss i god tid så fort han är på väg.

– Låter utmärkt, sa Mattei. En nyfiken fråga, förresten.

– Ja?

– Eftersom jag antar att ni började i Buulobarde undrar jag naturligtvis hur det gick där.

– Varför undrar du det?

– Av flera skäl som rör det arbete jag ska göra, sa Mattei. Abbdo och hans familj kommer ju från Buulobarde. Det är deras hemstad, Abbdo är född där och hans pappa Mohammed är högst sannolikt hövding för den största av de lokala klanerna. Det är ju också al-Shabaabs starkaste fäste i Somalia.

– Jag förstår fortfarande inte, sa Alexander med samma oföränderligt vänliga leende.

– Om det nu är så att ni har tagit livet av hundratals av familjen Khalids släktingar kommer det naturligtvis att vålla problem så fort de får reda på det.

– Och du förstår säkert varför jag inte kan kommentera det.

– Jag hade hoppats på att du skulle kunna hjälpa mig, sa Lisa Mattei.

– Tyvärr Lisa, inte nu. Du får nöja dig med mina komplimanger.

– Ja, och jag hoppas naturligtvis att åtminstone din gamla medarbetare Louise Urqhart lever och har hälsan, sa Mattei.

Första gången som han inte ler på det där viset, tänkte Mattei.

– Just den saken tänkte jag att vi kunde prata om när vi ses, sa Alexander.

– Låt oss göra det, sa Lisa Mattei. Då får jag tacka dig för din hjälp.

– Det är ömsesidigt, sa Alexander. Jag ser redan fram emot att få träffa dig igen.

VII

Lördagen den 6 juni

Jakten på Bombmakaren
och hans kvinna

Tillslag

100

Vid sextiden på lördag morgon den 6 juni gick Mattei ner till ledningscentralen i huset på Ingentingsgatan. Deras radiooperatörer och den övriga tekniska personalen fanns redan på plats men i övrigt var hon tydligen den första i ledningsgruppen som hade anlänt. Sin frukost hade hon tagit med sig, en kopp te, en smörgås och en bägare med yoghurt, och hur hon mådde hade hon inte ens hunnit fundera över. Ännu en dag i Lisa Matteis liv, tänkte hon.

Den förste som gripits var Abbdo Khalid. Vid halvniotiden på morgonen hade en av deras brittiska kolleger vid antiterroristroteln hört av sig till Mattei för att meddela henne att de hade omhändertagit Khalid och att han satt på häktet i Manchester i väntan på att återföras till Sverige.

Khalid hade gripits i sin bostad, själva gripandet hade varit helt problemfritt. När man delgett honom misstankarna om förberedelse till ett grovt terroristbrott hade han förnekat brott, han förstod inte ens vad de pratade om, men samtidigt hade han inte haft några invändningar mot att han återfördes till Sverige.

– Okej, sa Lisa Mattei samtidigt som hon reste sig, höjde rösten och markerade att hon ville ha tyst omkring sig.

– Engelsmännen har just berättat att de plockat in Abbdo, fortsatte Mattei. Nu är det klart för oss att hämta in de andra. Så vad väntar du på, Honken, sa hon och log mot kommissarie Honkamäki från Nationella insatsstyrkan.

Under de följande två timmarna hade man gripit eller omhänder-
tagit samtliga sexton återstående medlemmar av Abbdo Khalids
familj. Dessutom hade man låtit hämta hans yngre bror Isse
Khalids hyresvärd, "Högdalens egen Usama bin Ladin" Abdul
Karim, till "förhör utan föregående kallelse". Givet omständig-
heterna hade det hela i stort sett gått lugnt och problemfritt.
Problemet var istället ett annat. I samma takt som man tog in de
misstänkta började bevisningen mot dem falla samman.

101

Nationaldagsfirandet på Skansen blev det lugnaste på flera år. Inte ens någon berusad person som skrek otidigheter åt de kungliga gästerna och detta trots att publiken framför Sollidenscenen var mer än dubbelt så stor som året före.

Vädergudarna visade sig från sin bästa sida och bjöd på en rejäl försmak av den svenska sommaren när den var som allra bäst. En klarblå himmel och en gul sol, samma färger som i de fanor och standar som Hans Majestät Konungen delade ut till de olika mottagare som på ett förtjänstfullt sätt hade verkat för Sverige och dess sak.

En av dem var Leyla Hussein, den världsberömda svenska idrottskvinnan från Somalia, som kanske mer än någon annan medborgare i landet hade ärat namnet Sverige och burit det över jorden. Dessutom i en tid då det svenska folket levde så att man slapp göra det enbart på minnen från fornstora dår.

Leyla Hussein var festens drottning – i sin fotsida vita kaftan och sitt bländande leende – och det var givetvis hon som skänkte den dess höjdpunkt. Leyla som ännu en gång vann allas hjärtan när hon lyfte den svenska fanan mot den blå himlen där uppe medan hon dansade runt på sina världsberömda fötter och mottog publikens stående ovationer.

Samma fötter som burit henne som den vind som blåser över Afrikas horn.

Efter att firandet på Skansen var avslutat hade Hans Majestät Konungen och Hennes Majestät Drottningen bjudit ett urval av de finare gästerna till en sen sommarlunch på Drottningholms slott. Leyla Hussein hade självfallet varit en av dem och efter det vanliga minglandet och ätandet hade hon suttit i ett längre samtal med drottningen.

"Ett nationaldagsfirande när det är som bäst genom att det framför allt är en bekräftelse på att Sverige är en del av världen", som kulturchefen på den största morgontidningen valde att sammanfatta det hela.

102

Den första länken i beviskedjan hade brustit redan när man tog in den förste familjemedlemmen, Ismail "Isse" Khalid. Strax efter att insatschefen Honkamäki gett sina styrkor ute på fältet grönt ljus hade Isse lämnat sin tillfälliga bostad i huset ute i Högdalen och promenerat i riktning mot tunnelbanan för att åka till sitt arbete på restaurang Solliden på Skansen. Allt detta visste man redan om och så fort han kommit utom synhåll från huset där han bodde körde en svart van upp vid hans sida. Tio sekunder senare låg han på golvet inne i bilen med händerna fängslade på ryggen.

När Isse greps bar han på en resegarderob i tyg med reklamtext från Dressman. Innan man öppnade den lät man en bombhund nosa på den. Hunden var totalt ointresserad, inte ens en antydan till en viftning på svansen. Först då hade man öppnat resegarderoben och därefter hade man omedelbart ringt till sin chef uppe på Säpos ledningscentral för att rapportera.

– Vi hittade en väst i den där resegarderoben som han bar på, bekräftade Honkamäkis kollega. Ser ut som en vanlig fiskeväst om du frågar mig.

– Så bra, sa Honkamäki.

– Problemet är att den har fel färg.

– Vadå, fel färg?

– Den här är grön, inte vit, och inte minsta spår av några sprängmedel. Jävligt lik en vanlig fiskeväst om du frågar mig.

– Vad fan säger du, sa kommissarie Honkamäki. Kör upp den hit omgående så teknikerna får titta på den.

– Vad är problemet? frågade Mattei.

– Den där västen, suckade Honkamäki. Grabbarna påstår att den har fel färg.

– Vilken färg då?

– Den är grön, sa Honkamäki.

– Låter nästan som något som Strindberg har skrivit, sa Calle Lewenhaupt. Fast där handlade det visst om en sänkhåv. Den lär för övrigt också ha varit grön, fast i fel nyans.

Ungefär samtidigt som man diskuterade färgen på olika hjälpmedel i samband med fiske hade kommissarie Enochsons medarbetare inlett sin husrannsakan på Isses arbetsplats. Så fort den medhavda bombhunden gett klartecken hade man börjat söka igenom personalutrymmena och för att spara tid hade man börjat med att dyrka upp Isses klädskåp. Där hade man hittat ytterligare fem föremål med anknytning till fiske. Två mindre termosar, två plastaskar med fiskedrag samt en spinnrulle. Samtliga inslagna i prydliga presentpaket.

– Skicka upp alltihop till huset så vi får titta på det i lugn och ro, avgjorde kommissarie Enochson så fort han blivit informerad om de fynd som hans kolleger hade gjort.

En timme senare utbad sig en av Isses arbetskamrater ett enskilt samtal med en av de poliser som sökte igenom restaurangen. Personligen trodde han att polisen hade "gjort ett fett misstag när ni snodde in Isse". Han var "typ världens mest reko kille och gammal polare" till flera av sina arbetskamrater på restaurang Solliden. Bland annat till den kökschef på Solliden som man skulle uppvakta om ytterligare en timme. Han var entusiastisk fiskare och redan vid anställningsintervjun hade Isse erbjudit sig att ordna presenterna till jubilaren. Ett erbjudande som alla i festkommittén hade accepterat med glädje. Speciellt sedan Isse hade berättat att han hade en syster som var sömmerska och säkert skulle kunna ordna en skräddarsydd fiskeväst åt festföremålet.

– Han ser ut som kockar gör ibland. Om du förstår vad jag menar, förtydligade arbetskamraten.

Enochsons kollega hade beklagat det inträffade. Tyvärr fanns det heller ingenting som han kunde göra. Samtliga presenter ingick numera i polisens bevismaterial.

– Vad tror du om att ge honom en vanlig blomsterkvast? föreslog Enochsons kollega. Så länge, alltså, tillade han.

Det var så det hade börjat, det var så det hade fortsatt och så långt tydde allt på att det också var så som det skulle sluta.

När man gjorde husrannsakan på byggvaruhuset saknades det inte längre fem kilo dynamit. Hur det hade gått till var ett rent mysterium som Hassan Khalid i vart fall inte kunde hjälpa polisen att lösa. Han förstod över huvud taget ingenting av det som de frågade honom om.

När polisen hade tömt huset på Lötgärdesgatan på de kvinnor och barn som fanns där hade teknikerna tagit över. I källaren höll man tydligen på att lägga in nytt golv, ett arbete som man ännu inte hade hunnit avsluta. Hälften av golvet var uppbrutet. I källaren påträffades också buntar med armeringsjärn, säckar med cement, en mindre cementblandare samt de verktyg som behövdes för att slutföra detta arbete.

På den elvaårige sonen, Samakab "Sammy" Khalids rum hade man hittat en slangbella samt en mindre plasthink som var till hälften fylld med avklippta bitar av armeringsjärn. När hans mamma hade fått frågan hade hon förklarat för polisen att både slangbellan och järnbitarna var en present som Samakab hade fått av sin snälle storebror Hassan. Han skulle använda dem för att skrämma bort en grävling som tydligen hade byggt bo under förrådet bredvid huset.

Sammanlagt åtta husrannsakningar, som hittills varit resultatlösa. Totalt fjorton vuxna personer, varav tio satt gripna eller anhållna, en hade hämtats till förhör utan föregående kallelse och tre blivit omhändertagna tillsammans med fem minderåriga barn. Summa summarum nitton personer.

De två äldsta gick inte att prata med, Ove Kristiansson och gamla farmor, Salmo Ali Ahmed. Återstod tolv som alla hade det gemensamt att de inte förstod vad polisen pratade om. Två av dem var dessutom mycket upprörda. Mest upprörd var familje-fadern, Mohammed Khalid Hussein. Han och hans familj hade flytt till Sverige drygt tjugo år tidigare. Sedan länge var de alla svenska medborgare och det var först nu som han hade förstått att han tydligen hade hamnat i en polisstat där de lagar som skulle skydda andra medborgare från rättsövergrepp inte omfattade honom och hans familj.

Näst mest upprörd var hans "gamle vän och trosfrände" Abdul Karim, som inte begrep det straffbara i att erbjuda sonen till en "kär vän till familjen" hjälp med jobb och bostad. För honom, som muslim, var detta en mänsklig självklarhet.

– Okej, sa Lisa Mattei och reste sig. Klockan är snart tolv. Jag föreslår att de som inte har något bättre för sig ser till att få lite mat i magen. Det här kommer att bli en lång dag. Om vi nu tills vidare bortser från det som har med juridiken att skaffa. Har det hänt någonting i samband med själva ingripandena som jag eller vår åklagare måste känna till?

Möjligtvis en detalj, enligt kommissarie Honkamäki. En liten incident som hade inträffat i samband med insatsen i huset på Lötgärdesgatan.

– Vad är det då? frågade Mattei. Det här tar aldrig slut, tänkte hon.

– När kollegerna gick in i kåken hittade de inte grabben, den där elvaåringen. Han hade tydligen gömt sig uppe på vinden. Rätt som det var kom han utfarande ur någon klädkammare. Ungen var fullkomligt galen. Han hade någon vit särk på sig, och en konstig mössa på huvudet, så kollegerna hade varit tvungna att lägga ner honom och sätta på honom handfängsel. Grabben var tydligen helt tokig och hade skrikit åt dem på arabiska. Dessutom, med tanke på sådant som unga män i hans ålder hittat på tidigare, kunde man ju inte utesluta att han hade en bomb under den vita särken.

– Men det hade han inte.

– Nej, bara ett par kallingar i samma färg. Ingen bomb. Däremot hade han något föremål i handen som han viftade med och som man inte såg vad det var. Kunde mycket väl ha varit en utlösningsanordning till en bomb.

– Men det var det inte.

– Nej, det var en vanlig cigarettändare. Vad han nu skulle med den till? Men i det läget när han skrek och viftade med den hade man faktiskt haft fullt lagligt stöd för att skjuta ihjäl honom, sa Honkamäki. Allt enligt den instruktion som både du och jag för övrigt har varit med om att skriva.

– De lade ner honom och satte handfängsel på honom. Men det är allt, sa Mattei.

– Ja, sa Honkamäki. Vad jag själv skulle ha gjort vet jag faktiskt inte, men det får jag väl ta med grabbarna när vi har vår utvärdering.

– Då kan du hälsa dem från mig och tacka, sa Mattei.

– Med all respekt så tänker jag inte göra det, sa Honkamäki. Om det hade slutat illa hade det inte funnits någon som man hade kunnat tacka. Varken lillgrabben eller mina egna grabbar.

– Jag förstår vad du menar, sa Mattei. Är det något mer som jag måste känna till?

– Ja, sa Honkamäki. För säkerhets skull bestämde jag ändå att de skulle köra grabben till sjukhuset i Eskilstuna så att farbror doktorn fick titta på honom. Honom pratade jag med för en stund sedan.

– Vad säger han då?

– Ja, att grabben skulle dö håller han för fullkomligt uteslutet. Hittills har de inte hittat en skråma på honom. För säkerhets skull tänker han ändå låta honom genomgå en ordentlig undersökning.

– Hör av dig om du hör något mer.

– Självklart, sa Honkamäki.

– En sak till, sa Mattei. Glöm det där jag sa om att tacka dina kolleger. Den biten kan jag själv ta med dem.

– Jag vet inte vad chefen pratar om, sa Honkamäki och skakade på huvudet. Ingen annan heller i det här rummet om du frågar mig.

– Vilket jag tackar för, sa Mattei.

Sedan Wiklander hade tagit över efter Mattei hade hon själv tagit med sig Lisa Lamm och Linda Martinez till sitt rum så att de kunde hålla krigsråd medan de såg till att få något att äta.

– Det här ser inte bra ut, sa Lisa Lamm. Ibland önskar jag att jag hade varit en riktigt dålig jurist.

– Vad tror du om att ha lite is i magen, sa Mattei.

– Om du kan ge mig en bra förklaring till varför jag skulle ha det, sa Lisa Lamm.

– Det här är mycket värre än vad vi har trott, sa Mattei.

– Det tror du?

– Inte tror. Jag vet att det är så.

– Om någon frågar mig tror jag att det är så här som det känns när man blir knullad i röven, sa Martinez. Ja, om du inte har bett om det innan, alltså, förtydligade hon.

– Det undandrar sig min bedömning, sa Mattei. Jag föreslår att du frågar Abbdo Khalid om den saken. Enligt Alexander ska han ju vara här om några timmar.

I samma ögonblick som hon hade sagt det ringde det på hennes mobil och med tanke på ringsignalen fanns det bara en som det kunde handla om.

– Sitt kvar, sa Mattei. Jag ska bara gå ut och ta det här samtalet som ni tyvärr inte får lyssna på. Jag är strax tillbaka.

Trots sin goda uppfostran och sin säkert medfödda artighet gick Jeremy Alexander direkt på själva sakfrågan.

– Jag är rädd för att vi har ett problem, sa han.

103

När Lisa Mattei hade avslutat samtalet med Alexander och återvänt till sitt rum nöjde hon sig med att nicka åt sina båda gäster, försåg sig med lite blandade sushibitar från serveringsfatet och hällde upp ett glas mineralvatten innan hon slog sig ner i sin stol och började äta. Det kan hon gott ha, tänkte Mattei och den hon tänkte på var sin kollega och goda vän Linda Martinez.

– Men vad fan håller du på med, Lisa, sa Linda och slog ut med i händerna. Säg något.

– Jag pratade just med Alexander, sa Lisa Mattei. Jag är rädd för att mitt löfte till dig, Linda, var något förhastat.

– Vilket löfte?

– Den där sexuella biten, som jag föreslog att du skulle ta med Abbdo Khalid när han kom tillbaka till Sverige.

– Ja, nu är jag med. Vad är problemet?

– Kortfattat följande. Den person som engelsmännen grep i Abbdos lägenhet i Manchester i morse har visat sig vara en annan än Abbdo. Jag bad att Alexander skulle skicka hit den personen. Han lär dyka upp på Bromma om några timmar så du kanske skulle prata med honom istället.

– Vem är han då?

– Abbdo Khalids kusin. Awale Ibrahim Khalid.

– Jag kunde ge mig fan på det, sa Martinez och dängde knytnäven i Matteis skrivbord.

– På vad då?

– På att engelsmännen skulle strula till det.

– Tror jag inte ett ögonblick, sa Mattei och skakade på huvudet. Jag är ganska övertygad om att den kemtvätt som Abbdo passerade den här gången låg på herrtoaletten i avgångshallen ute på Skavsta flygplats.

– Varför tror du det?

– Anledningen till att jag tror det är det som jag själv har läst i två av dina pm. Dels ett förhör med någon kollega vid Eskilstunapolisen som inom kåren lär kallas för Kåtfrasse. Han gick i samma klass som Neger ett och Neger två. Det var så kamraterna kallade Abbdo och Avve eftersom de var så lika varandra. När de skrev nationella prov i nian lär de ha genomfört ett ganska roligt practical joke som till och med Kåtfrasse lyckades lista ut.

– Helvete, sa Martinez.

– Om du vill ha ett spaningsuppslag föreslår jag att du läser den promemoria där herrskapet Stenhård redogör för hur de såg till att Abbdo Khalid verkligen kom med planet till Manchester i onsdags. Om du använder huvudet istället för dina berömda fingrar tror jag att det kommer att lösa sig ganska omgående. Stenhård nämner bland annat en städvagn som stod utanför toaletten. Den jag saknar är städaren. Börja med honom.

– Helvete, sa Martinez och reste sig med ett ryck. Ni får ursäkta. Jag har tappat aptiten. Jag lovar att fixa det här, Lisa. Jag lovar att fixa det i dag.

– Det är sådant som händer, sa Mattei. Lycka till, Linda.

Det är sådant som inte får hända, tänkte hon.

104

Nationaldagens eftermiddag hann Lisa Mattei knappt gå utanför sitt rum. Hon satt bakom sitt skrivbord.

Först hade Dan Andersson hört av sig på telefon. Nationaldagsfirandet på Skansen var avslutat. Ett hundratal av gästerna från Skansen deltog nu i en sen lunch ute på Drottningholms slott. Allt var lugnt och enligt Dan Anderssons bestämda uppfattning skulle även det evenemanget kunna genomföras enligt planerna. Om något annat inträffade skulle han omgående höra av sig.

Efter Dan Andersson hade hennes chef generaldirektören ringt henne. Han firade nationaldagen tillsammans med familjen ute på sitt lantställe men hade även passat på att titta på tevesändningen från Skansens stora scen. Han ville bara ringa för att tacka henne för ett väl genomfört arbete. Hur du nu kan veta det, tänkte Lisa Mattei. Den mannen trotsar all beskrivning. Undrar om den där Palmgrenskan fattar vilken jubelidiot hon har fått ihop det med.

Kommissarie Honkamäki från insatsstyrkan var den tredje som hörde av sig. Han hade pratat med den ansvarige läkaren på sjukhuset i Eskilstuna. Lille Sammy hade just genomgått en ordentlig undersökning och det enda man hittat när man röntgat honom var två spräckta revben. Det sannolika resultatet av att en insatspolis med en tjänstevikt på hundra kilo inklusive utrustning hade slagit omkull en elvaåring, som vägde drygt trettio kilo, genom en flygande tackling.

Det var naturligtvis inte bra, men det var heller ingenting som allvarligt hotade hans hälsa eller skulle ge honom några bestående men. Sammy klagade att hans bröstkorg ömmade. Han hade fått värktabletter och enligt läkarens bedömning skulle värken gå över inom loppet av en vecka. Wiklander hade därför bestämt att Sammy och hans mamma skulle stanna kvar på sjukhuset till dess att pojken var fullt återställd. De hade fått ett eget rum och polisen i Eskilstuna hade tagit över ansvaret för bevakningen.

Sedan hade Mattei haft ett längre samtal med Lisa Lamm. Hon var numera inne på samma linje som Mattei och det som hade övertygat henne var Abbdo Khalids mystiska försvinnande. Det hade helt enkelt blivit för mycket. Därför trodde hon inte längre på att hon själv, Lisa Mattei och deras spaningsstyrka hade fått hela ärendet om bakfoten och att det skulle finnas en naturlig förklaring. Abbdo Khalid och de andra hade visserligen fört dem bakom ljuset, men anledningen till det var knappast att de ville retas med dem i största allmänhet. Man hade gjort det av andra och betydligt allvarligare skäl än så.

– Jag är ganska övertygad om att de håller på med något annat, sa Lisa Lamm.

– Det är jag också, sa Mattei.

– Jo, det har jag förstått att du trott ett bra tag. Jag är väl lite långsammare än du, Lisa.

– Vi tänker väl på samma saker utifrån olika förutsättningar, sa Mattei.

– Ja, det tror jag är en bra sammanfattning. Det är också därför som jag har bestämt att samtliga som sitter i finkan ska sitta kvar där. Oavsett att det säkert kommer att kosta på. Med ett undantag, dock, avslutade Lisa Lamm.

– Vem är det?

– Abdul Karim. Hans advokat stod redan och väntade på honom när han togs in till förhör. Varken husrannsakan eller förhöret gav det minsta lilla. Därför har jag redan låtit honom gå hem, sa Lisa Lamm.

– Det förstår jag, sa Mattei. Jag har ett förslag. Eller snarare en inbjudan om man så vill.

– Vad är det då?

– Den amerikanske presidenten ska tydligen hålla en press-konferens om vad han och hans kamrater har haft för sig i natt. Från Vita Huset i Washington klockan tretton, lokal tid. Det vill säga klockan sju svensk tid. Vad tror du om att vi tittar på den tillsammans på mitt rum? Vi har ju tillgång till alla nyhetskanaler här i huset.

– Jag kommer gärna, sa Lisa Lamm. Hög tid att vi får reda på vad vi egentligen har hamnat i.

– Jag har fixat lite ost och frukt och så. Du och jag har gjort oss förtjänta av några glas bra vin.

– Men vi har ju ingenting att fira direkt.

– Det spelar väl ingen roll. Fira eller dränka sorgerna eller vad som helst. Det kan väl kvitta.

– Det är yrseln som räknas?

– Precis. Dessutom har jag ordnat en expertkommentator åt oss. Som kan hjälpa oss med drönarna och allt det där.

– Majoren?

– Ja.

– Jag är praktiskt taget redan där, sa Lisa Lamm.

Fyra timmar efter sitt första samtal hade hennes chef general-direktören hört av sig en andra gång. Eftersom Mattei redan visste vad han tänkte säga hade hon inte svarat utan lät honom framföra sitt budskap på telefonsvararen.

Generaldirektören var numera allvarligt oroad över det som hade hänt under dagen och med två av omständigheterna som betingade hans oro var det så enkelt att han måste ha hört det från någon i hennes spaningsstyrka. Den spaningsstyrka där samtliga var väl medvetna om att de inte fick prata med honom om just dessa saker, men där en gjorde det ändå.

Han är inte bara dum i huvudet, tänkte Lisa Mattei. Han gräver sin egen grav också, tänkte hon medan hon förde över hans mångordiga meddelande till sin egen utredningslogg.

Vid halvsjutiden på kvällen hade Linda Martinez skickat ett mejl till henne. Två timmar tidigare hade två av Ingrid Dahls kolleger avslutat sitt förhör med Avve Khalid. Avve hade landat på Bromma strax efter fyra och anhållits så fort han satt foten på svensk jord. Det första förhöret med honom hade inletts i Säpos lokaler på Ingentingsgatan vid halv fem på eftermiddagen och avslutats en halvtimme senare.

Enligt Avves egen berättelse hade han skadat sig under sin senaste match för jämnt en vecka sedan. Han hade fått linka av planen sedan han ådragit sig en allvarlig sträckning i lårmuskeln. Lagets läkare hade sjukskrivit honom och ordinerat drygt en veckas vila innan det var dags för ett återbesök.

Avve hade fattat ett spontant beslut. Han hade köpt en biljett till London och åkt dit för att träffa gamla kompisar och göra allt det där som man gjorde då. På onsdagen hade han tagit tåget till Manchester för att träffa andra kompisar och bodde då i sin kusins lägenhet, vilket han för övrigt hade gjort vid ett tidigare tillfälle för snart ett år sedan. På söndagen, det vill säga imorgon, hade han planerat att åka hem igen eftersom han hade ett återbesök hos klubbens läkare på måndag. Tidigt på lördagsmorgonen hade han blivit uppryckt ur sängen av en massa engelska snutar som hävdade att han var sin egen kusin och tio timmar senare satt han hos den svenska snuten som påstod en massa saker som han helt enkelt inte förstod ett dugg av.

Det enda som de faktiskt tycktes vara överens om var att han var han, och inte Abbdo.

Var hans kusin befann sig hade han däremot ingen aning om.

Sannolikt i Eskilstuna hemma hos sin familj. Där hade han åtminstone varit när de talats vid en vecka tidigare.

Enligt Martinez var sanningen i allt väsentligt en annan. Avve hade visserligen tagit flyget från Arlanda till London sex dygn tidigare. Därefter hade han lämnat London i stort sett omgående och tagit sig tillbaka till Sverige. Inte med flyg som passerade över någon nationsgräns utan på de vägar där han kunde färdas utan någon större risk med hjälp av ett svenskt pass.

Till Sverige hade han sannolikt återvänt redan på måndagen eller senast på tisdagen. Rollen som städare på Skavsta flygplats, vars arbetsuppgifter och identitet han övertagit, hade han sedan lämnat över till sin kusin Abbdo inne på toaletten i avgångshallen på Skavsta. Därefter hade Avve Khalid åkt till England som Abbdo Khalid. Andra gången på tre dygn och den här gången till Manchester där han vid ankomsten hade visat upp sin kusin Abbdos pass. Ett par timmar tidigare hade Abbdo avslutat sitt arbetspass som städare, lämnat Skavsta och försvunnit till en ännu okänd plats.

Den riktige städaren, en somalier som var bosatt i Nyköping, i samma ålder och med ungefär samma utseende som kusinerna Khalid, hade lämpligt nog åkt på semester samma dag. Oklart vart han tagit vägen. Han var numera efterlyst och anhållen i sin frånvaro och de närmare detaljerna hoppades Martinez kunna återkomma till så fort som möjligt. Beslutet om man även skulle efterlysa Abbdo överlämnade hon till Mattei. I det läge som nu rådde hade Martinez själv ingen bestämd uppfattning om det.

Han får vänta, jag måste tänka, tänkte Lisa Mattei. Sedan stängde hon av sin dator så att hon i lugn och ro kunde plocka fram lite blandade godsaker till sina gäster.

105

Lisa Mattei och Lisa Lamm hade delat på en flaska alldeles utmärkt italienskt vin. Till detta hade de ätit ost, oliver och frukt. Major Björklund hade druckit whisky och öl och stoppat i sig en hel rökt korv, åtskilligt med torkad skinka och även ost. Till detta Wasa Sport-knäckebröd. Däremot hade han tackat nej till både päron och vindruvor.

Medan de åt och drack hade de lyssnat till USA:s president som höll tal från Vita huset. Ett tal som inte bara riktade sig till hans eget land, dess allierade och alla andra demokratiska länder utan även till de länder och folk som var demokratins fiender.

Under natten hade USA och dess allierade genomfört ett stort antal drönarattacker från två hangarfartyg i Indiska oceanen och Medelhavet samt från ett halvdussin baser på land, från Kenya i söder till Turkiet i norr. Riktade angrepp mot ett tiotal mål i Somalia och Mellanöstern, attacker mot ledarna för fyra olika muslimska terrororganisationer, al-Qaida, al-Shabaab, IS och Boko Haram. Av de tjugo högst uppsatta ledarna för dessa hade man dödat hälften, bland annat de tre högsta ledarna för al-Shabaab, IS och Boko Haram. Tillika stabschefen, den näst högste ledaren, för al-Qaida. Dessutom fem hundra av deras "så kallade heliga krigare". Man hade också förstört ett flertal av deras utbildningsläger, vapendepåer, kaserner och gömställen. Sammanfattningsvis den mest framgångsrika insatsen någonsin i kampen mot den muslimska terrorismen och förhoppningsvis en påminnelse om att det var hög tid att demokratins och mänsklighetens fiender tog sitt förnuft till fånga och omedelbart upphörde med sina terroraktioner. Om inte avsåg USA och dess allierade att förgöra dem.

Sedan hade de tittat på de vanliga filmerna på de amerikanska nyhetskanalerna. Tagna nattetid med mörkerseende kameror, grå byggnader filmade snett uppifrån, explosioner i grått, korniga bilder, raster i grått och svart.

– Det är den allra senaste modellen av deras attackdrönare, Liemannen. MQ 10, Reaper, som den officiella beteckningen lyder, konstaterade major Björklund.

– Vad är det för speciellt med den då? frågade Lisa Lamm.

– Billig, förarlös, kan styras från en vanlig dator som finns på andra sidan jordklotet. Just den här kan hålla sig i luften i tjugo timmar och bära en last av vapen på drygt två ton. Bomber och raketer som också låter sig styras sedan man fällt eller avlossat dem.

– Även kärnvapen? frågade Mattei.

– Självklart. Det finns taktiska kärnvapen i form av flygburna bomber som väger mindre än hundra kilo styck.

– Men varför har man en massa piloter och sådant där krafs som sitter i flygplan som kostar hundratals miljoner styck när man kan ha sådana här grejor istället? sa Lisa Lamm samtidigt som hon tog en rejäl klunk ur sitt glas och gav Mattei ett talande ögonkast.

– Bra fråga, sa Björklund. Det som du just nämnde kommer snart att vara historia.

– Och istället får vi drönare och en massa datanördar som sitter i något skyddsrum någonstans på andra sidan jordklotet och leker piloter.

– Ja, sa Björklund. Till ett styckepris på mindre än en tiondel av ett konventionellt stridsflygplan. Ska jag ge dig ett exempel?

– Ja, gärna, sa Lisa Lamm.

– Du får ungefär tjugo drönare av den modell som vi just sett på teve och som alltså kan hanteras av två av de så kallade nördarna till samma kostnad som ett JAS-plan med pilot. Dessutom ligger just Sverige väl framme i utvecklingen av nästa generation drönare.

– Är det något som du kan berätta om, Carl? frågade Mattei med oskyldig min.

– Ja, i det här rummet kan jag väl det, sa major Björklund och nickade samtidigt som han hällde upp en ny whisky åt sig.

– Sedan flera år tillbaka har bland andra Saab och FRA ett intressant samarbete med USA och deras militära flygindustri där man kommit ganska långt med att utveckla drönare som också har så kallade stealth-egenskaper. Ni vet sådana där smygare som man kallar dem. Flygplan som lättare kan slinka förbi fiendens radar. Saab jobbar med själva planen medan FRA tar fram olika mjukvaror för att styra dem.

Låter som om jag i vart fall inte behöver riskera att bli arbetslös på grund av brist på arbete, tänkte Mattei.

– En helt annan sak, sa Lisa Lamm. Om vi nu antar att USA och alla de där andra nu tog kål på ungefär fem hundra terrorister. Hur många andra var det som också strök med? Det som man brukar kalla collateral damage.

– Säkert ett hundratal, sa Carl Björklund och suckade. Det är deras sätt att skydda sig. Det är ingen slump att de hellre äter och sover och bor på sjukhus och barnhem och skolor eller i områden där helt vanliga människor lever. Inte bland sina meningsfränder på utbildningsläger eller depåer eller kaserner eller i vanliga gömställen. Det är en del av deras taktik. Deras mänskliga sköldar, helt enkelt. Samma taktik som gör att de hellre ger sig på vanliga oskyldiga medborgare, helst kvinnor och barn, när de genomför sina aktioner i västvärlden. Sådana som oss undviker man helst. Där är styckepriset alldeles för högt. Mycket enklare att ge sig på våra barn, vår käresta, våra vänner och grannar.

– Så lite spill kommer vi alltså att få räkna med, sa Lisa Lamm.

– Just det uttrycket undviker jag att ta i min mun, sa Carl Björklund som plötsligt såg ganska barsk ut. Det har jag gjort ända sedan jag gick på Karlberg för mer än fyrtio år sedan. När jag såg de där bilderna på Kim Phuc insåg jag att det enda skälet till att vi behövde sådana som jag var att vi skulle skydda sådana som hon från det som hon råkade ut för.

– Kim Phuc, sa Lisa Lamm med en frågande huvudskakning.

– Bilden har du säkert sett, sa Carl Björklund. Det är namnet som du inte minns. Det är den där bilden från Vietnamkriget 1972, med den lilla nioåriga flickan som springer naken på vägen, svårt brännskadad av napalm. Hon heter Kim Phuc. Lever fortfarande. Bor i Kanada sedan många år.

– Ja, nu vet jag vem du menar, sa Lisa Lamm. Dessutom förstår jag precis. Det är ju förskräckligt.

– Om jag ska säga något gott om oss här i västvärlden, som försöker bekämpa terrorister, så är det väl att vi till varje pris vill undvika det där som du just nämnde. Delvis för att det blir ett sådant oherrans liv här hemma hos oss varje gång som det trots allt händer, men mest för att vi inte klarar av det. Det har vår motståndare också räknat ut och det är därför som han har satt det i system. För att skydda sig själv och för att skada oss så mycket som möjligt.

Du kanske borde träffa Johan, tänkte Lisa Mattei.

– Vad tror ni om att tänka på den så kallade refrängen? föreslog Mattei.

– Låter som en utmärkt idé, instämde major Björklund. I morgon är det söndag och därmed ännu en arbetsdag för sådana som oss.

106

När Lisa Mattei kom hem på kvällen hade klockan redan passerat tio men det var först när hon klev in i sin egen hall som hon förstod hur trött hon var.

Ella sov. Johan satt i teverummet och tittade på samma nyhetsinslag som hon hade sett på jobbet ett par timmar tidigare. Det här kommer inte att bli bra, tänkte Lisa Mattei och sjönk ner i soffan.

– Välkommen hem, sa Johan.

– Tack, sa Lisa och nickade. Det här kommer att bli riktigt, riktigt dåligt, tänkte hon.

– Är det här någonting som du har medverkat till? frågade Johan och nickade mot teveskärmen.

– Nej, sa Lisa Mattei och skakade på huvudet.

– Med tanke på att det tydligen är åtskilliga hundra personer som har dödats i sådana där drönarattacker i natt och att Säpo tydligen har gripit en massa personer som är misstänkta för terroristbrott och att du och jag är gifta med varandra och har en dotter tillsammans så undrar jag naturligtvis.

– Det är egentligen två frågor, sa Mattei. Jag förstår varför du frågar. Svaret på den första frågan, det som den amerikanske presidenten tog upp i sitt tal, är nej. Varken regeringen, Säpo eller jag själv hade en aning om det och vad…

– Och det ska jag tro på?

– Du får tro vad du vill, men om du vill ha svar får du ge fan i att avbryta mig. Vad gäller den andra frågan är jag inte riktigt klar över vad du egentligen menar.

– Jag undrar bara om det finns något samband mellan det där som USA har hittat på och det som du och dina kolleger tydligen har sysslat med här hemma.

– Det är i så fall en ovanligt korkad fråga. Svaret på den är också nej, vilket du borde ha kunnat räkna ut med hjälp av svaret på den första.

– Okej, sa Johan. Jag hör vad du säger.

– Nej, jag får för mig att du inte gör det, sa Lisa Mattei och reste sig. Du och jag har känt varandra i sju år och det här är nog det mest enfaldiga och det mest kränkande som du har kläckt ur dig under hela vårt förhållande. Om jag ens misstänkte att du hade hittat på något liknande skulle jag lämna dig på fläcken.

– Jag ber om ursäkt, sa Johan. Det var ovanligt…

– Jag är inte färdig än, avbröt Mattei. Det är en sak med dig som du har missat. Du är så jävla rätt och så jävla god så du har inte en aning om hur ond du kan vara.

Sedan hade Lisa Mattei lämnat honom. Ringt efter en taxi ute på gatan och åkt tillbaka till sitt jobb.

När hon väl hade somnat i sitt övernattningsrum på kontoret hade Jeremy Alexander ringt henne för fjärde gången på ett dygn. Men eftersom hon drömde behövde hon inte gå upp för att svara och allt med den där praktiska manicken hade han tydligen ordnat själv. Jeremy ville bara höra av sig för att berätta att han just hade löst hennes problem. Han hade låtit skicka en av det engelska flygvapnets drönare till Eskilstuna där man hade utplånat hela familjen Khalid och jämnat deras hus med marken. Hans egen Lieman hade tagit sin första skörd på svensk jord och anledningen till att han själv bar sin slips med de skära elefanterna när han överbringade dessa goda nyheter till henne var inte för att retas med henne. Det var en hedersbetygelse, och den finaste slipsen som en sådan som han kunde bära i ett sammanhang som detta.

VIII

Söndagen den 7 juni till
tisdagen den 9 juni

Jakten på Bombmakaren,
hans mullvad och hans nya mål

107

Söndagen den 7 juni ringde Calle Lewenhaupt och väckte henne klockan sju på morgonen.

– Med tanke på tidpunkten utgår jag från att vi numera är två som har samma uppfattning om Helena Palmgren, sa Mattei.

– Ja, sa Lewenhaupt. För en gångs skull hade jag faktiskt hoppats att du skulle ha fel, men det var naturligtvis dumt av mig.

– Jag behöver en timme, sa Mattei. För att kunna fixa till mig på det där vanliga tjejviset.

– Passar mig utmärkt. För en gångs skull har jag sovit hemma, nämligen.

– Så vill jag att du tar med dig ett underlag som vi kan ge till vår åklagare.

– I så fall behöver jag två timmar till, sa Lewenhaupt.

– Men då har du ett underlag som duger?

– Definitivt, sa Lewenhaupt. Med tanke på vad det handlar om skulle jag inte göra vågen men om jag vore åklagare skulle jag göra det.

– Då kommer du hit klockan tio. Funkar det?

– Perfekt, sa Lewenhaupt.

Mattei väntade i två timmar innan hon ringde. Använde tiden där emellan till att träna, duscha, fixa till sig och äta frukost. Först därefter ringde hon Lisa Lamm.

– Jag hoppas att jag inte väckte dig?

– Nej, jag är redan uppe och hoppar. Pigg som en lärka trots gårdagens utsvävningar. Det enda som oroar mig är att jag håller på att tappa greppet om major Björklund. Han verkar vara en betydligt mer sammansatt person än vad jag först trodde. Något slags primitiv humanist.

– Ja, jag tror att du ligger rätt där. Jag måste träffa dig. Klockan tio. På mitt rum.

– Nej, stönade Lisa Lamm. Det går inte. Inte i dag. Jag har en dejt, nämligen. Ingen vanlig dejt. *The* dejt.

– Vad heter hen då?

– Vad nu namnet har med saken att göra. Det är faktiskt en han. Vad tror du om i eftermiddag?

– Ses om en timme, upprepade Mattei. Varför kan jag inte förklara på telefon.

– Okej, sa Lisa Lamm. Jag hör vad du säger. Är det så illa, alltså?

– Ännu värre, sa Mattei.

– Okej, bekräftade Lamm.

– Du får försöka se det från den positiva sidan. Om du nu har träffat mannen i ditt liv är det väl väldigt praktiskt om han så tidigt som möjligt inser vem han ska ha ihop det med.

108

Helena Palmgren var född 1970 och hade börjat läsa på universitetet i Stockholm i slutet på 1980-talet. Under de första två åren hade hon konsumerat en ganska blandad kompott av akademiska ämnen, från retorik till religionskunskap, innan hon till sist verkade ha bestämt sig för att utbilda sig till psykolog. Våren 1994 hade hon avlagt sin examen och hennes kandidatuppsats hade handlat om de olika psykologiska problem som flyktingar kunde drabbas av när de hamnade i ett nytt land med en helt annan kultur.

Hennes empiriska material, de flyktingar vars problem hon hade beskrivit, var genomgående somalier som flytt från sitt hemland av politiska skäl. Detta framgick också klart och tydligt, både i förordet och på ett flertal ställen i texten, när man läste hennes uppsats.

De praktiska erfarenheterna av detta hade hon bland annat skaffat sig genom att somrarna 1992 och 1993 arbeta vid två av Migrationsverkets mottagningar där en stor andel av de flyktingar som man tog emot kom från Somalia. Sommaren 1993 hade hon jobbat som mottagningsassistent på Jättuna i Sörmland där Mohammed Khalid Hussein och hans familj hade hamnat när de kommit till Sverige.

Detta var också den första delen av Carl Lewenhaupts bevisföring mot henne. Helena Palmgren måste ha träffat familjen

Khalid 1993. Något som hon tydligen valt att inte berätta om när hon drygt tjugo år senare rekryterats till den spaningsstyrka som utredde misstankarna om terroristbrott mot Abbdo Khalid och andra medlemmar av familjen. På den här punkten fanns det en omfattande skriftlig dokumentation. Tiden för hennes anställningar fanns noterade i Migrationsverkets personalförteckningar, plus anteckningar som gällde löneutbetalningar och andra praktikaliteter i samband med hennes arbete på Jättuna.

Under de följande åren hade Helena Palmgren fortsatt med sina studier i psykologi samtidigt som hon arbetat deltid som assistent på den institution där hon studerade. Drygt ett år efter sin kandidatexamen hade hon blivit klar med sin mastersexamen i psykologi och strax därefter blivit antagen till doktorandutbildningen. Hennes studier hade även tagit en annan inriktning. Hon hade redan då fått jobb på både Psykförsvaret och en deltidsanställning på Försvarshögskolan som hon använt till att skriva en längre uppsats om hur stridsvagnsbesättningar påverkades av olika stressfaktorer när de skulle genomföra sina uppdrag. Därefter hade hon genomfört en studie om hur svenska militärer bäst skulle hantera posttraumatiska upplevelser som de haft i samband med olika utlandsplaceringar. Hon hade hjälpt till med att utveckla metoder för att diagnosticera sådana problem och behandlingsprogram för hur man kunde lösa dem.

Drygt tio år senare, år 2010, hade hon lagt ihop ett antal av dessa uppsatser till en doktorsavhandling i psykologi. Vad hennes yrkesprofil anbelangade kunde man bäst beskriva Helena Palmgren som en akademiskt inriktad militärpsykolog med doktorsexamen.

Detta märktes också på de arbetsgivare som hon hade haft sedan hon lämnat sin deltidsanställning vid psykologiska institutionen. Först drygt ett år vid Psykförsvaret. Därefter ytterligare några år vid Försvarshögskolan och slutligen vid Must, den militära underrättelse- och säkerhetstjänsten där hon började jobba ett halvår efter det att hon hade doktorerat. Efter närmare fem år vid Must hade hon placerats vid det samarbetsorgan som Säpo, Must och FRA hade inrättat, Nationellt centrum för terrorhotbedömning, NCT, och i rent rumslig mening jobbade hon numera i Säpos lokaler på Ingentingsgatan.

Hennes arbete hade blivit mer operativt och hon hade redan deltagit i tre större utredningar om misstänkt terrorbrottslighet. Med tanke på att samtliga av dessa hade handlat om muslimsk terrorism som hade sitt ursprung i Somalia var det med viss förvåning som Carl Lewenhaupt hade noterat att hennes första akademiska arbete om somaliska flyktingar inte längre fanns med i hennes meritförteckning när hon ansökt om att bli placerad vid NCT. Det var en märklig omständighet och något som kunde tolkas som ett försök att dölja den delen av hennes bakgrund.

Det som slutligen hade avgjort saken och förvandlat Helena Palmgren till ett lovligt byte i en utredning om misstänkt samröre med medlemmar av en terroristorganisation, var det förhör som man hade hållit med den tjugo år äldre kvinna som hade varit Helena Palmgrens närmaste chef på mottagningen i Jättuna när hon sommarjobbat där 1993. Numera var hennes chef pensionär och bodde i Katrineholm, men hon hade inte haft några invändningar mot att ställa upp på ett förhör som handlade om tiden i Jättuna eller hennes erfarenheter av Helena Palmgren.

På Jättuna hade man haft stora problem vid den här tiden. Starka motsättningar och rent fysiska konflikter mellan flyktingar med olika bakgrund, anmälningar och misstankar om både våld, droghandel, prostitution och andra missförhållanden. Om detta hade det också gjorts flera omfattande reportage i media.

Helena Palmgren hade tidigt och mycket tydligt tagit de somaliska flyktingarnas parti, något som långt ifrån alla hennes arbetskamrater hade gjort. Det kunde inte uteslutas att det var detta som var den egentliga orsaken till de illasinnade rykten som hade uppstått om att hon hade ett sexuellt förhållande med den betydligt äldre man som var den som bestämde inom den somaliska gruppen, Mohammed Khalid Hussein, far till många barn varav den äldste sonen hette Abdullah Mohammed Khalid.

Redan i slutet på sommaren 1993 hade man gjort en intern-utredning i ärendet på Jättuna. Helena Palmgren hade medgett att hon hade haft omfattande kontakter med Mohammed Khalid. Med tanke på hans roll bland de somaliska flyktingarna och hennes arbete fanns det inget konstigt med det. Att hon i samband med detta även hade fått ett slags personlig relation till Mohammed och hans familj var heller inte så märkligt. Att de skulle ha haft ett sexuellt förhållande förnekade hon däremot bestämt. Den interna utredningen hade avslutats på det vanliga viset genom att man utfärdat nya regler och rekommendationer för verksamheten men utan att man hade riktat dem mot någon särskild person. Än mindre tagit Helena Palmgren i örat.

Palmgrens före detta chef hade inga problem med att berätta att hon vid flera tillfällen hade talat med Helena Palmgren om att hon kände sig tveksam till det sätt på vilket Helena Palmgren verkade förhålla sig till just familjen Khalid. Betonat vikten av yrkesmässig distans och objektivitet. Till och med sagt åt henne på skarpen att hon tyckte det var direkt olämpligt att en person som hon kramade om en vuxen man som Mohammed. Det var inte samma sak som att göra det med hans barn eller till och med hans fruar.

– Vad trodde hon själv? frågade Mattei. Hade Helena Palmgren haft sex med Mohammed?

– Hon sa det inte rakt ut, sa Lewenhaupt. Samtidigt såg jag ju att hon nog själv är ganska övertygad om att det var på det viset. Om du ger mig ett förhör till kan jag säkert få henne att åtminstone ge mig namnen på de andra arbetskamrater som hade sagt till henne att det var så. Får jag några dagar på mig kan jag nog hitta dem ändå. Det fanns flera på det stället, bland Helenas arbetskamrater alltså, som inte var så förtjusta i henne. Det framgår tydligt av den där utredningen som man gjorde.

– Hennes chef då? frågade Lisa Lamm.

– Klok, balanserad, inte det minsta skvallrig. En bra chef, den där hyggliga och inkännande sorten som försöker prata förstånd med de medarbetare som det ännu finns hopp om. Samtidigt en sådan som inte drar sig för att huta åt dem när det verkligen behövs.

– Hur gick det? När hon försökte få Helena Palmgren att ta sitt förnuft till fånga? frågade Mattei.

– Inget vidare faktiskt, det var väl en sida hos Palmgren som hon inte gillade. Att det fanns en del som Helena Palmgren helt enkelt inte lyssnade till. Eller inte ens ville prata om. Halsstarrig var det ord som hon använde.

– Det som du sagt så här långt räcker ju för att jag ska kunna delge henne misstanke om grovt sekretessbrott eller ett grovt tjänstefel, sa Lisa Lamm. Att hon i den meningen också fungerat som mullvad åt Abbdo Khalid och övriga inblandade i den familjen har jag väl också visst hopp om att kunna leda i bevis. Jag kan skriva på papperen, och att jag lär bli tvungen att prata med både min chef och chefen för Säpos verkskydd innan jag gör det oroar mig inte.

– Nej, inte mig heller, sa Mattei. Jag vet ju att de är betydligt mer blodtörstiga än vad du är.

– Det som oroar mig är nästa steg, sa Lamm. Hennes inblandning i ett grovt terrorbrott där vi ju faktiskt i nuläget saknar något som vi kan slå familjen Khalid i skallen med. Men okej, jag pratar med de nyss nämnda och du, Lisa, kan säkert skicka folk som anhåller henne inom loppet av ett par timmar. Vi har tillräckligt för att sätta henne i finkan, men jag vill klara av det andra steget först. Att hon också medverkat till förberedelse eller försök till ett grovt terrorbrott. Eller nu senast då, att hon hindrat oss från att utreda dessa brott genom att varna Khalid. I värsta fall att hon gjort det för att han ska kunna genomföra något annat istället.

– Det som är allra värst i den här soppan, det som jag hittills har förskonat dig ifrån, är det som fått mig att bestämma mig för att vi måste genomföra ytterligare ett antal saker innan vi kan ta in Helena Palmgren. Det är den person som hon använt sig av som uppgiftslämnare. Hon har visserligen utnyttjat honom, men det sätt på vilket han låtit sig utnyttjas lär knappast rädda honom från att hamna i samma finka.

– Vem är det då?

– Vår generaldirektör, sa Mattei. Denna närmast unika kombination av enfald, lösmynthet och vanligt uppblåst ego.

– Nej, Lisa. Lägg av.

– Tänker jag inte alls göra, sa Mattei. Det var så jag hittade Palmgren. Med hjälp av hennes korkade och omedvetne medhjälpare. Hans skäl är det vanliga. Han har ihop det med henne och för en sådan som han är ju den enda förklaringen till det att han är det givna svaret på varje kvinnas hemliga drömmar.

– Hur gör vi nu?

– På följande sätt, sa Mattei. Vi säger inte ett pip om vår GD. Du fixar alla tillstånd på Palmgrenskan, både vanlig och hemlig avlyssning, hacka hennes dator, dold husrannsakan, hela programmet kort sagt och det praktiska sköter jag. Sedan kommer hon att servera hans huvud till oss på ett fat inom loppet av högst några dagar.

– Du tror att hon är lika enfaldig som GD?

– Nej, sa Mattei. Helena Palmgren är något annat. Hon är totalt humorbefriad, hon är halsstarrig, hon saknar känselspröt och anledningen till allt detta är att hon är djupt troende. Hon har sett både sanningen och ljuset.

– När du säger det så, sa Lamm och nickade. Jag minns att hon sa på ett av våra möten att hennes pappa hade varit präst i Svenska kyrkan.

– Ja, fast hennes trosuppfattning numera är en helt annan. Helena Palmgren är muslim och förmodligen blev hon det när pappa Mohammed frälste henne på både det ena och det andra viset när hon jobbade på den där flyktingmottagningen nere i Jättuna.

– Muslim? Vad har du för stöd för det? Jag tycker närmast hon ser ut som en sådan där gammaldags hushållslärarinna.

508

– Fast det är hon inte, sa Mattei. Återstår att bevisa det. Ska vi slå vad?

– Om vadå? En månadslön, eller?

– Gör inte det, sa Calle Lewenhaupt och skakade avvärjande på huvudet åt Lisa Lamm.

– Synd, sa Mattei och log. Hade varit fint med lite extra pengar att shoppa för.

109

Debatten om deras utredning hade inletts redan på lördag eftermiddag i sociala medier, helt i enlighet med de rutiner som gällde. Den vanliga blandningen av fakta, gissningar, spekulationer, önskedrömmar, fantasier, vanligt förtal och rena stollerier. Engagemanget gick heller inte att klaga på och de politiska medel som förordades sträckte sig över hela skalan och följde det vedertagna språkbruket. Från att man borde "skjuta alla snutar, rassar och roffare" till att man borde göra ännu värre saker med "alla mussar, araber, negrer och bögar". Allt var som vanligt kort sagt och tryggheten i läsupplevelsen och dialogen därmed garanterad.

De traditionella medierna hade visat de första livstecknen efter den vanliga fördröjningen och i det här fallet hade de inledande, försiktigt kritiska kommentarerna börjat dyka upp på söndagstidningarnas ledarsidor och i ekots morgonsändningar. Det som man oroade sig för var att det som nu hände verkade obehagligt likt de två terroristrättegångarna i Göteborg och Malmö. Vilka risker löpte rättssäkerheten den här gången?

I medial mening hade reaktionerna bäst kunnat beskrivas som enstaka vindpustar som ännu varit så svaga att man inte ens med säkerhet kunnat ana vilken riktning de skulle ta om vindstyrkan tilltog. Inte ens utesluta att vinden bara skulle mojna och dö. Istället hade dessa försiktiga vindpustar inom loppet av några minuter vuxit till ren orkanstyrka med hjälp av TV4:s morgonsoffa och den inbjudna gästen, Leyla Hussein. Detta var en ansenlig bedrift, för i vanliga fall gick det aldrig till så att vanligt tyckande plötsligt förvandlades till löpsedelsmaterial.

Leyla Hussein skulle egentligen komma dit för att berätta om sina förberedelser inför de kommande olympiska spelen, men när hon en kvart innan hon skulle ta plats i studion hade råkat nämna vad som just nu helt upptog både hennes huvud och hjärta hade den kvinnliga producenten omgående ändrat inriktningen etthundraåttio grader och sett till att hennes kolleger på nyhetsredaktionen gjorde klart för ett extrainsatt nyhetsinslag.

En tårögd Leyla hade berättat om de rättsövergrepp som hade drabbat en hel familj som hon hade lärt känna redan när hon som flicka hade flytt till Sverige från ett krigshärjat Somalia. De finaste och snällaste människor som fanns. Hur hon och hennes anhöriga hade kunnat söka både trygghet och hjälp hos familjen Khalid, om den son i familjen som hon varit hemligt kär i när de gått i samma klass i grundskolan, om lille Sammy som suttit i hennes knä efter DN-galan året innan då man firat hennes framgångar med en stor fest på Svensk-somaliska vänskapsförbundet. Hederliga, strävsamma människor. Nu satt de alla i fängelse i Sverige. Gamla farmor hade man spärrat in på en sluten vårdavdelning, och lille Sammy hade blivit så svårt misshandlad av polisens insatsstyrka att han låg på akuten på Eskilstuna sjukhus och tydligen var i så dåligt skick att läkarna hade vägrat att prata med Leyla Hussein när hon ringde för att höra hur han mådde.

Dan Andersson hade råkat se inslaget för att han ville hålla sin fru sällskap nu när han äntligen hade några timmar ledigt, och när alla familjens telefoner plötsligt började ringa redan innan en djupt rörd programledare hade hunnit tacka Leyla Hussein för att hon hade ställt upp förstod han precis vad det handlade om.

Jag hatar kändisar, tänkte Dan Andersson.

110

GD hade ringt ännu en gång och hans meddelande hade tagits emot på precis samma sätt som förra gången. Han var numera allvarligt oroad, vilket även hon borde ha anledning att vara om hon hade sett hur hennes utredning redan hade börjat beskrivas i media. Han ville därför att hon omgående hörde av sig till honom.

Jag tar det med en klackspark så får du ta ditt med en skrevspark, tänkte Mattei och ringde upp Martinez istället.

– Jag ska fatta mig kort, sa Mattei. Ta med dig ett dussin av de bästa som du har där nere. Se till att de plockar med sig sitt pick och pack och kommer upp till Stockholm. Vi ska prioritera om. Lämna kvar dem som behövs för att få ordning på det som återstår att göra. Att hitta Abbdo blir prioritet ett för dem som är kvar. Han ligger och duckar någonstans i närområdet. Det är jag säker på. Det är sådant som Stenhård och hans kamrater är bra på. Det andra kan anstå.

– Jag har verkligen inga problem med att återvända till Stockholm.

– Nej, sa Mattei. Men jag har ett trist jobb åt dig och dina kamrater.

– Vad ska vi göra då?

– Mullvadsjakt, sa Mattei. Den tänkte jag dra igång så fort som möjligt. Senast i kväll.

– Är det någon som vi inte får prata med?

– Alla, sa Mattei. Utom med mig, förstås.

– Äntligen, sa Martinez.

Lisa Mattei hade blivit varnad i god tid av verksledningens egen pressekreterare och hade blockerat i stort sett alla inkommande samtal för vidare befordran direkt till röstbrevlådan. Så fort Martinez hade ringt henne och berättat att hon, Motoele och några andra av de pålitliga kamraterna var på ingång hade Lisa Mattei plockat med sig det nödvändigaste, lämnat sitt rum och uppsökt husets säkraste ställe: antiterroristrotelns operativa centrum som låg i byggnadens källarplan.

På vägen dit hade Lisa Lamm ringt henne på mobilen och berättat att de numera hade allt det formella stöd som de behövde.

– Det är bara att tuta och köra, sa Lamm.

Som på den gamla goda tiden, tänkte Mattei. När jag själv var riktig polis. Inte som nu när jag mest sitter bakom mitt stora skrivbord och bläddrar i papper.

Lisa Mattei hade sedan redovisat förutsättningarna för Martinez och hennes medarbetare.

Skaffa fram bevisning för att deras mullvad, Helena Palmgren, hade kontakter med Abbdo Khalid och kretsen runt honom. Se till att styrka sambandet mellan Palmgren och generaldirektören. Håll hög beredskap för att akuta och farliga situationer kan inträffa. Genomför alla nödvändiga tekniska förberedelser så fort som möjligt. Se till att göra detta under högsta sekretess.

– Har vi någon tidsplan, chefen? frågade Motoele.

– Så fort som möjligt, sa Mattei. Allt som kommer in i linje med det som jag tidigare har sagt vill jag veta omgående. Så fort åklagaren anser att vi har tillräckligt för att anhålla Palmgren och generaldirektören kommer vi att göra det. Helst vill vi kunna ta båda samtidigt.

– Och allra helst i bingen, medan de håller på som värst, sa Sandra Kovac. Högste chefen för Säpo som ligger och hoppar på en mullvad. Och du får sätta handbojor på båda. Snacka om löneförmån.

– Det är en sak till som jag kanske borde tipsa er om, sa Lisa Mattei.

– Vad är det då? sa Martinez.

– Det här är inga vanliga kriminella. Helena Palmgren lever i en fast förvissning om att hon är höjd över varje misstanke. Med vår generaldirektör är det tyvärr ännu värre. Jag tror inte ens att han är medveten om att det han håller på med skulle vara brottsligt på något sätt. Det Helena Palmgren använder honom för, att hon mjölkar honom på information, har han inte en aning om. Det ingår inte ens i hans föreställningsvärld.

– Att de är så lätta byten att man blir orolig av det skälet, förtydligade Martinez.

– Precis, sa Mattei. De är precis de som de verkar vara. Sådana som anser att de inte har något att frukta från sådana som vi.

Jakten på mullvaden genomfördes på knappt tre dygn och redan på söndag kväll hade Frank Motoele sett till att den fick en ren smakstart. Så fort han blev klar över var Helena Palmgren bodde insåg han att om han bara spelade sina kort väl skulle han förmodligen kunna komma över en holk i huset tvärs över gatan som närmast var att beskriva som en våt dröm för en spanare som han.

En kvart senare stod han och ringde på dörren till den lägenhet som enligt hans bestämda uppfattning tillhörde den enda polisen i landet som var värd namnet, kommissarie Evert Bäckström.

– Roligt att se dig, Frank, sa Bäckström samtidigt som han puffade på en stor kubansk cigarr. Vad kan jag göra för dig?

– Respekt, chefen, sa Frank och bugade. Kan jag komma in?

– Självklart, Frank. Kliv på, kliv på bara, sa Bäckström och gick före honom in i sitt allra heligaste.

Bäckström var iförd en rökrock av tjockt siden i rött och blått med breda guldfärgade slag som hölls ihop av en guldfärgad snodd och av de bara benen att döma var rocken det enda som han hade på sig. Förmodligen för att Supersalamin ska kunna hänga fritt, tänkte Frank Motoele som själv hade personlig erfarenhet av sådana problem. Runt halsen bar Bäckström en bred guldkedja med ett briljanterat kors och i bröstfickan hade han stuckit ner ett cigarrfodral av svart läder.

– Slå dig ner, Frank, slå dig ner, sa Bäckström och gjorde en inbjudande gest mot en jättelik lädersoffa samtidigt som han själv sjönk ner i en väldig öronlappsfåtölj och placerade sina brunbrända fötter på en väl tilltagen fotpall.

På det lilla soffbordet vid hans sida stod en stor karaff med något som av färgen att döma sannolikt var vodka och ett rejält snapsglas av klassisk modell som var rågat till kanten. Först puffade Bäckström på sin cigarr, sedan halverade han innehållet i glaset, suckade av välbehag och lutade sig tillbaka.

– Om du vill ha en sup eller en pilsner är det bara att du förser dig, sa Bäckström och viftade i riktning mot köket. Det står i kylen.

– Nej, det är bra ändå, sa Frank Motoele.

Han måste ju vara odödlig, tänkte han. Som han äter och super och nu har han börjat röka cigarr också. Ser ut som hälsan själv gör han också, fet och brunbränd och skinande.

– Du pratade om någon tjänst som du ville att jag skulle hjälpa dig med, påminde Bäckström.

– Jag hörde ryktas att chefen hade köpt grannlägenheten här i huset, sa Motoele.

– Äger sin riktighet, sa Bäckström. Jag har svårt för grannar. Just den här var en bedrövlig stackare. En gammal alkoholiserad tevereporter. Folk super alldeles för mycket, konstaterade Bäckström, tömde glaset, fyllde det till brädden i nästa rörelse och avslutade med ännu en puff på cigarren.

– Vad jag undrar är om vi kan låna den i några dagar och ha som holk, sa Frank Motoele.

– Aha, sa Bäckström och log listigt. Nu börjar jag ana vad som är på gång. Du jobbar på Säpo nu för tiden?

– Ja, sa Motoele och bekräftade med en nick.

– Ja, det kan ju inte vara så kul att ha en chef som ligger och hoppar på en polsk hora, sa Bäckström med ett fryntligt leende.

– Hur vet chefen det? frågade Frank.

– Jag är polis, sa Bäckström. Det är inget man blir. Det är något man föds till. Det borde väl du veta. Vad din chef anbelangar känner jag ju igen honom. Han har ränt där i ett halvår nu. Det är en fet blondin med stora lökar och bra fart på lilla råttan. Din chef ser inte ut som du och jag, Frank, om jag så säger, sa Bäckström, och viftade med cigarren i riktning mot Supersalamin för att förtydliga det han sa, trots att han knappast kunde ha en aning om de mörka hemligheter som dolde sig i Motoeles generöst skurna jeans.

– Varför tror chefen att det är en polsk hora?

– Du ska få ett gott råd, Frank. Om du ser något som ser ut som en polsk hora och knullar som en polsk hora beror det på att du just har sett en polsk hora, konstaterade Bäckström. Vad tror du om att titta på holken, förresten?

Perfekt, tänkte Motoele. Stora fönster mot gatan, en tom lägenhet som tydligen väntade på att bli renoverad, direkt insyn i Helena Palmgrens lägenhet i huset tvärs över gatan. Inte det minsta gemensamt med det där kråkboet där Abbdo och hans familj bodde.

– Jag skulle inte kunna låna den här kvarten i några dagar? frågade Frank.

– Självklart, sa Bäckström. En jättestor och hungrig kannibal som frågar om du kan bjuda honom på en rå hamburgare, tänkte Bäckström. Vad svarar man på det.

– Vad kan jag göra för chefen då?

– Några bra bilder som jag kan ha som illustration i mina memoarer kanske, sa Bäckström och ryckte på axlarna. Gärna något som har lite polisiär anknytning, tillade han.

– Polisiär anknytning?

– Ja, du vet, lite handbojor och batonger och munkavlar och sådana där grejor. Ungefär som det där som Kapten Klänning höll på med. Han som var chef för polishögskolan och vår främste talesman i jämställdhetsfrågor.

– Jag ska se vad jag kan göra, sa Frank Motoele.

– Gör ditt bästa, Frank, sa Bäckström. De jag själv tagit är tyvärr inga höjdare. Det är en vanlig avsugning. Går knappt att lägga ut på hans hemsida. Det är inget fel på skärpan och så, men de saknar tyvärr det där lilla extra.

– Chefen har bilder på honom?

– Ja, visst. Hur mycket som helst, sa Bäckström. Och på henne förstås.

– Man kan inte få kika på dem?

– Självklart, Frank, sa Bäckström. Självklart.

Två lätta byten enligt Lisa Mattei, och i detta hade hon haft helt rätt. På två och ett halvt dygn hade man samlat in all bevisning som man behövde mot både Helena Palmgren och hennes älskare och omedvetne uppgiftslämnare. Så fort man var klar med det hade deras ärende också varit avslutat. Att anhålla dem var inte längre aktuellt, men den delen av det hela hade ingenting med Mattei att göra. Det hade löst sig ändå.

III

I väntan på att Ove Kristiansson blev i ett sådant skick att det gick att tala med honom hade Ingrid Dahl fått nöja sig med dagliga kontakter med Kristianssons läkare och hans advokat. Först på måndag morgon den 8 juni hade det tredje förhöret blivit av. Läkaren hade gett sitt motvilliga godkännande och Kristianssons advokat hade gjort ännu ett försök att prata förstånd med sin klient. Kristiansson kunde tänka sig att träffa Dahl så att hon "äntligen slutade jävlas med honom". Han ville dessutom göra det ensam och skälen till det tänkte han inte avslöja ens för advokaten.

– Och ingen är väl gladare än jag över det beslutet, suckade advokat Eriksson.

– Du har verkligen ingenting att skämmas för, Johan, sa Ingrid Dahl. Om det är någon som har agerat i sin klients intresse så är det du.

– Jag hoppas att du har rätt, sa Eriksson. Det har visserligen hänt, men jag avser inte att göra sådana kontakter till någon vana.

Ingrid Dahl hade suttit och väntat i närmare en timme innan Kristianssons läkare var klar med sitt. Kristiansson var vaken, inte särskilt närvarande men hans allmänna hälsotillstånd innebar inte något avgörande hinder. Ingrid Dahl fick väl hoppas på det bästa, han själv gjorde det hela tiden och skulle det hända något allvarligt så fanns han alldeles i närheten.

Tredje förhöret på fyra försök, tänkte Ingrid Dahl när hon kom in på Kristianssons rum och satte sig på stolen bredvid hans säng.

– Trevligt att träffa dig igen, Ove, sa Ingrid Dahl. Jag har hälsningar från din advokat, han önskade dig god bättring förresten, och enligt din läkare verkar det ju gå åt rätt håll.

Sedan nickade hon uppmuntrande åt honom medan hon klappade honom vänligt på hans smala, ådriga arm.

– Hmm, muttrade Ove samtidigt som han nickade motvilligt.

Han känner i alla fall igen mig, tänkte Ingrid Dahl. Fast så mycket mer är det nog inte, så det är väl lika bra att ge järnet, tänkte hon.

– Jag förstod också av din advokat att du hade något som du ville berätta om.

– Hmm, sa Ove och nickade på nytt.

– Jag lyssnar gärna, det ska du veta, sa Ingrid Dahl samtidigt som hon klappade honom på handen.

Inget mumlande den här gången, enbart en nick. Svårtolkad var den också, tänkte Dahl.

– Som jag förstod det ville du berätta om något som du hade hjälpt Abbdo Khalid med, sa Dahl.

– Nä, sa Kristiansson och den här gången skakade han på huvudet.

– Det var något som du hade sålt till honom, sa Ingrid Dahl utan att låtsas om hans reaktion.

– Sålt, upprepade Ove Kristiansson med svag röst. Sedan nickade han igen.

Äntligen börjar vi komma någonvart, tänkte Ingrid Dahl.

– Du har sålt något till Abbdo, säger du. Vad var det? sa Dahl.

– Bolin, sluddrade Ove och skakade på huvudet. Bolin, upprepade han.

– Bolin? Du har sålt något till någon som heter Bolin? Vem är han då?

– Nä, mumlade Kristiansson med ännu en skakning på huvudet.

– Berätta, trugade Dahl. Du har sålt något till någon som heter Bolin. Vem är han?

– Nä, sa Ove och skakade på huvudet. Bolin… munk, sluddrade han.

– Munk?

– Bolin… munk, upprepade Ove och nickade.

– Du har sålt något till en som heter Bolin som är munk, sa Dahl samtidigt som hon försiktigt kramade hans arm. Kan du berätta mer om honom?

Den här gången sade Ove ingenting, varken nickade eller skakade på huvudet. Han verkade plötsligt helt frånvarande. Stel blick, ögon som inte verkade se på något särskilt. Samtidigt kom hans läkare in på rummet i sällskap med en manlig sjuksköterska. Han skakade avvärjande på huvudet, därefter nickade han mot dörren. Ingrid Dahl reste sig, gick ut, satte sig på en stol i korridoren och väntade.

Vad gör jag nu, tänkte Dahl.

Efter två minuter rullade den manlige sjuksköterskan ut en orörlig Ove på hans säng och försvann förbi Ingrid Dahl, bort i korridoren, medan Oves läkare stannade till för att prata med henne.

– Vad var det som hände? frågade Dahl. Svimmade han av, eller?

– Vi får hoppas på det, sa läkaren. I värsta fall har han fått en hjärnblödning eller en propp.

– Vi håller kontakten, sa Dahl.

– Har jag något val? sa läkaren. Jag lovar att höra av mig så fort jag har något att berätta.

En timme senare satt Ingrid Dahl hos Lisa Mattei.

– Rätta mig om jag har fel, sa Mattei. Enligt en något svårtolkad Kristiansson skulle han ha sålt något till någon som heter Bolin som dessutom påstås vara munk?

– Jag filmade alltihop på min mobil, suckade Ingrid Dahl. Du har det på mejlen. Jag föreslår att du tittar på det själv.

– Självklart, sa Mattei. Det här är ju hur spännande som helst. Först Abbdo Khalid som har ihop det med Ove Kristiansson, för det vet vi ju att han har, och så plötsligt kommer det in en munk i vår utredning också. En munk som heter Bolin. Av namnet att döma en svensk munk. Det är helt fantastiskt. Det här kanske är det första exemplet i terroristbekämpningens historia när kristna fundamentalister, sådana där som brukar spränga abortkliniker och skattehus och kronofogdar i luften, har slagit sig ihop med muslimer.

– Kul, sa Ingrid Dahl och reste sig. Att du tycker att det är kul, alltså.

– Vi hörs, sa Mattei och log mot sin besökare.

Jag mår ju faktiskt bättre än på länge, tänkte Lisa Mattei. Den där bedrövliga nationaldagen har jag lagt bakom mig, vår generaldirektör kommer snart att enbart vara ett dåligt minne, jag har till och med slutat svära över Johan, tänkte hon.

– Ja, hör gärna av dig, sa Dahl. Jag behöver all hjälp jag kan få. Vad är det för fel på ett sådant där vanligt meddelande från en som bara håller på och dör? Du vet ett sådant där som man brukar ha i alla deckare. Det här är ju helt obegripligt.

– Det är väl inte så konstigt, sa Mattei.

– Inte?

– Nej, Ove Kristiansson lever ju, förklarade Mattei.

112

Så fort Mattei hade blivit ensam på sitt rum hade hon tittat på förhöret som Ingrid Dahl hade spelat in på sin mobiltelefon. Onekligen något svårtolkat, tänkte Mattei. Sedan hade hon mejlat förhöret vidare till major Carl Björklund – "för hans kännedom enbart" – och om han kunde skingra dimman som omgav henne fick han gärna höra av sig. Så fort som möjligt givetvis.

Om en sådan som Abbdo Khalid kan ha ihop det med en munk som heter Bolin är det väl inte så konstigt att en kvinnlig polis och genusforskare söker stöd och vägledning hos major Carl Björklund, tänkte Mattei när hon skickade iväg sitt meddelande.

– Allt väl med chefen? frågade major Björklund.
– Prima liv, Carl, sa Mattei. Hur är det själv förresten?
– Jodå, det finns de som har det värre än jag, sa Björklund. Vad det där förhöret anbelangar är det väl inga större problem, heller. Vill chefen att vi tar det nu på telefon, eller?
– Inte ett ord, sa Mattei. Jag vill att du kommer hit och berättar.
– Chefen får ge mig en kvart, sa major Björklund.

Så satt han där igen. På utsatt tid och tydligen lika trogen mot henne som hans två bassar var mot honom. Major Carl Björklund, denne gamle hedersman, tänkte Mattei.

– Jag lyssnar, Carl, sa Mattei och nickade åt honom. Nu börjar jag låta som han också, tänkte Mattei.

– Det där med att det skulle ha dykt upp någon mystisk Bolin som dessutom skulle vara munk tror jag inte att chefen behöver oroa sig för. Det där namnet som Kristiansson försöker säga är Bolinder.

– Vem var han då?

– Ja, inte munk i varje fall. Han var traktortillverkare från Eskilstuna och i början på trettiotalet slog man ihop hans företag med en annan mekanisk verkstad som också låg i Eskilstuna och hette Munktells. Det nya företaget, som hette Bolinder-Munktell Aktiebolag, såldes sedan vidare till Volvo i början på femtiotalet.

– Och de tillverkar alltså traktorer.

– Inte bara traktorer utan ett flertal andra arbetsfordon för både civila och militära ändamål, pansrade bandvagnar åt försvaret bland annat. Vi talar om ett världsledande företag, svensk industrihistoria när den är som bäst.

– Hur kommer de in i den här historien? frågade Mattei.

– Jag noterade att Kristianssons gamla företag, det där som begärdes i konkurs för sju år sedan, bland annat ägde en frontlastare av den största modellen. En Volvo BM av 1996 års modell, fyrhjulsdriven och med en tjänstevikt på drygt tio ton.

– En frontlastare? Vad är det?

– Det är en sådan där traktor med en stor skopa fram. Den här har förmodligen använts till att frakta undan tyngre schaktmassor, typ sprängsten och liknande, med tanke på att det handlar om den största maskinen som Volvo BM tillverkade. Av papperen att döma är den avskriven och avregistrerad i samband med Kristianssons konkurs, men det hindrar ju inte att den kan stå kvar i någon lada någonstans.

– Vad ska Abbdo Khalid med en sådan till? frågade Mattei trots att major Björklund redan hade gett henne svaret.

– Han har tydligen gjort som jag skulle ha gjort, sa Major Björklund och nickade. Abbdo Khalid har köpt en stridsvagn för engångsbruk.

113

När Helena Palmgren hade lämnat sin lägenhet för att promenera till sin arbetsplats på Ingentingsgatan hade Säpos tekniker tagit sig in i hennes lägenhet, samtidigt som Martinez spanare följt efter Helena Palmgren för att se till att teknikerna fick arbeta i lugn och ro. Dolda mikrofoner, dolda kameror och en och annan sensor som kunde känna av andra aktiviteter som ett spaningsobjekt ägnade sig åt.

Hennes dator hade man redan hackat sig in på och allt som hon sände iväg eller tog emot kunde man ta del av omedelbart. Man kunde till och med stoppa hennes mejl och all annan aktivitet på hennes dator. Hennes mobiler var redan avlyssnade och skulle hon skaffa en ny som hon använde i sin lägenhet skulle man i stort sett omgående kunna identifiera den också.

Allt var i bästa ordning och nu, när man ändå var på plats, hade man avslutat sitt arbete med att göra en mycket diskret husrannsakan. Till och med hittat bilder i ett gammalt fotoalbum som styrkte att hon hade haft kontakt med Mohammed Khalid och hans familj flera år efter tiden på Jättuna i början på nittiotalet.

Lisa Mattei såg till att hennes utredningslogg blev i bästa ordning. Särskilt de delar som gällde hennes chef generaldirektören och Helena Palmgren. Vid två tillfällen under eftermiddagen ägnade hon sig också åt att hålla färgen. Med tanke på vilka hon gjorde det inför kostade det på, men med tanke på deras förmåga att se igenom sådant var hon övertygad om att hon hade lyckats. Först hade hon ett kortare samtal med sin chef som uttryckte en stark oro över den mediastorm som rasade. Vissa uppgifter som framfördes om deras utredning trotsade ju all beskrivning. Mattei höll med honom. Det sakliga innehållet kunde hon naturligtvis inte kommentera, av samma skäl som tidigare, men hon kunde inte förstå varför han behövde oroa sig. Om något gick snett var det ju åklagarens och hennes ansvar. För övrigt ett skäl till att den instruktion som de följde såg ut som den gjorde.

– Själv är jag övertygad om att regeringen kommer att höra av sig och be att jag informerar dem, invände generaldirektören.

– Det är väl inte hela världen, sa Mattei. Vi har ett regelverk som vi följer. Det har vi också följt till punkt och pricka.

Jag följer det till och med nu för att du inte ska kunna ställa till med någon mer skada, tänkte hon.

Sedan ringde Helena Palmgren henne på hennes mobil. Det var en sak som hon ville prata om. Helst ville hon naturligtvis göra det mellan fyra ögon, men om nu detta var omöjligt kunde hon tänka sig att ta det på telefon. Mattei hade tyvärr inte möjlighet att träffa henne, men det där med att diskutera viktiga frågor på telefon hade hon aldrig trott på.

– Vad tror du om att vi äter lunch i morgon? föreslog hon.

– Ja, om du kan det så, sa Palmgren. Det är vissa funderingar som jag har bara. Om det här läget som har uppkommit.

– Det låter som ett utmärkt ämne för en lunch, sa Mattei.

Du vill sälja in ett budskap till mig, tänkte Lisa Mattei. Helt enligt boken för hur man luras och bedrar. Medan han som du faktiskt lyckats lura sitter och binder den törnekrona som han tänker sätta på mitt huvud.

Återstod det svåraste, det som frestade på i och med att det handlade om henne och sådant som egentligen betydde något. Hon ringde upp Johan.

– Äntligen, sa Johan. Jag tänker inte ens fråga om du har sett mina meddelanden.

– Det är klart jag har, sa Lisa. Anledningen till att jag inte har svarat på dem är att jag först var så förbannad att jag bedömde det som meningslöst. Och i dag har jag haft fullt upp. Jag föreslår att vi tar det om en stund när vi ändå ses. Ja, förutsatt att du inte har flyttat hem till din syster och hennes räknenisse, alltså.

– Nej, jag är kvar, sa Johan.

– Det var väl skönt att höra, sa Mattei.

– Vad gör vi nu?

– Själv tänkte jag hämta Ella på dagis och sedan tänkte jag fixa middag åt oss. Vad tror du om att vi ses klockan sex? Vad tänkte du själv göra, förresten?

– Du anar inte hur jävla illa jag har mått av det där jag sa.

– Jo, jag tror att jag gör det. Du måste jobba med den biten. Se till att du kan bli en vanlig normal och förbannad människa. Skrika och hoppa lite, när du känner för det.

– Jag lovar.

– Jag tror dig, sa Mattei. Dessutom kommer jag att fixa världens middag åt oss.

– Pappa sa att han hade varit dum mot dig, sa Ella så fort de hade kommit ut från dagis och kunde prata förtroligt med varandra.

– Vuxna bråkar ibland, sa Lisa.

– Fast när man är barn bråkar man hela tiden, sa Ella. När man inte är glad förstås.

– Så är det med vuxna också.

– Ska vi brotta ner honom, föreslog Ella.

– Det tror jag inte är någon bra idé, sa Lisa. Han är ju mycket starkare än vi.

– Vad ska vi göra då?

– Jag tänkte att du och jag lagar mat som vi bjuder honom på. Så pussar vi på honom. Hela tiden. Tills han ber att vi ska sluta.

– Jaaaaa! sa Ella.

114

På tisdag morgon den 9 juni fick Ingrid Dahl ett samtal från Ove Kristianssons läkare. Han hade ett tråkigt besked att lämna. Under natten hade Kristiansson drabbats av en kraftig hjärnblödning som den ansvarige kirurgen hade bedömt som omöjlig att operera och en timme senare hade han varit död.

– Jaha, vad tycker vi om det då? frågade Lisa Mattei när Ingrid Dahl gav henne beskedet.

– Frågar du mig så var det kanske lika så gott. Någon rättegång skulle han väl knappast ha klarat av.

En timme senare höll Lisa Mattei och hennes tre närmaste medarbetare krigsråd nere i terroristrotelns lokaler. Lisa Lamm frågade om någon hade några goda nyheter att komma med och om så inte var fallet kunde hon underhålla dem med en juridisk uppdatering. Martinez hade visserligen goda nyheter, men eftersom Lamms erbjudande var så frestande var hon villig att vänta.

– Ja, så är vi ju av med det sedan, sa Lamm. Om jag ska fatta mig kort har jag begärt att samtliga som sitter anhållna ska häktas för olika former av förberedelse till ett grovt terroristbrott. På grund av de tidsregler som gäller måste den förhandlingen hållas senast klockan tolv i morgon.

– Kommer du att klara det då? frågade Carl Lewenhaupt. Bevisningen mot dem är väl inte direkt överväldigande.

– Jag är ganska övertygad om att de kommer att bli häktade

och skälen till det är tre. För det första de olika omständigheterna i samband med att Abbdo Khalid lyckades smita ifrån oss och är på fri fot, för det andra vår mullvad som hjälpte honom att förstöra den här utredningen för oss och för det tredje de mycket täta kontakterna mellan familjemedlemmarna som innebär en uppenbar risk att någon av dem kan försöka hjälpa Abbdo. Om ni vill kan jag ta det i detalj.

– Inte för min skull, sa Martinez.

– Då lyssnar jag gärna på lite goda nyheter, sa Lisa Lamm.

– Jag har en riktig höjdare, faktiskt.

– Jag kan knappt bärga mig, sa Lewenhaupt.

– Stenhård och deras kamrater har gripit den där städaren nere på Skavsta. Han som fotbollsspelaren hoppade in som vikarie för innan Abbdo tog över och städade färdigt. De fick ett tips och tog honom i en kvart nere i Nyköping. Han och några likasinnade satt och rökte på. De hittade nästan ett kilo cannabis i kvarten. Han som bjöd på kalaset var städaren och Stenhård hade knappt burat in honom i finkan förrän han började snacka. Rena näktergalen.

– Vad har han att berätta då? frågade Mattei.

– Han sänker både Avve och Abbdo. Säger att han fått två tusen pund av Avve och att Avve skulle ha fått degen av sin kusin Abbdo. Ungefär hälften av pengarna har vi hittat. Dem hade han i fickorna på sina skitiga jeans. I en rulle till på köpet. Som någon jävla rappare. Samma sorts gamla femtiopundsedlar som den där gamla fyllskallen Kristiansson strödde omkring sig. Frid över hans minne förresten. Men den här städaren behöver vi inte oroa oss för. Och att han skulle drabbas av någon hjärnblödning är uteslutet. Av anatomiska skäl.

– Vårt kärlekspar då? frågade Lewenhaupt.

– Helt rökta, sa Martinez. Han var hemma hos henne i går kväll. När de inte lekte djuret med två ryggar pratade de en massa skit om mig och Lisa.

– Om mej, sa Lisa Lamm med spelad förvåning.

– Nej, sa Martinez. Hon snackar faktiskt aldrig om dig. Han snackar skit om vår Lisa.

– Vad har jag gjort för ont?

– Du är tokig. Förföljelsemani. Har förstört livet för en hel familj. Helt oskyldiga människor.

– Vad säger han då?

– Ja, han håller med. Men det är lugnt. I morgon ska han visst träffa justitieministern och sedan ska du få sparken.

– Men du menar att vi har så pass att vi skulle kunna gripa dem? frågade Lisa Lamm.

– Skämtar du? Jag kan åka och hämta dem nu om du vill.

– Hur gör vi då? frågade Lisa Lamm.

– Jag tycker att vi ska vänta, sa Martinez. Palmgren lär väl inte smita ifrån oss. Dessutom finns det en hygglig chans att Abbdo hör av sig till henne. Jag får för mig att det börjar dra ihop sig. Jag får till och med för mig att Palmgren ska ut och röra på sig.

– Är det något hon har sagt, eller? frågade Lewenhaupt.

– Nej, men i går hyrde hon en bil. Står parkerad där hon bor.

– Intressant, sa Lisa Lamm. Vad säger du, Lisa? Står du ut med att hon förtalar dig ett tag till?

– Jag är van, sa Lisa Mattei. Ända sedan jag var liten har folk alltid stått och viskat bakom min rygg och sagt att jag är paranoid.

– Ja, men då så, sa Lisa Lamm. Då väntar vi ett tag till.

En timme före lunch ringde Lisa Mattei till Helena Palmgren för att ställa in. Det får väl ändå finnas gränser, tänkte hon.

– Jag är ledsen, Helena, sa Lisa Mattei, men jag måste faktiskt inhibera vår lunch. Jag är tvungen att träffa vår åklagare och hennes chef. De har ju en häktningsförhandling i morgon och de är oroliga över det här med bevisningen.

– Det var faktiskt det jag ville prata med dig om, sa Helena Palmgren. Jag är faktiskt själv lite oroad över samma sak.

– Jag lyssnar gärna, sa Mattei. Jag behöver verkligen alla goda råd jag kan få. Surprise, surprise, tänkte Mattei.

– Ja, sa Helena Palmgren och suckade. Du ska veta att jag har vridit och vänt på den här historien. Det kan inte hjälpas, men jag får faktiskt för mig att de är helt oskyldiga. Tyvärr.

– Själv vet jag knappt vad jag ska tro, sa Mattei.

– Lycka till Lisa, när du träffar dem, alltså. Jag tänker på dig ska du veta.

– Tack, sa Lisa Mattei.

Lisa Mattei ägnade återstoden av dagen åt att sammanställa det underlag som hon måste ha med sig när hon skulle träffa landets justitieminister. Det var ett möte som hon gärna skulle ha avstått ifrån, men hennes chef hade inte gett henne något val. Därför ringde hon upp honom på det nummer som hon hittills aldrig hade behövt använda sig av under de två år som hon haft tjänsten som operativ chef vid Säkerhetspolisen.

– Lisa Mattei, sa Lisa Mattei. Jag hoppas att allt är bra med dig?

– Ja, det är alldeles utmärkt, sa justitieministern. Jag hoppas att du också mår bra. När jag läste min morgontidning förstod jag att ni hade en del att stå i därute på Ingentingsgatan.

– Ja, det som står i tidningen är jag inte det minsta orolig för. Däremot måste jag träffa dig för att redovisa vad som är orsaken till att rapporteringen i media ser ut som den gör.

– Du är inte den första som har gett mig det erbjudandet, sa justitieministern. Faktum är att din chef ringde mig och hade samma önskemål som du. Han däremot var väldigt orolig.

– Det vet jag redan, sa Mattei. Jag vet att han ska träffa dig klockan tolv i morgon på Harpsund och att han vill göra det utan att jag är närvarande. Att jag vet det beror inte på att han har berättat det för mig utan att jag vet det ändå. Jag ska inte hindra honom från att träffa dig, men problemet är att jag måste träffa dig innan du träffar honom. Räcker med en halvtimme innan.

– Det låter illavarslande. Eftersom jag hellre träffar dig än honom är det väl inte svårare än att jag ställer in mötet med honom.

– Det går tyvärr inte heller, sa Mattei. Har du någon säker linje i närheten?

– Ja, faktiskt. Jag är på vår ambassad i Bryssel. Vi har ett sådant där EU-möte.

– Då skickar jag ett underlag till dig. Det är enbart för din kännedom. Du kan öppna filen med din personliga kod.

– Jag kan knappt bärga mig, sa ministern. Jag ringer tillbaka så fort jag har läst.

– Det är mest bilder, faktiskt, sa Lisa Mattei.

Tjugo minuter senare ringde han tillbaka.

– Nu har jag läst, ja. Och tittat på bilder också. Säg att det inte är sant.

– Tyvärr, sa Mattei.

– Då får vi ses nere på Harpsund. Jag åker direkt dit, nämligen. Vi har en liten informell tillställning därnere. En sådan där "trivas tillsammans inför sommaren", du vet. Chefens idé. Vi ska äta sill och dricka nubbe och bada bastu och om man vill kan man gå på tipspromenad. Hela programmet. Det är därför jag måste be dig om en sak.

– Vad är det då?

– Att du inte griper honom mitt i festen.

– Jag lovar, sa Mattei. Jag har en speciell knapp för sådant. När jag trycker på den försvinner de bara. Ingen märker något över huvud taget. Allra minst den som det handlar om.

– Med tanke på vad den här mannen har hittat på får du gärna trycka två gånger. Vi ses i morgon klockan halv tolv nere i det fagra Sörmland.

IX

Onsdagen den 10 juni

Den stora smällen

115

Mattei och hennes chaufför hade lämnat garaget på Ingentings-
gatan strax efter klockan tio på onsdagen och när hon passerade
Malmköping drygt en timme senare hade Frank Motoele just
klivit in i deras holk på Inedalsgatan på Kungsholmen.

– Hon ringde till jobbet i morse, sa Kajsa Nilsson. Hon var visst
lite krasslig. Om hon blev bättre skulle hon komma in efter lunch.

– Just nu är hon inne i badrummet och pudrar näsan, sa Lina
Jonsson. Hon verkar precis som vanligt om du frågar mig.

Det är nu det ska hända något, tänkte Motoele. Det hade han
känt så fort han hade satt ner foten för att kliva ur sängen för ett
par timmar sedan.

– Hoppsan, sa Lina. Jag tar tillbaka det där med att pudra
näsan. Hon har klätt på sig. Vita gympadojor på fötterna. Nu
går hon ut i hallen och drar på sig en svart munkjacka.

– Okej, sa Motoele och knäppte på mikrofonen som han bar
runt handleden. Motoele till samtliga. Objektet lämnar just sin
lägenhet. Vi kör enligt plan. Och ni båda sitter kvar här, sa han
och nickade mot Kajsa och Lina.

– Yes boss, sa Kajsa och nickade.

– Thank you very much, boss, instämde Lina.

Frank Motoele var ensam i sin svarta BMW och eftersom han
redan räknat ut vart Helena Palmgren tänkte ta vägen hade han
kört dit i förväg och parkerat på diskret avstånd.

– Sandra till Frank, sa Sandra Kovac. Jag tror du har rätt. Just nu svängde kärringen höger på Odengatan. Åker Valhallavägen i östlig riktning.

– Bra, sa Frank. Har vi säkrat hennes mål?

– Det gjorde vi så fort hon satte sig i bilen. Det var för drygt tjugo minuter sedan.

– Bra, sa Frank. Jag går in och väntar. Ni andra gör som jag sagt. Bekräfta så fort du vet.

En minut senare hörde Kovac av sig igen.

– Hon har just parkerat bilen. Nu kliver hon ut. Svart munkjacka. Blåa jeans, gympadojor. Hon har drygt hundra meter att gå. Nu drar hon på sig huvan till jackan så gissningsvis kan du morsa på henne om drygt en minut.

– Bra, sa Frank. Säkra hennes bil. Inta era positioner. Avvakta vidare order från mig. Klart, slut.

– Klart, slut, bekräftade Sandra Kovac.

Mattei hade anlänt till Harpsund på utsatt tid och fem minuter senare satt hon i det så kallade Säkra rummet som en tidigare statsminister hade låtit bygga i källarplanet till huvudbyggnaden. Det var det bästa stället i huset även för den som bara ville prata vanliga hemligheter utan att ha anledning att oroa sig för sin rent fysiska säkerhet. Fyra personer fanns i rummet. Lisa Mattei, statsministern, justitieministern och inrikesministern.

Efter de vanliga hälsningarna, Lisa Mattei hade träffat samtliga vid flera tidigare tillfällen, slog de sig ner vid ena änden av det långa sammanträdesbordet.

– Okej, sa justitieministern. Som jag sa till dig när vi talades vid på telefon i morse har jag alltså informerat min chef och min kollega från inrikes om den information som du skickade över till mig i går kväll. Jag har bara gjort det i korta drag, så om du vill ta det lite mer utförligt kan vi ta eventuella frågor så fort du är klar.

– Hur lång tid har jag på mig? frågade Mattei och log vänligt.

– Den vanliga kvarten, sa justitieministern och log även han.

Det är mycket ska du veta, Lisa, om man sitter i det här rummet.

– Jag känner mig hedrad, sa Mattei.

Sedan berättade hon hela historien för dem. Redovisade allt det väsentliga i rent handlingsmässig mening, klargjorde det juridiska läget och berättade om den kvinnliga huvudpersonens bakgrund. Gjorde allt det som hanns med på femton minuter utan att missa något av det som de behövde känna till.

– Ja det var väl det hela, sa Lisa Mattei. Om någon har några frågor ska jag gärna svara på dem.

– Ja, det är ju en jävla historia, suckade statsministern. Jag undrar över den där kvinnan Palmgren. Finns det anledning att tro att hon har hittat på liknande saker tidigare?

– Inte hos oss, sa Mattei. Det är bara några månader sedan hon började hos oss, men vi har tittat på hennes tidigare ärenden och där hittar vi i varje fall inget som får oss att höja på ögonbrynen. Vad hon har haft för sig innan hon började på Säpo får väl utredningen visa. De senaste fem åren innan hon kom till oss jobbade hon ju på Must.

– Ja, det måste väl ha varit ett bra ställe för en sådan som hon, fnös statsministern. Är hon något slags kvinnlig Mata Hari, eller?

– Nja, snarare en kvinnlig Cicero, sa Mattei.

– Cicero, sa statsministern.

– Cicero, upprepade inrikesministern.

– Ska du eller jag, Lisa, sa justitieministern.

– Ta det du, sa Lisa Mattei.

– Cicero var spion åt Nazityskland under andra världskriget. Han var alban, hette Ilias Bazda, och jobbade som betjänt åt den engelske ambassadören i Ankara. Ambassadören var en man som inte var så noga med sina hemliga papper men saknade ett kriminellt uppsåt, sa justitieministern som var en historiskt bildad man och väl känd för denna egenskap även utanför det parti som han tillhörde.

– En annan sak som jag undrar över är om ni har någon som

helst aning om var den där lilla olyckan Khalid kan befinna sig någonstans? frågade statsministern.

– Nej, sa Mattei. Vi letar efter honom. Anledningen till att Palmgren fortfarande är på fri fot är att vi hoppas att de ska ta kontakt med varandra så att vi kan hitta honom den vägen. Och anledningen till att min chef är det beror inte på honom utan på att vi inte vill varsko henne, sa Mattei.

– Ursäkta mig, sa statsministern och tog upp sin mobil ur fickan. Det är min sekreterare. Det var jag som bad henne ringa, teaterviskade han.

– Ja, jag lyssnar, sa statsministern samtidigt som han satte på högtalarfunktionen och blinkade åt de andra som satt i rummet.

– Ja, jag skulle bara säga att chefen för Säpo är här nu, sa sekreteraren. Ska jag följa med honom ner, eller?

– Nej, sa statsministern. Vi är inte riktigt klara än. Ge honom ett glas och säg åt honom att mingla lite med de andra så ringer jag så fort vi är färdiga.

– Då gör vi så, bekräftade hans sekreterare.

– När man talar om trollen, suckade statsministern. Om det är någon som jag inte tänker träffa är det honom. Hur ordnar vi det?

– Lisa här har lovat att ta hand om den saken, sa justitieministern. Hon har en sådan där praktisk manick kopplad till mobilen. Om man pekar på någon och trycker på en viss knapp försvinner den personen bara. Jag har bett henne trycka en extra gång för vår skull.

– Skönt att höra, sa statsministern. Då har jag bara en fråga till. Har ni någon aning om vad Khalid kan tänkas hitta på nu när det inte blev något av med den där historien uppe på Skansen som ni tydligen lyckades förhindra?

– Nej, sa Mattei och just som hon hade sagt det visste inte bara hon utan alla som satt i rummet vad Abbdo Khalid hade hittat på istället.

116

Abbdo Khalid beredde sig tillträde till Harpsund på samma sätt som major Björklund skulle ha gjort. Han körde rakt igenom alltihop.

Så fort vakten som stod utanför vaktkuren såg den gula frontlastaren klev han ut i vägbanan och höjde handen som ett tecken till att stanna. Det han såg oroade honom inte eftersom fordon av det här slaget var en del av vardagen ute på landet, inte minst på en större gård som Harpsund.

Istället för att följa hans uppmaning sänkte traktorföraren skopan och gav full gas. Körde rakt igenom alltihop, först betongsuggorna som vräktes åt sidan, sedan vägbommen som bröts tvärt av, vakten som satt i vaktkuren trillade av stolen när skopan träffade hörnet till cementgrunden och hela kuren hamnade på sniskan, hans kollega som gjort stopptecken hade redan kastat sig i diket och de två soldaterna från militärens insatsstyrka följde hans exempel.

Den av de två soldaterna som hade hand om pansarvärnsroboten Bill kravlade sig snabbt upp, gick ner på knä, siktade och fyrade av trots att den gula frontlastaren redan var i höjd med gårdsplanen framför huvudbyggnaden. I samma ögonblick som han avlossade sin robot girade frontlastaren nittio grader eftersom Abbdo hade sett alla människor som stod utanför huset. Några tittade förvånat på honom men de flesta verkade inte ens lägga märke till honom. Abbdo riktade in skopan mot det ställe där de flesta verkade stå och sekunden därefter detonerade han den sprängladdning på drygt två hundra kilo dynamit som låg i skopan. Vad som hände sedan hade han ingen aning om eftersom han redan var på plats i Paradiset.

Med den svensktillverkade pansarvärnsroboten Bill var det så praktiskt att den nitton gånger av tjugo träffade sitt mål. Den här gången gjorde den inte det och som alla gånger förut då detta hade inträffat var det skyttens och inte Bills fel. När frontlastaren girade hade skytten helt enkelt inte hunnit med. Bill passerade över målet och fortsatte ända ner till bryggan vid sjön där han träffade den berömda Harpsundsekan och förvandlade den till sönderbrända träflisor inom loppet av en hundradels sekund.

117

Först en avlägsen knall som knappt hördes. Sedan rörde sig rummet där de satt, som om en jätte hade tagit det i handen och vickat på det, en skakning men inte mer. Men tillräckligt för att det vita takgipset skulle spricka och några flagor stora som snöflingor singla ner mot bordet där de satt. Så den dova smällen som slog lock för hennes öron.

– Ner, ner, ner under bordet, skrek Lisa Mattei och pekade med hela vänsterhanden samtidigt som hon drog sitt tjänstevapen och snabbt smög längs väggen innan hon stannade i hörnet vid sidan av dörren. Sedan tog hon fram sin mobil och så fort hon såg att hon hade kontakt utlöste hon det skarpaste larmet som någon svensk polis någonsin hade gjort i den svenska polishistorien.

– Ligg kvar bara, sa Mattei till statsministern och hans två kolleger. Ligg kvar bara tills jag säger att det är lugnt, upprepade hon.

Äntligen några som gör som jag säger, tänkte hon.

Sedan väntade hon ytterligare ett par minuter innan hon försiktigt sköt upp dörren. Det första hon såg när hon tittade ut var den blå himlen och solen utanför. Halva huset måste vara bortsprängt, tänkte Mattei och det var först då som hon kom att tänka på Ella, på Helena Palmgren och den taktik som hennes motståndare hade satt i system för att skada sådana som hon.

Ella, tänkte Mattei, och tryckte ner det förprogrammerade

numret som Frank Motoele hade gett henne när han skjutsat henne ut till landet och erbjudit henne en krigare vid sin sida.

Fragmentariska minnesbilder, rummet framför henne som började svaja. Inte för att golvet rörde sig utan för att hon knappt kunde hålla sig på benen.

– Ella, skrek Mattei i sin mobil.

– Det är lugnt, chefen, sa Motoele. Just nu är hon på Gärdet och sparkar fotboll med några av mina kolleger.

– Palmgren, sa Mattei. Har ni gripit henne? Stadigare nu, tänkte hon medan hon lutade sig mot väggen där hon stod.

– Hon är död, sa Motoele.

– Död, sa Mattei. Hur gick det till?

– Det är lugnt, sa Motoele. Jag har just skjutit henne.

118

När Helena Palmgren klev in genom dörren till Ellas dagis på Valhallavägen stod Frank Motoele redan och väntade på henne. Ella och hennes kamrater och deras fröknar hade hans kolleger redan fört i säkerhet så fort Helena Palmgren hade lämnat sin lägenhet på Kungsholmen. Sedan hade Motoele sagt åt sina andra kolleger att hålla sig på behörigt avstånd och släppa in Helena Palmgren på daghemmet. Det som återstod att göra avsåg han att göra själv.

Helena Palmgren hade huvan uppdragen över huvudet. Så fort hon kommit in genom dörren stannade hon och tog upp en pistol ur fickan. Hennes egen, tänkte Frank Motoele. Samma märke och modell som den Sig Sauer som han själv höll i handen.

– Är det något jag kan hjälpa dig med, Helena, sa Frank Motoele.

Precis som alla andra som var som hon, alla andra som inte var som han, så hade hon alldeles för bråttom. Snurrade runt och sköt mot rösten som just hade tilltalat henne, missade huvudet på Motoele med minst en halvmeter.

Frank gjorde som han brukade göra. Först satte han ett skott i högra axeln på henne och att hon själv skulle ha hunnit med att skjuta ännu ett innan hon tappade sitt vapen ägnade han inte ens en tanke. Inte nu när han hade all tid i världen. Han siktade noga och sköt ännu ett skott genom hennes vänstra axel. Säkert en sekund innan hon hunnit stoppa handen i sin vänstra ficka.

Helena Palmgren sjönk ner på knä med benen brett isär, hängande armar, hennes överkropp hade redan börjat svaja och det var hög tid att avsluta det hela, tänkte Frank Motoele.

– Jag har en överraskning åt dig, Helena, sa Motoele.

Helena Palmgren verkade inte som hon lyssnade på honom. Hon tittade på honom med tomma ögon, men hon hade inte sagt något.

Under tiden mätte Frank Motoele först ut avståndet mellan hennes ögon, sedan avståndet mellan hennes hårfäste och näsroten. Ritade det vanliga krysset i sitt eget huvud och sköt henne mitt i pannan.

Helena Palmgren trillade framstupa på golvet, med hängande armar och ryckande ben, medan blodet forsade ur huvudet på henne.

– Välkommen till paradiset, Helena, sa Frank Motoele och säkrade sitt vapen innan han stack ner det i hölstret som han bar vid sin högra höft.

X
Sommaren efter jakten på
Bombmakaren och hans kvinna

119

Sommaren efter jakten på Bombmakaren och hans kvinna hade många fått ägna sig åt att städa upp efter det som hade hänt. Det var ju så med sorgen. Den satte sig i huvudet. Tog över medvetandet och vardagen och fick hjärtat att värka. Men den lämnade allt det praktiska kvar. Förväntade sig att man skulle göra allt det där som man inte ens orkade tänka på.

De som hade klarat av det bäst den här gången var märkligt nog de som hade haft anledning att sörja mest. De politiker som hade drabbats både som individer och som ställföreträdare för alla andras sorg. Det var de som hade hämtat sig snabbast, låt vara att de hade varit tvungna att lämna en och annan dammråtta kvar i alla skrymslen, vrån och hörn.

Redan dagen efter den "Stora smällen på Harpsund", det var ju så den alltför snart kom att kallas i sociala medier trots att man kanske kunde ha hoppats på en mer inkännande beskrivning med tanke på dem som stod sorgen närmast, hade riksdagens talman kontaktat statsministern. Han hade föreslagit att man kanske borde överväga att skapa en samlingsregering. En politisk modell som man hade använt sig av för snart åttio år sedan då det stora världskriget rasat runt landets gränser. En annan situation förvisso – och i en objektiv mening långt allvarligare än den som de nu hade hamnat i – men som ett besked till världen utanför Sveriges gränser hade det ju ändå fungerat. Även kriget hade bytt skepnad och kanske var det så att det numera var den här typen av krig som de borde stå enade inför.

Statsministern hade tackat talmannen för det råd han hade fått, men han och hans partikamrater i regeringen hade ändå kommit överens om att välja en annan lösning. Därför avsåg de att avsluta koalitionen med Miljöpartiet och istället söka sig en annan partner. Politikens innehåll fick man tills vidare skjuta åt sidan. Vad det nu handlade om var att se till att få Sverige att fungera i den enklaste praktiska meningen. Först när man var klar med det var det dags att återgå till ideologin.

Att sitta i en koalitionsregering var ingen lätt uppgift. Än mindre när det fanns partier utanför en sådan koalition som i viktiga politiska frågor stod hans eget parti närmare än det parti som man valt att regera tillsammans med. Att dessutom behöva göra det i minoritet var något som han och hans parti inte avsåg att göra igen.

Resten var en fråga om enkel politisk matematik, enligt statsministern. Tillsammans med moderaterna representerade hans parti femtiotvå procent av väljarna och i det läge som nu rådde var därmed deras koalitionspartner given. Förhandlingarna hade redan inletts, alla var medvetna om allvaret bakom dem, de fördes i en positiv anda och själv var han övertygad om att just det här problemet snart skulle vara löst.

Så blev det också. Redan veckan därpå hade Sverige fått en ny regering. Dessutom en majoritetsregering med en statsminister som hade överlevt den tragedi som tyvärr hade drabbat alldeles för många i hans närhet. Att se till att det inte hände igen var därför den fråga som nu stod högst upp på dagordningen.

Statsministern hade personligen beställt en ny eka till Harpsund från en lokal båtbyggare. Den levererades redan i början av augusti och när statsministern satte sig vid årorna för att vittja de första kräftburarna kände han för varje årtag att Sverige var på väg att resa sig igen.

När sådant som inte fick hända ändå inträffade var samhällets rättsapparat den givna städgumman. Mest hade man städat på Säkerhetspolisen och den första som man försökte sopa upp var den motståndare som i en enkel juridisk mening var skuld till det som hade hänt.

Den gamla regeln om hur lätt det var att hitta saker när man väl visste var man skulle leta hade än en gång besannats. Bombmakaren Abbdo Khalid var död. Han hade valt att offra sitt liv i kraft av sin övertygelse och i hopp om att samtidigt kunna utplåna Sveriges regering från jordens yta. Död var också den kvinna som hade hjälpt honom mest. En av många kvinnor som hade hjälpt honom, men ingen som hade varit hans kvinna i den betydelse som hans motståndare brukade tala om en bombmakare och hans kvinna. Återstod de som ännu levde.

Under hösten hade Lisa Lamm och hennes medhjälpare åtalat sammanlagt femton personer för inblandning i attentatet på Harpsund. Samtliga hade senare blivit dömda till straff som varierade från ett år till livstids fängelse. Abbdo Khalids far, Mohammed Khalid Hussein, och hans gamle vän Abdul Karim hade båda dömts till livstid. Tre av hans söner, en av hans döttrar och hans tredje hustru hade dömts till straff på mellan ett och tio års fängelse och hans brorson till två år och sex månader.

De sju övriga åtalade som hade dömts till fängelsestraff på mellan ett och tio år tillhörde inte familjen Khalid.

Säkerhetspolisen hade också drabbats hårt. Den högste chefen för Säpo och en livvakt hade dödats i samband med attentatet.

Historien om den mullvad som arbetat där hade blivit offentlig med två undantag. För det första det som handlade om hennes samröre med den mördade generaldirektören. Den berättelsen hade inte bara förbigåtts med tystnad utan för säkerhets skull även hemligstämplats av regeringen under de kommande sjuttiofem åren.

För det andra det uttalande som Helena Palmgren hade lagt upp på sin egen dator och som skulle ha skickats iväg automatiskt klockan ett samma dag som attentatet. Där framträdde Helena Palmgren iförd den traditionella huvudduken i egenskap av representant för al-Shabaab i Sverige.

Hon berättade om de två aktioner som skulle ha genomförts tidigare under dagen. Endast den del där hon tog på sig skulden för attentatet vid Harpsund hade blivit offentlig. Resten hade hemligstämplats av hänsyn till rikets säkerhet under sjuttiofem år och vad själva uttalandet beträffade hade det aldrig nått fram till några andra än FRA:s dataexperter i huset på Ingentingsgatan.

Kvar fanns de som hade arbetat i spaningsstyrkan och det som fanns i deras huvuden. De minnen och erfarenheter som de skulle leva med under återstoden av sina liv.

En förkrossad Jan Wiklander som omedelbart hade sjukskrivit sig medan den interna utredningen pågick och som lade in en skriftlig begäran om avsked från polisen så fort utredningen var klar.

Lisa Mattei hade inte sjukskrivit sig. Däremot hade hon bett om andra arbetsuppgifter utanför Säpo under den tid som den interna granskningen pågick. Sedan avsåg hon att sluta vid Säkerhetspolisen och vad hon skulle göra istället hade hon inte ens funderat över.

Regeringen hade motsatt sig hennes begäran och istället föreslagit att hon skulle sitta kvar som tillförordnad generaldirektör till dess att internutredarna var klara med sitt. Efter det tredje övertalningsförsöket hade hon till sist gett med sig. Hon var villig att stanna tills vidare, förutsatt att hon som generaldirektör fick full insyn i det operativa arbetet. Justitieministern hade inte haft några invändningar mot hennes begäran. Den detaljen skulle han personligen klara av omgående. Och vad beträffade utfallet för hennes del av den pågående internutredningen var han inte det minsta orolig.

Så fort den var klar avsåg han att återkomma med ett mer långsiktigt erbjudande. Han, liksom många av hans kolleger i regeringen, tyckte att det var hög tid att Säkerhetspolisen fick sin första kvinnliga chef och vem kunde då vara mer lämpad för uppdraget än en kvinna som verkligen visste vad det handlade om? Mer än så behövde han kanske inte säga.

Inom media hade man städat upp på det sätt som man alltid brukade göra. Först summerat de skador räknat i antalet människor som det handlade om. Totalt tjugo döda, ett motsvarande antal mer eller mindre svårt skadade och i relativ mening inte särskilt mycket om man såg till tidigare terroristaktioner.

Som politiskt attentat riktat mot en demokrati var det dock betydligt värre. Onsdagen den 10 juni hade blivit ett svenskt 11 september. Åtta av de tjugo som dödats var medlemmar av regeringen och Miljöpartiet hade drabbats mycket hårt. Fem av sex av deras ledamöter i regeringen tillhörde dödsoffren och den enda som hade klarat sig var kulturministern som hade befunnit sig i Eksjö för att inviga en konferens som handlade om småländsk hemslöjd, vilket var hennes stora intresse i livet. Socialdemokraterna hade klarat sig betydligt bättre. Tre döda statsråd av sammanlagt arton – varav hälften hade befunnit sig på plats – men ingen av dem tillhörde de tyngre profilerna inom regeringen.

Dessutom ytterligare tolv dödsoffer. Åtta av dem hade arbetat vid regeringskansliet och de fyra som återstod var generaldirektören för Säkerhetspolisen, en livvakt på Säpo och två ur personalen på Harpsund.

Kvar att berätta fanns allt annat som hade hänt. Från "Hemslöjden som räddade hennes liv" till "Hur Abbdo Khalid försvann på herrtoaletten på Skavsta flygplats". Säkert också åtskilligt som många hade valt att tiga om.

120

På tisdagen veckan efter midsommar ringde Alexander till Lisa Mattei och berättade att han skulle komma till Stockholm dagen därpå och undrade om han kunde få bjuda henne på middag på engelska ambassaden. De hade ju ändå en del som de förr eller senare var tvungna att prata om.

Lisa Mattei tackade ja. Inte för att hon var ensam i staden sedan Johan och Ella hade åkt till Tyskland för att träffa hennes pappa och deras andra tyska släktingar, utan för att det faktiskt fanns saker som de måste prata om.

Först pratade de om Louise Urqhart, den kvinna som Bombmakaren säkert trodde var hans kvinna, och det var Alexander som inledde deras samtal så fort de hade slagit sig ner och blivit serverade varsitt glas champagne.

Att Lisa Mattei aldrig hade träffat Louise Urqhart, inte ens varit medveten om hennes existens, hade han förstått redan när han visat den första bilden på henne för Mattei. Med oskulden var det ju så praktiskt att den hade ett eget ansikte och det kände han igen.

Med Louise Urqhart var det på ett annat sätt och att Lisa Mattei hade sett det som undgått honom hedrade henne i lika hög grad som hans eget misstag plågade honom.

Alla hans rent professionella komplimanger till Mattei lämnade därhän. Det som hänt vid Old Trafford hade han inte haft en aning om innan det hade hänt. Hade han vetat om det hade han naturligtvis satt stopp för det. Det fanns gränser även för en sådan som han, trots det liv som han hade valt att leva.

– Jag frågade henne naturligtvis, sa Alexander. Hon förnekade det kategoriskt. Ganska snart insåg jag att hon hade lurat mig. Då var det för sent och dessutom hade hon ett annat uppdrag att ta hand om. Vilket hon ju också gjorde, som du säkert redan har räknat ut.

– Hon gjorde det för att öka sin trovärdighet hos Abbdo Khalid, sa Mattei.

– Ja, och det var därför som han satte henne i det där huset i Buulobarde. Det säkraste ställe han kunde tänka sig medan han gjorde sitt och innan de kunde återförenas. Samma hus där ledningen för al-Shabaab och deras familjer höll till. Goda vänner och släktingar till hans pappa Mohammed, den lokale klanhövdingen. Den där natten då vi slog till visste vi att ledningen för al-Shabaab skulle träffa sina allierade från Boko Haram, IS och al-Qaida. Det var Urqhart som gav oss den informationen. Hon gav oss klartecken samma kväll som vi anföll.

– Hur gick det för henne? Lever hon?

– Nej, sa Alexander. Hon dödades vid attacken. Vi hade kommit överens om att ge henne minst två timmar innan vi angrep Buulobarde men det måste ha hänt något som gjorde att hon inte satte sig i säkerhet. Knappast något som kan ha väckt hennes värdfolks misstankar eftersom även de fanns kvar i huset. Men mer vet vi inte. Att hon är död vet vi däremot säkert.

Mattei nöjde sig med att nicka. Du kanske råkade ge henne fel tid, tänkte hon. Som tack för det där som hände utanför Drömmarnas teater.

– Både Storbritanniens och USA:s regeringar kommer att ge henne en mycket hög utmärkelse. Hemlig givetvis, sa Alexander och log sitt vanliga leende.

– Saknar du henne? frågade Mattei.

– Faktiskt inte, sa Alexander. Urqhart hade lite för många

uppdragsgivare för min enkla smak. Det blir så svårt att sköta sitt jobb när man inte kan lita på sina medarbetare.

– Ja, instämde Mattei. Det är jag den första att hålla med om.

– Men du hittade henne ju. Den andra mullvaden i den svenska säkerhetspolisens långa historia.

– Fast tyvärr allt för sent, sa Mattei.

– Sådant som händer oss alla, hela tiden, sa Alexander och höjde sitt glas.

– Vad tror du om att äta, förresten, fortsatte han och nickade mot deras diskrete servitör som just hade dykt upp i dörren till matsalen i rummet bredvid.

Sedan åt de middag. En alldeles utmärkt middag. En begåvad och bildad värd och ett samtal som handlade om allt mellan himmel och jord utom det som de själva arbetade med.

Sista dagen på jobbet före semestern och när Lisa Mattei passerade genom entrén på väg till garaget och den väntande bilen som skulle köra henne hem, gensköt vakten henne. Hon hade just fått ett brev som skulle överlämnas till henne personligen.

Den som hade lämnat in det var den biträdande militärattachén vid brittiska ambassaden i Stockholm som också var deras kontaktperson med den svenska säkerhetspolisen. Så långt inga problem, men med tanke på de förhållanden som nu tycktes råda ute i världen hade man ändå låtit försändelsen passera genom sprängämneskontrollen. Inga problem där heller, dock, vilket väl enligt vaktens enkla mening tydde på att åtminstone förhållandet mellan Sverige och Storbritannien fortfarande var gott.

Mattei satte sig i baksätet på bilen och först när de kört ut ur huset och svängt ner på leden in mot city öppnade hon det tjocka kuvertet. Det fanns inget skrivet meddelande bifogat, ingen text över huvud taget. Det enda som fanns där var en slips som möjligen var ett meddelande som lämnade öppet för olika tolkningar.

En vanlig present? En påminnelse? En kallelse? En utsträckt hand? Sannolikt något annat, tänkte Lisa Mattei. Ett erbjudande om tillhörighet i en gemenskap som levde under så speciella villkor att den stod öppen endast för ett litet fåtal samtidigt som den uteslöt alla andra människor på jorden.

Det var också i det ögonblicket som Mattei fattade sitt beslut. Att hon aldrig mer i hela sitt liv tänkte sätta foten i det stora huset på Ingentingsgatan.

En slips i silke, konstfullt broderad med en latinsk devis som hon numera vet vad den betyder. En säkert mycket dyr slips, särskilt den här som också bär ett budskap.

Några skära elefanter som vandrar bort över en blå savann.